D1256521

COLLECTION FOLIO

« Il y aura une fois »

Une anthologie du Surréalisme

établie et présentée
par Jacqueline Chénieux-Gendron

Préface de Werner Spies

Nouvelle édition revue et corrigée

Gallimard

Jacqueline Chénieux-Gendron, directeur de recherche au CNRS, a été Visiting Professor à l'Université de Princeton. Elle a fondé et dirige la revue *Pleine Marge, Cahiers de littérature, d'arts plastiques et de critique*, qui s'attache aux confins du Surréalisme et des modernités. Ses ouvrages de référence sont *Le Surréalisme et le roman*, L'Âge d'Homme, Lausanne, 1983, et *Le Surréalisme*, PUF, maintenant traduit en cinq langues.

PRÉFACE

Nous avions le désir d'accompagner La Révolution surréaliste, *l'exposition que nous présentons au Centre national d'art et de culture Georges-Pompidou, d'une anthologie d'écrits surréalistes. Car il paraissait tout de même indispensable de proposer à la lecture certains des textes qui, au titre de bien collectif, se cachent derrière l'iconographie de tous ces tableaux, dessins, collages, objets, photographies et films énigmatiques. S'il existe une formule qui puisse rapprocher entre elles les œuvres de ces artistes et écrivains, c'est bien celle de « beauté convulsive ». Aucun autre concept ne saurait décrire aussi succinctement les ruptures de causalité, la rébellion contre le pragmatisme et l'attitude d'attente passive de l'avant-garde. Pour tous ceux qui prirent part au mouvement, il s'agissait d'abolir origine et goûts personnels, de mettre leur historicité singulière hors circuit : car le projet de vie surréaliste tire sa vigueur du commerce avec l'irréductible étrangeté, avec les excès de l'imagination, il cherche à faire advenir une liturgie qui s'appuie sur la mise en jeu du disparate.*

En rompant avec les ratiocinations normatives et dogmatiques, les surréalistes comptent indéniablement parmi les esprits les plus indispensables de leur temps.

La manière dont ils surent s'entourer de tableaux méconnus et d'art extra-européen, leur propension à mettre en scène et décrire des objets magiques sur les murs de leurs ateliers et entre les pages de leurs revues, leur ardeur à résister aux contraintes sociales et politiques nous semblent attester aujourd'hui encore une indéfectible jeunesse. Ce qui anime le discours qui en résulte, c'est l'axiome d'une traduction impossible : textes et images restent séparés. La séparation est l'une des techniques utilisées par les surréalistes pour produire une tension à partir d'idées figuratives divergentes. Aucun livre n'exprime plus fortement que Nadja *cette séparation nécessaire, où texte et image conservent leur potentiel propre, comme si chacun se trouvait séparément relié à la terre. L'écrivain truffe son texte de reproductions de tableaux et de photographies. Les documents visuels incorporés ne sont pas décrits, pas plus qu'ils n'illustrent un passage du texte. Seul un dispositif de ce genre était susceptible de rendre enfin perceptible l'altérité des images réelles. Le mouvement surréaliste pourrait se définir par la relation inévitable qui se laisse identifier entre ces textes en prose, ces poèmes, ces traités, ces manifestes et les images. Dans une lettre adressée à Theodor W. Adorno en 1935, Walter Benjamin décrit comme une expérience d'éveil ce qu'il a vécu à la lecture de tels ouvrages : « Il y a au commencement Aragon,* Le paysan de Paris, *dont le soir au lit, je ne pouvais jamais lire plus de deux ou trois pages, mon cœur battant si fort qu'il me fallait poser le livre. » Ce n'est pas l'action, telle qu'on peut la raconter et la déduire logiquement, qui est au centre de la question, mais le caractère inchoatif du récit. Dans cette atmosphère, la magie peut naître, l'exil intérieur, qui sont liés à l'épiphanie des objets. L'expérience que rapporte le lecteur philosophe transcrit ce que nous sommes également en droit d'attendre d'une peinture surréaliste.*

Au commencement, on échappe de justesse à la catastrophe esthétique : ut pictura poesis, ut poesis pictura *— une querelle de primauté éclate dans les rangs surréalistes au début des années vingt. Car on commence par dénier toute légitimité à la peinture. Morise part de l'exigence qu'une « plastique surréaliste » doit d'abord accomplir à l'endroit de la peinture et de la photographie ce que l'écriture surréaliste peut déjà prétendre réaliser face à la littérature. Il se demande où trouver, pour une « plastique » surréaliste, la pierre de touche qui sache lui garantir une authenticité. Il invoque la mise en jeu de la vitesse, qui est susceptible de conduire à un déferlement d'images. Le but du surréalisme, Morise ne saurait le voir ailleurs que dans ce déroulement rapide qui mène infailliblement à une contestation renouvelée des images les unes par les autres. Pareille tâche vise à la déréalisation d'un monde qu'on croyait pouvoir appréhender avec certitude. Le moyen essentiel qui s'offre à cette fin, c'est le flot de la conscience, sans entraves ni censure, qui produit la superposition et la liquéfaction des images. Mais à l'opposé de la formulation spontanée de « l'écriture automatique », la peinture se présente comme un procédé qui demeure déterminé, dans sa réalisation, par une raison technique. Le spontané est ralenti par les recettes d'atelier. Aussi la « mémoire », qui provoque inévitablement une censure du représenté, se trouve-t-elle investie, lors de l'exécution de ce genre de « tableaux », d'une signification jugée trop prégnante. Il ne fallut rien moins que l'acte d'autorité de Breton pour reconnaître à l'apport des artistes une place équivalente en droit à la production des écrivains.*

C'est dans La Révolution surréaliste *que paraissent en 1925 les grands traités qui accordent définitivement aux peintres de siéger auprès des écrivains du mouvement. On ne saurait négliger que pendant quelque temps, Breton met tout en œuvre pour parvenir à gagner Picasso à la cause de l'art surréaliste. Le prestige de l'artiste lui eût conféré, c'est certain, la meilleure des garanties. Mais au-delà du calcul tactique, ce qui est plus instructif, c'est l'argument inventé par Breton pour justifier son appel à Picasso. À l'origine de cette sollicitation, il y a une analyse qui renverse tous les jugements que le cubisme avait enfantés jusque là. Breton considère la résistance que Picasso oppose à la restitution du réel dans ses œuvres cristallines et crépitantes comme une expression du doute ontologique pesant sur les choses. Ce qui s'accorde avec l'axiome surréaliste du « peu de réalité », qui prétend objecter son veto à toutes les certitudes établies par empirisme. Avant lui, aucun artiste n'avait brisé de façon aussi imprévisible la phénoménologie de l'esprit et donc la conception d'une culture euro-centriste fondée sur la causalité. Breton décrit la découverte de cette ouverture radicale avec cette profusion d'images qui s'était solidement installée dans le subconscient surréaliste depuis la rencontre passionnée avec Lautréamont et De Chirico : personne ne sait, écrit-il, ce qu'il y a au bout de cet angoissant voyage. La critique du positivisme, qui traverse de part en part le* Manifeste du surréalisme, *reste le point de fuite de sa démarche.*

Dans le cercle d'influence du surréalisme, ce qui modifie fondamentalement l'art, ce ne sont pas les préceptes de style, mais le rapport à la vie. En nous penchant sur la biographie des surréalistes, nous ne cessons de voir surgir ces instants où la relation causale se trouve brusquement abolie. Tous ces épisodes se laissent interpréter dans le cadre de cette esthétique. Les écrivains se font maîtres d'œuvre de tableaux aussi sublimes que soudains. Aussi ne s'étonnera-t-on pas que la définition du tableau surréaliste proposée par Breton renonce amplement aux critères formels et à la recherche de constantes : ce qu'elle met au premier rang, c'est le principe de la surprise et de l'énigme impénétrable. Car à ses yeux, la cohésion du groupe réside dans la mise en scène de l'étrangeté la plus absolue entre les œuvres.

On n'en trouvera pas d'exemple plus probant que le fameux incipit de son essai Le surréalisme et la peinture : « *L'œil existe à l'état sauvage.* » *Il y a, entourant thèmes et procédures, quelque chose qui les isole. Le principe surréaliste de plaisir ne pourrait s'accomplir plus parfaitement que dans l'expérience et le tableau qui sauront établir un partage aussi tranché que possible avec ce qui a été vu et pensé jusque-là. Ce que l'écrivain donne à entendre ici, c'est un écho à cette discontinuité qui s'était exprimée de la façon la plus foncière par le refus de l'écriture narrative et donc ancrée dans la causalité et les conventions sociales. L'incommensurable que Breton perçoit dans le champ artistique fait pendant à la façon dont les surréalistes en usent avec les images verbales. Dans leurs tout premiers textes déjà, on voit briller ces étincelles que provoque le court-circuit entre des images non isolées et étrangères les unes aux autres : c'est de cette défaillance sémantique que jaillit la lumière inédite du surréalisme.*

Aujourd'hui, cette relation entre des écrivains et des peintres nous paraît sans équivalent — il n'existe aucun autre mouvement du XXe *siècle qui ait rattaché aussi étroitement des textes et des images, des images et des textes. Mais la primauté des programmes et des concepts, la proximité des écrivains ont longtemps constitué une sorte d'irritant handicap pour les peintres affiliés au mouvement, qui virent leurs travaux qualifiés de « littéraires » par le public et la critique. Un rapprochement aussi sensible entre textes et tableaux parut intolérable aux champions de la doctrine d'une avant-garde artistique autonome. Dans la téléologie de l'art à laquelle l'avant-garde s'était assujettie, il n'y avait aucune place pour des contenus de ce genre, lesquels s'écartaient en effet de ce qui était considéré alors comme la voie royale pour l'avènement d'une peinture moderne : l'abstraction et la non-figuration.*

Werner Spies

INTRODUCTION

POUR DIRE « IL Y AURA UNE FOIS »

Le Surréalisme fait des différences. Toise, admire, mesure, déclasse, reclasse. On sait cela ; on connaît bien les imprécations littéraires de ces grands lecteurs. On connaît les exclusives et les choix, au rebours du goût d'une époque, chez ces amateurs de la plus grande peinture, ou encore, chez beaucoup d'entre eux, le refus de la musique (autre que celle du jazz) comme art impropre à changer le monde.

*Mais si l'on ouvre leurs revues, que l'on prenne en main leurs tracts et qu'on se laisse saisir par la poésie intense de leurs pages et de leurs toiles, alors tout renvoie à tout, et les différences s'effacent entre eux comme entre les mots d'ordre qu'ils nous jettent au visage. En une giration intense, des mots clés, tous équivalents, nous entraînent dans leur ronde. La poésie, mais c'est la révolution ; la révolution ? mais c'est le jeu et c'est l'amour ; l'amour ? mais c'est Sade avec Fourier. Ce château d'*Il y aura une fois*, qui donne son titre à notre parcours, il nous montre une confrérie audacieuse, aux rapports rendus bizarres par les interdits (notamment amoureux). Ainsi, inventons d'autres rapports humains ; mais aussi inventons une langue poétique enfin neuve, où le creux d'une diction nous libère de la « littérature ». Cette* *page d'*Il y aura une fois *nous parle donc à la fois d'éthique et d'esthétique. L'un est la métaphore de l'autre, et réciproquement. Et je ne veux pas dire que ces cris et ces chants s'élèvent comme une cacophonie, mais que l'unité intime de ces discours en tous sens apparaît comme soudain l'esprit d'enfance sur un visage usé et rusé, pour peu qu'on les lise. Une fois pour toutes, peut-être :* il y aura une fois.

On a trop oublié la joie de lire quand on s'ennuie, et que le monde, devenu monde « mondialisé », se déguisant d'angoisse, et partout identique à lui-même, est d'un ennui mortel. *Ces pages, vibrantes de saveur, et nullement des refuges, qui en appellent à prendre le parti* poétique et politique *de changer le monde, nous ramènent au goût de la révolte et à la jubilation d'un plaisir oublié.*

Ces pages on voudrait donc qu'on y plonge : mais nullement comme dans un puits de science ni comme dans un puits de Vérité... On propose plutôt un parcours sinueux et élargi, une vraie promenade — mais passionnée. Parcours élargi à quelques notes de grandes voix étrangères en de belles traductions : Octavio Paz, qui s'est toujours dit surréaliste, Vitězslav Nezval, ou bien Emilio Westphalen, ce grand poète péruvien — et, au sein de la langue française, quelques pages de Christian Dotremont et de Pierre Alechinsky, liés à CoBrA, ou de Georges Henein ou encore de Georges Schéhadé. Dans la mouvance française, le parcours que voici tient compte des limites, parfois conflictuelles, du mouvement : non pour en annexer l'apport et le porter au crédit de cette constellation aux limites floues qu'on nomme « surréalisme » mais pour faire mesurer dans la texture même des pages les points de friction et les convergences — celles-là mêmes qui permettaient et irritaient la perception des différences. Divergences voulues par dada, au début des années 20 et à la fin de cette décennie, distance maintenue par

Le Grand Jeu, *par le groupe de* Documents, *par Raymond Queneau, lui qui a publié ses premiers textes dans la revue* La Révolution surréaliste, *mais qui fondera bien plus tard l'OuLiPo dans un esprit tout autre. Divergence peu à peu souhaitée par Julien Gracq, divergence d'abord voulue par Yves Bonnefoy, puis modulée en une reconnaissance.*

On parle au passé : intemporelle en certains aspects, la voix surréaliste appartient néanmoins au XXe *siècle. Nous sommes au* XXIe. *Il faut admettre cette coupure, qui concerne moins l'appréciation des grandes pages poétiques qu'un certain nombre de positions et propositions de contenu intellectuel, liées à une Histoire qui est celle de ce dernier siècle.*

Ici la complexité tient au fait que, voulant changer l'entendement humain pour mieux changer le monde, concerné, donc, par la compréhension *du monde, dans une perspective herméneutique, le Surréalisme ferraille avec un savoir qui, dans les Sciences Humaines, mais aussi dans les Sciences tout court, est en cours de constitution, parfois en une évolution galopante. Le Surréalisme est très légèrement postérieur aux découvertes freudiennes, dont il se nourrit finalement beaucoup plus que ce qu'on en dit, et avec lesquelles le débat est constant ; il est exactement contemporain de la constitution d'une pensée de l'anthropologie, exactement contemporain de l'élaboration des sciences linguistiques. Et c'est justement entre les années 20 et les années 60 que tendent à se constituer en « sciences » ce qu'on appelait encore les « Humanités ».*

On pourrait évoquer d'abord tout ce qui, au sein du surréalisme, prend en compte un nouveau regard scientifique sur le monde. Ne sourions pas : ces grands rêveurs étaient généralement doués d'une belle intuition épistémologique et ils ont été, au sein des « gens de Lettres », à peu près les seuls à s'interroger collectivement sur l'évolution des savoirs scientifiques pendant la période de l'entre-deux-guerres. C'est ce que j'aime appeler « l'imaginaire de la science », dans le Surréalisme.

Dans l'ordre des sciences physiques, dont la révolution commence avec le XXe siècle, l'attention surréaliste, qui dès 1919 est attirée par un écho donné par Paul Valéry dans la N.R.F. *à la révolution einsteinienne, est surtout étayée dans les années 30 par un « passeur », bouillonnant d'idées, savant et épistémologue à la fois, Gaston Bachelard. Ce « passeur », qu'on connaît mieux aujourd'hui par ses puissantes et contagieuses rêveries poétiques sur les quatre éléments, est un homme de culture dont la méthodologie est une manière d'être au monde. « Je fais une expérience de physique pour changer mon esprit » (« Le Surrationalisme », dans la revue* Inquisitions, *juin 1936). Paul Éluard cite cet article dans « Premières vues anciennes »,* Minotaure, *n° 10, 1937 :*

... *il faut rendre à la raison humaine sa fonction de turbulence et d'agressivité.* On contribuera ainsi à fonder un surrationalisme qui multipliera les occasions de penser. Quand ce surrationalisme aura trouvé sa doctrine, il pourra être mis en rapport avec le surréalisme, car la sensibilité et la raison seront rendues, l'une et l'autre, à leur fluidité. Le monde physique sera expérimenté dans des voies nouvelles. On comprendra autrement et l'on sentira autrement. [...] *Si, dans une expérience, on ne joue pas sa raison, cette expérience ne vaut pas la peine d'être tentée.* [...] Toute découverte réelle détermine une méthode nouvelle, elle doit ruiner une méthode préalable. Autrement dit, dans le règne de la pensée l'imprudence est une méthode... Il faut aller le plus vite possible dans les régions de l'imprudence intellectuelle.

Et quand Breton récrit pour la N.R.F. *de février 1937 le texte de sa conférence de juin 1936 à Londres, « Limites non-frontières du surréalisme », il tire de cette même lecture une confirmation de ses intuitions et une analogie :*

... je me suis efforcé de montrer comment, à un rationalisme ouvert qui définit la position actuelle des savants (par suite de la conception de la géométrie non euclidienne, puis d'une géométrie généralisée, de la mécanique non newtonienne, de la physique non maxwellienne[1]), ne pouvait manquer de correspondre un réalisme ouvert ou surréalisme qui entraîne la ruine de l'édifice cartésien-kantien et bouleverse de fond en comble la sensibilité[2].

Contemporain des découvertes freudiennes, averti de leur nouveauté, le Surréalisme a sans doute voulu d'abord rivaliser avec elles. Il serait trop facile de tourner leur jeunesse et leur imprudence « théorique » en dérision. Quoi qu'il en soit, on peut apercevoir, étrangement juxtaposées, deux assertions à nos yeux d'aujourd'hui contradictoires, dans ce « Carnet de 1920-1921 » où André Breton consigne quelques-unes de ses pensées les plus urgentes : quand il écrivait avec Philippe Soupault les pages des Champs magnétiques, *dit-il, il s'était agi et de remettre en faveur l'inspiration (en un sens parfaitement romantique, dirions-nous)* et *de produire un champ d'observation psychanalytique : « ... nous avons cru faire faire à la question [de l'inspiration] un pas décisif [...] Je pense qu'on ira très loin dans cette exploration de l'inconscient[3] ». Et il parle dans cette même page de la censure comme*

1. Cette notion hasardeuse ne fait sens ni pour la science physique d'alors ni pour la physique d'aujourd'hui. Elle vient pourtant du jeune Bachelard qui se permet de larges extrapolations analogiques entre une philosophie non kantienne qu'il s'agit d'inventer, élaborée *contre* l'idée de substance, et une nouvelle conception de la matière qui aurait à faire avec une théorie de l'électricité pouvant échapper, pense-t-il, aux équations de Maxwell *(La Philosophie du non)*.

2. André Breton, *La Nouvelle Revue Française*, 1er février 1937, puis *La Clé des Champs*.

3. André Breton, « Carnet... », dans *Œuvres complètes*, Bibliothèque de la Pléiade, Gallimard, t. 1, p. 619-620.

d'une barrière qu'on pourrait franchir — au lieu qu'en l'absence de travail analytique sur soi, elle est une sorte de travail au négatif, et une sédimentation toujours recommencée. Le Surréalisme se présente ainsi comme une tentative pour dépasser le tragique du manque d'objet, *sur lequel est fondée la théorie freudienne de la production de l'art, et c'est comme si la passion surréaliste était réinventée « à force » contre ce tragique-là. Elle tend à la dénégation de ce deuil même sur lequel se fonde le travail de la sublimation. Refusant d'affronter ce deuil, refusant de penser la sublimation, le surréalisme semble s'en tenir, dans la « théorisation » qui est la sienne au début des années 20, à valoriser les simples fantasmes de l'imaginaire.*

Mais une chose est la « théorisation », précaire, comme on voit, une autre l'écriture : si souvent magnifique.

*Et puis, dans le même temps, c'est chez Freud, dans les trois grands livres qui sont traduits en entier en langue française entre 1927 et 1930 que, retournant du tout au tout sa pensée, Breton construit une philosophie de la langue de type herméneutique que la critique savante n'a pas encore mise en lumière, et qui valorise à l'extrême le signifié et l'au-delà du signifié, à savoir la visée intentionnelle du texte et de l'auteur du texte. La pensée de la langue comme énergie traverse les pages de Breton, notamment dans le texte d'*Il y aura une fois, *qui donne son titre à cette anthologie. L'imagination ne doit plus brûler à ciel ouvert, ni couler de la montagne comme une cascade absurde. Canalisée par une conduite forcée, elle doit produire l'énergie électrique qu'on attend d'elle. Comment ne pas voir ici un effet de la lecture du texte* Au-delà du principe de plaisir, *justement traduit en 1927 en langue française, où se profile la notion de* liaison *freudienne, qui contrôle et modifie la perspective du principe de plaisir, ainsi que la pensée du sujet comme* *une « économie » ? Cette pensée de la langue, qui me paraît fonder le rôle de* leader *du groupe par André Breton, devient très largement majoritaire dans le groupe surréaliste, même si sa formulation est purement poétique. Je lis sous cette lumière le* Glossaire *de Michel Leiris, l'œuvre de René Char, celle du Paul Éluard surréaliste et de tant d'autres — bien qu'elle ne soit pas partagée par Aragon, qui parvient à des positions comparables par ses chemins à lui, qui sont ceux du structuralisme entendu au sens philosophique, ni surtout par Georges Bataille, dont la position tout à fait différente pour ce qui concerne une philosophie de la langue hésite entre la phénoménologie et la pensée « analytique » (laquelle cherche à clarifier le statut du langage ordinaire et à le prémunir de spéculation métaphysique).*

Le surréalisme est contemporain aussi de la constitution d'une pensée de l'anthropologie. En ces années où Lucien Lévy-Bruhl publie La Mentalité primitive *(1922), puis* L'Âme primitive *(1927), il suscite les sourires de René Daumal, qui a immédiatement perçu combien freinait la réflexion l'opposition proposée entre une mentalité pré-logique et une pensée rationnelle. L'apport d'Émile Durkheim et de Marcel Mauss — la notion de « fait social total », chez le second, la distinction entre explication causale et explication finale chez le premier — est discuté dans le groupe de* Documents *et le « Collège de Sociologie ». Tandis que Michel Leiris, après avoir participé à la Mission ethnographique et linguistique Dakar-Djibouti dirigée par Marcel Griaule de 1931 à 1933, embrasse, comme on dit, une carrière de chercheur au C.N.R.S., il reste l'auteur non seulement d'une entreprise autobiographique singulière mais d'un* Glossaire *dont il poursuit sa vie durant la poétique réalisation. André Breton en reste quant à lui à la fascination devant la beauté des arts dits primitifs : mais il a toujours choisi les arts océaniens ou indiens d'Amérique, de préférence aux objets africains, ressentis comme plus « réalistes ». Et puis, le Cubisme de Matisse et Picasso avait déjà magnifié la place de ces derniers dans les années 10 du siècle. En tout cas il faut lire le journal du voyage qu'il fait à la fin de la Seconde Guerre mondiale, aux États-Unis, dans les réserves des Indiens Hopi et les poèmes publiés par lui dans la plaquette* Océanie *pour Andrée Olive en 1948. James Clifford avance l'idée qu'une des formes du surréalisme est l'ethnographie. Car dans le système des valeurs surréalistes, tend à se dissiper la distinction entre objet ethnographique et objet d'art, quand le premier est bien perçu dans son usage, si souvent magique, et quand le second cesse d'être prétexte à contemplation pour devenir le lieu d'une jubilation qui engage tout l'être. Et cette conjonction réconcilie chercheurs et poètes. Exposés en même temps pour la première fois dans une galerie d'art, et c'est une galerie surréaliste, se sont trouvés côte à côte en 1926 des tableaux de Man Ray et des « objets des îles », et, en 1927, des toiles d'Yves Tanguy et des « objets d'Amérique » (des Indiens d'Amérique).*

*Le surréalisme est enfin contemporain de l'élaboration des sciences linguistiques, et il a été dans un premier temps victime de ses propres improvisations sur ce chapitre, dans un contexte historique d'autant plus sévère que la linguistique structuraliste éludait tout renvoi à une pensée de la langue. La linguistique géniale de Ferdinand de Saussure avançait la notion d'arbitraire du signe linguistique, selon laquelle il n'est pas de relation nécessaire entre signifiant et signifié. C'est une linguistique de désillusionnement : voici que le signifiant n'a plus aucun rapport avec le signifié. Du référent on ne parle plus. Les surréalistes ne semblent pas avoir connu la pensée de Saussure ; ils ont connu et admiré la sémantique d'*avant *lui, la sémantique historique que développait en France Michel*

Bréal[1], *la sémantique quasi darwinienne d'Arsène Darmesteter,* La Vie des mots[2], *et puis la pensée de Frédéric Paulhan, « exemplaire de la logique actuelle » (je cite*[3]*).*

*Aragon a connu aussi la linguistique d'*après *Saussure, celle de Roman Jakobson, avec lequel le liaient des liens personnels*[4] *de grande familiarité dès 1928. Et le structuralisme philosophique d'Aragon s'est toujours très bien articulé avec le structuralisme linguistique tel qu'il se développe dans les années 50 et 60 en France.*

Quelque chose dans l'air surréaliste, ou plutôt sur ses frontières, reste de cet arbitraire *valorisé. Les dadas se sont joués de ce désillusionnement : « On peut très bien connaître le mot Bonjour et dire Adieu à la femme qu'on retrouve après un an d'absence » (André Breton dans un « Manifeste dada »). Benjamin Péret a longtemps joué avec les substitutions de mots : le chapitre III de* Mort aux vaches et au champ d'honneur, *en 1953, entre bien des exemples, place quelques mots incongrus de-ci de-là au sein d'un discours parlementaire. En 1960, le mouvement de l'OuLiPo à l'initiative de François le Lionnais, plutôt mathéma-*

1. Michel Bréal, *Essai de sémantique*, 1897, dont la lecture est recommandée à Jacques Doucet par Aragon et Breton. Cette pensée ne manquait pas de vertus comme le raconte avec son humour propre Michel Leiris dans *Langage tangage*, Gallimard, 1985, p. 106 : « le langage : [...] une démonstration de la suprématie de cette éminence grise, qui mène notre intelligence par le bout du nez [...] me semblait trouver sa reconnaissance officielle dans le passage de l'*Essai de sémantique* où Michel Bréal, après avoir noté la tendance des langues indo-européennes à tout traduire en actes, assure que même un énoncé de grammaire comme "clou prend un s au pluriel" est un *commencement de mythe...* »

2. Dont la lecture est aussi recommandée à Doucet par Aragon et Breton.

3. Toujours Aragon et Breton. Ce sont *La Logique de la contradiction* et *Le Mensonge de l'art* qui sont ainsi recommandés.

4. Roman Jakobson était très lié au poète Maïakovski, compagnon de Lili Brik, sœur d'Elsa Triolet.

ticien de formation, et de Raymond Queneau, qui avait été brièvement surréaliste, trois décennies plus tôt, systématise ces procédés en des pratiques très proches de celles de Péret, et redécouvre les vifs plaisirs intellectuels d'une littérature dont l'élégance est fondée sur l'auto-ironie. Mais il est de fait que ses présupposés et ses intentions s'opposent très fortement à ceux du Surréalisme.

Si les surréalistes l'utilisent, ce mot d'« arbitraire », et on le trouvera dans le premier Manifeste, *ou chez Aragon, c'est à mon avis surtout en un autre sens, car « arbitraire » renvoie à « libre-arbitre », mot qui désigne la position de l'homme en face de son créateur : et l'on sait que la doctrine chrétienne pose que l'homme est créé capable de faire le bien mais libre de faire le mal. C'est dans toutes les révoltes, et aussi bien la Révolte luciférienne, que le Surréalisme se projette.*

*Car la question majeure qu'il se pose, c'est la mise en doute philosophique de l'existence du monde extérieur et de la validité des signes qui le désignent. La pensée commune implique que ce lien est « nécessaire ». Nullement, répond avec constance le surréalisme. Entre le signe et la réalité qu'il désigne, il n'y a pas de nécessité. Aragon : « le sens se forme en dehors de vous » (*Traité du style, *1928). Et dès lors la réalité « telle qu'elle est » pourrait bien ne pas être. Ou exister autrement. Et c'est bien cette contingence-là qui est interrogée par les surréalistes. Contingence du monde et contingence du langage dans son rapport avec le « réel ». Ce qui les fait rejoindre les grands utopistes, comme Charles Fourier, ou Auguste Blanqui, ou Jorge Luis Borges, et tous ceux qui ont rêvé d'autres « mondes possibles ». André Breton : « La médiocrité de notre univers ne dépend-elle pas essentiellement de notre pouvoir d'énonciation ? […]* En réalité, *est-ce que je dors sur un lit en moelle de sureau ? Assez ! Je ne sais pas : ce doit être vrai en quelque sorte puisque* *je le dis* » (Introduction au discours sur le peu de réalité, *1925). À ce point les surréalistes trouvent la place d'ouvrir plusieurs questions fondamentales : l'aptitude du langage à dire le vrai mais aussi le faux, le rapport du langage aux opérations logiques, ou encore le rapport de la communication linguistique avec les autres faits de communication, sociale et culturelle — où l'on retrouve l'anthropologie, mais aussi l'œuvre d'Antonin Artaud et celle de Georges Bataille.*

Déclarer que le monde « tel qu'il est » pourrait ne pas être, ou être autrement, déclarer que le langage qui le désigne dit *le monde mais pourrait le dire autrement, tout cela forme un nœud de questionnements de type philosophique qui ne mène nullement à l'idéalisme. La critique des années 60 s'est appuyée pour le prétendre sur une déclaration unique d'André Breton, isolée du contexte où il regrette que la leçon de Léonard ait été perdue, et affirmant que les écrivains font de bien inutiles manières quand « tout est écrit sur la page blanche » (« Le Message automatique », 1933). En fait c'est à travers le grand débat confus qui entoure l'automatisme que le procès d'idéalisme a été mené — procès qui ne fait pas grand sens aujourd'hui.*

S'il est indéniable en effet que Breton et Soupault, en 1919, redécouvrent avec émerveillement une forme d'inspiration, s'il est vrai que tout le groupe s'affaire à écrire ou à « dire » (sous l'effet de sommeils hypnotiques) des pages et des pages de « textes surréalistes », s'il est indubitable que Breton tente d'en élaborer une « théorie », dans le premier Manifeste du surréalisme, *l'expérience connaît vite l'auto-ironie (dès ce même* Manifeste, *il suffit de relire ces quelques pages qu'on prend toujours au sérieux, on ne sait pourquoi, et qui sont éclatantes d'une ironie toute provocatrice : les « Secrets de l'art magique surréaliste ») puis elle connaît une large défaveur, des versions compliquées, auto-*

*contestataires (*L'Immaculée Conception*), enfin une franche condamnation, et nous sommes en 1933. Lorsque Breton emploie à nouveau le terme d'« automatisme absolu », c'est en 1939, puis en 1941, et il ne désigne plus tout à fait la même chose. Il a lu Freud,* L'Interprétation des rêves *et* Le Mot d'esprit et ses rapports avec l'inconscient, *et le surgissement brutal d'un « mot » ou d'une phrase de réveil n'a plus cet effet magique que les très jeunes gens de 1919 lui octroyaient. Demeure une nostalgie, celle de la phrase* donnée *au poète, avec son rythme, avec la couleur de ses voyelles, et sa densité affective : un* diapason, *dira Aragon plus tard, reprenant en somme le titre du dernier recueil publié par André Breton avant sa mort, et c'étaient quatre phrases de « réveil » :* Le La *; un* démon, *avait dit Mallarmé plus tôt, le « démon de l'analogie ». La pensée du « collage » et du « frottage » par Max Ernst suit une évolution en tout point parallèle.*

Mais dans le Paris des années 20 et 30 on aime confondre Surréalisme et techniques automatiques, dont l'« invention » a fait du bruit, techniques que l'on entend plutôt, comme le faisait le psychiatre Janet, et à l'inverse des surréalistes, comme ce moment où l'homme devient la mécanique de lui-même. L'unanimité se fait alors contre elles : les « gens de Lettres », mais aussi René Daumal, Georges Bataille, tous y vont de leur condamnation, et on présente aujourd'hui comme telle la « théorie » propre à Salvador Dalí de la paranoïa-critique, laquelle dans ses premières et géniales formulations s'appuie tout de même sur l'idée d'automatisme, comme l'avait fait Max Ernst.

Ainsi dans le champ du langage, où le Surréalisme se flatte d'apporter du neuf, deux critiques massives fondent sur lui et contre lui : celles qui viennent de la linguistique structuraliste, laquelle pour se construire ne veut pas entendre parler de philosophie du langage, et celles qui viennent du matérialisme, d'inspiration majoritairement marxiste, et qui désignent avec indignation dans l'automatisme des relents d'idéalisme. On peut sourire aujourd'hui des critiques sévères que développaient à l'envi dans les années 60 les lecteurs savants du Surréalisme. Elles ont laissé des traces. Car à ceux que fuit le sens poétique il n'est pas facile de se mouvoir dans un univers où règne le suspens du sens *et dans le même temps le développement exponentiel du sens qu'apporte la métaphore. Et c'est Émile Benvéniste que je propose de relire, lui qui parle avec modestie de Freud et de Breton pour suggérer : « Ce que Freud a demandé en vain au langage historique, il aurait pu en quelque mesure le demander au mythe ou à la poésie. Certaines formes de poésie peuvent s'apparenter au rêve et suggérer le même mode de structuration, introduire dans les formes normales du langage ce suspens du sens que le rêve projette dans nos activités. Mais alors c'est, paradoxalement, dans le Surréalisme poétique que Freud, au dire de Breton, ne comprenait pas, qu'il aurait pu trouver quelque chose de ce qu'il cherchait à tort dans le langage organisé*[1]. »

Or ce qui est en question à travers ces trois domaines, linguistique, anthropologie, psychanalyse, c'est la pensée du langage humain dans la connaissance que ce dernier a de lui-même. Et ce qui travaille la pensée surréaliste, c'est moins le besoin de changer la représentation que la compréhension du monde, compréhension qui ne peut s'exprimer que dans le milieu d'articulation du langage.

Ce langage, celui qu'on peut lire aujourd'hui dans leurs revues et dans leurs livres, c'est en somme tantôt la langue du lâchez-tout *(l'écriture automatique, oui, avec ses métaphores sous-jacentes, « tirées », ou « abu-*

1. Émile Benvéniste, *Problèmes de linguistique générale*, Gallimard, 1966, p. 83.

sives », disent les stylisticiens, mais dont la force extraordinaire est justement de désigner le non-sens, comme menace et séduction, comme limite du sens qui se tisse sans fin entre les hommes), ou cet envers du monde que nous propose la fatrasie surréaliste. Lâchez-tout *d'un sujet sans sujet, d'un impersonnel sujet. Et c'est tantôt la langue du haut dire et de la prophétie. Langue dès lors d'un sujet « trop » sujet. Langue de « personne » ou langue du haut dire. En commun : l'énigme de la forme et de la formulation, mais qu'une lecture « naïve » perce aussi bien que celle des « Scients », « Ruminssiés » ou « Kirittiks » (j'utilise ici les catégories inoubliables avancées par René Daumal dans* La Grande Beuverie, *et leur traduction par lui : savants, « marchands de fantômes », « ramasse-miettes »). Qu'on se reporte ici tout droit aux* 152 proverbes mis au goût du jour *par Paul Éluard et Benjamin Péret : « Il faut rendre à la paille ce qui appartient à la poutre. » Indispensable retour de pouvoir ! Plus loufoque : « L'agent fraîchement assommé se masturbe de même. » Ou encore, dans l'esprit de la fatrasie populaire et du jeu de mots qui est un jeu sur les lettres : « Trois font une truie. »*

« Intemporelle », pourtant, cette voix. Car cette position de l'esprit qui vise à changer le monde, dans le sens le plus politique qui soit, elle n'est asservie quoi qu'on en dise à aucune idéologie. Car cette position de l'esprit qui se fraie un chemin pour « changer la vie » (Rimbaud) nous invite à ne pas baisser les bras. Intemporel, l'établissement exigeant d'un site poétique, le seul d'où la parole doit sourdre, et auquel les textes qu'on va lire donnent largement accès.

Un projet d'une ambition nietzschéenne ? Non pas. Une position de l'esprit, je l'ai dit. Dès lors, c'est finalement comme si le Surréalisme avait et devait développer, pour chaque époque et pour chaque lieu — et c'est là, sans paradoxe, son caractère intemporel — un rôle *en face d'un état donné de la société. Par exemple la fonction anticléricale du surréalisme qui s'élabore durant les années 20 et se maintient au fil des ans me paraît répondre opportunément à la bonne conscience irréfragable que développait la « bonne Société » française retrouvant ses esprits après la Grande Guerre, et où l'Église conservait ses bastions. Qu'on lise le témoignage de Laure Peignot,* Histoire d'une petite fille[1], *dont la famille bourgeoise se doit d'avoir un prêtre pour confesseur et familier, lequel se révèle plus habile à caresser les petites filles qu'à apporter un témoignage quelconque, qui sait, d'une des Vertus cardinales, par exemple. Cet anticléricalisme, cependant, dont on trouverait des notes identiques chez Simone Weil après Léon Bloy, est un phénomène de surface en face d'une position philosophique fondamentale qui, athée et moniste, refuse l'idée d'un « autre monde » et se défie avec force des trois grandes religions monothéistes, mais surtout de la religion alors majoritaire en France. Qui voudrait aujourd'hui, tel Benjamin Péret, se laisser photographier en train d'« injurier un prêtre » (*La Révolution surréaliste*, n° 8, déc. 1928) devrait errer longuement dans les rues de nos villes... Cependant l'intégrisme catholique se portait bien, en ces années-là. Il n'était pas encore du côté des sectes, ni des autres religions monothéistes, comme nous le voyons aujourd'hui. On pouvait parler des mouvements messianiques avec humour : Robert Allerton Parker ayant étudié le mouvement de « Father Divine », un illuminé, pouvait être invité par André Breton et Marcel Duchamp à participer au catalogue de l'exposition*

1. Laure, « Histoire d'une petite fille », dans *Écrits*, Pauvert, 1985. On n'a pas cité ce récit autobiographique malgré sa proximité évidente avec le Surréalisme.

« First papers of Surrealism », à New York, en 1942. Il n'en est plus de même aujourd'hui, où c'est du côté du messianisme que l'on observe une refonte idéologique et un changement de nature radical.

*L'*éros *nous conduirait à des considérations analogues. Dans les années 20 et 30, les surréalistes prônent — malgré quelques débats contradictoires sur l'homosexualité, et des déclarations diversifiées, souvent très ludiques — un érotisme fort, centré sur l'accomplissement de l'acte sexuel (« L'aigle sexuel exulte il va dorer la terre encore une fois... », André Breton,* L'Air de l'eau*), où se retrouvent Bataille et Breton dans l'évidence de la dimension sacrée de l'érotisme. Or ce « cri de silence » de l'érotisme (Philippe Sollers), qu'a-t-il à voir avec l'exhibitionnisme besogneux et indéfini de la pornographie, accompagnée chez les uns des fantasmes rationnels d'une perversité qui serait la nouvelle religion, réduite à des recettes, comme on gagnait autrefois son Paradis à coup d'Indulgences, accompagnée chez les autres d'un voyeurisme de bazar qui a envahi les écrans* et qui y reviendra *— dès que les images des nouvelles guerres auront lassé le goût ? Dans les années 60, en cette décennie où lisant Herbert Marcuse certains ont naïvement cru lire une parole de délivrance, années où se mettait en place à l'école une « éducation sexuelle », André Breton écrivait :*

L'éducation sexuelle systématique ne saurait valoir qu'autant qu'elle laisse intacts les ressorts de la « sublimation » et trouve moyen de surmonter l'attrait du « fruit défendu ». C'est seulement d'initiation qu'il peut s'agir avec tout ce que ce mot suppose de sacré — hors des religions bien sûr — et impliquant ce que la constitution idéale de chaque couple humain exige de quête. *À ce prix est l'amour*[1].

1. André Breton, texte de présentation de l'œuvre de Jean-Claude Silbermann, 1964, dans *Le Surréalisme et la peinture*, éd. de 1965, p. 408.

La querelle que le mouvement féministe a adressée au Surréalisme depuis une vingtaine d'années procède pour partie d'un même défaut de sens historique. Benjamin Péret pouvait encore parler avec une certaine simplicité en 1956 des trois images magnifiées de la femme par le Surréalisme : et c'était toujours la femme-sorcière, d'un côté, et la femme-enfant, de l'autre, la Muse, toujours. Mais une dynamique bien plus riche traverse la réflexion surréaliste sur la différence des sexes. L'idée inspire tout le travail de Salvador Dalí. que l'on songe au titre de la toile « L'Homme invisible », d'un côté, et au livre « La Femme visible », de l'autre. Et André Breton dans Arcane 17, *en 1944, ressaisit cette idée, pour affirmer :*

C'est à l'artiste [...] qu'il appartient [...] de faire prédominer au maximum tout ce qui ressortit au système féminin du monde par opposition au système masculin, de faire fonds exclusivement sur les facultés de la femme...[1]

Annie Le Brun, dans Lâchez tout *en 1977 — en une prose cliquetante qui globalise les positions de l'adversaire, et qui nous rebute trop souvent par des positions intégristes fondées sur un contenu de croyances, dans une forte tradition positiviste — oppose ici de façon très convaincante à un féminisme de confort intellectuel la recherche d'une vie de passion, et d'un accomplissement de la femme qui trouverait ses racines dans la bisexualité. Et l'on sait bien que la psychanalyse de son côté avec Wladimir Granoff pouvait s'interroger durant ces mêmes années 70 sur cette sorte de maladie de la psychanalyse qu'est la bisexualité (*La Pensée et le féminin, *1976). Il est donc facile pour le « néo-féminisme » d'analyser les textes et les comportements des surréalistes à la lumière de ce que pense*

1. André Breton, *Arcane 17*, repris dans *O.C.*, La Pléiade, t. 3, p. 65.

la société d'aujourd'hui. Si d'aventure nous les lisons, ces pages surréalistes, et si nous regardons le travail plastique, nous relevons aujourd'hui certes le nom d'une première génération d'écrivains-femmes et de peintres-femmes auxquels leurs amants et compagnons n'ont pas accordé grand place. Tel était l'état de la société que le pouvoir de l'édition et de l'élaboration artistique était dans les mains des hommes, surréalistes ou non, qui entendaient le garder. Mais au moins leur ont-ils laissé mener une vie d'une grande liberté sexuelle. Juste avant et après la Seconde Guerre mondiale, les choses changent, pourtant. Peintres et/ou écrivains, telles sont et ont pu le rester Leonora Carrington, Gisèle Prassinos, Nora Mitrani, Greta Knutson puis dans une plus jeune génération Giovanna, Nelly Kaplan, Joyce Mansour... Bref : c'est un fait. Ici le Surréalisme n'innove pas *vraiment dans les rapports humains, malgré l'appel* d'Arcane 17 *qui évoque la lettre à Paul Demeny de Rimbaud, texte visionnaire :*

Quand sera brisé l'infini servage de la femme, quand elle vivra pour elle et par elle, l'homme — jusqu'ici abominable — lui ayant donné son renvoi, elle sera poète elle aussi ! La femme trouvera de l'inconnu ! Ses mondes d'idées différeront-ils des nôtres ? — Elle trouvera des choses étranges, insondables, repoussantes, délicieuses ; nous les prendrons, nous les comprendrons.

Mais aussi faudrait-il que le Surréalisme, « débarrassé de ses longueurs » (on reconnaît Aragon parlant de... la Bible), corps de doctrines à révérer une fois pour toutes, apporte une réponse toute faite à toutes nos questions ? C'est cette croyance qui m'a toujours stupéfaite, chez mes amies féministes.

Breton a conscience de la relativité de ces objectifs inscrits dans l'Histoire, et c'est ce qu'il répondait en 1951 à André Parinaud lui demandant si « aujour-

d'hui » il se jetterait dans le combat avec le même enthousiasme :

... la maladie que présente aujourd'hui le monde diffère de celle qu'il présentait durant les années 20. En France, par exemple, l'esprit était alors menacé de figement alors qu'aujourd'hui il est menacé de dissolution[1].

Cette exigence sans mots d'ordre positivistes, mais chargée d'une tension intense vers plus de *Liberté — comme Goethe mourant réclamant* plus de *lumière — et d'une tension qui se veut jubilante, en harmonie avec le « jeu du Monde » (Nietzsche) —, cette exigence* en alerte *devant les maladies d'une société donnée, c'est là le Surréalisme qu'on doit écouter aujourd'hui. Liberté, jubilation, alerte : tels seraient les mots d'ordre vers lesquels je verrais pour ma part se diriger le Surréalisme aujourd'hui. Et dès lors ce qui est intemporel, dans ce mouvement, c'est peut-être — sans paradoxe — son sens de l'Histoire.*

1. André Breton, « Entretiens... », dans *O.C.*, La Pléiade, t. 3, p. 571.

I

Sciences morales et politiques

« MAIS OÙ SONT LES NEIGES DE DEMAIN ? »

Qu'en est-il des modèles par lesquels les surréalistes pensent l'Histoire ? La question n'est guère affrontée par la critique savante, qui la rabat sur celle des engagements successifs par lesquels certains surréalistes se situent dans l'échiquier politique : aux côtés de Breton, ils sont en effet successivement proches des anarchistes, puis ils tentent de faire cause commune avec le Parti Communiste, pour sa pensée anticoloniale, et sa lutte antifasciste, tandis que certains (tels Pierre Naville ou Benjamin Péret) se rapprochent tôt des mouvances trotskistes, et c'est à ces positions que Breton se rallie à la fin des années 30, notamment pour la pensée très libérale de Trotski sur le rôle des artistes dans la société. Il est clair qu'ils sont tous violemment antipétainistes, et après la Seconde Guerre mondiale, proches soit des Libertaires soit de la Quatrième Internationale (trotskiste). Du côté d'Aragon suivi quelques années plus tard par Éluard, ce fut une cassure dès 1930-1932 et jusqu'en 1956 et même au-delà, dans un engagement sans réserve en faveur du régime soviétique — et dès lors tous deux ont rompu sans retour avec le Surréalisme.

[*Le drapeau rouge du socialisme et le drapeau noir de l'anarchie, voici les bannières qui émeuvent le jeune*

Breton. L'engagement politique sera chez eux tous lié à l'émotion et au sens de la solidarité humaine :

ANDRÉ BRETON

Arcane 17

Le drapeau rouge, tout pur de marques et d'insignes, je retrouverai toujours pour lui l'œil que j'ai pu avoir à dix-sept ans, quand, au cours d'une manifestation populaire, aux approches de l'autre guerre, je l'ai vu se déployer par milliers dans le ciel bas du Pré-Saint-Gervais. Et pourtant — je sens que par raison je n'y puis rien — je continuerai à frémir plus encore à l'évocation du moment où cette mer flamboyante, par places peu nombreuses et bien circonscrites, s'est trouée de l'envol de drapeaux noirs. Je n'avais pas alors grande conscience politique et il faut bien dire que je demeure perplexe quand je m'avise de juger ce qui m'en est venu. Mais, plus que jamais, les courants de sympathie et d'antipathie me paraissent de force à se soumettre les idées et je sais que mon cœur a battu, continuera à battre du mouvement même de cette journée. Dans les plus profondes galeries de mon cœur, je retrouverai toujours le va-et-vient de ces innombrables langues de feu dont quelques-unes s'attardent à lécher une superbe fleur carbonisée. Les nouvelles générations ont peine à se représenter un spectacle comme celui d'alors. Toutes sortes de déchirements au sein du prolétariat ne s'étaient pas encore produits. Le flambeau de la Commune de Paris était loin d'être éteint, il y avait là bien des mains qui l'avaient tenu, il unifiait tout de sa grande lumière qui eût été moins belle, moins vraie, sans quelques volutes d'épaisse fumée. Tant de foi individuellement désintéressée, tant de résolution et d'ardeur se lisait sur ces visages, tant de noblesse aussi sur ceux des vieillards. Autour des drapeaux noirs, certes, les ravages physiques étaient plus sensibles, mais la passion avait vraiment foré certains yeux, y avait laissé des points d'incandescence inoubliables. Toujours est-il que c'était comme si la flamme eût passé sur eux tous, les brûlant seulement plus ou moins, n'entretenant chez les uns que la revendication et l'espoir les plus raisonnables, les mieux fondés, tandis qu'elle portait les autres, plus rares, à se consumer sur place dans une attitude inexorable de sédition et de défi. La condition humaine est telle, indépendamment de la condition sociale ultra-amendable que s'est faite l'homme, que cette dernière attitude même, à laquelle, dans l'histoire intellectuelle, ne manquent pas d'illustres répondants, qu'ils se nomment Pascal, Nietzsche, Strindberg ou Rimbaud, m'a toujours paru des plus justifiables sur le plan émotif, abstraction faite des raisons tout utilitaires que la société peut avoir de la réprimer. Force est de reconnaître au moins, à part soi, qu'elle seule est marquée d'une infernale grandeur. Je n'oublierai jamais la détente, l'exaltation et la fierté que me causa, une des toutes premières fois qu'enfant on me mena dans un cimetière — parmi tant de monuments funéraires déprimants ou ridicules — la découverte d'une simple table de granit gravée en capitales rouges de la superbe devise : NI DIEU NI MAÎTRE.

Arcane 17, 1947

Or la première grande lutte à laquelle participent à leur façon les surréalistes, c'est celle de la décolonisation. La Guerre du Maroc est engagée par le Gouvernement français en 1925 après qu'Abd el-Krim, vainqueur en Espagne sur le territoire montagneux du Rif, eut attaqué victorieusement les postes frontières français. Les surréalistes alors protestent aux côtés des intellectuels proches du Parti communiste, tout récemment fondé :

Nous proclamons une fois de plus le droit des peuples, de tous les peuples, à quelque race qu'ils appartiennent, à disposer d'eux-mêmes. Nous mettons ces clairs principes au-dessus des traités de spoliation imposés par la violence aux peuples faibles, et nous considérons que le fait que ces traités ont été promulgués il y a longtemps ne leur ôte rien de leur iniquité. Il ne peut pas y avoir de droit acquis contre la volonté des opprimés. On ne saurait invoquer aucune nécessité qui prime celle de la justice.

« Les travailleurs intellectuels aux côtés du prolétariat contre la Guerre du Maroc », déclaration collective parue dans *L'Humanité*, 2 juillet 1925.

La lutte pour l'indépendance, Paul Éluard la met au centre d'une note de La Révolution surréaliste, *n° 3, avril 1925, « La suppression de l'esclavage ».*

PAUL ÉLUARD

La suppression de l'esclavage

Les peuples qui luttent pour leur indépendance, quand ils auront sauvé leur sol, leurs traditions, leurs coutumes et leur religion, s'apercevront qu'ils sont capables de se débarrasser de tous leurs maîtres, étrangers ou nationaux. Le goût de la liberté vient en combattant pour elle. Beaux civilisateurs, depuis Jésus jusqu'à ce jeune et brillant aviateur, gaulois devant des têtes coupées, la fin de votre règne marquera le début de l'émancipation totale de l'homme et de l'esprit. La suprématie de l'Europe ne s'appuie que sur les armes et la croix, la croix au service des armes, mais les hommes dominés ne montrent aux conquérants qu'un masque impassible derrière lequel la pensée se nourrit d'elle-même, avec toute la force de la haine. Des brutes, mais des brutes plus dangereuses encore pour vous que vos pires évangélistes puisqu'elles ne sont sensibles qu'à elles-mêmes et que vous portez en vous le néant dans lequel elles vous précipiteront.

Comment voudriez-vous que les plus stoïques d'entre ces esclaves supportent éternellement les cruautés imbéciles de la décadence blanche : en Égypte et aux Indes, les Anglais ont passé toute mesure et la révolte gronde, tous les intellectuels s'insurgent contre l'Angleterre ; en Indochine le Blanc n'est qu'un cadavre et ce cadavre jette ses ordures au nez du Jaune : à Java, le Hollandais bouffi vante le nombre de ses domestiques, mais de temps à autre on l'égorge et l'on garde pieusement le souvenir de Pieter Erberveld qui, déjà en 1722, rêva d'une hécatombe générale ; partout en Afrique l'homme est plus battu qu'un chien : quand on libéra les esclaves de la Martinique et de la Guadeloupe, quand ceux-ci massacrèrent sans pitié les colons, brûlèrent tout, l'armée eut peur et n'intervint pas : on suit au Maroc l'exemple de la campagne de Chine : l'ordre est donné de tirer sur les laboureurs qui ensemencent aux environs des postes et de ne pas spécifier le sexe et l'âge en indiquant le nombre des dissidents tués ou blessés : partout des missionnaires et des soldats, des corbeaux et des chacals, les uns couvrant les autres de leurs ténèbres, mais partout aussi des révoltes, des incendies, des empoisonnements, partout des attentats et des complots. Anglais, Français, Hollandais, Italiens, Espagnols, peuples des grandes mers, peuples d'Extrême-Orient, ce n'est pas en tout cas dans vos colonies que vous trouverez un refuge quand la masse de l'Orient fondra inexorable sur vous, la masse de votre Orient, de ces pays sans colonies plus libres, plus forts et plus purs que vous : l'Allemagne, la Russie, la Chine. Ce jour-là toutes les banques du Christianisme seront fermées, le signe de l'aube remplacera au ciel et dans les esprits le signe du supplice, aucune parole ne sera plus soumise à la matière et les hommes de toutes couleurs seront absolument libres sous le regard adorable de la liberté absolue.

La Révolution surréaliste, n° 3, avril 1925

Peu d'années plus tard, les premières révoltes naissent en Indochine française. Ce sont des groupes infimes d'intellectuels qui les animent, et les bons esprits pensent, assurément à juste titre, que l'Indochine n'a aucunement en cette époque les moyens économiques ni politiques de son indépendance. Or la revue Le Surréalisme au service de la Révolution *relate, elle, sous la plume d'Éluard, les incidents tragiques de Yen Bay, où surgit en 1930 l'une des premières révoltes nationalistes en Annam, et la répression qui s'ensuivit.*

Il n'y a que deux races dans le monde : celle des oppresseurs et celle des opprimés. Les révolutionnaires indochinois qui tentent désespérément de se libérer du joug français, servent les opprimés de tous les pays.

Le Surréalisme au service de la Révolution, n° 1, [juillet] 1930

Une illustration, emblématique, et extrêmement concrète, du rapport essentiel qui se noue dans la pensée surréaliste entre l'individu, réputé lucide, et la société en l'occurrence coloniale, assurément injuste, est donnée par la mise en page de cette même revue : dans ce numéro 1 de la revue, les marges sont entièrement occupées par la relation d'événements politiques ou par des protestations polémiques, tandis qu'au centre se développent des textes lyriques : exactement juxtaposé au petit article factuel d'Éluard, on peut lire un extrait de la grande prose révoltée de Tristan Tzara, et qui sera publiée sous le titre Grains et issues, *en une phrase unique qui court sur deux pages de la revue.*

TRISTAN TZARA

Grains et issues

Avant que la nuit ne tombe, à cette minute troublante comme l'air suspendu entre les états liquide et solide, quand tout pense à se cacher la figure de honte, que les bruits mêmes s'envolent sans courage pendant quelques instants, quand la sensation qu'un vase va déborder s'implante avec angoisse dans la poitrine de chacun comme si une nouvelle annonce de mort, d'un atroce suicide, allait nous frapper en pleine poitrine dans la personne d'un être cher, quand cette haine de la vie peut transformer la douleur en une immense gratitude, que des monceaux de cadavres chauffant en nous l'hiver durci, à moitié putréfiés, des hommes qu'on a connus dans la constante amertume d'une gaîté sans repos (faut-il que la tristesse soit puissante parmi des signes tellement évidents pour qu'elle emprunte de si étranges aspects) se sont mutilés, déchirés, étranglés avec une joie acharnée de destruction, dans un délire de haine, un délire de haine, une telle frénésie que la joie seule et la plus vive, seule, peut élever la pureté d'une âme jusqu'à de si tendres altitudes — avant que la nuit ne tombe, à cette minute qui tremble dans la voix de chacun, sans qu'on le sache, à cette minute qui n'est perceptible qu'à bien peu d'êtres exercés pour qui l'invisible compte au moins autant que la matière dégradante — comme la souffrance physique est dégradante — et de se savoir esclave de la douleur vous blesse dans l'orgueil d'homme, quand le sort s'amuse à vous montrer ses crocs d'acier, prêt à moudre, comme à la foire, dans l'engrenage de ses roues de loterie, mangeur de feu, sa propre création grouillant de malentendus, sujet sur lequel je reviendrai, sur lequel tant d'autres sont revenus sans se retourner comme dans la chanson ; enfin pour ne pas me laisser aller sur la pente amère, avant que la nuit ne tombe, dis-je, à cette minute qui est une longue aspiration d'air, qui paraît plus longue dans une poitrine creuse, une longue aspiration pour pousser un cri qui ne sortira jamais peut-être, tant l'inutilité des choses s'est figée même dans les intentions de la nature, j'ai songé à t'appeler, dégoût, toi qui vis caché derrière le sens des choses et des gens, toujours présent, inondant ce monde de ta gluante imprécation, toi qui n'as jamais changé, enseveli sous les couches immémoriales des humains désespoirs, fusant parfois avec la force des orages et t'étalant orgueilleusement devant nos pas hésitants, dégoût, j'ai songé à t'appeler d'une voix sans éclat et sans injure, d'une voix qui aurait capté les voix de tous les hommes sur le parcours infini qu'elles ont de peine, amère plainte et peine sans retour, à s'en souvenir, de toutes les voix unies dans un faisceau de haine, je t'appelle, dégoût, à mon secours, pour que ta face hideuse, surgie au milieu de ce monde, puisse dénombrer tes immondes amants et ceux qui s'en détournent, pour que ta face hideuse puisse partager en camps serrés la masse hybride et indécise, je t'appelle, sournois dégoût, toi qui ralentis nos mouvements, toi qui découpes la dure rançon d'au moins la moitié de ce que nos regards ont recueilli, de ce que nos mains ont touché, de ce que la pensée a essayé de remplacer ou de chanter, toi qui réduis notre haine et décourages l'assassin qui est né avec nous, qui a grandi en nous et se débat dans un cachot entre l'amour et le soleil, en nous, dégoût, lorsque ta face sera montée des monstrueuses noirceurs et qu'elle aura caché toute une moitié du ciel de sa fétide substance, la réponse s'ouvrira peut-être dans la parole de chacun, comme la lumière qui ne brillera que du côté de leur invincible haine.

L'Antitête, 1933

Ainsi la précarité embryonnaire de ces mouvements nationalistes en Indochine n'est nullement mise en avant. Il n'y va pas d'une appréciation politique de l'opportun et de l'inopportun. Il y va d'une injustice humaine, devenant symbolique de toutes les autres, qui à soi seule est propre à soulever le cœur — et à quoi s'ajoute, selon une thématique marxiste, l'appel à la solidarité des opprimés.

Dans les années qui ont précédé, et notamment dans les pages de la revue La Révolution surréaliste *en ses trois premiers numéros, avant la prise en main de la direction par Breton, on avait pu lire des textes fréné-*

tiques et magnifiques, non centrés sur telle ou telle action politique. Aragon condamne les modérés. Quant à Robert Desnos et Antonin Artaud, à la crainte des partis conservateurs devant le « péril jaune », ils opposent un Orient apte à vaincre les rationalismes toujours honnis. La Révolution française ? La Révolution des Soviets ? Allons donc ! C'est la Terreur qui doit servir de modèle.

ARAGON

Libre à vous !

> *Il n'y a pas de liberté pour les ennemis de la liberté.*

La liberté… après mille péripéties, de grands désordres, et l'échec de ses plus simples démarches vers elle, l'homme découragé se prend à hausser les épaules. Ce mot irrite comme le feu. Tu n'as pas deux paupières pour regarder la liberté en face.

Sa dépendance, l'individu d'abord ne la soupçonne pas. Il sait évidemment qu'il peut étendre le bras s'il le veut. Tout lui est objet de volonté. Affaire de quelques siècles, le doute apparaît, se précise et la personne alors naît à l'absolu déterminisme où la voici enfin tombée. C'est ici que nous nous tenons, c'est à ce moment de la méditation humaine, et pourtant comment se pourrait-il que l'esprit ait en un seul endroit trouvé son terme, et là comme ailleurs se borne, mais paraît-il à bon droit, à un vague sentiment, élevé à la dignité d'idée ? Comment se pourrait-il qu'une croyance enraye le mouvement de l'esprit ? Du dogme déterministe ne va-t-il pas sortir une affirmation nouvelle de la liberté ? La liberté transfigurée par son contraire, au bord de cette eau troublée j'attends que ses traits divins transparaissent sous les rides élargies de l'inévitable, sous les chaînes relâchées qui dissimulaient son visage.

La liberté aux grands yeux, comme une fille des rues qu'elle revienne. Ce ne sera plus la liberté d'autrefois maintenant qu'elle a connu Saint-Lazare. Ses poignets meurtris... comment avez-vous pu croire qu'un seul acte mental pouvait anéantir une idée ? Le mot, même déshonoré à vos frontons publics, est resté dans votre bouche alors que vous le disiez follement banni de votre cœur. Et ainsi niée, la liberté enfin *existe*. Elle sort de la nuit où la causalité sans cesse la rejette, enrichie de la notion du déterminé et toute enveloppée d'elle. Qu'est-ce alors qui résout les contradictions de la liberté ? Qu'est-ce qui est parfaitement libre, et dans le même temps, déterminé, nécessaire ? Qu'est-ce qui tire de sa nécessité le principe de sa liberté ? Un tel être qui n'a de volonté que son devenir, qui est soumis au développement de l'idée, et ne saurait imaginer que lui, s'identifie à l'idée, dépasse la personne, il est l'être moral, que je conçois à sa limite, qui ne veut rien que ce qui doit être, et qui libre dans son être devient nécessairement le développement de cet être libre. Ainsi la liberté apparaît comme le fondement véritable de la morale, et sa définition implique la nécessité même de la liberté. Il ne saurait y avoir de liberté dans aucun acte qui se retourne contre l'idée de liberté. On n'est pas libre d'agir contre elle, c'est-à-dire immoralement.

Tout ce qui précède implique la condamnation des considérations métaphysiques dans le domaine de la sociologie. Cette égalité d'humeur devant les notions contraires qui passe en politique pour la largeur d'esprit, qui permet cette continuelle conciliation des inconciliables par quoi la vie sociale abusivement se perpétue, n'est due qu'à une erreur primaire sur la portée et la signification de la dialectique transcendantale. Que la liberté de chacun se définisse par cette frontière la liberté de tous, voilà une formule qui a fait son chemin sans que l'on songe à en discuter les absurdes termes. C'est à cette fausse liberté qu'en réfèrent nos *philosophes* de gouvernement. Elle est à la base de tous les modérantismes.

Ô modérés de toutes sortes, comment pouvez-vous vous tenir dans ce vague moral, dans ce flou où vous vous plaisez ? Je ne sais laquelle admirer le plus, de votre impartialité ou de votre sottise. La moralité, la liberté, sont de votre vocabulaire. Mais vainement on chercherait à vous en tirer les définitions. C'est qu'il n'y a de moralité que la moralité de la Terreur, de liberté que l'implacable liberté dominatrice : le monde est comme une femme dans mes bras. Il y aura des fers pour les ennemis de la liberté. L'homme est libre, mais non pas les hommes. Il n'y a pas de limites à la liberté de l'un, il n'y a pas de liberté de tous. *Tous* est une notion vide, une maladroite abstraction, que l'un retrouve enfin son indépendance perdue. Ici finit l'histoire sociale de l'humanité. Pêcheurs en eau trouble, vos sophismes ne prévaudront pas : le mouvement de l'esprit n'est pas indifférent, n'est pas indifféremment dirigé. Il y a une droite et une gauche dans l'esprit. Et c'est la liberté qui entraîne l'aiguille de la boussole vers ce nord magnétique, qui est du côté du cœur. Rien, ni les catastrophes, ni la considération dérisoire des personnes, ne saurait entraver l'accomplissement du devenir. L'esprit balaye tout. Au centre de cette grande plaine où l'homme habite, où dans les mares asséchées se sont éteints plusieurs soleils, l'un après l'autre, que ce grand vent du ciel sévisse, que l'idée au-dessus des champs se lève et renverse tout. Il y a tout à gagner de la plus grande perte. L'esprit vit du désastre et de la mort.

Ceux qui modérément meurent pour la patrie...[1] ceux qui modérément dorment le long du jour... ceux qui modérément, et voilà pourtant bien votre cas, radicaux, ramènent les écarts de pensée à de simples délits sans force, ces maîtres de maison courtois, et tolérants, ces dilettantes de la morale, ces farceurs, ces badins sceptiques, seront-ils longtemps *nos* maîtres, pratiqueront-ils toujours l'oppression par le sourire ? Il est inconcevable qu'on exalte en l'homme ses facultés mineures, par exemple la sociabilité, aux dépens de ses facultés majeures, comme la faculté de tuer. Il suffira d'un sursaut de la conscience de ce tigre auquel on a fait prendre pour une prison les rayures annelées de sa robe pour qu'il s'élève à la notion morale de sa liberté, et qu'il reconnaisse alors les ennemis de la morale. Alors, ô modérés, il n'y aura plus pour vous de refuge dans les rues, dans les maisons, dans les édifices du culte, dans les bordels, dans l'innocence des enfants, ni dans les larmes bleues des femmes, alors la liberté tyrannique vous clouera tout à coup — hiboux et rhéteurs — à vos portes, alors elle jettera son nom à l'univers avec un grand éclat de rire, et l'univers ira disant que la liberté maintenant se nomme la Révolution perpétuelle.

La Révolution surréaliste, n° 2, 15 janvier 1925

1. Détournement d'un vers de Victor Hugo : « Ceux qui pieusement sont morts pour la patrie... », *Les Chants du crépuscule*, III, « Hymne ».

ROBERT DESNOS

Description d'une révolte prochaine

Issus de l'Est ténébreux, les civilisés continuent la même marche vers l'Ouest qu'Attila, Tamerlan et tant d'autres inconnus. Qui dit civilisés dit anciens barbares, c'est-à-dire bâtards des aventuriers de la nuit, c'est-à-dire ceux que l'ennemi (Romains, Grecs) corrompit. Expulsées des rives du Pacifique et des pentes de l'Himalaya, ces « grandes compagnies », infidèles à leur mission, se trouvent maintenant face à ceux qui les chassèrent aux jours pas très lointains des Invasions.

Fils de Kalmouk, petits-fils des Huns, dépouillez un peu ces robes empruntées aux vestiaires d'Athènes et de Thèbes, ces cuirasses ramassées à Sparte et à Rome et apparaissez nus comme l'étaient vos pères sur leurs petits chevaux, et vous, Normands laboureurs, pêcheurs de sardines, fabricants de cidre, montez un peu sur ces barques hasardeuses qui, par-delà le cercle polaire, tracèrent un long sillage avant d'atteindre ces prés humides et ces forêts giboyeuses. Meute, reconnais ton maître ! Tu croyais le fuir cet Orient qui te chassait en t'investissant du droit de destruction que tu n'as pas su conserver et voici que tu le retrouves de dos, une fois le tour du monde achevé. Je t'en prie, n'imite pas le chien qui veut attraper sa queue, tu courras perpétuellement après l'Ouest, arrête-toi.

Rends-nous compte un peu de ta mission, grande armée orientale devenue aujourd'hui *Les Occidentaux.*

ROME ? Tu l'as détruite, d'un coup de vent ou du glaive de ton allié Brennus. Rome ? Tu l'as reconstruite, tu lui as même emprunté ses lois (Droit romain, comme disent tes vieillards des tribunaux) et tu lui as donné un Pape pour bien détourner l'esprit d'Orient de son but.

ATHÈNES ? Celle-là, tu l'as partagée comme de l'étoffe et tu as modelé tes visages sur les visages de ses statues brisées.

Tu as même détruit en passant THÈBES et MEMPHIS, mais tu te gardas bien de leur prendre quoi que cela soit. Tu ne ris pas si fort quand on te parle de Tout ankh Amon.

Quand l'arrière-garde rejoignit le gros de la foule, à ta tête Charles Martel, tu la combattis, comme aux Champs Catalauniques tu te heurtas aux archanges d'Attila. Les langues que tu parles sont celles de tes anciens adversaires. Depuis une petite vingtaine de siècles tu laisses des rhumatismes historiques gagner tes membres. Il est temps que tu demandes aux hommes du Levant le mot d'ordre que tu as perdu. La route que tu suis, malgré la rotondité de la terre, ne te montrera jamais que le couchant. Rebrousse chemin[1]...

Mais quoi ? Il me semble que tu te prends au sérieux ?

Ce tapis vert ? Ces messieurs impotents, cette stupide femme de lettres ? *Société des Nations*, comme tu dis, en omettant, naturellement, de dire à quel capital : dix millions de cadavres frais et ce qu'il faut pour entretenir les stocks. Ô diplomates véreux assemblés pour rendre impossible toute guerre, examinons un peu votre travail de cochons.

Il me semble que votre Société a surtout pour but la lutte contre la liberté.

En vertu de quel monstrueux principe de conservation de l'espèce, admettez-vous encore que vos

1. Ainsi devais-tu faire quand, arrivé aux rives de l'Atlantique, après avoir ruiné le monde gréco-latin, tu transformas les bivouacs en cités.

associés condamnent l'avortement. Du côté du crime, l'amour s'éveille et prépare ses couteaux ; il se pourrait qu'avant peu, et en son nom qui n'a jamais signifié Paix, il y ait du sang de répandu.

En vertu de quel droit interdisez-vous l'usage des stupéfiants[1] ? Bientôt, sans doute, ô gribouilles, condamnerez-vous à mort ceux qui tenteront de se suicider sans y réussir. J'entends, il faut des soldats pour vos généraux et des contribuables pour vos finances.

N'est-il pas odieux, en tout cas, ce contrôle exercé sur la façon de vivre et de mourir par ceux mêmes qui sont prêts à exiger le « *sacrifice de la vie* », « *l'impôt du sang* » pour une cause que personnellement je réprouve. Le soin de ma mort et de ma vie n'importe qu'à moi ; la patrie ? je vous demande un peu qu'est-ce que cela signifie maintenant ?

Cette même haine de l'individu et de ses droits vous a conduits à réglementer la « *littérature pornographique* ». Bonne occasion pour la vieille pucelle rancie qui représentait la France et les paralytiques qui représentaient les autres pays de se frotter le nombril par la pensée. Admirable spectacle : une femme de lettres, aux seins tombants, discutant, avec quelle science, du crime de ces livres qui lui rappellent que voici longtemps déjà que sa décrépitude éloigne d'elle les amants vigoureux[2].

Société des Nations ! vieille putain ! Tu peux être fière de ton œuvre. Demain, par les forêts et les plaines, des soldats encadrés de gendarmes revolver

1. Il n'est pas inutile de signaler ici la conduite de certains mouchards bénévoles : J.-P. Liausu, Marcel Nadaud, qui mènent une immonde campagne de délation dans la presse. Plus que tous autres ceux-là ont droit au mépris intégral. En l'espèce, ces « messieurs » se conduisent comme des fripouilles accomplies.

2. La vague de pudeur chère aux journalistes n'est pas imaginaire. Elle fut la première manifestation de cet état d'esprit vulgaire qui a détourné de son sens le mot : *morale*, pour n'y plus voir qu'une distinction utilitaire entre un « bien » problématique et un « mal » arbitraire.

au poing, s'entretueront de force. Ces mêmes soldats que tu fis naître à coups de lois et de décrets. Demain, l'Amérique protestante plus imbécile que jamais, à force de prohibition, se masturbant seulement derrière ses coffres-forts et la statue de la Liberté, aura puissamment secondé l'effort du Conseil des Prud'hommes européens.

Alors l'amant lyrique et le sage se diront que le temps de la révolte de l'esprit contre la matière est venu. Le mot d'ordre primitif enfin retrouvé, surexcitera la poignée des derniers survivants à l'inquisition utilitaire. Ce que sera cette révolte spontanée, casernes et cathédrales en flammes, ou prise de pouvoir irrésistible dans un monument public : devant une table à tapis vert, un président de République, légion d'honneur en sautoir, et ses ministres en veston emmenés par des insurgés corrects, peu importe. Ce qui importe, c'est le régime auquel aboutira ce renversement des pouvoirs.

J'ai toujours méprisé ces révolutionnaires qui, pour avoir mis un drapeau tricolore à la place d'un drapeau blanc, s'estimaient satisfaits et vivaient tranquillement, décorés par le nouvel État, pensionnés par le nouveau gouvernement.

Non, pour un révolutionnaire, il n'y a qu'un régime possible :

LA RÉVOLUTION

c'est-à-dire

LA TERREUR

C'est l'instauration de celle-ci qui m'intéresse et son avènement seul aujourd'hui me fait encore espérer la disparition des canailles qui encombrent la vie. L'atmosphère infernale actuelle aura raison des plus nobles impulsions. Seule la guillotine peut, par des coupes sombres, éclaircir cette foule d'adversaires auxquels nous nous heurtons. Ah ! qu'elle se dresse enfin sur une place publique la sympathique machine de la délivrance. Elle sert depuis trop longtemps aux fins de la crapule.

Assassins, bandits, forbans, vous fûtes les premiers révoltés. Le parti immonde des honnêtes gens vous a consacrés au dieu de la lâcheté et de l'hypocrisie. Ce que je n'aurai sans doute jamais le courage d'accomplir, vous l'avez tenté et vos têtes coupées, roulées par quelque invisible océan, s'entrechoquent ténébreusement, quelque part dans un coin de l'âme universelle.

Souhait puéril, enfantillage risible, il me plaît à moi de l'imaginer, ce « *grand soir* » tel qu'il sera.

Avec ses caravanes d'officiers enchaînés conduits vers l'estrade.

Avec vêtements noirs décorés de sang caillé, les diplomates et les politiciens décapités entassés au pied des réverbères. Et la trogne de Léon Daudet, et la tirelire creuse de Charles Maurras, pêle-mêle avec le gros mufle de Paul Claudel, celui de cette vieille connaissance, le maraischal de Castelnau, et tous les curés, oui tous les curés ! Quel beau tas de soutanes et de surplis, révélant des cuisses décharnées par le pou de corps de la luxure hypocrite et les sergents de ville, éventrés au préalable et ces messieurs « en bourgeois » châtrés, et les femmes de lettres depuis la Noailles jusqu'à Jean Cocteau, savamment martyrisées par les bourreaux que nous saurions si bien être.

Ah ! retrouver le langage du « Père Duchesne » pour te célébrer, époque future. Je ne parle pas des réductions à entreprendre dans le matériel des musées et des bibliothèques, mesure accessoire où le plus radical sera le mieux.

Mais l'épuration méthodique de la population : les fondateurs de famille, les créateurs d'œuvres de bienfaisance (la charité est une tare), les curés et les pasteurs (je ne veux pas les oublier, ceux-là), les militaires, les gens qui rapportent à leur propriétaire les portefeuilles trouvés dans la rue, les pères cornéliens, les mères de familles nombreuses, les adhérents à la caisse d'épargne (plus méprisables que les capitalistes), la police en bloc, les hommes et les femmes de lettres, les inventeurs de sérums contre les épidémies, les « bienfaiteurs de l'humanité », les pratiquants et les bénéficiaires de la pitié, toute cette tourbe enfin disparue, quel soulagement ! Les grandes Révolutions naissent de la reconnaissance d'un principe unique : celui de la liberté absolue sera le mobile de la prochaine.

Toutes ces libertés individuelles se heurteront. Par sélection naturelle l'humanité décroîtra jusqu'au jour où, délivrée de ses parasites, elle pourra se dire qu'il existe des questions autrement importantes que la culture des céréales.

QU'IL EST TEMPS ENFIN DE S'OCCUPER DE L'ÉTERNITÉ.

La Révolution surréaliste, n° 3, avril 1925 (D. R.)

Ces textes extrémistes, s'ils sont lus au pied de la lettre, nous laissent perplexes. Pas de liberté pour les ennemis de la Liberté, le mot de Robespierre est connu. Le journal des Enragés, le journal du « Père Duchêne » a été évoqué par Desnos. Il le sera aussi par Breton, dans un tout autre contexte, puisqu'on est en 1942, à New York où Breton menacé a pu se réfugier. Voici cette page, de très grande verve populaire, bâtie sur le mot « foutre », à entendre non seulement comme juron mais dans son sens le plus concret, dans laquelle Breton évoque les Nazis occupant la ville de Paris :

ANDRÉ BRETON

Le retour du père Duchesne

Il est bougrement dispos, le père Duchesne ! De quelque côté qu'il se tourne, au physique comme au mental, les mouffettes sont véritablement reines du pavé ! Ces messieurs en uniforme de vieilles épluchures aux terrasses des cafés de Paris, le retour triomphal des cisterciens et des trappistes qui avaient dû prendre le train du bout de mon pied, les *queues* alphabétiques de grand matin dans les faubourgs dans l'espoir d'obtenir cinquante grammes de poumon de cheval, à charge de remettre ça vers midi pour deux topinambours — pendant qu'avec de l'argent tu peux continuer tous les jours sans carte à t'en foutre plein la lampe chez Lapérouse, la République envoyée à la fonte pour que symboliquement ce que tu as voulu faire de mieux revienne te cracher sur la gueule, tout cela sous l'œil jugé providentiel d'une moustache gelée qui est d'ailleurs en train de passer la main dans l'ombre à une cravate de vomi, il faut avouer que ce n'est pas mal ! Mais, foutre, *ça ira*, ça ira et ça ira encore. Je ne sais pas si vous connaissez cette belle étoffe rayée à trois sous le mètre, c'est même gratuit par temps de pluie, dans laquelle les sans-culottes roulaient leurs organes génitaux avec le bruit de la mer. Ça ne se portait plus beaucoup ces derniers temps mais, foutre, ça revient à la mode, ça va même revenir avec fureur, Dieu nous fait en ce moment des petits frères, ça va revenir avec le bruit de la mer. Et je vais te balayer cette raclure, de la porte de Saint-Ouen à la porte de Vanves et je te promets que cette fois on ne va pas me couper le sifflet au nom de l'Être suprême et que tout cela ne s'opérera pas selon des codes si stricts et que le temps est venu de refuser de manger tous ces livres de jean-foutre qui t'enjoignent de rester chez toi sans écouter ta faim. Mais, foutre, regarde donc la rue, est-elle assez curieuse, assez équivoque, assez bien gardée et pourtant elle va être à toi, elle est magnifique!

Prolégomènes à un troisième Manifeste du surréalisme ou non, 1942

Quoi qu'il en soit, une lecture qui serait exclusivement factuelle, référentielle et par là positiviste de ces textes surréalistes amène tout droit aux contresens. Ces textes, il faut les lire dans leur force lyrique, et leur portée métaphorique. C'est ce qu'indique une note apportée à un tract datant de cette année 1925 où les surréalistes tentent de définir l'horizon commun d'une lutte politique avec les animateurs de la revue Clarté, *les intellectuels communistes Marcel Fourrier, Jean Bernier, Victor Crastre, ceux du groupe* Philosophies *et les Belges de la revue* Correspondance, *et incitent à porter les regards vers la Révolution russe comme modèle. C'est le point de départ d'une dizaine d'années de dialogue difficile avec le P.C., ponctuées de rapprochements fugitifs avant 1928 et de violents désaccords qui vont s'amplifiant.*

TRACT

La Révolution d'abord et toujours

[...]

Plus encore que le patriotisme qui est une hystérie comme une autre, mais plus creuse et plus mortelle qu'une autre, ce qui nous répugne c'est l'idée de Patrie qui est vraiment le concept le plus bestial, le moins philosophique dans lequel on essaie de faire entrer notre esprit[1].

Nous sommes certainement des Barbares puisqu'une certaine forme de civilisation nous écœure.

Partout où règne la civilisation occidentale toutes attaches humaines ont cessé à l'exception de celles qui avaient pour raison d'être l'intérêt, « le dur paiement au comptant ». Depuis plus d'un siècle la dignité humaine est ravalée au rang de valeur d'échange. Il est déjà injuste, il est monstrueux que qui ne possède pas soit asservi par qui possède, mais lorsque cette oppression dépasse le cadre d'un simple salaire à payer, et prend par exemple la forme de l'esclavage que la haute finance internationale fait peser sur les peuples, c'est une iniquité qu'aucun massacre ne parviendra à expier. Nous n'acceptons pas les lois de l'Économie ou de l'Échange, nous n'acceptons pas l'esclavage du Travail, et dans un domaine encore plus large nous nous déclarons en insurrection contre l'Histoire. L'Histoire est régie par des lois que la lâcheté des individus conditionne et nous ne sommes certes pas des humanitaires, à quelque degré que ce soit.

C'est notre rejet de toute loi consentie, notre espoir en des forces neuves, souterraines et capables de bousculer l'Histoire, de rompre l'enchaînement dérisoire des faits, qui nous fait tourner les yeux vers l'Asie[2]. Car, en définitive, nous avons besoin de la

1. Ceux mêmes qui reprochaient aux socialistes allemands de n'avoir pas « fraternisé » en 1914 s'indignent si quelqu'un engage ici les soldats à lâcher pied. L'appel à la désertion, simple délit d'opinion, est tenu à crime : « Nos soldats » ont droit qu'on ne leur tire pas dans le dos. (Ils ont le droit aussi qu'on ne leur tire pas dans la poitrine.)

2. Faisons justice de cette image. L'Orient est partout. Il représente le conflit de la métaphysique et de ses ennemis, lesquels sont les ennemis de la liberté et de la contemplation. En Europe même qui peut dire où n'est pas l'Orient ? Dans la rue, l'homme que vous croisez le porte en lui : l'Orient est dans sa conscience.

Liberté, mais d'une Liberté calquée sur nos nécessités spirituelles les plus profondes, sur les exigences les plus strictes et les plus humaines de nos chairs (en vérité ce sont toujours les autres qui auront peur). L'époque moderne a fait son temps. La stéréotypie des gestes, des actes, des mensonges de l'Europe a accompli le cycle du dégoût[1]. C'est au tour des Mongols de camper sur nos places. La violence à quoi nous nous engageons ici, il ne faut craindre à aucun moment qu'elle nous prenne au dépourvu, qu'elle nous dépasse. Pourtant, à notre gré, cela n'est pas suffisant encore, quoi qu'il puisse arriver. Il importe de ne voir dans notre démarche que la confiance absolue que nous faisons à tel sentiment qui nous est commun, et proprement au sentiment de la révolte, sur quoi se fondent les seules choses valables.

Plaçant au-devant de toutes différences notre amour de la Révolution et notre décision d'efficace, dans le domaine encore tout restreint qui est pour l'instant le nôtre, nous : CLARTÉ, CORRESPONDANCE, PHILOSOPHIES, LA RÉVOLUTION SURRÉALISTE, etc., déclarons ce qui suit :

1° Le magnifique exemple d'un désarmement immédiat, intégral et sans contrepartie qui a été donné au monde en 1917 par LÉNINE à *Brest-Litovsk*, désarmement dont la valeur révolutionnaire est infinie, nous ne croyons pas *votre* France capable de le suivre jamais.

2° En tant que, pour la plupart, mobilisables et destinés officiellement à revêtir l'abjecte capote bleu horizon, nous repoussons énergiquement et de toutes manières pour l'avenir l'idée d'un assujettissement

1. Spinoza, Kant, Blake, Hegel, Schelling, Proudhon, Marx, Stirner, Baudelaire, Lautréamont, Rimbaud, Nietzsche : cette seule énumération est le commencement de votre désastre.

de cet ordre, étant donné que pour nous la France n'existe pas.

3° Il va sans dire que, dans ces conditions, nous approuvons pleinement et contresignons le manifeste lancé par le comité d'action contre la guerre du Maroc, et cela d'autant plus que ses auteurs sont sous le coup de poursuites judiciaires.

4° Prêtres, médecins, professeurs, littérateurs, poètes, philosophes, journalistes, juges, avocats, policiers, académiciens de toutes sortes, vous tous, signataires de ce papier imbécile : « Les intellectuels aux côtés de la Patrie », nous vous dénoncerons et vous confondrons en toute occasion. Chiens dressés à bien profiter de la Patrie, la seule pensée de cet os à ronger vous anime.

5° Nous sommes la révolte de l'esprit ; nous considérons la Révolution sanglante comme la vengeance inéluctable de l'esprit humilié par vos œuvres. Nous ne sommes pas des utopistes : cette Révolution nous ne la concevons que sous sa forme sociale. S'il existe quelque part des hommes qui aient vu se dresser contre eux une coalition telle qu'il n'y ait personne qui ne les réprouve (traîtres à tout ce qui n'est pas la Liberté, insoumis de toutes sortes, prisonniers de droit commun), qu'ils n'oublient pas que l'idée de Révolution est la sauvegarde la meilleure et la plus efficace de l'individu.

Tract surréaliste, 1925

Relisons l'appel à l'Orient des Mongols — où l'on peut lire, dans la métaphore, un appel aux Soviets, et que Jean-Paul Sartre plus tard a feint de trouver indigne — : il est parfaitement explicité dans la note 2 du tract lui-même, reprise ici p. 52.

Il faut dès lors dissiper des légendes. Même dans cette période où les surréalistes s'arrachent dans la violence aux préoccupations qui étaient les leurs et semblaient rester surtout littéraires, ce ne sont pas des hommes vivant dans un perpétuel « état de fureur » qui en appelleraient (« lisez-les ! ») au retour de la Terreur. Ce sont des hommes à l'indignation vive, à la générosité susceptible, et qui veulent « repassionner le monde ». Autre légende : ils n'ont jamais été des « compagnons de route » du Parti Communiste Français : le terme implique l'acceptation d'une stratégie des luttes qui hiérarchise leur opportunité. Les Histoires du Surréalisme[1]*, trop peu attachées aux textes, gomment en général cette évidence.*

Les dissensions mais aussi la difficulté où l'on est en France d'avoir accès à des informations fiables sur ce que produit, en URSS, l'« utopie léniniste » minent les tentatives d'action commune avec Boris Souvarine, exclu dès 1924 de l'Internationale, ainsi qu'avec les premiers trotskistes. Les surréalistes sont particulièrement attentifs à ce qui concerne dans la Révolution à venir l'éthique de l'œuvre d'art, avant de faire porter leurs plus vives critiques sur les méthodes staliniennes.

Il s'agit de mener parallèlement (c'est-à-dire dans le même sens mais séparément) notre action artistique et notre action politique ; ne pas nous laisser aller (comme cela est arrivé si souvent) à introduire la poésie dans les questions d'ordre politique, ni la politique dans les questions d'ordre poétique. (Une œuvre est révolutionnaire non pas si elle emprunte

1. Voir pourtant l'excellent ouvrage documenté de première main de Carole Reynaud-Paligot, *Parcours politique des surréalistes, 1919-1969*, CNRS éditions, 1995.

des idées révolutionnaires dans le domaine moral ou social, mais si elle détruit des formes et des manières de penser admises dans le domaine de l'art.) Ce n'est que de cette façon que l'action artistique peut doubler l'action politique.

Procès-verbal de l'Assemblée Générale du 7 octobre 1925, constitutive d'un groupe d'action réunissant les hommes de la revue *La Révolution surréaliste*, de *Clarté* et de *Philosophies*, auxquels se joignent ceux de *Correspondance*.

Et ce dont parle André Breton en septembre 1926, c'est de « foi révolutionnaire », certes, mais surtout de la « légitime défense » devant les méthodes de propagande déplorables d'un journal, L'Humanité, *dont la lecture est « crétinisante ».*

ANDRÉ BRETON

Légitime Défense

[...]

Notre situation dans le monde moderne est cependant telle que notre adhésion à un programme comme le programme communiste, adhésion de principe enthousiaste bien qu'il s'agisse évidemment à nos yeux d'un programme minimum[1], n'a pas été

1. Je m'explique. Nous n'avons l'impertinence d'opposer aucun programme au programme communiste. Tel quel, il est le seul qui nous paraisse s'inspirer valablement des circonstances, avoir une fois pour toutes réglé son objet sur la chance totale qu'il a de l'atteindre, présenter dans son développement théorique comme dans son exécution tous les caractères de la fatalité. Au-delà, nous ne trouvons qu'empirisme et rêverie. Et cependant il est en nous des lacunes que tout l'espoir que nous mettons dans le triomphe du communisme ne comble

accueillie sans les plus grandes réserves et que tout se passe comme si, en fin de compte, elle avait été jugée irrecevable. Purs que nous étions de toute intention critique à l'égard du Parti français (le contraire, étant donné notre foi révolutionnaire, eût été peu conforme à nos méthodes de pensée), nous en appelons aujourd'hui d'une sentence aussi injuste. Je dis que depuis plus d'un an nous sommes en butte de ce côté à une hostilité sourde qui n'a perdu aucune occasion de se manifester. Réflexion faite, je ne sais pourquoi je m'abstiendrais plus longtemps de dire que *L'Humanité*, puérile, déclamatoire, inutilement *crétinisante*, est un journal illisible, tout à fait indigne du rôle d'éducation prolétarienne qu'il prétend assumer. Derrière ces articles vite lus, serrant l'actualité de si près qu'il n'y a rien à voir au loin, donnant à tue-tête dans le particulier, présentant les admirables difficultés russes comme de folles facilités, décourageant toute autre activité extra-politique que le sport, glorifiant le travail non choisi ou accablant les prisonniers de droit commun, il est impossible de ne pas apercevoir chez ceux qui les ont commis une lassitude extrême, une secrète résignation à ce qui est, avec le souci d'entretenir le lecteur dans une illusion plus ou moins généreuse, à aussi peu de frais qu'il est possible. Qu'on comprenne bien que j'en parle techniquement, du seul point de vue de l'effi-

---

pas : l'homme n'est-il pas irréductiblement un ennemi pour l'homme, l'ennui ne finira-t-il qu'avec le monde, toute assurance sur la vie et sur l'honneur n'est-elle pas vaine, etc ? Comment éviter que ces questions se posent, créent des dispositions particulières dont il est difficile de ne pas faire état ? Dispositions entraînantes, auxquelles la considération des facteurs économiques, chez des hommes non spécialisés, et par nature peu spécialisables, ne suffit pas toujours à donner le change. S'il faut à tout prix obtenir notre renoncement, notre désistement sur ce point, qu'on l'obtienne. Sinon, nous continuerons malgré nous à faire des réserves sur l'abandon complet à une foi qui présuppose comme une autre un certain état de grâce.

cacité générale d'un texte ou d'un ensemble de textes quelconque. Rien ne me paraît concourir ici à l'effet désirable, ni en surface, ni en profondeur[1]. D'effort réel, en dehors du rappel constant à l'intérêt humain immédiat, d'effort qui tende à détourner l'esprit de tout ce qui n'est pas la recherche de sa nécessité fondamentale, et l'on pourrait établir que cette nécessité ne saurait être que la Révolution, je n'en vois pas plus que de tentative sérieuse pour dissiper des malentendus souvent formels, ne portant que sur les moyens, et qui, sans la division par camps qu'on ne s'oppose aucunement à ce qu'ils entraînent, ne seraient pas susceptibles de mettre en péril la cause défendue[2]. Je ne puis comprendre que sur la route de la révolte il y ait une droite et une gauche. À propos de la satisfaction de cet intérêt humain immédiat qui est presque le seul mobile qu'on juge bon d'assigner de nos jours à l'action révolutionnaire[3], qu'il me soit permis d'ajouter que je vois à son exploitation plus d'inconvénients que de profits. L'instinct de classe me paraît avoir à y perdre tout ce que l'instinct de conservation individuelle a, dans le sens le plus médiocre, à y gagner. Ce ne sont pas les avantages matériels que chacun peut espérer tirer de la Révolution qui le disposeront à jouer sa vie — sa

1. Exception faite pour la collaboration de Jacques Doriot, de Camille Fégy, de Marcel Fourrier et de Victor Crastre, qui offre toutes garanties.

2. Je crois à la possibilité de se concilier dans une certaine mesure les anarchistes plutôt que les socialistes, je crois à la nécessité de passer à certains hommes de premier plan, comme Boris Souvarine, leurs erreurs de caractère.

3. Je répète que beaucoup de révolutionnaires, de tendances diverses, n'en conçoivent pas d'autres. D'après Marcel Martinet (*Europe*, 15 mai), la déception des surréalistes ne leur est venue qu'après la guerre, du fait d'avoir *mal à leur portefeuille*. « Si le Boche avait payé, pas de déception et la question de la Révolution ne se posait pas plus qu'après une grève qui apporte quatre sous d'augmentation. » Affirmation dont nous lui laissons la responsabilité et dont l'évidente mauvaise foi me dispense de répondre point par point à son article.

vie — sur la carte rouge. Encore faudra-t-il qu'il se soit donné toutes raisons de sacrifier le peu qu'il peut tenir au rien qu'il risque d'avoir. Ces raisons, nous les connaissons, ce sont les nôtres. Ce sont, je pense, celles de tous les révolutionnaires. De l'exposé de ces raisons monterait une autre lumière, se propagerait une autre confiance que celles auxquelles la presse communiste veut bien nous accoutumer. Loin de moi le projet de détourner si peu que ce soit l'attention que réclament des dirigeants responsables du Parti français les problèmes de l'heure : je me borne à dénoncer les torts d'une méthode de propagande qui me semble déplorable et à la révision de laquelle ne sauraient, selon moi, être apportés trop, et trop rapidement, de soins.

[...]

La Révolution surréaliste, n° 8, décembre 1926

Sur ce point, le débat international chez les bolcheviques leur est provisoirement favorable. Jusqu'en 1928, les diverses tendances littéraires coexistent en Union soviétique : Lénine et Trotski sont favorables au pluralisme des mouvements littéraires, et réticents devant le « populisme » représenté en France par André Thérive et par Henri Barbusse.

Les surréalistes ouvrent leur revue La Révolution surréaliste, *n° 12, 1929, à Marcel Fourrier et à André Thirion, qui, chacun dans une stricte orthodoxie marxiste, explicitent le rôle de la police et la notion de « valeur » dans la société bourgeoise.*

MARCEL FOURRIER

Police, haut les mains !

« La plus haute de toutes les notions sociales de la société bourgeoise, c'est la police », écrivait Karl Marx[1].

On semble trop volontiers oublier, dans nos milieux révolutionnaires, que la police ne se limite pas à cette troupe salariée destinée à assurer l'ordre des rues. J'entends que la police est essentiellement un état d'esprit de la bourgeoisie. Quel bourgeois le plus ordinaire n'est pas doublé d'un parfait policier ?

Un sûr instinct de classe dresse au contraire le prolétaire contre le policier. Étranger aux notions sociales qui ont présidé à la naissance de la Société bourgeoise dans laquelle il se meut et dont l'armature, aujourd'hui, lui échappe, le prolétaire prend conscience que son existence est la négation totale des principes mêmes de l'existence de cette société. Cette société qui vit de vols et de crimes autrement graves que ceux dits de droit commun et qui d'un strict point de vue moral sont les seuls qui vaillent d'être soumis à ce muet et grave interrogatoire de la conscience humaine, cette société, dis-je, qui vit de vols et de crimes abrite depuis trop d'années ses abominables malfaisances derrière un système social dominé par la Police. Quelle magnifique entreprise, vraiment, celle qui donne au maître l'assurance de la pérennité de sa propriété à travers la sauvegarde de sa personne physique, de ses droits. Après les droits du roi, ceux de l'État bourgeois.

La société bourgeoise, société essentiellement

1. Voir « La Question juive », *Annales franco-allemandes*, Paris, 1844.

égoïste, n'a jamais défini d'autres droits de l'homme que ceux strictement limités à l'individu égoïste, le citoyen, que rien, absolument rien n'élève au-delà « de son intérêt particulier et de son caprice personnel, séparé de la vie et de l'activité communes » (Karl Marx). Ces droits de l'homme égoïste la société bourgeoise les a énoncés dès son origine : Égalité, Liberté, Sûreté, Propriété.

Liberté, c'est-à-dire le droit de l'individu borné à lui-même, de l'homme non pas associé mais séparé de l'autre homme ; liberté dont la mise en pratique est la Propriété ; liberté de jouir et d'abuser — en un mot le droit de l'égoïsme, droit égal pour tous dominé essentiellement par la haute notion sociale de sûreté. Sûreté : protection accordée par la société à chacun de ses membres pour la conservation de sa personne, de ses droits et de ses propriétés. Police !

Aux intellectuels bourgeois est imparti le rôle de diviniser la police. Et comme ce rôle leur convient bien, à ces hommes pour qui l'idéologie est une source de prospérité. Hegel déjà réunissait sous le nom d'« État pensant » ou encore sous celui d'« État du besoin et de la réflexion » toutes les classes entretenues hors de la production. Ces classes pensantes, gardiennes vigilantes des traditions de la bourgeoisie, affectées à la sûreté intellectuelle de l'État, voilà avant toutes autres l'ennemi que nous dénonçons au prolétariat, celui dont il lui faudra sans pitié abattre toutes les têtes. Toutes. Penseurs, philosophes, professeurs, historiens, théoriciens, chroniqueurs, littérateurs, poètes, journalistes, artistes ; libéraux, démocrates, réactionnaires, républicains ; usiniers, banquiers, officiers ; prêtres, pasteurs, rabbins, tous, policiers, c'est pour renverser vos hiérarchies et abattre avec le capitalisme, tout le système de l'idéologie traditionnelle, que s'apprête, s'organise, s'arme, le prolétariat. Trop de sang intellectuel a été répandu par vous, pour que votre « savoir » trouve grâce devant les travailleurs armés. Vous, lettrés et hommes d'Églises, il ne conviendra pas vraiment que vous demandiez grâce. À quoi bon. Pouvez-vous désapprendre ? On vous a un peu trop épargnés en Russie, vraiment. Les ouvriers acquérant la faculté scientifique et la capacité politique, s'émancipant seuls avec leurs propres forces, se gouvernant eux-mêmes, abolissant les classes, supprimant l'État, accédant au rang de producteurs libres, qu'ont-ils besoin de vous, professionnels de la pensée, beaux esprits, fabricants d'abstractions, hommes de la police. Qu'ont-ils à apprendre de votre sophistique, qui vous permet de vous justifier de tous vos actes, et favorise le développement de l'égoïsme monstrueux de la société que vous avez à charge de policer[1] ?

À la base de cet esprit d'égoïsme qui présida à l'élaboration de la société bourgeoise, se trouve le

1. Il est toujours réconfortant de lire sur ce sujet, et de replacer à chaque occasion sous le nez de messieurs les intellectuels, des vérités aussi évidentes que :

« *La corruption inéluctable des hommes de plume n'a jamais été sérieusement discutée... nos écrivains contemporains coûtent cher aux sociétés financières, tous ne touchent pas directement de l'argent, mais presque tous ne peuvent rien que par les journaux qui encaissent régulièrement les frais de publicité. Ce sont là des industries qui ne disparaîtront pas facilement ; en tout cas, leur influence ne pourra diminuer que si les idées socialistes deviennent dominantes et amènent un changement dans les relations économiques ; certainement ce ne sera pas chose facile et les maîtres de l'esprit public ne voudront jamais accepter, de bonne volonté, un régime qui ruinerait leur situation privilégiée.* » Sorel.

Ils ne l'accepteront évidemment pas, ou s'ils feignent de l'accepter, ce sera pour mieux saboter le régime prolétarien comme ils l'ont si bien fait en U.R.S.S. en s'inscrivant tout simplement au parti communiste. Lénine manifestait d'une trop grande bienveillance envers *les fils à papa, fripons et autres gardiens des traditions du capitalisme* en les envoyant travailler à l'usine ou au bureau sous le contrôle des ouvriers armés. Ils ont bien commencé à travailler, mais bientôt ce sont eux qui sont devenus les contrôleurs de leurs gardiens en formant une caste bureaucratique privilégiée, tant et si bien qu'ils sont en train de désarmer les ouvriers, de rétablir les hiérarchies, etc. Aussi, tout bien considéré, vaut-il mieux exterminer une fois pour toutes ces « élites présentes » et faire ainsi l'économie d'une seconde révolution.

christianisme. Le christianisme avait aidé l'individu à se détacher de la société primitive, de la collectivité des autres hommes de la cité, mais pour mieux l'asservir à l'Église. La société bourgeoise, en réalisant l'individualisme absolu de la propriété — liberté de posséder —, ne fit que reprendre la vieille idée du christianisme qui transférait à l'Église les revenus de la propriété soustraite à la collectivité. La notion de sûreté, introduite par la bourgeoisie comme un droit de l'homme, plaçait désormais sous la sauvegarde de l'État la propriété individuelle du citoyen. La fiction de l'État bourgeois se substituait à la divinité. La société chrétienne avait une gendarmerie sacrée, l'Église, un policier suprême, Dieu. La société bourgeoise pour protéger ses droits nouveaux dut recourir à la notion *sociale* de la police. La police, qui jusqu'alors s'était confondue avec le divin, rentrait dans la matérialité de l'État ; la police devenait une institution de l'État : « la plus haute des notions sociales de la société bourgeoise ». Protéger l'égoïsme bourgeois, permettre l'exercice du libre droit de propriété sous toutes ses formes, y compris bien entendu la propriété de la force de travail du salarié, assurer le droit au capitaliste de jouir de sa fortune à son gré, abstraction faite de tous les autres hommes de la société, soumettre au caprice personnel la vie sociale des autres hommes, n'admettre aucun lien entre les individus hormis ceux provenant de la nécessité naturelle, du besoin, de l'intérêt privé, de la conservation de la fortune et de la personne, voilà quelles sont les garanties que la police doit assurer à la société bourgeoise.

[...]

La Révolution surréaliste, n° 12, 1929 (D. R.)

ANDRÉ THIRION

Note sur l'argent

On sait, depuis Marx, que l'or figure dans le monde des échanges, comme équivalent général de la valeur des marchandises ; c'est-à-dire qu'on rapporte à la quantité de travail qu'a nécessité l'extraction, la métallurgie, le transport sur le marché de cet anémique métal la quantité de travail moyen socialement nécessaire que représente n'importe quel objet capable de satisfaire un besoin quelconque de l'homme pour avoir l'expression de la valeur de cet objet. Cette opération donne à l'or la qualité de monnaie et ce nouvel état social l'exclut du rang des marchandises. En mesurant la valeur des marchandises par la monnaie, l'homme conçoit alors cette étonnante abstraction, le prix, que le rapport avec un poids étalon d'or exprime en chiffres[1]. C'est ainsi qu'un marchand d'hosties peut dire : « J'ai dans mes coffres pour un franc d'hosties. » Mais l'imbécile ne se doute pas, en proférant cette imprudente parole en présence de l'énorme quantité de jetons grisâtres amoncelés autour de lui, que son franc en tant que mesure de la valeur de ses hosties n'est que purement imaginaire, ne représente qu'un minuscule grain d'or supposé, anonyme, mythique, qu'il ne possède pas malgré l'effroyable consommation des prêtres et des fidèles. Un sortilège a donc frappé ce grain que nous avons

1. En France, l'imagination populaire a été profondément frappée par les mystérieux graffiti et les inscriptions incohérentes que les fabricants, poussés par on ne sait quelle superstition, ont gravés sur les pièces d'or. Ainsi, l'étrange et continuelle présence d'une tête de mort, mieux encore, d'une tête coupée, l'incompréhensible fréquence de certains mots, ont été la cause de ces curieuses appellations de l'étalon national : le louis, le napoléon.

le droit de croire réel, pourtant, puisque après le premier achat nous pourrons le toucher, et même le peser à la prochaine balance !

Cette irréalité, cette folie, n'est-ce pas le propre même de l'argent qui, par nature, échappe complètement au domaine du certain ? L'or que vous tenez en main, qui n'était tout à l'heure qu'un métal jaune, plus terne que le cuivre poli, moins lourd que le plomb mais plus pesant que le soufre, plus tendre que le nickel et le fer, n'ayant pas d'autre propriété remarquable que celle de résister à l'action des acides minéraux, est maintenant devenu *la monnaie*, cet élément commun auquel il a fallu réduire les valeurs d'échange des marchandises. Et s'il ne doit cette qualité qu'à lui-même, en devenant monnaie l'or a perdu toute personnalité. Car son nouvel état ne saurait être « une propriété naturelle quelconque, géométrique, physique ou chimique des marchandises[1] ». Ce n'est même plus une abstraction, c'est une sorte de seconde nature, métaphysique celle-là, qui annihile du coup toute réalité à sa représentation matérielle, quelque chose comme l'essence divine que dans certains pays les hommes incluent dans toutes les figures prenant la forme de deux droites perpendiculaires, mais qui, à la différence de cette impuissante divinité s'est montrée capable d'extravagants miracles, qui doit donc, en fin de compte, contenir une terrible puissance catastrophique.

Car les effets de cette puissance sont eux, à coup sûr, d'ordre matériel. Quelque extraordinaire que puisse paraître l'arbre du moteur capitaliste, il est plus extraordinaire encore à penser que de telles folies appartiennent en propre à l'histoire, ont été et sont encore l'instrument de bouleversements inouïs des conditions d'existence de l'homme. Et l'on ris-

1. Marx, *Le Capital*, première partie, ch. I.

querait fort de tomber dans le domaine de l'absurde si l'on affirmait que ce système, si extravagant qu'il soit, n'a jamais répondu à d'impérieuses et inéluctables nécessités. L'homme est doué de tant de force, que même sa stupidité, qui est sa qualité la plus élémentaire et la plus universellement répandue, est capable de création. Et il se doit bien de reconnaître au moins ce mérite au pauvre idiot qu'il était encore, il n'y a pas si longtemps.

Nous nous étonnons donc à bon droit que les fondements de la société où nous vivons soient si peu réels et n'offrent de sens à l'entendement humain qu'à raison de mettre en cause l'existence même de la matière. Mais le caractère scandaleux d'une part des nécessités du devenir social est nécessaire à la destruction du scandale. Ainsi ce qui seul peut nous intéresser dans l'argent est la contradiction qui existe entre le métal or et la monnaie et si, du choc de ces monstres, il nous vient quelque désarroi, c'est à la démarche initiale du capitaliste qu'il faut nous en prendre. « Ce qui est caractéristique, écrit Marx[1], ce n'est pas que la marchandise force de travail, puisse s'acheter, mais que la force de travail puisse apparaître comme marchandise. » En effet, cette idée ne viendra pas à tout le monde.

Avec la seule morale que nous dicte la présence de l'homme dans la nature nous trouvons monstrueux qu'on ait essayé de contester à l'homme son droit à ne rien faire, qu'on ait tenté de réglementer son activité, qu'on attaque encore aujourd'hui ce qui est en lui de plus admirable : la force qu'il a de produire quelque chose avec rien, de transformer tout, en un mot que la qualité de ce qu'il fait soit simplement niée. Mais le capitaliste ne s'est pas aperçu qu'en niant toute qualité au travail humain, il détachait

1. *Le Capital*, septième partie, ch. XXIII.

complètement le travail de l'homme pour n'en faire qu'une propriété de la mécanique et que de ce fait, la valeur qu'il avait essayé de lier par des chaînes d'acier à la durée de la fatigue des prolétaires, reprenait peu à peu sa liberté, animant une foule d'objets de-ci, de-là, au hasard des désirs, des hasards et des escroqueries.

« Dans la mesure[1] où les moyens accessoires développés par le système créditaire ont cet effet *(d'augmenter la force productive du capital social)* ils accroissent directement la richesse capitaliste, soit que le procès social de production et de travail s'accomplisse en grande partie sans la moindre intervention d'argent véritable, soit que la capacité fonctionnelle de la masse d'argent réellement en fonction se trouve augmentée. »

Nous sommes loin, on le voit, de la définition originelle de la monnaie, de sa raison d'être. Aussitôt qu'il est pris dans la course des échanges, dans la circulation du capital, l'argent cesse de représenter une équivalence, la parité entre deux quantités de travail. Ce mythe, comme le savon, se met à mousser, donne à la même pièce d'or le pouvoir d'usage de plusieurs, affirmant une fois de plus qu'il n'existe que grâce au bon vouloir de l'homme, qu'il ne règne qu'en raison d'un certain état de contrainte. Et qu'on ne dise pas que tout ce papier qui circule n'est qu'une façon commode de remplacer l'or qui *pourrait* circuler. On serait ainsi dans l'erreur : si, parce qu'il est un métal bien défini, l'or peut, en niant sa matérialité, devenir la monnaie, le morceau de papier qui, en circulant, joue le rôle de monnaie, nie lui-même la monnaie qu'il est censé représenter puisqu'il est le contraire d'un équivalent général. Si

1. Marx, *Le Capital*, Le procès de circulation du capital, 2e section, ch. XVII.

on ne reconnaît pas cette double contradiction on ne peut expliquer les crises de crédit et les krachs, la nature déloyale, irréelle de l'argent.

« Accumulez, accumulez, voilà la loi et les prophètes », écrivait Marx en se moquant de Malthus qui voulait diviser la classe capitaliste en capitalistes accumulateurs et capitalistes dépensiers « puisqu'il importe au suprême point, disait-il, de maintenir séparées la passion de la dépense de la passion de l'accumulation » ; malgré les apparences, il est plus sûr de dépenser de l'or que d'accumuler des mythes. C'est pourquoi le capitaliste n'acceptera jamais de vous confier, à vous ou à moi, la seconde besogne qui d'ailleurs est aussi indissolublement liée à la première que le chaud et le froid dans la glace qui vous brûle les mains.

De la façon dont l'argent circule, il revient toujours aux banques qui seules en fin de compte, par une petite opération dialectique, peuvent regarder le mythe en face, en fixant sa représentation matérielle. Mais comme depuis longtemps, elles sont incapables de donner des dimensions au brouillard du crédit qui les noie, tremblantes d'effroi, elles ont amassé l'or et le gardent dans leurs caves blindées pour les jours de malheur qu'elles sentent proches et qu'elles espèrent surmonter à cause de la confiance superstitieuse dont elles sont saisies en présence de l'inconcevable pâleur des lingots. À l'époque de l'impérialisme que nous avons l'avantage de vivre, les banques sont propriétaires des mines, des usines, des magasins. Nous sommes donc tributaires du capitalisme à la fois des marchandises et de l'argent. C'est le même homme qui nous oblige à travailler, qui nous paie et qui nous vend la viande, le pain, les étoffes. « Dans la société, ceux qui travaillent ne gagnent pas, ceux qui gagnent ne travaillent pas[1]. » On sait que les capitalistes ne travaillent pas mais, prisonniers de la sottise de leur système, ils sont obligés de dépenser pour s'enrichir. « La classe capitaliste[2] doit jeter elle-même dans la circulation l'argent nécessaire à la réalisation de sa plus-value... Le capitaliste individuel ne fait cette avance qu'en sa qualité d'acheteur, en dépensant de l'argent pour l'achat de moyens de consommation, ou en avançant de l'argent pour l'achat d'éléments de son capital productif, force de travail ou moyens de production. » Retenez-le bien, jeunes ambitieux, cet argent, en échange duquel vous vous imaginez qu'on vous donnera toute la réalité, ou presque (mais l'essentiel est dans ce presque), il est tout entier dans les poches d'un petit nombre d'hommes qu'on appelle riches, qui ne vous en confieront quelques pièces que dans la mesure où ils pensent que vous leur rendrez davantage.

La Révolution surréaliste, n° 12, 1929 (D. R.)

Individuellement cinq surréalistes adhèrent au P.C. (Benjamin Péret le premier fin 1926, puis Aragon, Breton, Éluard et Unik au début de 1927). Découragés par l'accueil qui leur est fait dans leurs cellules respectives, ils ne renouvellent pas leur adhésion l'année suivante. Mais ils placent toujours l'engagement politique au cœur de leur pensée, tandis que c'est un des éléments qui ont fait s'écarter ou être écartés en 1926 Antonin Artaud et Philippe Soupault. Seul René Crevel, avant Paul Éluard, tentera jusqu'à son suicide en 1935

1. Marx-Engels : *Manifeste du Parti communiste.*
2. Marx, *Le Capital,* Le procès de circulation du capital, 3e section, ch. XX.

ce « grand écart » de la pensée entre marxisme et Surréalisme. Et c'est dans un récit fabuleux que nous pouvons lire sa profession de foi anticapitaliste :

RENÉ CREVEL

Les Pieds dans le plat

Le capitalisme ne se suicide pas, on le suicide, et pas en soufflant dessus. Ses monuments sont mieux plantés en terre que la muraille de la Jéricho des légendes. La chanson humanitaire que tant de dromomanes s'en vont chantant de par le monde, les petits cantiques du pacifisme bondieusard, voilà qui non seulement n'ébranlera point les pierres officielles, mais au contraire vise à cimenter d'opportunisme, de résignation, les moindres moellons, les plus infimes parcelles de ce qu'il s'agit d'abattre.

Le mensonge libéral, produit spécifiquement français, on sait ce qu'il vaut, ce qu'il nous vaut. On n'a pas oublié ce qu'il nous a valu. On peut prévoir ce qu'il nous vaudra. La France se pose en championne de la liberté individuelle, c'est-à-dire elle entend plus que jamais défendre la liberté de quelques individus, minorité d'exploiteurs dont le bon vouloir et les caprices ne demandent qu'à continuer de s'exercer aux dépens des exploités.

Si les profiteurs n'aiment pas toucher au bas de laine, entamer le magot (connais-tu le pays où fleurit l'avarice ?), ils sont, par contre, prodigues de belles paroles (connais-tu le pays où fleurit l'éloquence ?). Des mots, toujours des mots, des mots qui ont perdu toute valeur. On est en pleine inflation verbale. Cette fausse monnaie à peine fabriquée, son effigie prometteuse, déjà, s'encrasse. Ses traits s'effacent. Avec ce qui en demeure, on ne saurait reconstituer un visage. En parler bourgeois, rien n'a plus de sens, ne veut plus rien dire, ou plutôt n'a de sens, ne veut dire que par grimaçante, odieuse antiphrase.

Parce que la guerre sévit à l'état endémique aux colonies, dès que le colonisateur se livre en tel point, tel jour, un peu plus férocement qu'ailleurs, que d'habitude, à son activité massacreuse, il est parlé de pacification.

Ainsi, est-il reconnu par l'impérialisme lui-même, que sa paix ne s'oppose point à sa guerre. Guerre et paix impérialistes se confondent. Front unique contre leur bloc. *Front unique pour transformer la guerre impérialiste en guerre civile.*

Grâce à la S.D.N., il n'y a déjà même plus, de par le monde, le moindre lopin de Suisse qui puisse, à coup de symboles sournoisement chrétiens (la croix blanche d'un drapeau, la croix rouge de l'œuvre du même nom), essayer de feindre cette impartialité évangélique, biblique sous le couvert de laquelle les espions des pays belligérants au cours de la guerre mondiale, se livraient à leurs petits travaux, rassemblant des documents (faux de préférence) pour faire condamner à mort ceux de leurs compatriotes qui n'applaudissaient point à l'hécatombe.

Grâce à la S.D.N., voici Genève devenue officiellement préfecture de police du monde bourgeois et le prince des journalistes a pu intituler : *Avis aux défaitistes du capitalisme*, l'article où il remerciait, en son nom et en celui de la civilisation, le colonel suisse qui ordonna de tirer sur la foule, lors du meeting pour le compte rendu des travaux et résolutions du Congrès d'Amsterdam contre la guerre. Mais insinuer que le matraquage à la sortie de Bullier c'était de la gnognotte par rapport à la fusillade de Plainpalais, voilà qui ne visait certes point à flatter le préfet de police parisien. D'ailleurs, après les félicitations au chef helvète, venaient, à peine voilés, des reproches à l'épurateur pourtant consacré de la Ville-Lumière, comme s'il ne s'était pas montré à la hauteur de sa tâche, de sa réputation. « *Quand une étoile commence à pâlir*, concluait le maître de l'opinion, *un soleil ne tarde jamais à l'éclipser totalement*. »

Les Pieds dans le plat, 1933

« Tout s'éparpille » de la création romanesque, mais au centre de l'éparpillement demeure la colère :

Et maintenant, ami lecteur, si tu lis ce livre à la saison pluvieuse, tu vas penser que l'eau du ciel a englouti le dernier lopin de terre ferme ; si c'est la saison sèche, tu vas croire que, dans le sable, s'est perdu l'ultime ruisseau. Mais, patience, et ne t'énerve point, si l'on te sert de l'informe alors que tu voudrais du lapidaire. Tu aimes la précision. Tout le monde aime la précision. Mais, à force de couper menu, on en vient au hachis, au gâchis. Après les fibres, la poudre. Un cyclone invente à chaque réveil des tourbillons de poussière blanche. Matins de frissons et de plâtre. Tout est gâché. Or gâcher le plâtre, n'est-ce point une des premières, sinon la première chose à faire pour qui veut se construire une maison, la Maison ? Mais gare à la métaphysique. Dans trois minutes, d'ici trois mots, s'il n'y est mis bon ordre, ce sera la maison en soi.

On parle beaucoup de phénoménologie ces temps-ci, mais il n'est cependant point de science morale qui ne se veuille nouménologie[1]. Et c'est pourquoi nous ne sommes pas trop en avance quant à la psychologie. Malgré les symboles dont se grise autant que de mouvement un siècle qui aime à se vanter d'être siècle de la vitesse, on en est, dans certains domaines, demeuré aux modes de locomotion des rois fainéants. Que ruminez-vous, ruminants ? Bœuf de bœuf. Vive la littérature paysanne, les romans du terroir, vivent les bœufs et la charrue qu'on a mise avant les bœufs. Mais peut-on remuer la surface d'une dure suffisance ? Jolie musique, cette promenade aratoire sur le marbre des cœurs, les os pétrifiés des crânes. Et si le soc de la charrue ne supporte plus l'impénétrable, s'il se révolte, s'il sort de lui-même ? Il va trouver enfin son sillon à creuser, approfondir le sillon déjà creusé par une cicatrice elle-même consécutive à l'arrachement des couilles d'entre les pattes de derrière des animaux émasculés, car on a donné les taureaux sans confession à toute la curetaille qui maintenant se propose de prendre le bon Dieu par les cornes.

Ah ! sagesse, sagesse des nations, séculaire, que dis-je millénaire, bien indivis des vedettes paneuropéennes, parure des petites fêtes capitonnées et des grandes réceptions capiteuses du capitalisme, ce n'est que pour vous condamner que pouvait venir s'asseoir, parmi les treize autres convives, ce quatorzième,

1. *Phénoménologie de l'angoisse*, annonce Heidegger, le plus fameux des phénoménologistes actuels. Au lieu d'étudier le *comment* de l'angoisse, il se contente de constater le pourquoi qui l'exprime, le *pourquoi surgi du mystère de l'Être qui nous oppresse.*

Mais le philosophe de Fribourg ne se trouve pas trop mal dans le cul-de-sac métaphysique, puisque, lui-même, à sa propre question répond : « *Chacune des questions métaphysiques ne peut être posée que si celui qui la pose est, comme tel, inclus dans la question, c'est-à-dire se trouve lui-même mis en question.* »

Resterait encore à savoir si, pour un tel poseur de questions, pour un poseur de telles questions, toute question métaphysique n'est pas un moyen d'éviter d'autres questions, celles-là concrètes.

Détournement dans l'abstrait. Fuite.

ambassadeur de celui qui tient la plume, écrit le mot plume, le mot... mot, le... le.

Tout s'éparpille, mais au centre de l'éparpillement demeure la colère. Le spectateur entend surtout ne point prendre figure de pierre. Au commandeur d'avoir recours au symbolisme pompeux, sclérosé, minéral de cette prétendue justice majuscule, absolue dont le père impose à l'enfant la notion à coups de poings, gifles et châtiments.

Aujourd'hui, ce n'est plus au père de punir le fils, mais au fils de punir le père et de le punir, parce que lui, le père, il n'a su éviter que le fils lui apparût punissable.

C'est le mérite des époques dites de décadence que d'éclairer d'une lumière exceptionnellement violente le conflit entre ce qui est et ce qu'il faudrait qui fût. Les contraires, la glace et la flamme brûlent d'un même feu. Le monde s'embrase à coups de cristaux et d'incendies. Le monde s'embrase d'antithèses. Il semble alors que la terre fécondée par les orages qui l'ont visée durant des mois, des années, des lustres, des siècles, la terre s'ouvre soudain. Elle va fleurir de tous les chauds et féconds dangers, sous forme d'arbres de soufre, d'arbres de souffrance, d'arbres de liberté, de fontaines de sang. Les poltrons, les tiédouillards avaient tout fait pour qu'on crût sa carapace refroidie, incapable de telles éclosions. Les grandes compagnies d'obscurantisme, tous ceux qui ont quelque chose à voir avec les répugnantes religieuseries vont parler du règne de l'Antéchrist. Mais de règne, de Christ et d'Antéchrist, il n'est question, escargots pourris. Le monde se désinfecte de vos immondices, curés. La glaise des chemins enliseurs se soulève d'elle-même comme si, de l'intérieur, elle s'était pétrie, travaillée d'un mouvement qui va défaire les ornières, rendre à la circulation ce qui, fait pour elle, ne se donnait pas la peine de bouger.

Le siroco, l'animal aux gigantesques foulées, qui ne se laisse pas voir tous les jours, alors, au lieu de souffler une haleine dont s'effrayait la nuque mal protégée de l'homme, le grand siroco se couche sur des places publiques aussi vastes que son désert originel et, de ses lèvres en rubans d'équateur, il donne l'assurance que ne sera point empêché d'être ce qui doit être. Et il n'a pas menti, puisque, d'explosions en explosions régénératrices, va se poursuivre la terreur rouge. Les hommes alors ne s'emberlificotent plus dans des serpentins métaphysiques. Ils ont déjà rompu les entraves de l'hypocrisie. La faute n'a plus rien à voir avec le péché, rien à voir donc avec le méli-mélo de répercussions abstraites dans l'au-delà. Il s'agit simplement de supprimer certaines conditions de vie, et certains êtres, tels que les ont faits ces conditions de vie, tels aussi qu'ils ont permis à ces conditions de vie de se continuer.

Celui qui a jeté treize personnages sur une colline ne dispose plus d'eux. Il n'est pas maître des réactions à quoi le contraindront ces noyés ramenés des marais de la mémoire, des trous de cauchemars. Il n'est pas assez bien mithridatisé pour retrouver impunément dans le miroir empoisonné de son écriture les gestes, les visages d'un monde qui n'a pas cessé d'être. Ses rêves qui voulaient nier le monde l'ont ressuscité. À tous les coins des rues, à tous les coins du sommeil, au bout de trente-trois ans d'une existence qui n'est pas encore blasée du dégoût, de la haine à presque chaque pas, à presque chaque rencontre, c'est une occasion nouvelle de détester. Une occasion à ne jamais fuir. Celui à qui on n'a pas crevé les yeux, le tympan au jour de sa naissance, ne peut se refuser aux grouillements des dégueulasseries à grosses influences, noms ronflants, alliances princières ou ducales, hypocrisies libérales et démagogies diverses. Ça grouille jusque dans le silence, dans la lumière du soleil levant, lorsque le retour à l'état de veille est salué par une chaleur qu'il y a pourtant le même bonheur à écouter monter qu'il y en avait la veille au soir, à renifler, avant de s'endormir, le drap parfumé du soleil qui l'a séché.

La perpétuelle répétition des mêmes grands crimes, sinistres et imbéciles petits manèges, a taché la mémoire à jamais. Une hirondelle ne fait pas le printemps, mais un tout petit point noir pourrit le plus beau des ciels. Un souvenir empoisonne jusqu'au vertige qui vous prend, lorsque, couché sur le dos, vous scrutez l'éther de l'été le plus flamboyamment vide.

On peut rire.

Le rire n'a jamais rien effacé, rien corrigé.

Des œuvres prétendues satiriques, osées, ne sont qu'une des faces de la littérature édifiante. Un certain diablotinisme, rien que de s'affirmer expert ès mauvais sentiments, reconnaît pour bons ceux que la coutume opportuno-scribouillarde donnait comme tels. L'orgueil d'une mauvaiseté, d'ailleurs fort contestable, décide ainsi les soi-disant audacieux à être seulement, mais à être de toutes leurs sombres couleurs, les ombres portées sur le mur, toujours le même, où vient se briser tout élan.

Contre la morale courante, sa stupidité grossière et sa non moins grossière malhonnêteté (l'une portant l'autre), ceux qui osaient pousser l'intelligence jusqu'à l'honnêteté (ou, ce qui revient au même, l'honnêteté jusqu'à l'intelligence) prenaient figure d'immoralistes[1]. Il faut leur savoir gré d'avoir fait

1. Ici mettons les points sur les *i* de ce mot qui en compte deux et sert de titre à un livre dont la lecture émut si fort le spectateur alors lycéen-puceau mais promis à un avenir bisexuel. En même temps que

que le scandale arrive. Mais le scandale « arrivé » ne doit pas demeurer, car demeurant il n'est plus scandale. Et puis, un scandale particulier ne vaut qu'en tant qu'il dénonce dans ce qu'elle a de plus scandaleux, la scandaleuse monotonie, la scandaleuse hypocrisie, la scandaleuse muflerie d'une société qui juge scandale tout ce qui n'est point aussi scandaleusement monotone, hypocrite, mufle qu'elle. Le scandale qui cherche à se limiter à lui-même, qui se fige dans une attitude esthétique, le scandale promu à la dignité de chose en soi, devenu objet de luxe métaphysique, le scandale pour le scandale vaut l'art pour l'art.

Les Pieds dans le plat, 1933

Le Congrès de Kharkov en 1930 marque le point de rupture, qui deviendra définitif, entre Breton et Aragon, lequel choisit le P.C., tandis que Paul Éluard s'éloigne peu à peu de son ami Breton par étapes entre 1936 et 1938.

Pour clore le chapitre des démêlés entre le P.C. et les surréalistes, il faut citer deux textes, qui marquent la rupture définitive, pour Breton et ses amis les plus proches du moins, car avec l'emprisonnement puis l'exil de Victor Serge, le même sort subi par Trotski, la signature du pacte franco-soviétique, enfin la révélation

---

cette bisexualité (premier point), mentionnons l'usage intermittent d'alcaloïdes divers par le même (second point). Cet éclectisme dans les rapports sexuels et les drogues a toujours semblé à l'éclectique lui-même de fort mauvais aloi. Une libido non fixée risque d'être une vraie volière à frivolités. Mais les grands oiseaux carnassiers sont entrés dans la maison des petits oiseaux, des petites chansons. À force de fréquenter les vautours, il vous pousse des griffes déchiqueteuses, un bec dépeceur. On apprend à se défendre, à attaquer, si l'on n'a point le masochisme de vouloir se faire manger le foie, tel Prométhée, qui se laisse punir, qui se fait punir pour avoir inventé ce qu'il est, l'homme.

des premiers procès « de Moscou », le modèle soviétique a cessé définitivement de pouvoir être pris au sérieux. On est en 1935.

TRACT

Du temps que les surréalistes avaient raison

[...] Nous nous sommes émus, en effet, comme tant d'autres, de la déclaration par laquelle, le 15 mai 1935, « Staline comprend et approuve pleinement la politique de défense nationale faite par la France pour maintenir sa force armée au niveau de sa sécurité ». De toute la force de notre désir, si tout d'abord nous n'avons voulu voir là, de la part du chef de l'Internationale communiste, qu'un nouveau compromis particulièrement douloureux, nous avons formulé aussitôt les plus expresses réserves sur les possibilités d'acceptation des instructions qu'ici l'on se hâtait d'en faire découler : abandon du mot d'ordre : transformation de la guerre impérialiste en guerre civile (condamnation du défaitisme révolutionnaire), dénonciation de l'Allemagne de 1935 comme unique fauteur de guerre prochaine (découragement, en cas de guerre contre l'Allemagne, de tout espoir de fraternisation), réveil chez les travailleurs français de l'idée de patrie. On sait quelle attitude nous avons opposée, dès le premier jour, à ces directives. Cette attitude est en tous points conforme à celle du Comité de Vigilance des intellectuels : contre toute politique d'encerclement et d'isolement de l'Allemagne, pour l'examen par un comité international des offres concrètes de limitation et de réduction des armements faites par Hitler, pour la révision par négociations politiques du traité de Versailles, principal obstacle au maintien de la paix. Il est à peine besoin de souligner que, depuis lors, la signature de la Convention anglo-allemande permettant le réarmement naval allemand est venue sanctionner cette manière de voir, dans la mesure même où cette convention ne peut être tenue que pour conséquence de la politique d'éviction croissante de l'Allemagne, rendue pour elle tout à coup plus sensible encore par le pacte franco-soviétique.

À elle seule, une telle considération ne nous dispose pas à accepter pour nous, sous quelque forme transitionnelle qu'elle se présente, l'idée de patrie. Tout sacrifice de notre part à cette idée et aux fameux devoirs qui en résultent, entrerait, du reste, immédiatement en conflit avec les raisons initiales les plus certaines que nous nous connaissons d'être devenus des révolutionnaires. Bien avant de prendre conscience des réalités économiques et sociales hors desquelles la lutte contre tout ce que nous voulons abattre serait évidemment sans issue, c'est à l'inanité absolue de pareils concepts que nous nous en sommes pris et, sur ce point, rien ne nous forcera jamais à faire amende honorable. Que se passe-t-il en U.R.S.S. ou que s'y est-il donc passé ? Aucun démenti n'est venu dissiper ici l'ombre que depuis le 15 mai avaient à flots répandue les Vaillant-Couturier, Thorez et consorts. [...]

Il y a quelques mois, la lecture dans *Lu* des réponses à une enquête menée par les journaux soviétiques sur la conception actuelle de l'amour et de la vie commune de l'homme et de la femme en U.R.S.S. (il y avait là un choix de confidences d'hommes et de femmes toutes plus navrantes les unes que les autres) nous avait fait un instant nous demander si le propos ci-dessus [un « vent de crétinisation »] — que jusque-là nous n'avions pas repris à notre compte — était tellement excessif.

[...] Dans son numéro du 12 juillet 1935, *Komsomolskaïa Pravda* [fait paraître des lettres de lecteurs] sous le titre :

RESPECTEZ VOS PARENTS

[...] Il est à peine utile de souligner la misère toute conformiste de telles élucubrations qui pourraient à peine trouver place ici dans un journal de patronage. Le moins qu'on en puisse dire est qu'elles donnent un semblant de justification tardive au fameux « Moscou la gâteuse » d'un de ceux qui, aujourd'hui, s'accommodent le mieux, en échange de quelques petits avantages, de la servir à genoux, gâteuse ou non. Bornons-nous à enregistrer le processus de régression rapide qui veut qu'après la patrie ce soit la famille qui, de la Révolution russe agonisante, sorte indemne (qu'en pense André Gide ?). Il ne reste plus là-bas qu'à rétablir la religion — pourquoi pas ? — la propriété privée, pour que c'en soit fait des plus belles conquêtes du socialisme. Quitte à provoquer la fureur de leurs thuriféraires, nous demandons s'il est besoin d'un autre bilan pour juger à leurs œuvres un régime, en l'espèce le régime *actuel* de la Russie soviétique et le chef tout-puissant sous lequel ce régime tourne à la négation même de ce qu'il devrait être et de ce qu'il a été.

Ce régime, ce chef, nous ne pouvons que leur signifier formellement notre défiance.

Tract surréaliste, 1935

ANDRÉ BRETON

Discours à propos du Second Procès de Moscou

Paris, le 26 janvier 1937

CAMARADES,

Plus de lumière ! « Mehr Licht », tel a été le dernier cri de Goethe ; « plus de conscience ! » tel a été le grand mot d'ordre de Marx. En fait de lumière, avec Staline nous pouvons compter sur celle des procès en sorcellerie du Moyen Âge : il faut entrer dans le détail de ces procès — et le prolétariat n'en a pas le loisir — pour trouver un équivalent de l'atmosphère de celui qui s'est déroulé en août dernier, de celui qui se déroule actuellement à Moscou. Et on nous laisse bien entendre que ce n'est pas fini ! En fait de lumière, celle d'un escalier de prison qu'on vous fera descendre à quatre heures du matin, d'un escalier bordé de rigoles comme une table d'amphithéâtre, où, à telle marche, vous recevrez une balle dans la nuque. Les rigoles, c'est pour la cervelle, pour la *conscience* mais rien ne pourra faire que les vieux compagnons de Lénine n'aient représenté un haut degré de conscience que seront impuissantes à emporter les chasses d'eau modèles des prisons de la Guépéou. Ces hommes qui ont donné mainte et mainte preuve de leur lucidité, de leur désintéressement, de leur dévouement à une cause qui est celle de l'humanité tout entière, l'histoire se refusera à voir en eux des « possédés » au vieux sens religieux du mot comme, à plus forte raison, elle se refusera à tenir Léon Trotski pour une incarnation du diable au XXe siècle [...] Ce à quoi nous devons borner nos efforts, c'est à obtenir que ces hommes ne soient pas exécutés, tout en exigeant que des avocats indépendants du gouvernement soviétique soient mis *dès maintenant* en rapport avec les accusés du troisième procès, puisque nous savons qu'il y aura un troisième procès. En raison de la conclusion très prochaine des débats de celui-ci, nous devons, camarades, à tout le moins faire nôtre la résolution du groupe des avocats socialistes demandant « à la Russie révolutionnaire, *qui n'a plus rien à craindre* de ses ennemis, de renoncer à la peine de mort en matière politique », mais nous devons aussi la sommer d'y renoncer tout de suite, sous peine de convaincre le monde qu'elle *n'est plus* la Russie révolutionnaire, d'en convaincre le monde révolutionnaire qui, hélas, n'en est pas encore convaincu.

Telle est la seule tâche concrète à laquelle nous puissions, avec une chance même très minime de résultat, nous consacrer. Mais il y a *autre chose* en quoi nous ne devons sous aucun prétexte nous laisser dépasser par les événements. Ne nous hypnotisons pas sur le mystère des « aveux ». Concentrons notre attention non pas sur les *moyens* par lesquels ils ont été arrachés, mais sur les *fins* pour lesquelles ils ont été arrachés. La *solution* ne peut être trouvée seulement en U.R.S.S. ; elle doit être cherchée à la fois en U.R.S.S. et en Espagne. En U.R.S.S., il est bien entendu que, pour peu qu'on s'avise de poursuivre une analogie historique, Thermidor est déjà loin en arrière. « Le régime politique actuel de l'U.R.S.S., a dit Trotski — et on le lui fait bien voir — est un régime de bonapartisme "soviétique" (ou antisoviétique) plus proche par son type de l'Empire que du Consulat. » En 1805, camarades, songez que la partie la plus éclairée de l'opinion allemande, l'élite des philosophes, Fichte en tête, s'est abusée jusqu'à saluer Napoléon comme le libérateur, comme l'envoyé et le porte-parole de la Révolution française. Nous en sommes au même point avec Staline. Les procès actuels sont, d'une part, le produit des contradictions qui existent entre le régime politique du bonapartisme et les exigences du développement d'un pays comme l'U.R.S.S., qui, envers et contre Staline et la bureaucratie, reste *un État ouvrier*. Mais ces procès sont, d'autre part, *la conséquence immédiate de la lutte telle qu'elle est engagée en Espagne* : on s'efforce à tout prix d'empêcher une nouvelle vague révolutionnaire de déferler sur le monde ; il s'agit de faire avorter la révolution espagnole comme on a fait avorter la révolution allemande, comme on a fait avorter la révolution chinoise. On fournit des armes, des avions ? oui, d'abord parce qu'il est indispensable de sauver la face, ensuite parce que ces armes, *à double tranchant*, sont appelées à briser tout ce qui travaille, en Espagne, non pas à la restauration de la république bourgeoise, mais à l'établissement d'un monde meilleur, de tout ce qui lutte pour le triomphe de la révolution prolétarienne. Ne nous y trompons pas : les balles de l'escalier de Moscou, en janvier 1937, sont dirigées aussi contre nos camarades du P.O.U.M. C'est dans la mesure même où ils se sont défendus d'être trotskistes qu'on recourt contre eux, dans le dessein de les atteindre par ricochet, on ne s'en cache plus, à l'affreux barbarisme jésuite du « centre parallèle ». Après eux, c'est à nos camarades de la C.N.T. et de la F.A.I. qu'on tentera de s'en prendre, avec l'espoir d'en finir avec tout ce qu'il y a de vivant, avec tout ce qui comporte une promesse de *devenir* dans la lutte antifasciste espagnole.

Camarades, vous direz avec nous que les hommes qu'on produit méconnaissables sur les tréteaux branlants des tribunaux de Moscou ont gagné par leur passé le droit de continuer à vivre et que vous faites toute confiance à l'avant-garde révolutionnaire catalane et espagnole pour ne pas se déchirer elle-même et sauver, malgré Staline comme malgré Mussolini et Hitler, l'honneur et l'espoir de ce temps.

Des exemples tirés, maintenant, de la résistance au fascisme durant les années 30 montrent une juxtaposition difficile : d'une part, refus de toute alliance stratégique avec les démocraties bourgeoises ; et de l'autre, position pacifiste, qui en appelle au peuple allemand et à l'Allemagne de Novalis et de Hegel contre le nazisme qui y prolifère. Ainsi les surréalistes se prononcent, comme on vient de le lire dans le tract « Du temps que les surréalistes avaient raison »,

> « ... contre toute politique d'encerclement et d'isolement de l'Allemagne, pour l'examen par un comité international des offres concrètes de limitation et de réduction des armements faites par Hitler[1]. »

Ils sont donc amenés à refuser la formule choc proposée par les Communistes Hitler contre le monde, Le monde contre Hitler *au prétexte que ce serait « faire appel au monde tel qu'il est », et «* qualifier *ce monde en face du national-socialisme, alors que l'attitude révolutionnaire implique nécessairement sa* disqualification ». *On reconnaît là au passage leur refus constant de souscrire une alliance stratégique avec le P.C.*

D'autre part ils s'interrogent sur l'utilisation de la violence contre la violence fasciste. Tandis qu'en France les fascistes lynchent Léon Blum, le chef de l'État français socialiste et d'origine juive (et les surréalistes publient alors un tract indigné), tandis que ces derniers réclament l'arrestation du fasciste espagnol Gil Robles réfugié à Biarritz, sous le titre « Il n'y

1. Ils prennent ici l'exemple de la Convention anglo-allemande qui vient de permettre le réarmement naval allemand, et s'en réjouissent.

a pas de liberté pour les ennemis de la liberté », selon le mot de Robespierre —, les surréalistes autour de Breton dans le cadre plus large de l'Association des Écrivains et Artistes Révolutionnaires (A.E.A.R.) n'ont pas été en mesure de suggérer une solution politique aux Démocraties occidentales. Étonnés par leur faiblesse, comme tous les intellectuels, ils la dénoncent dans le tract « Ni de votre guerre ni de votre paix », après Munich, puis basculent brièvement avec le mouvement qu'on désigne par le tract fondateur, Contre-Attaque, *dans une position « impossible » (pour reprendre un terme cher à Georges Bataille, aux positions duquel ils se sont ralliés avec des réserves et pour peu de temps) : ils prennent le risque — formulation inquiétante — de réclamer (1935) une « intraitable dictature du peuple armé » :*

Nous entendons à notre tour nous servir des armes créées par le fascisme, qui a su utiliser l'aspiration fondamentale des hommes à l'exaltation affective et au fanatisme. Mais nous affirmons que l'exaltation qui doit être mise au service de l'intérêt universel des hommes doit être infiniment plus grave et plus brisante, d'une grandeur tout autre que celle des nationalistes asservis à la conservation sociale et aux intérêts égoïstes des patries.

« *Contre-Attaque* », tract surréaliste, 1935

*L'*indignation *politique peut-elle constituer un barrage antifasciste ?*

Un dernier exemple peut nous faire apercevoir un autre mode *de la position surréaliste en politique : juste avant l'invasion de la France par les Nazis, à Marseille où ils sont réfugiés, les surréalistes inventent le jeu de cartes surréaliste, qui remplace les figures symboliques de « carreau », « cœur », « trèfle » et*

« pique » par les quatre emblèmes de la flamme (représentant l'Amour), de l'étoile noire (représentant le Rêve), de la roue et du sang (représentant la Révolution), de la serrure (représentant la Connaissance). Révolte de l'esprit, affirment-ils, contre les conditions inacceptables qui sont les leurs. Or, la présence de l'humour et du jeu dans l'engagement politique marque bien le point de clivage entre les surréalistes et telle ou telle intelligentsia. *L'humour en ce domaine est ce qu'on leur a le plus amèrement reproché et qu'on a le moins compris.*

L'humour noir a-t-il sa place en politique ? Les surréalistes, qui considèrent le jeu comme une conscience-de-jeu, répondent que oui, sous certaines conditions. La question est grave : peut-on jouer *avec l'injustice qui frappe* les autres, *avec la mort* des autres ? *Certes non, et si Dalí veut parler d'Hitler comme d'un être loufoque et fascinant, il n'est pas d'approbation évasive qui tienne. Le groupe surréaliste, autour de Breton, a fait savoir à Dalí qu'il suffisait*[1]. *Mais il faut comprendre que l'humour noir surréaliste est plus proche de l'ironie romantique ou baudelairienne que du « sense of humour » anglo-saxon. L'humour surréaliste déréalise un monde de violence et de deuil, mais cela,* quand il n'y a plus rien à faire d'autre que de le subir. *Et ce n'est pas en 1934 que les surréalistes ont inventé le Jeu de Marseille : c'est dans cette période de 1940 où tout était déjà perdu, et où la plupart d'entre eux,*

1. C'est au début de l'année 1934 qu'en privé Dalí fait état de son goût pour la personnalité d'Hitler, et dans *Comment on devient Dalí*, Laffont, 1973, on trouve le récit rétrospectif de cette attirance personnelle : « Son dos dodu [...] suscitait pour moi un délicieux frisson gustatif d'origine buccale qui me conduisait à une extase wagnérienne. Je rêvais souvent d'Hitler comme d'une femme », etc. (p. 153). En février 34, Breton reçoit une lettre de Dalí soutenant que les luttes « de races » ont toujours existé, et que le marxisme a tort de ne pas en tenir compte. Après la provocation de la toile *L'Énigme de Guillaume Tell*, représentant Lénine d'une façon surprenante, et présentée au très officiel *Salon des indépendants*, en février 34, Dalí est convoqué rue Fontaine, chez Breton, et sommé de s'expliquer. Il n'est cependant rejeté publiquement qu'en 1939, dans *Minotaure*, pour ses professions de foi selon lesquelles tout le malaise du monde actuel est « racial ».

promis à un emprisonnement ou à la déportation, n'avaient plus qu'à attendre les visas de « transit » comme le fit Anna Seghers, ou les visas de sortie, comme ce fut leur cas, pour monter sur les bateaux qui les conduiraient vers les Amériques.

Encore un mot sur l'humour. On est en 1947. Comment comprendre la position surréaliste quand, en pleine période des procès de Nuremberg, l'exposition surréaliste de 1947 montre une série d'autels élevés à des personnages de romans — êtres d'imagination[1]*, animaux insolites*[2]*, héros de papier*[3] *? C'est l'époque où Sartre s'en donne à cœur joie, contre ces idéalistes et petits-bourgeois, dans la série des articles des* Temps modernes, *« Situation de l'écrivain en 1947 », repris avec des notes aggravantes dans le livre* Qu'est-ce que la littérature ? *En tant qu'intellectuels, les surréalistes, selon Sartre, auraient eu le tort de ne pas s'engager complètement, rationnellement, dans un parti politique, et d'accepter ainsi d'avoir « les mains sales ». Ils ont le tort, répète Sartre, de dissoudre le monde, symboliquement, en annulant certains objets témoins, et de dissoudre symboliquement de son côté la subjectivité humaine. Dé-réalisant le monde sociopolitique, ils introduisent l'humour là où selon Sartre il n'a pas droit de cité.*

Et Sartre désigne à notre indignation le Why not sneeze ? *de Marcel Duchamp, cette petite cage à oiseaux remplie de parallélépipèdes de sucre qui se révèlent être de marbre, et peser d'un poids inattendu. Ce flottement de la sensation cherchant ses repères*

1. Le Louptable de Victor Brauner, Le Soigneur de gravité de Marcel Duchamp, le Tigre mondain du conteur Jean Ferry, les grands transparents d'André Breton, l'Oiseau serpentaire ou secrétaire de Max Ernst, la fenêtre de la maison « Magna sed Apta », dans le roman de George du Maurier, *Peter Ibbetson*.

2. L'héloderme suspect, ou la taupe étoilée.

3. La Chevelure de Falmer qui intervient dans *Maldoror*, Jeanne Sabrenas, héroïne de *La Dragonne*, d'Alfred Jarry, Léonie Aubois d'Ashby, du poème « Dévotion », de Rimbaud.

serait l'indice de la « conscience double » de la bourgeoisie surréaliste... Et malgré une certaine convergence de la praxis éthique, chez Breton et Sartre, le vocabulaire du jeu et de l'humour est à ce point distant que c'est comme s'ils jouaient tous deux au jeu d'un mot pour un autre.

Cette dernière série de positions politiques du Surréalisme présente en fait une cohérence : elle revendique la possibilité d'utiliser le déni de réalité que représentent le jeu et l'humour dans certaines *situations politiques.*

Après la Seconde Guerre mondiale, le groupe bretonien, violemment hostile à l'interprétation communiste du marxisme, ne trouve aucun mouvement, même international, auquel joindre ses forces. L'adhésion au mouvement de Garry Davis, « Citoyen du monde » en 1948-1949, ne dure que quelques mois. C'est donc une position d'alerte et de vigilance qui le caractérise. Ainsi un tract, « Cote d'alerte » en 1956, souligne la dérive fascisante du mouvement « poujadiste ». Et malgré le XXe Congrès de Moscou, la même année, il faut bien constater que les dirigeants du PCF sont toujours staliniens : c'est le tract « Au tour des livrées sanglantes ! ». La même année encore la répression de Budapest semble bien donner raison à la prudence surréaliste (tract « Hongrie soleil levant »). Cependant à la guerre du Vietnam a succédé la guerre d'Algérie, et les surréalistes retrouvent alors les intellectuels dans le « Comité d'action des intellectuels français contre la Guerre d'Algérie ». Le coup de force de De Gaulle en mai 1958 mobilise Dionys Mascolo et Jean Schuster, qui fondent la revue Le 14 juillet *et ce sont eux, avec André Breton, qui prennent l'initiative de la « Déclaration sur le droit à l'insoumission dans la guerre d'Algérie », dit « Manifeste des 121 ». Après la mort d'André Breton, en 1966, les surréalistes qui tentent de rester unis s'interrogent favorablement* *sur le régime de « Che » Guevara et Fidel Castro à Cuba, le nouveau mythe auquel s'attachent nombre d'intellectuels français. Cependant dès septembre 1968, dans L'*Archibras, *revue du groupe dont le numéro 5 est tourné vers la Tchécoslovaquie où les chars soviétiques sont entrés en août, paraît* in extenso *la « Lettre ouverte au PC de Cuba » qu'écrivirent Robert Antelme, Maurice Blanchot, Marguerite Duras et Dionys Mascolo contre la justification de l'intervention soviétique par Fidel Castro. Tandis que d'autres groupes se déclarant surréalistes subsistent et même se recréent, le groupe bretonien s'auto-dissout en octobre 1969.*

Jean Schuster dans le journal Le Monde *fait alors le bilan de l'action collective telle qu'elle fut menée par André Breton et des trois années qui ont suivi sa mort.*

JEAN SCHUSTER

Le quatrième chant

> *C'est un homme ou une pierre ou un arbre*
> *qui va commencer le quatrième chant.*
>
> Maldoror

Lorsque André Breton meurt, le 28 septembre 1966, il ne laisse au Mouvement qu'il a fondé et animé jusqu'à ses derniers jours aucune voie toute tracée. Seulement un acquis, trésor qu'il s'agit d'accroître ou de contempler. Les Surréalistes décident de poursuivre une activité collective dont ils ressentent tous, intérieurement, la nécessité : critère bien suffisant pour qui n'a pas coutume de décider de son pas en fonction de la solidité du terrain. Mais, précisément, le terrain ne tarde pas à devenir propice. Le monde entre, on le sait, dans une phase où l'énergie révolutionnaire se dégèle, où des formes neuves se dressent contre toutes les institutions répressives. L'espoir surréaliste d'une transformation radicale de la société, indissolublement liée à la refonte des structures de l'esprit humain, cet espoir toujours déçu, finalement relégué dans l'abstraction par ce qui paraît être le consentement général, reprend vigueur. Le Surréalisme affronte ainsi une conjoncture historique particulière dont on peut dire qu'elle se détermine à son égard par des conditions subjectives défavorables (les conséquences de la disparition de Breton) et par des conditions objectives favorables (le renouveau de la pensée et de l'action révolutionnaires).

On a trop tendance, dans un cas comme celui-ci, à sous-estimer les conditions subjectives en raison même de l'illusion euphorisante qu'entretiennent les conditions objectives. Quand l'illusion se dissipe, les facteurs dissolvants ont accompli leur œuvre. Il me faut donc insister ici sur un aspect de la personnalité de Breton, dont la privation soudaine ne permit plus, à l'intérieur du Mouvement surréaliste, une répartition harmonieuse des matériaux intellectuels et sensibles, non seulement en fonction de leur valeur intrinsèque, mais surtout en fonction du pouvoir d'attraction variable qu'ils exerçaient selon les individus. Quiconque a connu Breton sait qu'il était le contraire d'un dictateur. Si, parfois, sa ligne qu'il a dite lui-même « fort sinueuse », déconcertait ses plus proches amis, il n'en imposait jamais les méandres par l'argument d'autorité. Nul comme lui ne savait écouter la voix différente et se pénétrer du sentiment qu'elle pouvait être, en certaine occurrence, plus juste que la sienne. Hormis ce qui touchait aux ressorts passionnels qu'il avait une fois pour toutes sacralisés — l'amour, par exemple — il assouplissait sa position bien plus souvent qu'il ne la durcissait. Fréquemment, après avoir épuisé les arguments d'une verve polémique qui empruntait aussi bien à l'humour qu'à la colère, à la raison analytique qu'à l'intuition, il lui arrivait d'accepter une orientation qui n'avait pas son entier consentement. Je pourrais multiplier les exemples, mais me contenterai d'un seul, aussi mal connu qu'édifiant : Breton tenta pendant plusieurs jours, en 1954, d'éviter l'exclusion de Max Ernst, exigée par la quasi-totalité du Groupe d'alors. S'il finit par s'y rallier, c'est qu'il fut, certes, partiellement convaincu de sa nécessité, mais aussi par esprit qu'il faut bien qualifier de démocratique. Il n'en reste pas moins, et c'est là l'essentiel, que Breton disposait au sein du Groupe surréaliste de la vraie autorité, cette autorité qui, à l'inverse de celle du chef, a pour finalité le développement des idées par la stimulation des esprits et non leur pétrification par l'intimidation des hommes.

[...] Rien ne pouvait faire qu'en mourant, Breton n'emportât avec lui le secret de cette harmonie et les règles d'un jeu qu'il ne suffit pas de connaître pour le jouer vraiment.

La capacité d'intervention théorique et pratique du Mouvement surréaliste, pendant la période recouverte par les années 1967 et 1968, peut se mesurer principalement à la lecture des sept numéros de *L'Archibras*, publiés d'avril 1967 à mars 1969. Cuba, Prague, mai 68, c'est l'histoire elle-même qui trace une voie que le Surréalisme reconnaît sienne et où il s'engage au présent. La grande fête collective (qui commence en juillet 1967 à La Havane, se prolonge en avril suivant à Prague, pour connaître son paroxysme, quinze jours plus tard, dans les rues de Paris) révèle qu'une exigence supérieure de l'esprit, l'exigence poétique, conditionne désormais la réalité politique.

Le lecteur, l'historien, à partir d'une documentation d'accès facile, jugeront si le Surréalisme, après Breton et dans les circonstances qui viennent d'être évoquées, a su être à la hauteur à la fois de son passé et de l'événement.

[...] Surréalisme est un mot ambigu. Il désigne à la fois une composante ontologique de l'esprit humain, son contre-courant éternel[1] échappant à l'histoire dans sa continuité latente pour s'y inscrire dans sa discontinuité manifeste et le mouvement, historiquement déterminé, qui a reconnu le contre-courant et s'est donné pour mission de l'exalter, de l'enrichir et de l'armer afin de préparer son triomphe. Entre ces deux Surréalismes fonctionne un rapport d'identité comme entre une constante et une variable. Il en résulte que le Surréalisme, qualifié ici d'« historique » par rapport au Surréalisme « éternel », est de nature double, c'est-à-dire qu'il se confond momentanément avec le Surréalisme « éternel » dont il est une manifestation particulière de l'inscription discontinue dans l'histoire. Manifestation privilégiée puisqu'elle est celle de la prise de conscience, qu'elle a nommé le phénomène, de façon récurrente et prospective et qu'elle a pris ce même nom pour désigner toutes ses formes tangibles, ses productions individuelles et collectives, son organisation interne, les hommes qui y participent. Toutefois, si privilégié soit-il, le Surréalisme « historique » ne saurait s'identifier au Surréalisme « éternel », transformer en identification ce qui n'est qu'un rapport d'identité circonstancié : une telle opération frapperait d'idéa-

1. Au sens immanent d'Héraclite : « Ce monde, uniformément constitué, n'a été créé par aucun dieu, ni aucun homme. Mais il a toujours existé, il existe et existera toujours, feu éternellement vivant, s'allumant avec mesure et s'éteignant avec mesure. » Traduction Yves Battistini.

lisme la totalité du projet surréaliste — et d'un idéalisme inconséquent puisque le Surréalisme « historique » s'attribuerait l'étrange faculté d'avoir eu un commencement et de ne pas avoir de fin. En vérité, ce serait là tentative désespérée de durer au-delà du temps permis par la vitesse acquise. Si, au contraire, les Surréalistes s'interrogent sur le rapport d'identité, ils s'aperçoivent que son fonctionnement cesse lorsque sa composante nominale (le mot Surréalisme) a pris le pas sur sa composante réelle (dont la cohésion interne du groupe est la clef) pour en masquer la dissolution progressive. Conclure, dès lors, à la mort du Surréalisme « historique » est une prise de conscience homothétique de celle qui a permis sa naissance, naissance qui n'était pas la naissance, mort qui n'est pas plus la mort que ne l'est la treizième lame du Tarot.

À quelques-uns, nous entreprenons d'inventer la variable qui succédera au Surréalisme « historique » [...]

Le Monde, octobre 1969 (D. R.)

Il faut esquisser une conclusion portant sur les principes de l'engagement politique et sur les domaines auxquels ils sont empruntés. On pourrait dire que s'il s'agit de l'individu en politique, le principe est de respecter la personne humaine dans sa créativité *et, s'il s'agit des peuples, de leur reconnaître le droit à disposer d'eux-mêmes.*

L'origine de ce respect de l'individu en tant qu'apte à créer *est à chercher du côté de l'anarchie, dans sa version plutôt aristocratique. D'un bout à l'autre de son histoire, le Surréalisme de Breton confronte sa pensée à celle de l'anarchisme. Dans le journal anarchiste* L'Action d'art *que lisait Breton adolescent, un article du directeur du journal préconise de prôner l'art comme action, et non comme délassement. Ce qui peut se lire : l'art est action, mais aussi l'action est une forme d'art* inventive. *Et quarante ans plus tard, dans les années 50, Breton et ses amis collaborent à la publication anarchiste,* Le Libertaire, *en se réservant l'appréciation des formes artistiques. « Poète, c'est-à-dire révolutionnaire », telle était l'équivalence proposée par Benjamin Péret en 1945 :*

> ... sa qualité de poète en fait un révolutionnaire qui doit combattre sur tous les terrains, celui de la poésie par les moyens propres à celle-ci et sur le terrain de l'action sociale, sans jamais confondre les deux champs d'action sous peine de rétablir la confusion qu'il s'agit de dissiper et, par suite, de cesser d'être poète, c'est-à-dire révolutionnaire.
>
> *Le Déshonneur des poètes*, Mexico, 1945

Il y aurait là une sorte de dissymétrie : un vrai Poète est toujours Révolutionnaire ; un vrai Révolutionnaire n'est pas nécessairement un poète.

Deuxième zone d'emprunt : la pensée pacifiste ou antimilitariste et les principes de l'internationalisme. La guerre est toujours un mal absolu sauf *dans le cas où les peuples acquièrent ou défendent leur droit, absolu lui aussi, à s'autogouverner. On trouve ici une homologie exacte avec les positions anarchistes concernant l'individu. Dès lors, l'appel à la violence dans la lutte anticoloniale est sans réserve, car c'est de la liberté d'une nation qu'il s'agit. L'idée de tolérance démocratique ne fait plus sens, dans la mesure où les Démocraties se sont compromises dans le colonialisme. En revanche, défendre par tous les moyens la naissance d'une nation est de l'ordre de la* valeur, *au sens éthique du terme. Pacifisme antimilitariste d'un côté, apologie d'une violence « juste » de l'autre : c'est le mouvement de bascule auquel se livrent les surréalistes, et qui les séparent des divers mouvements intellectuels de la gauche française, lesquels cultivant l'angélisme n'ont pas souvent regardé en face l'inextricable problème d'une violence qui pourrait devenir légitime.*

Dans le texte collectif « Murderous Humanitarianism », datant de 1932 (mais publié seulement en 1934 dans Negro An Anthology, *par Nancy Cunard), comme déjà dans les deux tracts qui s'élèvent contre l'exposition coloniale en 1931 à Paris*[1]*, enfin dans « Eaux troubles*[2] *» en 1942, Breton et ses amis revendiquent le soutien à toute guerre civile dans les Colonies — tout en analysant avec subtilité le rôle ambigu de la bourgeoisie de couleur*[3]*.*

Un troisième lieu d'emprunt serait à chercher du côté de la pensée de l'art révolutionnaire chez Trotski, où l'on retrouverait une forme inattendue d'individualisme : « toute licence en art » car « l'artiste a reçu de la Révolution une information *qui a modifié sa sensibilité et qui est présente, mais cachée, dans son œuvre. L'axe invisible [de l'art] devrait être la Révolution même*[4] *». Le travail de l'artiste est révolution permanente — tournant autour de cet axe —, comme est permanent le mouvement de la révolution prolétarienne.*

Ainsi une constante de l'engagement surréaliste est tenter de se fonder sur une analyse socio-économique et politique dont les bases soient aussi internationa-

1. *Ne visitez pas l'exposition coloniale*, et *Premier bilan de l'exposition...*, p. 194 et 198 du tome 1 des *Tracts surréalistes et déclarations collectives*, regroupés par José Pierre en 1980, Losfeld éditeur.

2. Publié dans *Pour la victoire*, New York, 7 et 14 février 1942, repris après la guerre par André Breton dans *Martinique charmeuse de serpents !*, après la guerre, *O.C.*, t. 3.

3. *Murderous Humanitarianism* : « Aux Antilles, [...] un prolétariat noir [...] est exploité par une bourgeoisie de couleur tout aussi féroce que les autres. Cette bourgeoisie, protégée par les mitrailleuses de la culture, "élit" des représentants parfaitement à la hauteur, comme Diagne, "le travail forcé" et Delmont, "le Faux Jeton".

4. « Pour un art révolutionnaire indépendant », écrit par Trotski et Breton en 1938. Voir André Breton, *O.C.*, t. 3, p. 684-691.

listes et aussi larges que possible. C'est par cette largeur extrême du compas de leur analyse que les surréalistes cultivent leur disponibilité devant l'événement — dont Hannah Arendt nous parle de son côté, dans les années 70 (traduction française en 1991 : Juger, Sur la philosophie politique de Kant*), en en faisant la forme par excellence de l'ouverture à la conscience historique. Ces positions intenables et toujours en alerte, elles se nourrissent de la résistance à une vision déterministe de l'Histoire. Elles font la part belle à l'individu comme principe de désordre créateur, pour l'élaboration de ce qu'il faut appeler un « socialisme libertaire ».*

« LE DÉSIR ATTRAPÉ PAR LA QUEUE »

L'érotique obéit au même individualisme et lance le mot d'ordre d'un plus de liberté *en tous sens. C'est ainsi que les surréalistes donnent un seul sens au mot de Liberté, que celle-ci soit politique ou érotique. Et dans les démêlés avec le PC n'avait pas peu joué la juxtaposition en décembre 1931 de deux textes dans la revue* Le Surréalisme au service de la Révolution, *n° 4 : un « Appel à l'insurrection armée », de Georges Sadoul et la « Rêverie » parfaitement auto-érotique de Salvador Dalí...*

Dans l'expression de cette érotique, des courants très divergents se repèrent, qui peuvent paraître contradictoires. D'un côté, la lumière de Sade, de l'autre l'Amour fou (Breton) ou l'amour sublime (Benjamin Péret). D'un côté, le libertinage (Aragon), de l'autre l'amour électif. En commun, l'apologie du Désir, qui soutient un optimisme temporel fondamental, et aussi l'humour, un humour cocasse, échevelé et souvent grave, qui nourrit toutes ces pages, sans avoir rien de commun avec la « gauloiserie ».

Cela dit, la liberté de ton des érotiques surréalistes n'a rien à envier aux livres qu'il y a peu on plaçait dans les bibliothèques sous la cote « Enfer », ni même de ceux qu'on vendait « sous le manteau ».

Qu'on en juge. Voici, successivement et sans commentaires, d'Aragon, un bref extrait du Con d'Irène, *de Georges Bataille, la dernière page d'*Histoire de l'œil, *puis, pour la génération des écrivains qui suit, des poèmes de Joyce Mansour et des textes brefs de Gilbert Lély, lui qui fut hanté par l'image de Sade.*

ARAGON

Le con d'Irène

Ne me réveillez pas, nom de Dieu, salauds, ne me réveillez pas, attention je mords je vois rouge. Quelle horreur encore le jour encore la chiennerie l'instabilité l'aigreur. Je veux rentrer dans la mer aveugle assez d'éclairs qu'est-ce que ça signifie ces orages continuels on veut me faire vivre la vie du tonnerre on a remplacé mes oreilles par des plaques de tôle il y a des coups de grisou à chaque respiration de ma poitrine mes mineurs s'enfuient dans des galeries d'angoisse ça saute ça saute à qui mieux mieux. Mais ce n'est pas le jour c'est la dynamite. On passe des épées dans mes paupières on enfonce des doigts dans ma gorge on frotte ma peau des graviers du réveil. N'arrachez pas mes ongles plongés dans le terreau des songes ma chair colle à l'ombre la nuit est dans ma bouche mon sang ne veut pas couler. Je dors nom de Dieu je dors.

Brutes je vais crier je crie brutes fils de truies enculées par les prie-Dieu avortons de caleçons sales boues des chiottes mailles sautées au bas des putains crapauds domestiques muqueuses purulentes vermines lâchez-moi roulures de rhododendrons poils d'aisselle bougies tontes de poux suints de rats copeaux copeaux noires déjections lâchez-moi je vous tue je vous pile je vous arrache les couilles je vous mâche le nez je vous je vous piétine.

Mort mort ils vont donc me réveiller ils me réveillent. À moi les cascades les trombes les cyclones l'onyx le fond des miroirs le trou des prunelles le deuil la saleté la photographie les cafards le crime l'ébène le bétel les moutons de l'Afrique à face d'hommes la prêtraille à moi l'encre des seiches le cambouis les chiques les dents cariées les vents du nord la peste à moi l'ordure et la mélancolie la glu épaisse la paranoïa la peur à moi depuis les ténèbres sifflantes depuis les cavalcades d'incendies des villes de charbon et les tourbières et les exhalaisons puantes des chemins de fer dans les cités de briques tout ce qui ressemble au fard des nuits sans lune tout ce qui se déchire devant les yeux en taches en mouches en escarbilles en mirages de mort en hurlements en désespoir crachats de cachou crabes de réglisse rages résidus magiques muscats phoques or colloïdal puits sans fond. À moi le noir.

Culs fientes vomissures lopes lopes cochons pourris marrons d'Inde saumure d'urine excréments crachats sanglants règles pouah sueur de chenilles colle morve bavure vous vous pus et vieux foutre abominables sanies enflures vessies crevées cons moisis mous merdeux renvois d'ail.

Si vous avez aimé rien qu'une fois au monde ne me réveillez pas si vous avez aimé !

Le Con d'Irène, 1928

GEORGES BATAILLE

Histoire de l'œil

Simone regarda l'extravagance [il s'agit de l'œil énucléé d'un prêtre qui vient d'être étranglé] et finalement la prit dans la main, toute bouleversée ; mais elle n'avait pourtant pas d'hésitation et elle s'amusa tout de suite à se caresser au plus profond des cuisses en y faisant glisser cet objet qui paraissait fluide. La caresse de l'œil sur la peau est en effet d'une douceur complètement extraordinaire avec en plus un certain côté cri de coq horrible, tellement la sensation est étrange.

Simone cependant s'amusait à faire glisser cet œil dans la profonde fente de son cul et s'étant couchée sur le dos, ayant relevé les jambes et ce cul, elle essaya de l'y maintenir par la simple pression des fesses, mais tout à coup il en jaillit, pressé comme un noyau de cerise entre les doigts, et alla tomber sur le ventre maigre du cadavre à quelques centimètres de la verge.

Je m'étais pendant ce temps-là laissé déshabiller par Sir Edmond en sorte que je pus me précipiter entièrement nu sur le corps crissant de la jeune fille, ma verge entière disparut d'un trait dans la fente velue et je la baisai à grands coups pendant que Sir Edmond jouait à faire rouler l'œil entre les contorsions des corps, sur la peau du ventre et des seins. Un instant cet œil se trouva fortement comprimé entre nos deux nombrils.

— Mettez-le-moi dans le cul, Sir Edmond, cria Simone. Et Sir Edmond faisait délicatement glisser l'œil entre les fesses.

Mais finalement Simone me quitta, arracha le beau globe des mains du grand Anglais et d'une pression posée et régulière des deux mains, elle le fit pénétrer dans sa chair baveuse au milieu de la fourrure. Et aussitôt elle m'attira vers elle, m'étreignant le cou à deux bras en faisant jaillir ses deux lèvres dans les miennes avec une telle force que l'orgasme m'arriva sans la toucher et que mon foutre se cracha sur sa fourrure.

Ensuite je me levai et, en écartant les cuisses de Simone, qui s'était couchée sur le côté, je me trouvai en face de ce que, je me le figure ainsi, j'attendais depuis toujours de la même façon qu'une guillotine attend un cou à trancher. Il me semblait même que mes yeux me sortaient de la tête comme s'ils étaient érectiles à force d'horreur ; je vis exactement, dans le vagin velu de *Simone*, l'œil bleu pâle de *Marcelle* qui me regardait en pleurant des larmes d'urine. Des traînées de foutre dans le poil fumant achevaient de donner à cette vision lunaire un caractère de tristesse désastreuse. Je maintenais ouvertes les cuisses de Simone qui étaient contractées par le spasme urinaire, pendant que l'urine brûlante ruisselait sous l'œil sur la cuisse la plus basse. . . . .
. . . .

Deux heures après, Sir Edmond et moi décorés de fausses barbes noires, Simone coiffée d'un grand et ridicule chapeau noir à fleurs jaunes, vêtue d'une grande robe de drap ainsi qu'une noble jeune fille de province, nous quittâmes Séville dans une voiture de louage. De grosses valises nous permettaient de changer de personnalité à chaque étape afin de déjouer les recherches policières. Sir Edmond déployait dans ces circonstances une ingéniosité pleine d'humour : c'est ainsi que nous parcourûmes la grande rue de la petite ville de Ronda, lui et moi vêtus en curés espagnols, portant le petit chapeau de feutre velu et la cape drapée, fumant avec virilité de gros cigares ; quant à Simone qui marchait entre nous deux et avait revêtu le costume des séminaristes sévillans, elle avait l'air plus angélique que jamais. De cette façon nous disparaissions continuellement à travers l'Andalousie, pays jaune de terre et de ciel, à mes yeux immense vase de nuit inondé de lumière solaire où je violais chaque jour, nouveau personnage, une Simone également métamorphosée, surtout vers midi en plein soleil et sur le sol, sous les yeux à demi sanglants de Sir Edmond.

Le quatrième jour l'Anglais acheta un yacht à Gibraltar et nous prîmes le large vers de nouvelles aventures avec un équipage de nègres.

Histoire de l'œil, 1928

JOYCE MANSOUR

Rêve hérissé de nudités tenaces

J'ai rêvé de ton œil aux clapotements étranges
Une main aux doigts levés
Cachait sa déraison
Dans la lumière combien blanche
De l'eau mais oui je t'aime
Des vapeurs musicales
Bibelots voraces
Et ah profonde horreur
De beaux seins sonores
Encombraient ton regard
J'ai rêvé de ton œil aux tendons crispés
Et exhalaisons de fange
Un pied sur le trottoir

Et l'autre dans le four
J'ai désiré
La tranquillité
Tout de noir vêtue
J'ai baisé le gant des mauvaises nouvelles
J'ai gaspillé
Mille
Brouillons de luxure
Mais viendrais-tu
Je ne saurais te recueillir
Je suis amoureuse
De moi

L'étranglement d'une vallée

Je n'ai point d'âme
Point d'angoisse cachée sous ma crinière automnale
J'attire les jeunes filles
Au plus fort de mon virage
Là où elles peuvent entendre le tic-tac de la grosse pendule
Là où elles ne peuvent respirer sans haleter et se perdre
Et sursauter au pas des gouttelettes de rosée
Et s'affairer dans mes génitoires entre les quais déserts et les soleils de banlieue
Vidées de leur miel avant d'être fécondées
Nuit cruelle à tous points de vue

Parades éphémères

Que de fillettes sur le boulevard de la fente
Elles errent lèvres closes
Yeux pâles révulsés
Que de sanglots amassés sous leurs corolles d'éco-
lières
Que de pelouses amidonnées par la concupiscence
narcissique
Insolentes saccageuses à cheval sur leur faim
L'écho d'un regard tremble sur leurs bouches
Dire que seulement hier avec elles
Je trempais mes doigts dans des mirages d'opaline
Une fugue de ta langue et tout l'univers
S'est disloqué
Avant d'être femme il vaut mieux rester assise

Carré blanc, 1965

La femme de Loth

Il faut chasser la femme de Loth
Manger le pain sans sel
Sans larmes
Sans elle
Avide ouverte elle flambe
Empalée gluante sur le pied sec de l'ennui
Absente Attentive aux pulsations de sa vulve
elle
BÂILLE

Dans le sens contraire de la violence érotique
La mort est contagieuse

Elle oriflamme debout
Le brasier de sang crépite
Autour de ses genoux
Il faut modeler les excréments
Lécher l'anus
Plonger sa figure dans l'amertume de la vieillesse
Faucher le blé qui fermente dans l'aisselle
Connaître l'offense La mort agitée de vers
La mort végétale rigide dans l'orgasme et le soubresaut
Tout sauf rien hurle la femme
Ne me laissez pas partir
Il faut chasser la femme de Loth
Il faut être *normal*

Phallus et Momies, 1969

GILBERT LÉLY

Paraphé par Belzébuth

Dans le cerveau de ce jeune homme, il y avait Troïlus enchaîné à la tête d'un lit où successivement ses plus cruels ennemis possédaient Cressida, laquelle en concevait un très vif plaisir ;

Dans le cerveau de ce jeune homme, il y avait une dame élégante de 1904 qui se glissait dans les coulisses d'une baraque de lutteurs après la représentation et qui donnait cinq francs à un athlète pour qu'il la prît immédiatement, debout, toutes jupes exaltées, contre le bec de gaz, prisonnier par hasard de ces toiles foraines ;

Dans le cerveau de ce jeune homme, il y avait un film documentaire permanent qui représentait en gros plans les infidélités de sa maîtresse, tandis qu'un haut-parleur déclamait sans cesse le théorème XXXV du troisième livre de l'*Éthique*[1].

Arden, 1933

Le Fiancé inquiétant

Cambrées, intactes en mon cœur, comme des jeunes Pompéiennes, immobilisées à jamais dans l'attitude de l'amour[2].

Ma Civilisation, 1947

1. De Spinoza qui décrit là les tourments du jaloux.
2. Cette épigraphe a suscité plusieurs commentaires d'Yves Bonnefoy : « "Cambrées, intactes en mon cœur, comme des jeunes Pompéiennes immobilisées à jamais dans l'attitude de l'amour" : il semble que Gilbert Lely ait voulu vivre comme Pompéi s'écroule, dans la ruine du temps jouissant d'être unique, épousant chaque seconde pour ce qu'elle a d'irréparable, mais aussi bien pour son possible de pierre. » (*Derrière le miroir*, octobre 1948.)

« L'intuition de Lely est parente du désastre. Comme la cendre du Vésuve, elle surprend le geste le plus vif, quitte, par une dialectique où le temps, cet apparent vainqueur, est noblement dénié, à faire revivre soudain ce qui semble mort, ce qui semble le plus un simple vestige du passé. » (*L'Improbable*, Mercure de France, 1959, p. 121.)

Le dernier vers d'« Envoi à la Femme 100 têtes » fait également référence à Pompéi.

Je ne veux pas qu'on tue cette femme

Particulièrement pâle et prête pour l'amour,
Elle était appuyée contre un réverbère.
Elle dit :
Je suis vertigineuse dans la décision ;
Tous les lieux et tous les signes
Sont propres à l'accomplissement de mes désirs.
Puis elle disparut, et je vis,
À la place de son regard,
Un léopard géant qui se ruait
Sur les rideaux de fer des boutiques.

Cracovie, où des cuisses miraculeuses s'ouvrent !
Cracovie, c'est l'espionne au poteau d'exécution !
Mais les soldats ne tireront pas.
Sa furie a désemparé la grossière mécanique du temps.
Les hommes recommenceront la vie en sens inverse,
L'officier redeviendra sperme au delta putride de sa mère.

Ma Civilisation, 1947

Envoi à la femme 100 têtes

De cette matrice fécondée après la mort naîtra une race triste et intrépide. — À la Femme 100 têtes, la seule médiatrice systématique connue à ce jour entre le rêve et la vie éveillée, à la Femme 100 têtes, ancienne et moderne, conductrice des déluges, emphatique, aux légendes de foudre, découverte ou masquée, de la race des oiseaux, phénoménale, ignorant la pathogénie microbienne, chaste, mettant tout son or dans les bêtes féroces, pythienne, désintégrante, future, tantôt en haillons, tantôt splendidement vêtue. — Ô visage à faire naître un grand amour pendant la dernière minute de Pompéi !

Ma Civilisation, 1947

Une jeune fille douce, muette, persécutée. Sur sa tête une souris vivante mais immobile. Nous longions des rues et des rues. Les horribles richesses du passé tombaient brusquement en pourriture. Des femmes d'une beauté incroyable agonisaient. La jeune fille me regardait en feignant l'épouvante. Ses seins luisaient entre ses haillons. Mais quelqu'un annonça ma mort près d'une ferme au nom ignoble. Ô visage à faire naître un grand amour pendant la dernière minute de Pompéi.

Habillées inconnues
la nuit
Leurs seins volent en éclats.

Chaque tigre échappé chaque vaisseau qui sombre
Ajoute une étoile à ton sourire.

Je ne veux pas qu'on tue cette femme, 1936

Mais voici de son côté, sous l'Occupation nazie, la joyeuse farandole des personnages de farce de Picasso, hantés par l'amour et par la nourriture, protestation ludique contre ces temps de disette.

PICASSO

Le Désir attrapé par la queue

scène II

Deux hommes en cagoule apportent une baignoire immense pleine de mousse de savon sur la scène devant les portes du couloir après un morceau de violon de La Tosca *du fond de la baignoire sortent les têtes de Gros Pied l'Oignon la Tarte sa Cousine le Bout rond les deux Toutous le Silence l'Angoisse grasse l'Angoisse maigre les Rideaux*

LA TARTE — *bien lavés bien rincés nets nous sommes des miroirs de nous-mêmes et prêts à recommencer demain et tous les jours le même manège*

LE GROS PIED — la Tarte je te vois

L'OIGNON — je te vois

LE BOUT ROND — je te vois je te vois coquine

LE GROS PIED *(s'adressant à la Tarte)* — tu as la jambe bien faite et le nombril bien tourné la taille fine et les nichons parfaits l'arcade sourcilière affolante et ta bouche est un nid de fleurs tes hanches un sopha et le strapontin de ton ventre une loge aux courses de taureaux aux arènes de Nîmes tes fesses un plat de cassoulet et tes bras une soupe d'ailerons de requins et ton et ton nid d'hirondelles encore le feu d'une soupe aux nids d'hirondelles mais mon chou mon canard et mon loup je m'affole je m'affole je m'affole je m'affole

L'OIGNON — vieille putain petite grue

LE BOUT ROND — où vous croyez-vous cher ami à la maison ou au bordel ?

SA COUSINE — si vous continuez je ne me lave plus et je m'en vais
LA TARTE — où est mon savon mon savon mon savon ?
LE GROS PIED — la coquine
L'OIGNON — oui la coquine
LA TARTE — il est bon ce savon il sent bon ce savon
LE BOUT ROND — je t'en foutrai du savon qui sent bon
LE GROS PIED — belle enfant veux-tu que je te frotte ?
LE BOUT ROND — quelle garce

les deux Toutous criant leurs aboiements lèchent tout le monde couverts de mousse de savon sautent hors de la baignoire et les baigneurs habillés comme tout le monde à l'époque sortent de la baignoire seule la Tarte sort toute nue mais avec des bas — ils apportent des paniers pleins de victuailles des bouteilles de vin des nappes des serviettes des couteaux des fourchettes — ils préparent un grand déjeuner sur l'herbe — arrivent des croque-morts avec des cercueils où ils enfournent tout le monde — les clouent et les emportent

rideau

scène III

le Gros Pied se couche au milieu de la scène par terre et commence à ronfler — rentrent des deux côtés de la scène les Angoisses la Cousine et la Tarte

L'ANGOISSE MAIGRE *(regardant le Gros Pied)* — il est beau comme un astre c'est un rêve repeint en couleurs d'aquarelle sur une perle — ses cheveux ont l'art des arabesques compliquées des salles du palais de l'Alhambra et son teint a le son argentin de la cloche qui sonne le tango du soir à mes oreilles pleines d'amour — tout son corps est rempli de la lumière de mille ampoules électriques allumées — son pantalon est gonflé de tous les parfums d'Arabie ses mains sont de transparentes glaces aux pêches et aux pistaches — les huîtres de ses yeux renferment les jardins suspendus bouche ouverte aux paroles de ses regards et la couleur d'aïoli qui l'encercle répand une si douce lumière sur sa poitrine que le chant des oiseaux qu'on entend s'y colle comme un poulpe au mât du brigantin qui dans les remous de mon sang navigue à son image

L'ANGOISSE GRASSE — je tirerais bien un coup avec lui sans qu'il le sache

LA TARTE *(les larmes aux yeux)* — je l'aime

LA COUSINE — j'ai connu à Châteauroux un monsieur un architecte qui portait des lunettes qui voulait m'entretenir — un monsieur très bien et très riche il ne voulait jamais que je paye mon dîner et l'après-midi entre 7 Hs et 8 prenait l'apéritif au grand café qui fait l'angle de la grande rue c'est lui qui m'a appris à découper correctement une sole limande après il est parti chez lui pour toujours habiter un ancien château historique et bien moi je trouve que couché comme ça par terre et dormant il lui ressemble

LA TARTE *(se jetant sur lui en pleurant)* — je l'aime je l'aime

la Tarte la Cousine et les deux Angoisses sortent chacune de leur poche de grands ciseaux commencent à lui couper des mèches de cheveux jusqu'à lui peler la tête comme un fromage de Hollande appelé « tête de mort » à travers les lames des persiennes de la fenêtre les fouets du soleil commencent à battre les quatre femmes assises autour du Gros Pied

LA TARTE — aï aï aï aï aï aï aï

LA COUSINE — aï aï aï aï

L'ANGOISSE MAIGRE — aï aï aï aï aï
L'ANGOISSE GRASSE — à à à à à à à à à à

(et ça continue pendant un bon quart d'heure)

LE GROS PIED *(en rêve)* — l'os de la moelle charrie des glaçons
LA COUSINE — oh qu'il est beau aï aï aï qui aï oh qui aï aï est aï aï aï aï bo bo
L'ANGOISSE GRASSE — a a a bo a a bo bo
LA TARTE — aï aï je l'aime aï aï aime bo bo aï aï aï l'aime aï aï bo bo bo bo

(elles sont couvertes de sang et tombent évanouies par terre)

les Rideaux (ouvrant leurs plis devant cette désastreuse scène immobilisent leur dépit derrière l'étendue de l'étoffe déployée)

Rideau

(la scène se passe dans l'égout chambre à coucher cuisine et salle de bains de la villa des Angoisses*)*

L'ANGOISSE MAIGRE — la brûlure de mes passions malsaines attise la plaie des engelures enamourées du prisme établi à demeure sur les angles mordorés de l'arc-en-ciel et l'évapore en confettis — je ne suis que l'âme congelée collée aux vitres du feu — je frappe mon portrait contre mon front et crie la marchandise de ma douleur aux fenêtres fermées à toute miséricorde — ma chemise mise en lambeaux par les éventails rigides de mes larmes mord de l'acide nitrique de ses coups les algues de mes bras traînant la robe de mes pieds et mes cris de porte en porte — le petit sac de pralines que je lui ai acheté hier à Gros Pied pour

0 franc 40 me brûle les mains — fistule purulente dans mon cœur l'amour joue aux billes entre les plumes de ses ailes — la vieille machine à coudre qui fait tourner les chevaux et les lions du carrousel échevelé de mes désirs hache ma chair à saucisse et l'offre vivante aux mains glacées des astres mort-nés frappant aux carreaux de ma fenêtre leur faim de loup et leur soif océane — l'énorme tas de bûches attendent résignées leur sort — faisons la soupe — *(lisant dans un livre de cuisine)* demi-quart de melon d'Espagne — de l'huile de palme — du citron — des fèves — sel — vinaigre — mie de pain — mettre à cuire à feu doux — retirer délicatement de temps en temps une âme en peine du purgatoire — refroidir — reproduire à mille exemplaires sur japon impérial et laisser prendre la glace à temps pour pouvoir la donner aux poulpes

(criant par le trou d'égout de leur lit) sœur — sœur — viens — viens m'aider à mettre la table et à plier le linge sale taché de sang et d'excréments — dépêche-toi ma sœur la soupe est déjà froide et se fend au fond du miroir de l'armoire à glace — j'ai brodé toute l'entière après-midi de cette soupe mille histoires qu'elle va te raconter en secret à l'oreille si tu veux garder pour la fin l'architecture du bouquet de violettes du squelette

L'ANGOISSE GRASSE *(sortant toute dépeignée et noire de saleté des draps du lit plein de pommes frites tenant une vieille poêle à la main)* — j'arrive de bien loin et éblouie par la longue patience que j'ai dû suivre derrière le corbillard des sauts de carpe que le gros teinturier si minutieux dans ses comptes voulait mettre à mes pieds

L'ANGOISSE MAIGRE — le soleil

L'ANGOISSE GRASSE — l'amour

L'ANGOISSE MAIGRE — comme tu es belle

Le Désir attrapé par la queue, 1943

Dans la veine de l'obsession dévoratrice, « la Beauté sera comestible », avait déjà écrit Dalí.

Le désir érotique est la ruine des esthétiques intellectualistes. Là où la Vénus de la logique s'éteint, la Vénus du « mauvais goût », la « Vénus aux fourrures » s'annonce sous le signe de l'unique beauté, celle des réelles agitations vitales et matérialistes. — La beauté n'est que la somme de conscience de nos perversions. — Breton a dit : « La beauté sera convulsive ou ne sera pas. » Le nouvel âge surréaliste du « cannibalisme des objets » justifie également cette conclusion : la beauté sera comestible ou ne sera pas.

« De la beauté terrifiante et comestible de l'architecture modern style », *Minotaure*, n° 3-4, 1933

Tous, hommes et femmes, doivent devenir « bons » — c'est-à-dire... « bons à manger ».

SALVADOR DALÍ

Les nouvelles couleurs du sex-appeal spectral

La femme deviendra spectrale par la désarticulation et la déformation de son anatomie. Le « corps démontable » est l'aspiration et la vérification algide de l'exhibitionnisme féminin, lequel deviendra furieusement analytique, permettant de montrer chaque pièce séparément, d'isoler pour les donner à manger à part, des anatomies montées *sur griffes*, atmosphériques et spectrales comme celle montée *sur griffes* et spectrale de la mante religieuse. Cela se réalisera grâce aux perfectionnements pervers des prochains costumes aérodynamiques et de la gymnastique irrationnelle.

Les corsets de toutes sortes seront justement réactualisés à des fins extra-fines, de nouvelles et incommodes pièces anatomiques artificielles seront employées pour accentuer le sentiment atmosphérique d'un sein, d'une fesse ou d'un talon (de faux seins extrêmement doux et bien moulés quoique légèrement tombants et naissant dans le dos, seront indispensables pour la tenue de ville). Le sourire spectral sera provoqué artificiellement par les fibres métalliques vibratoires des chapeaux. Mais le modèle incontestable, l'antécédent sensationnel des costumes spectraux sera toujours, jusqu'à nouvel ordre, celui de Napoléon : je tiens surtout à attirer l'attention sur les pantalons bons (bons à manger) de Napoléon, qui rendent évidents et suaves les volumes superfins, tendres et confondus que vous connaissez aussi bien que moi et cela grâce aux facteurs : abdomen et cuisses, « démontables », qui sont à part, isolés, atmosphériques et spectraux, superfinement blancs encadrés dans le noir et l'attitude fantomatique de la silhouette du reste du costume (chapeau compris) aussi de tous bien connue.

Minotaure, n° 5, 1934

Le plus grand lyrisme surréaliste s'est aussi attaché à célébrer la femme. René Char dans Lettera amorosa *s'adresse à cette femme, « Iris plural, iris d'Éros », qui est liée pour lui à la musique de Monteverdi, elle qui protège précairement des années difficiles, dans ces temps de l'après-guerre où menace à nouveau une guerre mondiale, qui serait désormais atomique : et René Char en était littéralement hanté.*

RENÉ CHAR

Lettera amorosa

DÉDICACE

Non è già part'in voi che con forz'invincibile d'amore tutt'a se non mi tragga.

MONTEVERDI, *Lettera amorosa.*

Temps en sous-œuvre, années d'affliction… Droit naturel ! Ils donneront malgré eux une nouvelle fois l'existence à l'Ouvrage de tous les temps admiré.

Je te chéris. Tôt dépourvu serait l'ambitieux qui resterait incroyant en la femme, tel le frelon aux prises avec son habileté de moins en moins spacieuse. Je te chéris cependant que dérive la lourde pinasse de la mort.

« Ce fut, monde béni, tel mois d'Éros altéré, qu'elle illumina le bâti de mon être, la conque de son ventre : je les mêlai à jamais. Et ce fut à telle seconde de mon appréhension qu'elle changea le sentier flou et aberrant de mon destin en un chemin de parélie pour la félicité furtive de la terre des amants. »

Le cœur soudain privé, l'hôte du désert devient presque lisiblement le cœur fortuné, le cœur agrandi, le diadème.

... Je n'ai plus de fièvre ce matin. Ma tête est de nouveau claire et vacante, posée comme un rocher sur un verger à ton image. Le vent qui soufflait du Nord hier, fait tressaillir par endroits le flanc meurtri des arbres.

Je sens que ce pays te doit une émotivité moins défiante et des yeux autres que ceux à travers lesquels il considérait toutes choses auparavant. Tu es partie mais tu demeures dans l'inflexion des circonstances, puisque lui et moi avons mal. Pour te rassurer dans ma pensée, j'ai rompu avec les visiteurs éventuels, avec les besognes et la contradiction. Je me repose comme tu assures que je dois le faire. Je vais souvent à la montagne dormir. C'est alors qu'avec l'aide d'une nature à présent favorable, je m'évade des échardes enfoncées dans ma chair, vieux accidents, âpres tournois.

Pourras-tu accepter contre toi un homme si haletant ?

Lunes et nuit, vous êtes un loup de velours noir, village, sur la veillée de mon amour.

« Scrute tes paupières », me disait ma mère, penchée sur mon avant-sommeil d'écolier. J'apercevais flottant un petit caillou, tantôt paresseux, tantôt strident, un galet pour verdir dans l'herbe. Je pleurais. Je l'eusse voulu dans mon âme, et seulement là.

Chant d'Insomnie :

Amour hélant, l'Amoureuse viendra,
Gloria de l'été, ô fruits !
La flèche du soleil traversera ses lèvres,

Le trèfle nu sur sa chair bouclera,
Miniature semblable à l'iris, l'orchidée,
Cadeau le plus ancien des prairies au plaisir
Que la cascade instille, que la bouche délivre.

Je voudrais me glisser dans une forêt où les plantes se refermeraient et s'étreindraient derrière nous, forêt nombre de fois centenaire, mais elle reste à semer. C'est un chagrin d'avoir, dans sa courte vie, passé à côté du feu avec des mains de pêcheur d'éponges. « Deux étincelles, tes aïeules », raille l'alto du temps, sans compassion.

Mon éloge tournoie sur les boucles de ton front, comme un épervier à bec droit.

L'automne ! Le parc compte ses arbres bien distincts. Celui-ci est roux traditionnellement ; cet autre, fermant le chemin, est une bouillie d'épines. Le rouge-gorge est arrivé, le gentil luthier des campagnes. Les gouttes de son chant s'égrainent sur le carreau de la fenêtre. Dans l'herbe de la pelouse grelottent de magiques assassinats d'insectes. Écoute, mais n'entends pas.

Parfois j'imagine qu'il serait bon de se noyer à la surface d'un étang où nulle barque ne s'aventurerait. Ensuite, ressusciter dans le courant d'un vrai torrent où tes couleurs bouillonneraient.

Il faut que craque ce qui enserre cette ville où tu te trouves retenue. Vent, vent, vent autour des troncs et sur les chaumes.

J'ai levé les yeux sur la fenêtre de ta chambre. As-tu tout emporté ? Ce n'est qu'un flocon qui fond sur ma paupière. Laide saison où l'on croit regretter, où l'on projette, alors qu'on s'aveulit.

L'air que je sens toujours prêt à manquer à la plupart des êtres, s'il te traverse, a une profusion et des loisirs étincelants.

Je ris merveilleusement avec toi. Voilà la chance unique.

Absent partout où l'on fête un absent.

Je ne puis être et ne veux vivre que dans l'espace et dans la liberté de mon amour. Nous ne sommes pas ensemble le produit d'une capitulation, ni le motif d'une servitude plus déprimante encore. Aussi menons-nous malicieusement l'un contre l'autre une guérilla sans reproche.

Tu es plaisir, avec chaque vague séparée de ses suivantes. Enfin toutes à la fois chargent. C'est la mer qui se fonde, qui s'invente. Tu es plaisir, corail de spasmes.

Qui n'a pas rêvé, en flânant sur le boulevard des villes, d'un monde qui, au lieu de commencer avec la parole, débuterait avec les intentions ?

Nos paroles sont lentes à nous parvenir, comme si elles contenaient, séparées, une sève suffisante pour rester closes tout un hiver ; ou mieux, comme si, à chaque extrémité de la silencieuse distance, se mettant en joue, il leur était interdit de s'élancer et de se joindre. Notre voix court de l'un à l'autre ; mais chaque avenue, chaque treille, chaque fourré, la tire à lui, la retient, l'interroge. Tout est prétexte à la ralentir.

Souvent je ne parle que pour toi, afin que la terre m'oublie.

Après le vent c'était toujours plus beau, bien que la douleur de la nature continuât.

Je viens de rentrer. J'ai longtemps marché. Tu es la Continuelle. Je fais du feu. Je m'assois dans le fauteuil de panacée. Dans les plis des flammes barbares, ma fatigue escalade à son tour. Métamorphose bienveillante alternant avec la funeste.

Dehors le jour indolore se traîne, que les verges des saules renoncent à fustiger. Plus haut, il y a la mesure de la futaie que l'aboi des chiens et le cri des chasseurs déchirent.

Notre arche à tous, la très parfaite, naufrage à l'instant de son pavois. Dans ses débris et sa poussière, l'homme à tête de nouveau-né réapparaît. Déjà mi-liquide, mi-fleur.

La terre feule, les nuits de pariade. Un complot de branches mortes n'y pourrait tenir.

S'il n'y avait sur terre que nous, mon amour, nous serions sans complices et sans alliés. Avant-coureurs candides ou survivants hébétés.

L'exercice de la vie, quelques combats au dénouement sans solution mais aux motifs valides, m'ont appris à regarder la personne humaine sous l'angle du ciel dont le bleu d'orage lui est le plus favorable.

Toute la bouche et la faim de quelque chose de meilleur que la lumière (de plus échancré et de plus agrippant) se déchaînent.

Celui qui veille au sommet du plaisir est l'égal du soleil comme de la nuit. Celui qui veille n'a pas d'ailes, il ne poursuit pas.

J'entrouvre la porte de notre chambre. Y dorment nos jeux. Placés par ta main même. Blasons durcis, ce matin, comme du miel de cerisier.

Mon exil est enclos dans la grêle. Mon exil monte à sa tour de patience. Pourquoi le ciel se voûte-t-il ?

Il est des parcelles de lieux où l'âme rare subitement exulte. Alentour ce n'est qu'espace indifférent. Du sol glacé elle s'élève, déploie tel un chant sa fourrure, pour protéger ce qui la bouleverse, l'ôter de la vue du froid.

Pourquoi le champ de la blessure est-il de tous le plus prospère ? Les hommes aux vieux regards, qui ont eu un ordre du ciel transpercé, en reçoivent sans s'étonner la nouvelle.

Affileur de mon mal je souffre d'entendre les fontaines de ta route se partager la pomme des orages.

Une clochette tinte sur la pente des mousses où tu t'assoupissais, mon ange du détour. Le sol de graviers nains était l'envers humide du long ciel, les arbres des danseurs intrépides.

Trêve, sur la barrière, de ton museau repu d'écumes, jument de mauvais songe, ta course est depuis longtemps terminée.

Cet hivernage de la pensée occupée d'un seul être que l'absence s'efforce de placer à mi-longueur du factice et du surnaturel.

Ce n'est pas simple de rester hissé sur la vague du courage quand on suit du regard quelque oiseau volant au déclin du jour.

Je ne confonds pas la solitude avec la lyre du désert. Le nuage cette nuit qui cerne ton oreille n'est pas de neige endormante, mais d'embruns enlevés au printemps.

Il y a deux iris jaunes dans l'eau verte de la Sorgue. Si le courant les emportait, c'est qu'ils seraient décapités.

Ma convoitise comique, mon vœu glacé : saisir ta tête comme un rapace à flanc d'abîme. Je t'avais, maintes fois, tenue sous la pluie des falaises, comme un faucon encapuchonné.

Voici encore les marches du monde concret, la perspective obscure où gesticulent des silhouettes d'hommes dans les rapines et la discorde. Quelques-unes, compensantes, règlent le feu de la moisson, s'accordent avec les nuages.

Merci d'être, sans jamais te casser, iris, ma fleur de gravité. Tu élèves au bord des eaux des affections miraculeuses, tu ne pèses pas sur les mourants que tu veilles, tu éteins des plaies sur lesquelles le temps n'a pas d'action, tu ne conduis pas à une maison consternante, tu permets que toutes les fenêtres reflétées ne fassent qu'un seul visage de passion, tu accompagnes le retour du jour sur les vertes avenues libres.

SUR LE FRANC-BORD

I. IRIS. 1° Nom d'une divinité de la mythologie grecque, qui était la messagère des dieux. Déployant son écharpe, elle produisait l'arc-en-ciel.
2° Nom propre de femme, dont les poètes se servent pour désigner une femme aimée et même quelque dame lorsqu'on veut taire le nom.
3° Petite planète.
II. IRIS. Nom spécifique d'un papillon, le nymphale iris, dit le grand mars changeant. Prévient du visiteur funèbre.
III. IRIS. Les yeux bleus, les yeux noirs, les yeux verts, sont ceux dont l'iris est bleu, est noir, est vert.
IV. IRIS. Plante. Iris jaune des rivières.
... Iris plural, iris d'Éros, iris de *Lettera amorosa*.

La Parole en archipel, 1952-1960

Paul Éluard, dans L'Amour la poésie, *célèbre la transparence d'une contemplation érotique.*

PAUL ÉLUARD

L'Amour la poésie

Toi la seule et j'entends les herbes de ton rire
Toi c'est ta tête qui t'enlève

Et du haut des dangers de mort
Sous les globes brouillés de la pluie des vallées
Sous la lumière lourde sous le ciel de terre
Tu enfantes la chute.

Les oiseaux ne sont plus un abri suffisant
Ni la paresse ni la fatigue
Le souvenir des bois et des ruisseaux fragiles
Au matin des caprices
Au matin des caresses visibles
Au grand matin de l'absence la chute.
Les barques de tes yeux s'égarent
Dans la dentelle des disparitions
Le gouffre est dévoilé aux autres de l'éteindre
Les ombres que tu crées n'ont pas droit à la nuit.

L'Amour la poésie, Premièrement, VI, 1929

Cependant André Breton évoque de son côté une rangée d'intercesseurs énigmatiques, qui portent « les clés des situations ». Que veut-il dire par ces termes ? Ou bien que veut dire sa langue poétique, portée par une écriture inspirée ? La « clé », peut-être, de ces moments où basculent les événements dans le temps ? Ce qui est singulier dans cette page est le fait que Breton place cette rangée de « boys » face à face à une rangée de femmes qui, quant à elles, apparaissent comme toutes les femmes qu'il a ou qu'il aurait pu aimer : énigme de l'amour unique confronté à « la réalité ».

ANDRÉ BRETON

La Beauté sera convulsive

Boys du sévère, interprètes anonymes, enchaînés et brillants de la revue à grand spectacle qui toute une vie, sans espoir de changement, possédera le théâtre mental, ont toujours évolué mystérieusement pour moi des êtres théoriques, que j'interprète comme des porteurs de clés : ils portent les *clés des situations*, j'entends par là qu'ils détiennent le secret des attitudes les plus significatives que j'aurai à prendre en présence de tels rares événements qui m'auront poursuivi de leur marque. Le propre de ces personnages est de m'apparaître vêtus de noir — sans doute sont-ils en habit ; leurs visages m'échappent ; je les crois sept ou neuf — et, assis l'un près de l'autre sur un banc, de dialoguer entre eux la tête parfaitement droite. C'est toujours ainsi que j'aurais voulu les porter à la scène, au début d'une pièce, leur rôle étant de dévoiler cyniquement les mobiles de l'action. À la tombée du jour et souvent beaucoup plus tard (je ne me cache pas qu'ici la psychanalyse aurait son mot à dire), comme ils se soumettraient à un rite, je les retrouve errant sans mot dire au bord de la mer, à la file indienne, contournant légèrement les vagues. De leur part, ce silence ne me prive guère, leurs propos de banc m'ayant, à vrai dire, paru toujours singulièrement décousus. Si je leur cherchais dans la littérature un antécédent, je m'arrêterais à coup sûr à l'*Haldernablou* de Jarry, où coule de source un langage litigieux comme le leur, sans valeur d'échange immédiat, *Haldernablou* qui, en outre, se dénoue sur une évocation très semblable à la mienne : « dans la forêt triangulaire, après le crépuscule ».

Pourquoi faut-il qu'à ce fantasme succède irrésistiblement un autre, qui de toute évidence se situe aux antipodes du premier ? Il tend, en effet, dans la construction de la pièce idéale dont je parlais, à faire tomber le rideau du dernier acte sur un épisode qui se perd derrière la scène, tout au moins se joue sur cette scène à une profondeur inusitée. Un souci impérieux d'équilibre le détermine et, d'un jour à l'autre, s'oppose en ce qui le concerne à toute variation. Le reste de la pièce est affaire de caprice, c'est-à-dire, comme je me le donne aussitôt à entendre, que cela ne vaut presque pas la peine d'être conçu. Je me plais à me figurer toutes les lumières dont a joui le spectateur convergeant en ce *point d'ombre*. Louable intelligence du problème, bonne volonté du rire et des larmes, goût humain de donner raison ou tort : climats tempérés ! Mais tout à coup, serait-ce encore le banc de tout à l'heure, n'importe, ou quelque banquette de café, la scène est à nouveau barrée. Elle est barrée, cette fois, d'un rang de femmes assises, en toilettes claires, les plus touchantes qu'elles aient portées jamais. La symétrie exige qu'elles soient sept ou neuf. Entre un homme... il les reconnaît : l'une après l'autre, toutes à la fois ? Ce sont les femmes qu'il a aimées, qui l'ont aimé, celles-ci des années, celles-là un jour. Comme il fait noir !

Si je ne sais rien de plus pathétique au monde, c'est qu'il m'est formellement interdit de supputer, en pareille occurrence, le comportement d'un homme quel qu'il soit — pourvu qu'il ne soit pas lâche — de cet homme à la place duquel je me suis si souvent mis. Il *est* à peine, cet homme vivant qui tenterait, qui tente ce rétablissement au trapèze traître du temps. Il serait incapable de compter sans l'oubli, sans la bête féroce à tête de larve. Le merveilleux petit soulier à facettes s'en allait dans plusieurs directions.

Reste à glisser sans trop de hâte entre les deux impossibles tribunaux qui se font face : celui des hommes que j'aurai été, par exemple en aimant, celui des femmes que toutes je revois en toilettes claires. La même rivière ainsi tourbillonne, griffe, se dévoile et passe, charmée par les pierres douces, les ombres et les herbes. L'eau, folle de ses volutes comme une vraie chevelure de feu. Glisser comme l'eau dans l'étincellement pur, pour cela il faudrait avoir perdu la notion du temps. Mais quel abri contre lui ; qui nous apprendra à décanter la joie du souvenir ?

Minotaure, n° 5, 1934

Énigme aussi, chez Benjamin Péret, de L'Amour sublime. *La très copieuse préface de l'*Anthologie *qu'il écrit sous ce titre en 1956 s'intitule « Le Noyau de la Comète » et c'est un large historique qu'il nous propose. En voici de courts extraits.*

BENJAMIN PÉRET

Le Noyau de la Comète

[...] Jusqu'ici l'humanité n'a conçu qu'un seul mythe de pure exaltation, l'amour sublime qui, partant du cœur même du désir, vise à sa satisfaction totale. C'est donc le cri de l'angoisse humaine qui se métamorphose en chant d'allégresse. Avec l'amour sublime, le merveilleux perd également le caractère surnaturel, extraterrestre ou céleste qu'il avait jusque-là dans tous les mythes. Il revient en quelque sorte à sa source pour découvrir sa véritable issue et s'inscrire dans les limites de l'existence humaine.

Partant des aspirations primordiales les plus puissantes de l'individu, l'amour sublime offre une voie de transmutation aboutissant à l'accord de la chair et de l'esprit, tendant à les fondre en une unité supérieure où l'une ne puisse plus être distinguée de l'autre. Le désir se voit chargé d'opérer cette fusion qui est sa justification dernière. C'est donc le point extrême que l'humanité d'aujourd'hui puisse espérer atteindre. Par suite, l'amour sublime s'oppose à la religion, singulièrement au christianisme. C'est pourquoi le chrétien ne peut que réprouver l'amour sublime appelé à diviniser l'être humain. Par voie de conséquence, cet amour n'apparaît que dans les sociétés où la divinité est opposée à l'homme : le christianisme et l'Islam, encore que, dans ce dernier, le poids de la théologie l'ait, dès sa naissance, empêché de s'intégrer à l'être humain[1]. L'amour sublime représente donc d'abord une révolte de l'individu contre la religion et la société, l'une épaulant l'autre.

C'est le « *Grand Désir* qui unit le Corps à l'Esprit, longtemps au-delà de l'union des corps dans le *petit désir*[2] ». Le « Grand Désir », enraciné dans la condition humaine, exprime cette tension de l'homme vers le bonheur total qu'il attend de la suppression de son déchirement, celle-ci ne devenant possible que

1. Les *soufis* arabes semblent, au premier abord, recéler une aspiration à l'amour sublime ; mais il s'agit en réalité d'un amour qui a rejeté tout objet humain au profit de la divinité à laquelle des attributs humains, voire charnels, sont conférés. Cf. *Les plus beaux textes arabes*, présentés par Émile Dermenghem, Éd. La Colombe, Paris.

2. R. Schwaller de Lubicz, *Adam l'homme rouge*, Librairie Le Soudier, Paris, s.d. Dans cet ouvrage consacré à l'ésotérisme de l'amour, que me signale André Breton, l'auteur exalte une conception des rapports amoureux qui, sur plus d'un point, coïncide avec l'amour sublime.

si les causes en ont été découvertes. L'amour sublime seul satisfait ce « Grand Désir », alimenté et grandi par la satisfaction du « petit désir » charnel. La reconnaissance de l'universalité du désir, de sa signification cosmique et de ses manifestations chez l'homme réclame à la fois sa sublimation et celle de l'objet de ce désir. Tandis qu'en dehors de l'amour sublime l'être humain — l'homme surtout — ne s'abandonne guère au désir que dans la mesure où il le ramène à son état le plus primitif, dans l'amour sublime les êtres saisis par son vertige n'aspirent qu'à se laisser emporter le plus loin possible de cet état. Le désir, tout en demeurant lié à la sexualité, se voit alors transfiguré. Il s'incorpore, en vue de son assouvissement, tous les bénéfices que sa sublimation antérieure, même la plus complète, lui avait procurés et qui provoquent sa nouvelle exaltation. Hors de l'amour sublime, la sublimation du désir entraîne en quelque sorte sa désincarnation puisque, pour obtenir satisfaction, il doit perdre de vue l'objet qui l'a suscité. Ainsi se maintient chez l'homme un état de dualité, à la faveur duquel la chair et l'esprit restent opposés. Au contraire, dans l'amour sublime, cette sublimation n'est possible que par le truchement de son objet charnel et tend à rétablir chez l'homme une cohésion inexistante auparavant. Le désir, dans l'amour sublime, loin de perdre de vue l'être de chair, qui lui a donné naissance, tend donc, en définitive, à sexualiser l'univers.

Si l'homme est un être social, c'est de toute évidence parce qu'il a le sentiment inné de son insuffisance individuelle dérivée de la condition humaine proprement dite. De là découle son angoisse. Il est ainsi porté, dès l'origine, à chercher hors de lui ce qui lui fait défaut puisque « le besoin d'amour révèle déjà en nous une dissociation[1] ». Si l'être humain était complet et parfait, il n'aurait nulle tendance à s'unir à ses semblables, ni même à rechercher leur société dans quelque but que ce soit. Aucune évolution ne serait possible. On ne pourrait concevoir qu'une harmonie individuelle dans un univers à jamais figé, tandis qu'Héraclite voyait déjà dans le monde « une harmonie de forces opposées », une « harmonie de tensions tour à tour tendues et détendues », puisque « la discordance crée la plus belle harmonie ». Cependant, Platon, dans le *Banquet*, remarque que le grave et l'aigu n'atteignent à l'harmonie que s'ils s'accordent. Pour que cet accord soit possible, il faut qu'à partir du point où le grave et l'aigu se confondent, soit reconnue la gamme de l'un et de l'autre jusqu'au plus haut de l'aigu et jusqu'au plus bas du grave. En un mot, il est nécessaire d'atteindre la plus grande différenciation des sons pour pouvoir ensuite rechercher leur accord. Il en va de même pour l'homme et la femme. C'est seulement lorsque cette différenciation est entièrement accomplie, à savoir lorsque l'homme a développé toutes ses possibilités viriles et la femme toutes ses virtualités féminines, que leur accord parfait devient possible. Chacun possédant en outre une individualité nettement accusée, peut alors songer à l'être qui lui manque pour que l'harmonie règne en chacun d'eux, autrement dit pour connaître le bonheur. L'amour sublime est précisément cet accord parfait entre deux êtres harmonieusement appariés. C'est à cette harmonie nouvelle qu'aspire l'Occident sans en avoir une claire conscience. De là vient que, dans notre monde, l'amour sublime reste asocial et parfois même antisocial, puisque ce monde, de nos jours, porte à son comble un dualisme dont il tire tout son

1 . Novalis, *Journal intime : Psychologie*, Stock, Paris, 1927.

pouvoir oppressif perceptible jusque dans les moindres détails de la vie quotidienne.

Si, à chaque homme, ne peut correspondre qu'une seule femme — devenant, selon l'expression aussi vulgaire que précise sa « moitié », ce qui suppose que, réunis, ils forment un tout — il ne s'ensuit pas qu'ils se rencontreront d'emblée. Le risque, dans les conditions présentes, est, au contraire, qu'ils traversent l'existence sans se reconnaître ni même pouvoir se rencontrer. Ils ne savent rien l'un de l'autre et c'est à tâtons qu'ils doivent se chercher, dans un état de vacance qui multiplie les aléas de leur quête. Les causes d'erreurs sont d'autant plus nombreuses que le désir attend pour prendre son vol la simple occasion d'un sourire, tel geste balayant jusqu'aux plus légers nuages ou le timbre d'une voix parlant comme du fond d'un rêve. L'homme, soulevé alors par la vague déferlant du plus profond de sa nuit, apparaît un instant au sommet de la lame, face au ciel, et souvent retombe au creux de la houle qui continue de l'entraîner, vers quels rivages ! S'il s'abandonne au flot, il est perdu. Bientôt son fantôme reviendra se mêler à

Des ombres sans amour qui se traînaient par terre.

Il lui faut, à tout prix, nager dans ces eaux, sans direction, vers l'île ensoleillée, quelque part, au milieu des flots, où le bonheur l'attend. Mais tous ces mirages ? Rien ne lui permet de les identifier d'emblée. Au contraire, tant qu'ils persistent, l'île lumineuse semble atteinte et c'est en se dissolvant qu'ils dévoilent des déserts glacés sous un ciel bas. Le mirage est même le risque qu'il faut courir, quitte à répudier son enchantement lorsqu'on s'y est laissé prendre. Et il est presque inévitable qu'il en soit ainsi.

[...] L'amour courtois revêt en effet l'aspect d'un jeu parce qu'il lui était interdit d'en dépasser les limites. Et il en est indubitablement un, sans qu'il soit légitime de le réduire au seul jeu. Tout son appareil de règles, de tournois et de cours d'amour montre son caractère ludique. Or, un jeu constitue, pour les joueurs, un cercle fermé et étranger au monde extérieur. Mais s'il est un jeu, il prend cependant pour les joueurs un caractère ambivalent, dans la mesure où ceux-ci tendent à lui faire réintégrer le cadre du sérieux des nécessités duquel il est issu. J. Huizinga[1] a remarqué qu'il « n'existe point de différence formelle entre le jeu et une action sacrée », l'un et l'autre revêtant les mêmes aspects, et que « cette notion de jeu s'associe sans contrainte à celle de mystère et de sainteté[2] ». Par ailleurs, le même auteur montre le rôle capital du jeu aux premiers stades de la culture. Je citerai en exemple les nègres du Brésil disant qu'ils « jouent » (*brincar* : jouer est le terme employé par les enfants) lorsqu'ils célèbrent une cérémonie magique, ainsi que les Indiens Cora, au nord-ouest du Mexique, qui appellent « jeu » la fête donnée en l'honneur du dieu suprême.

L'hommage que le chevalier rend à sa dame n'est pas non plus sans rappeler le *potlatch*[3]. Il offre son cœur à sa dame, mieux, il l'échange contre le sien. La dame est située à un rang supérieur au sien. Il n'y a donc pas échange sur un pied d'égalité. Au contraire, le chevalier a conscience de recevoir plus qu'il ne donne. Ayant échangé son cœur, le chevalier fait assaut d'émulation avec sa dame et est prêt à donner sa vie pour elle. Il en reçoit alors un inestimable

1. J. Huizinga, *Homo ludens*, Gallimard.
2. J. Huizinga, *op. cit.*
3. Jean Marx rappelle que Marcel Mauss et Henri Hubert ont, dans la *Revue celtique*, attiré, dès 1926, l'attention du public sur l'importance des notions de *potlatch* « dans les sociétés celtiques en général et les récits arthuriens en particulier ».

soutien mystique par le baiser. Là, il offre plus qu'il n'a reçu et reçoit plus encore. C'est la mécanique de tout *potlatch* et celui-ci fait partie d'un ensemble de rites magiques. Or, l'échange des cœurs, le baiser qui le scellait et le rituel érotique dont cette cérémonie n'était que le préambule, apparaissent à René Nelli comme une survivance de rites entourant une antique communion mystico-sexuelle. Le sens de celle-ci était alors perdu, si bien que le caractère ludique inhérent à toute pratique magique avait pris le pas sur la chose signifiée.

Rien ne se prête tant au jeu que l'amour. À vrai dire, le jeu de l'amour semble représenter une préface obligatoire à l'amour, quelque forme qu'il adopte ensuite, et il en a probablement toujours été ainsi. Même chez les animaux, on peut observer des jeux sexuels. Un journal du soir a décrit l'extraordinaire scène de séduction à laquelle s'emploie le *golové* de Nouvelle-Guinée. Ce paradisier au plumage éclatant déblaie, à l'époque des amours, une surface considérable eu égard à sa taille. Au centre de cette aire, qu'il parsème de petites graines rouges, doit se trouver un certain arbuste de quelques mètres de hauteur. Cette tâche accomplie, le *golové* appelle la femelle, petit oiseau gris insignifiant à côté de lui. Celle-ci vient se percher au faîte de l'arbuste d'où elle regarde longuement le mâle qui exécute une danse compliquée. Déçue, la femelle s'en va. Le mâle n'a plus qu'à cueillir des orchidées dans la forêt voisine et les répandre sur l'aire nuptiale. Il chante de nouveau pour appeler la femelle qui, après avoir regardé encore la danse du mâle, descend de l'arbuste et consent enfin à s'accoupler à lui.

Le roman noir, dont les deux chefs-d'œuvre restent *Le Moine* et *Melmoth*, est introduit en France à l'époque du Directoire. S'il obtient aussitôt une faveur considérable, n'est-ce pas parce qu'il extrait le merveilleux tout frémissant de passion du fond du grenier où la pensée rationaliste l'avait relégué ? L'amour qui, en torrents de lave brûlante, jaillit de l'ouvrage de Lewis atteint un des sommets du sublime ; mais ce sommet se perd dans les flammes. Le même amour circule vingt-cinq ans plus tard dans les veines de Melmoth, qui n'est pas à proprement parler un démon, mais symbolise l'élément luciférien chez l'homme. Mathilde, en échange, est bien un démon et son amour entraîne la perdition d'Ambrosio, parce que la religion réprouve l'amour qui frustre la divinité au profit de l'être humain et que le monde, tout au plaisir, le condamne. C'est pourquoi Lewis fait évoluer ses personnages dans un monde merveilleux, fantastique et fatal, faute de pouvoir montrer que tout le merveilleux jaillit de l'amour pour le couronner de rougeurs d'incendie ou d'un arc-en-ciel permanent. *Le Moine* exprime l'aspect ténébreux et incandescent à la fois de l'amour sublime lorsqu'il est générateur de perdition, tandis que l'œuvre de Novalis va bientôt révéler la face lumineuse de cet amour et son appel au salut humain et au bonheur.

Ainsi, à l'aurore du XIXe siècle, tous les éléments du romantisme sont offerts, épars, sur l'aire de l'esprit. C'est à Chateaubriand qu'échoit la tâche d'entreprendre un premier ajustage. *Atala, René* montrent que, parti de Rousseau, il a pressenti le romantisme dont il esquisse la silhouette. Mais les premiers cris authentiques de passion romantique devaient être proférés en Allemagne, dès la fin du XVIIIe siècle. À ce moment, la jeunesse intellectuelle de ce pays n'a que Rousseau au cœur. Leur aîné, Goethe, en sera imprégné pour toute sa vie et il n'a pu dessiner le personnage de Werther que dans la lumière qui baigne le « promeneur solitaire ». Cependant, la religion et les mœurs, aussi routinières qu'étriquées des petites cours féodales d'Allemagne à cette époque, interdisent tout espoir à Werther. Son amour apparaît en même temps comme une aspiration légitime et profonde. *Werther* devient donc la critique indirecte d'un monde qui condamne l'amour sublime, et inclut un appel silencieux à la subversion. Cependant, ce n'est encore, en dépit de la part autobiographique qu'il inclut, qu'un ouvrage d'imagination. La vie va faire surgir l'amour sublime chez des poètes également nourris de Rousseau. Hölderlin, Novalis et von Kleist, et susciter une grande héroïne de cet amour : Caroline de Günderode.

Hölderlin semble une incarnation de Werther. S'il ne se suicide pas, c'est tout comme, puisqu'il perd la raison et, fantôme de lui-même, erre pendant la moitié de son existence dans la chambre du menuisier Zimmer. Comme le héros de Goethe, l'amour qu'il voue à Suzette Gontard est sans espoir puisque, de surcroît, il est pauvre et au service de la femme qu'il aime. Est-ce la conscience des obstacles insurmontables opposés par le monde à son amour, qui l'amène à le sublimer au point que la femme nous est presque complètement dérobée par son aura ?

De l'amour de Caroline de Günderode pour Kreuzer on ne sait guère que ce que les lettres de ce dernier laissent transparaître et l'épilogue de cet amour : le suicide de Caroline, dans une barque, une balle de pistolet au cœur. Ses lettres ont disparu, sans doute détruites par leur destinataire. Elle l'aima tant que, prête à braver le scandale, elle lui offrit de tout abandonner pour lui, même les apparences de son sexe, et de revêtir des habits masculins, afin de marcher dans son ombre. Effrayé des conséquences de cet amour pour sa carrière universitaire, Kreuzer préféra une existence calme et grise auprès d'une épouse riche et de vingt ans son aînée. C'est alors qu'elle sentit son amour inutile et sa vie superflue[1].

1. Geneviève Bianquis, *Caroline de Günderode.*

Ces deux cas montrent quel caractère de nécessité l'objet aimé revêt pour les romantiques allemands. Cependant, de tous les poètes allemands de cette époque, c'est encore pour Novalis que l'amour acquiert la plus haute signification. D'importance cosmique, l'amour est aussi, pour lui, la source de l'esprit : « L'amour est le réel suprême, l'origine première », dit-il, faisant écho au *Banquet* de Platon et à Shakespeare : « Qui ne sait que la conscience est née de l'amour[1] ? » Mais l'amour est encore pour Novalis « le but final de l'histoire universelle ». Il couvre donc non seulement toute l'étendue de la vie humaine, mais régit le devenir de la nature entière, car « nous sommes à la fois dans la nature et hors d'elle ». Il atteint ainsi une conception particulièrement élevée de l'amour que seul Baudelaire pourra égaler, mais dans l'angoisse. Si Baudelaire montre un aspect luciférien de l'amour, Novalis en présente la facette angélique, la « fleur bleue » à la découverte de laquelle part Henri d'Ofterdingen. Il voit, dans les inclinations humaines, de la « religion appliquée », issue du cœur « organe religieux ». La religion naissant « à l'instant où le cœur [...] se ressent lui-même et devient à lui-même un objet idéal ». Toutes les impulsions affectives se rassemblent alors en une seule « dont l'objet merveilleux est un être supérieur, une divinité ». Mais cette divinité reste humaine car « lorsque nous faisons de notre bien-aimée un tel Dieu, cet acte est de la religion appliquée ». Qu'est-ce que la religion — demande-t-il encore dans *Henri d'Ofterdingen*, pour souligner le sacré du lien amoureux tel qu'il le conçoit — si ce n'est une entente de deux cœurs aimants, une éternelle union ? » En réalité, Novalis se situe au point d'indétermination où religion et magie restent encore indistinctes puisque

1. Sonnet CLI.

tout à ses yeux « peut devenir instrument magique », à commencer par « le premier contact de la main de l'aimée », son premier regard significatif, son premier baiser. La magie engendre l'enchantement, or, « tout enchantement se produit par une identification partielle de l'enchanteur avec l'objet enchanté », car « tout objet aimé est le centre d'un paradis ». C'est le but que poursuit Novalis : l'instauration d'un paradis humain, la renaissance de l'âge d'or où cœur et esprit s'accordaient dans un monde neuf aux oppositions à peine esquissées. Ce monde a vieilli, déchiré par des contradictions de plus en plus aiguës, mais le règne de l'amour sublime n'aiderait-il pas à les résoudre ? Novalis en est persuadé. Toute son œuvre défend cette thèse qu'il illustre par sa brève existence.

Dans l'état actuel du monde l'individu ne peut éprouver l'amour sublime qu'à la faveur d'une ascèse sévère, à laquelle un petit nombre d'hommes sont préparés. La quête de l'être complémentaire ne peut être menée que dans des conditions de grâce amoureuse, dont la vie courante prive le plus grand nombre des hommes. Mais le monde qui combat l'amour sublime de toute son écrasante force d'inertie se condamne ainsi lui-même. Il faudra qu'un jour les hommes entreprennent à la fois de transformer les bases de ce monde et d'améliorer leur condition. Alors seulement l'aspiration, aujourd'hui vague et fugitive, des hommes à l'amour sublime trouvera peut-être des conditions favorables à sa satisfaction.

Introduction à l'*Anthologie de l'amour sublime*, 1956

Mais, à côté des lyriques, il y a aussi les raisonneurs et raisonneuses de ces amours magnifiques et sulfureuses, dont Sade désigne le point d'horizon énigmatique. René Char écrit le plus bel hommage à Sade.

RENÉ CHAR

Hommage à D.A.F. de Sade

À Paul Éluard

I

Quelle existence particulièrement bien comprise arrivera à percevoir à l'heure d'un couchant exceptionnel les vibrations de l'insolite monument dressé sur une grève de pierres hantées à la limite des eaux mortes entre deux rivages à jamais arides ?

Quand le silence rassurant se sent chez lui le mystère allume de monstrueux feux de paille : feu de paille celui qui de mémoire d'ombre récite la vérité déchirante, feu de paille celui qui sur les ailes de la folie précipite, à hauteur d'aigle, la morale démasquée, feu de paille aussi celui dont les étranges propos découvrent aux paralytiques les impressions saisissantes.

L'incorruptible séducteur s'éloigne comme un orage.

II

Ces bouleversements derrière les paupières nous conduisent infailliblement à une mare dure et glissante où dort sous une nuée de mouches vertes l'immobilité au diapason. Pour pouvoir s'en approcher il faut avoir cru plus que de raison. On dit alors à haute voix ce à quoi on ne pense pas. J'ai voulu dire : « Le cœur du lance-pierre trouve le chemin du poète. » Le temps m'a prouvé par la suite que mon existence à ce moment-là pouvait tout au plus déserter deux nuages et une épave encore à découvrir. Une obscurité croissante semblable à celle qui règne sur les visions tombe dans les yeux de Pilar. À l'horizon, des mains téméraires ont soulevé pour le plaisir les lourdes pierres horizontales.

III

Sade, l'amour enfin sauvé de la boue du ciel, l'hypocrisie passée par les armes et par les yeux, cet héritage suffira aux hommes contre la famine, leurs belles mains d'étrangleur sorties des poches.

Le SASDLR, n° 2, octobre 1930

*Et tandis que Breton fait bizarrement du « divin Marquis » le précurseur de Freud dans la notice de présentation de l'*Anthologie de l'humour noir *(1939), c'est plus justement comme le moyeu obscur de toute la littérature érotique qu'il en avait auparavant désigné l'œuvre.*

Le monde sexuel, en dépit des sondages entre tous mémorables que, dans l'époque moderne, y auront opérés Sade et Freud, n'a pas, que je sache, cessé d'opposer à notre volonté de pénétration de l'univers son infracassable noyau de nuit.

André Breton, « Introduction aux "Contes bizarres" d'Achim d'Arnim », *Point du jour,* 1934

Mais c'est assurément chez Maurice Blanchot (Lautréamont et Sade, 1949) *dont Georges Bataille poursuit et décline la réflexion, que s'est élaborée la pensée la plus poussée de l'œuvre de Sade, en relation avec les enjeux du libertinage dans les divers sens qu'il prend au* XVII*e et au* XVIII*e siècle. Il s'agit selon Blanchot de désigner dans toute sa pureté l'évidence de la solitude humaine, l'intersubjectivité ne pouvant exister dans un monde constitué de monades affectives. L'*apathie *— mot central chez Sade — est selon Maurice Blanchot la cause et le principe de l'énergie de l'homme qui a choisi d'être « souverain » :*

> « Sade l'exige : pour que la passion devienne énergie, il faut qu'elle soit comprimée, qu'elle se médiatise en passant par un moment nécessaire d'insensibilité ; alors elle sera la plus grande possible [...] Tous ces grands libertins, qui ne vivent que pour le plaisir, ne sont grands que parce qu'ils ont annihilé en eux toute capacité de plaisir. »

Enfin il faut évoquer le débat sur les amours auxquelles la femme accède, débat dont j'ai parlé plus haut et dans lequel le Surréalisme, par la voix des femmes, prend parti contre *le féminisme. Déjà Suzanne Lilar, admirée des surréalistes, avait pris le contre-pied de Simone de Beauvoir,* Le Deuxième Sexe, *1948. Voici que Nora Mitrani explicite brillamment le message très peu féministe de Pauline Réage dans* Histoire d'O.

NORA MITRANI

Une solitude enchantée

Dans le livre de Pauline Réage, O, la très soumise, qui avait accepté le fouet et la bouche sur elle des inconnus de Roissy, refuse pourtant de se caresser devant Sir Stephen dont elle venait de consentir à ce qu'il disposât d'elle sans condition.

Comme portée par une rêverie-prétexte, la main ne voudrait bien s'égarer que portes closes et lumières éteintes, au creux d'un lit sage, geste qui conservera toujours son caractère de pis-aller, de plaisir taciturne arraché à la malédiction d'être seul. Quand cette solitude paraît vaincue par la bonne chaleur de l'autre, son désir déchiffré dans ses yeux plus clairs, la main, presque spontanément se dirige vers ce corps étranger, pour qu'il brûle de même façon que soi. Et si tout à coup, de manière non moins spontanée, la main refait longuement, amoureusement, à la face de l'autre, le geste furtif des solitaires, cela risque d'être assez mal interprété : insolence extrême ou perversion, défi porté à l'amour même. Le scandale est, en tant que tel, ressenti surtout par l'autre, quoique la main se sache d'un certain point de vue coupable d'avoir osé, cette légère honte, et son regard, étonné ou triste, son désarroi, et le sentiment d'avoir enfreint la règle du jeu, ne faisant d'ailleurs qu'exacerber le plaisir d'être à soi-même sa cause et son objet.

Mais le scandale peut devenir le pain tendrement partagé si la main se retourne vers soi pour obéir à un *ordre* : que l'on veuille bien poursuivre, et le caractère d'extériorité de l'ordre ne tarde pas à disparaître pour laisser la place à une impulsion ressentie comme nécessaire par ces deux corps tendus, mais à distance, qui, bien que ne touchant pas, et peut-être parce qu'ils ne se touchent pas, ne feront qu'un corps.

D'abord, toutefois, il y a scandale pour moi et pour autrui : scandale pour mes jambes, mon sexe, dédaignés soudain, abandonnés à leurs manies, réduits à une mécanique dont on apprécie l'élévation de température, les grincements et les tensions, les silences, le relâchement des ressorts, leur rupture progressive, le silence ; scandale double peut-être pour celui qui dédaigne et qui ordonne, précisément parce qu'il dédaigne ce qu'il aime, et que s'il l'aime, même s'il l'aime seulement, l'humilier c'est s'humilier et c'est en même temps, devant ce corps suffisant et satisfait en dépit ou à cause de son humiliation, s'avouer à lui-même sa propre impuissance et sa solitude sans remède, puisque cette femme se referme sur son rêve accompli et que je n'y suis pour rien...

S'ils ne s'aiment pas, les partenaires ne dépassent pas ce stade de la prise de conscience d'une solitude plus amère de s'être donnée en spectacle, cette extase avare, d'inspiration démoniaque, chère à Mme Chantelouve, selon Huysmans. Mais qu'ils s'aiment, et la croûte extérieure du scandale, comme dévorée par le feu, s'effrite pour céder la place au grand mystère, le déclic double qui rendrait possible la superposition de deux images sur une même pellicule vierge, la confusion obtenue en un instant et pour un instant, des corps séparés : je caresse un corps *enchanté* par le désir de l'autre, qui n'est plus le mien et qui n'est pas tout à fait le sien, mais où je retrouve l'ossature de ses hanches étroites, jusqu'à son odeur, et ce sexe qui me pousse entre les jambes...

Celui qui regarde, peut-être (ou sûrement, puisqu'il aime), se ressent-il de ce renversement de signe, ce rapt par lequel il a cessé d'être orphelin, pour se retrouver bien au chaud dans l'autre corps, à la fois son frère jumeau et son enfant plus intérieur à lui que lui-même, l'enfant qui ne saurait mourir... À moins qu'il n'ébauche de son côté un geste parallèle, que le contenu ne se transforme à son tour en contenant, et que les amants, devenus miroirs l'un pour l'autre, ne voient leurs doubles les quitter timides, pour aller s'embrasser silencieusement sur une autre planète, car le jeu érotique, qui se caractérise toujours comme *second mouvement*, signifie pour l'amour à la fois sa culmination et son épuisement prochain, à trop s'aventurer sur ce terrain glissant de la conscience de conscience, reflétante-reflétée à l'infini.

Cependant, ce vertige provoqué par soi-même, face au regard apparemment tranquille d'autrui, ce vertige, parce qu'il n'est en aucune manière comparable à la volupté solitaire, bien qu'obtenu par le même procédé mécanique, se trouve peut-être en mesure de dévoiler certains aspects de l'amour même. Ne serait-il pas avant tout besoin d'être, tension inquiète vers soi, tout se passant comme si l'on ne pouvait s'atteindre et s'aimer que par le truchement de l'autre, et retrouver ainsi une *solitude seconde*, enrichie de la présence de l'amant, source et confluent d'images, au lieu de subir la solitude maudite d'avant l'amour ? Cette solitude ne saurait être conquise, cette identification à soi réalisée que si l'autre a été vu, quelque part en lui-même, comme semblable ou analogue : dans cette mesure, l'inceste peut se présenter comme la plus prometteuse des tentations, puisque la parenté physiologique semblerait a priori multiplier les chances d'analogie. Mais il n'est pas nécessaire que la parenté soit de cet ordre : on se laisserait volontiers aller à imaginer que non seulement le rein, les jambes, les yeux d'un être, mais jusqu'à son cœur puissent être greffés sur un autre corps et y vivre, si ces individualités, régies par des coordonnées identiques, appartiennent à la même constellation mentale.

Mais peut-être est-ce là une manière de penser purement féminine, car l'homme s'avoue plus difficilement que son être contient aussi du manque d'être et que cela ne se comble que par la densité d'un autre corps, ou son image. Peut-être d'ailleurs en convient-il, car enfin, la possibilité des amours réciproques ne demeure pas tout à fait exclue.

1959

Annie Le Brun prend le contre-pied de Xavière Gauthier, Surréalisme et sexualité *(Gallimard, 1971), puis de ce qu'elle appelle le « néo-féminisme ».*

ANNIE LE BRUN

De la femme sans tête à la femme sans jambes

Que s'est-il passé pour que cet « air affranchi de l'aurore », que quelques femmes du début de ce siècle avaient su faire naître de leur somptueuse errance aux confins d'elles-mêmes, soit aujourd'hui pollué de tous les miasmes du totalitarisme et de la redoutable épaisseur de ses retombées sensibles, risquant de plomber pour longtemps les horizons de la féminité ? Que s'est-il donc passé, sinon une atterrante *normalisation* de l'étrangeté d'une féminité qui commençait justement à se reconnaître dans la surprise de ses mouvements et dans l'impudence de ses surgissements ? L'insipide mystère féminin ne commençait-il pas à rendre son âme crétinisante pour que la femme dénude entre les bras de ses amantes ou de ses amants la multiplicité de présences qui la hantent ? Et libéré de la menace obscure de ce mystère, l'homme n'allait-il pas pouvoir enfin ôter sa cuirasse de cicatrices prosaïques pour retrouver sa nudité polymorphe sous les caresses de celles ou de ceux qui étaient prêts à l'aimer ?

La grande marée hallucinatoire de l'amour n'était-elle pas en train de prendre vraiment corps parce que, grâce à quelques-uns — parmi lesquels le néoféminisme s'évertue aujourd'hui à reconnaître ses pires ennemis, du romantisme au surréalisme en passant par la psychanalyse — il devenait difficile de croire plus longtemps que les hommes fussent des « hommes bien définis » et les femmes des « femmes bien arrêtées » (René Nelli, *Érotique et Civilisation*, p. 192). Et certains nous auraient-ils fait accéder à ce doute fondamental en se contentant d'ébranler, et non forcément de pulvériser, la prison des genres, seul importe le mouvement qui fait sourdre ce trouble au cœur de nous-mêmes pour dévoiler lentement ou brusquement d'autres paysages. C'est pourquoi il me paraît d'une importance nulle que Benoîte Groult s'entête à poursuivre son combat d'arrière-garde poujadiste en triant aujourd'hui dans *Le Féminisme au masculin* les bons des méchants hommes quand il y va d'un *ébranlement de la sensibilité* le long duquel les femmes mais aussi les hommes pourraient commencer à voir, éventuellement à aimer, au plus loin de la misère qui leur tient lieu aujourd'hui d'identité :

« La durée d'une étincelle, l'individuel et le non-individuel sont devenus interchangeables et la terreur de la limitation mortelle du moi dans le temps et dans l'espace paraît être annulée. Le néant a cessé d'être : quand tout ce que l'homme n'est pas, s'ajoute à l'homme, c'est alors qu'il semble être lui-même. Il semble exister, avec ses données les plus singulièrement individuelles, et indépendamment de soi-même, dans l'Univers. C'est à ces instants de “solution” que la peur sans terreur peut se transformer en ce sentiment d'existence élevé en puissance : paraître participer — même au-delà de la naissance et de la mort — à l'arbre, au “toi” et à la destinée des hasards nécessaires, rester presque “soi” sur l'autre côté. » (Hans Bellmer, *Anatomie de l'image.*)

Jamais encore le vent du possible n'avait soufflé avec cette violence lointaine pour que les femmes ne déplorent plus de se voir émerger autres sur la rive de leur plaisir et courent rejoindre leur silhouette dégagée mais encore superbement ruisselante des multiples reflets du regard amoureux. On en venait même à supposer que le féminin, libéré de ses entraves ancestrales, allait éclore ailleurs et enrichir de ses errances la courbe voluptueuse de l'attraction passionnée se jouant et jouant à l'infini des polarités sexuelles pour ouvrir entre les êtres, qu'ils soient mâles ou femelles, qu'ils soient semblables ou dissemblables, la forêt inexplorée des « métamorphoses passionnelles » dont parle très justement René Nelli (*Érotique et Civilisation*, p. 185). On pouvait même espérer plus encore, à voir certains faunes « glisser d'un ordre à un autre, en suivant les failles » (Guy Hocquengheim, *L'Après-mai des faunes*, p. 193) et à les entendre nous assurer que « le luxe peut être gratuit parce qu'il est sans prix » (p. 203), si, des très vétustes petites et moyennes entreprises du mystère féminin, le néo-féminisme n'avait fait une chaîne de distribution à grandes surfaces. Finis les touchantes incartades et les dangereux déraillements, tout allait pouvoir rentrer dans l'ordre du nombre, de l'échange et de la valeur.

Indéniablement, le commerce du mystère féminin périclitait de façon alarmante pour les raisons que je viens d'évoquer, obscurément exacerbées par un inquiétant chevauchement des rôles dans une société prise à son propre piège spectaculaire. On avait beau agiter la féminité traditionnelle, réduite à n'être plus que le kaléidoscope d'un présent en miettes, elle ne pouvait donner ce qu'on exigeait d'elle : il était impossible qu'elle organisât, à chaque instant et de manière cohérente, les images contradictoires (mère, amante, travailleuse, putain, sœur, complice) d'une réalité féminine en crise. En l'occurrence, l'abondance des images ne renvoyait plus qu'une image de la carence : les femmes glissaient chaque jour un peu plus à côté d'elles-mêmes, prêtes à découvrir sous les oripeaux presque désertés de leur misère — que ceux-ci fussent intimistes ou tapageurs, luxueux ou infâmes, banals ou recherchés — la transparence de leur liberté. Alors, entailles mouvantes sur l'écorce des choses, c'eût été à chacune d'elles — et à elle seule — d'affronter la nuit qui jusqu'ici n'avait servi qu'à rehausser le scintillement de leur image sous les paupières des hommes, la plupart d'entre eux ne pouvant pas, ne voulant pas, savoir ce que certains avaient pu discerner au plus profond de la nudité amoureuse : que cette nuit est aussi une forêt d'éclairs.

De ces éclairs, certaines femmes n'ont-elles pas de tout temps osé porter la balafre lumineuse, les dénudant au-delà d'elles-mêmes ? Balafre qui appelle la parure mais qui fascine d'être toujours plus précieuse que la parure. Balafre vivante du voyage et de ses fastes nomades dont la tentation est sans doute depuis toujours inscrite au cœur de chacune mais qui se laissait percevoir de plus en plus précisément au fur et à mesure que les machines idéologiques s'emballaient de ne pouvoir contrôler la multiplicité grandissante d'imprévisibles désertions sensibles. Lentement entre les ombres portées des contraires se dessinait une aventure dont le risque était aussi grand pour les femmes que pour les hommes. Et je sais particulièrement gré à André Breton, en dépit de son option toute personnelle de priver le féminin, mais aussi le masculin, de leurs chatoiements mêlés à travers l'homosexualité masculine, d'avoir su évaluer ce risque à l'aune hallucinée du merveilleux : « [...] la barque lancée à la poursuite de l'Ève nouvelle n'était jamais revenue. [...] Elle était au-delà de nos désirs, à la façon des flammes et elle était en quelque sorte le premier jour de la saison féminine de la flamme, un seul 21 mars de neige et de perles. » (*Poisson soluble*, p. 74.) Le principe féminin avait alors toutes les chances d'échapper à ses lieux communs puisque ses racines impatientes commençaient à se perdre dans les rivières souterraines d'un « imaginaire sans mythes » (René Nelli, *Érotique et Civilisation*, p. 185), où le *même* désir homosexuel dans l'hétérosexualité ou hétérosexuel dans l'homosexualité, allait irriguer au gré de ses caprices polymorphes les terres perdues d'un corps occulté par deux mille ans de christianisme. Soudain privé de ses fondements, le grand partage génital était peut-être même près de s'estomper pour laisser place au luxe de l'éventuel.

Quelque part en profondeur, la nécessité voluptueuse combattait la tradition du rendement érotique, et si radicalement que la réaction ne se fit pas attendre : il s'agissait de mettre de l'ordre, de séparer et de préserver ce qui risquait de se confondre et de s'embraser en échappant aux habituels circuits de distribution. C'était autant une affaire politique qu'économique. Le corps venait-il inquiéter l'idéologie, qu'on s'empressa de fabriquer une idéologie du corps, mais d'un corps irréconciliable avec lui-même, suivant qu'il soit vécu au masculin ou au féminin. Il n'en fallait pas plus pour rétablir, mais cette fois sous couvert de liberté, les frontières entre le masculin et le féminin. On ne changea pas les principes mais les méthodes : comme d'habitude, il ne s'agissait que de vendre aux femmes ce dont on les dépossédait pour vendre aux hommes ce dont on les privait, et ainsi de suite. Mais pour y parvenir, il s'agissait aussi de présenter le tout sous l'emballage moderniste du « corps jouissant », débité en pièces pour une clientèle masculine vouée au bricolage faute d'être jamais satisfaite de son autonomie fictive, ou livré clé en main à une clientèle féminine avide de posséder une autonomie non moins fictive. Alors, de même que le bordel constituait traditionnellement l'industrie complémentaire du couvent, de même le racket sexiste de la sexplosion a suscité l'apparition des multivaginales néo-féministes, pour permettre l'écoulement des plus divers produits de remplacement, pourtant dérivés de la même et très secourable matière première en temps de pénurie sensible : *l'ailleurs* et ses fausses perspectives s'élevant pour tromper l'ennui, l'immobilisme et le non-sens d'une vie dépassionnante parce que dépassionnée.

Lâchez tout, Sagittaire, 1977

II

« Imagination n'est pas don mais par excellence objet de conquête »

On va voir par quels moyens est sollicité le merveilleux surréaliste. Il surgit d'abord selon les voies de l'automatisme, mais très vite ces modes seront mis en discussion, interrogés, remaniés, critiqués, presque renversés. Finalement comme le dit André Breton dans le texte « Il y aura une fois », ce merveilleux n'est pas donné, il est gagné. Il est temps, justement, de donner cette page à lire.

ANDRÉ BRETON

Il y aura une fois

[Imagination n'est pas don mais par excellence objet de conquête.] « *Où*, se demande Huysmans, *dans quel temps, sous quelles latitudes, dans quels parages pouvait bien se lever ce palais immense, avec ses coupoles élancées dans la nue, ses colonnes phalliques, ses piliers émergés d'un pavé miroitant et dur*[1] ? »

1. *En rade.*

Manière toute lyrique, toute pessimiste, d'effacer au fur et à mesure tout ce qu'on pense, qui devrait être. Ce palais se *levait, ce palais*... Cet imparfait, cette splendeur inutile tendant à rejeter dans la gratuité quasi légendaire le besoin qu'on éprouve — ces *colonnes phalliques* — de se comporter, ne serait-ce qu'au point de vue sexuel, autrement qu'on se comporte, témoignent d'une lassitude coupable et d'un doute inadmissible touchant aux forces réelles de l'esprit. La lamentable formule : « Mais ce n'était qu'un rêve », dont le croissant usage, entre autres cinématographique, n'a pas peu contribué à faire apparaître l'hypocrisie, a cessé depuis longtemps de mériter la discussion. Pourquoi ne pas le dire ? Huysmans savait fort bien que telles visions qu'il avait — comme on peut les avoir : hors du temps — n'étaient pas moins destinées à entraîner le monde « en avant » qu'« en arrière ». À quoi bon, si ce n'est pour se mettre soi-même tristement à l'abri, à quoi bon accorder à ce qui, encore une fois, devrait être, l'effrayante faculté d'avoir été et de n'être plus ! Je sais l'objection : « Mais l'esprit bute à chaque pas contre des vestiges de temps et de lieux. Ses représentations sont esclaves de l'émotion plus ou moins grande que ces vestiges lui donnent. Fétichiste en diable ! Ce qu'il est convenu d'appeler le passé le prend, c'est indéniable, par son côté faible. Les nuits d'Antoine, le Mexique avant l'arrivée des Espagnols, une photographie d'inconnue datant du siècle dernier : vous, ici, là-bas, si vous bougez tâchez de ne pas faire trop de bruit. »

Mais où sont les neiges de demain ? Je dis que l'imagination, à quoi qu'elle emprunte et — cela pour moi reste à démontrer — si véritablement elle *emprunte*, n'a pas à s'humilier devant la vie. Il y aura toujours, notamment, entre les idées dites reçues et les idées... qui sait, à faire recevoir, une différence susceptible de rendre l'imagination maîtresse de la situation de l'esprit. C'est tout le problème de la transformation de l'énergie qui se pose une fois de plus. Se défier comme on fait, outre mesure, de la vertu pratique de l'imagination, c'est vouloir se priver, coûte que coûte, des secours de l'électricité, dans l'espoir de ramener la houille blanche à sa conscience absurde de cascade.

L'imaginaire est ce qui tend à devenir réel.

À ce propos, je voudrais louer (je ne dis pas même acheter) une propriété dans les environs de Paris[1]. Rien de fabuleux. Seulement une trentaine de pièces, avec, autant que possible, de longs corridors très sombres ou que je me chargerais d'assombrir. Quatre ou cinq hectares de terrain boisé, tout autour. Quelques ruisseaux ou, de grande préférence, une ou deux mares, ne seraient pas mal vus. Je tiendrais, naturellement, à juger par moi-même de la sécurité du lieu (quand je parle de sécurité, les brigands me feront l'honneur de croire que ce n'est pas à eux que je pense). Qu'il soit possible à qui que ce soit — des gens *divers* à qui j'aurais donné rendez-vous — d'y entrer ou d'en sortir, de jour ou de nuit, sans que cela provoque d'esclandre. Toutes ces premières conditions, en somme, faciles à réaliser.

Un souterrain, à faire creuser ou non, pas plus difficile.

[...] Désireux de m'en tenir aujourd'hui à un schème simple, je ne m'étendrai pas inutilement sur l'ameublement des pièces occupables. Cela ne pourra être qu'absolument sévère, bien entendu, — le disparate extrême de l'ensemble devant répondre, bien plutôt qu'au caprice, à la nécessité. On peut, du reste, se fier à notre goût.

1. Il ne me manque que l'argent.

Les conditions de l'hygiène physique la plus exigeante seront minutieusement remplies.

Je ne sais pas encore, ma foi, si l'on confiera à la domesticité deux lévriers blancs ou deux bulls blancs de très haute race, ou si l'on pourra se passer de ces animaux.

Ce qu'avant tout je veux défendre ici n'est que le principe d'une association dont les avantages seraient de placer l'esprit dans la position qui me paraît poétiquement la plus favorable. Il ne saurait s'agir, pour l'instant, d'entrer plus avant dans les secrets d'une telle communauté. Je répète qu'écrivant ces lignes, je fais momentanément abstraction de tout autre point de vue que le point de vue poétique, ce qui ne veut pas dire que j'accepte le moins du monde de passer pour me débattre dans l'utopie. Je me borne à indiquer une source de *mouvements* curieux, en grande partie imprévisibles, source qui, si l'on consentait une première fois à suivre sa pente — et je gage qu'on l'acceptera — serait, à ébranler des monts et des monts d'ennui, la promesse d'un magnifique torrent. On ne peut se défendre de penser ainsi et de prévoir, devant ces aveugles architectures d'aujourd'hui, mille fois plus stupides et plus révoltantes que celles d'autrefois. Comme on va pouvoir s'ennuyer là-dedans ! Ah ! l'on est bien sûr que rien ne se passera. Mais si, tout à coup, un homme entendait, même en pareil domaine, que quelque chose se passât ! S'il osait s'aventurer, seul ou presque, sur les terres foudroyées du hasard ? Si, l'esprit désembrumé de ces contes qui, enfants, faisaient nos délices tout en commençant dans nos cœurs à creuser la déception, cet homme se risquait à arracher sa proie de mystère au passé ? Si ce poète voulait pénétrer lui-même dans l'Antre ? S'il était, lui, vraiment résolu à n'ouvrir la bouche que pour dire : « Il y aura une fois... » ?

Le Surréalisme au service de la Révolution, n° 1, juillet 1930

Il est cependant de fait que dans les premières années du surréalisme, le Merveilleux surréaliste, c'est plutôt la Merveille qui est donnée à l'homme par l'effet d'une Révélation irritante, exaltante, suscitant une « insupportable obsession ». André Breton en conte le surgissement dans le premier Manifeste, *1924, en des pages qui semblent raconter un mythe d'origine, et Aragon la même année nous en fait un étourdissant récit, qu'en 1928 il ravive avec une histoire de syntaxe piétinée. Antonin Artaud nous invite « à la table » du Merveilleux. Max Ernst de son côté nous raconte comme un événement datable, et presque dans les mêmes termes, sa découverte de la technique du « frottage » et celle du « collage » : « Un jour de l'an 1919, me trouvant par un temps de pluie dans une ville au bord du Rhin... » et « Le 10 août 1925 [...] me trouvant par un temps de pluie dans une auberge au bord de la mer... »*

ANDRÉ BRETON

Manifeste du surréalisme

Un soir donc, avant de m'endormir, je perçus, nettement articulée au point qu'il était impossible d'y changer un mot, mais distraite cependant du bruit de toute voix, une assez bizarre phrase qui me parvenait sans porter trace des événements auxquels, de l'aveu de ma conscience, je me trouvais mêlé à cet instant-là, phrase qui me parut insistante, phrase oserai-je dire *qui cognait à la vitre*. J'en pris rapidement notion et me disposais à passer outre quand son caractère organique me retint. En vérité cette phrase m'étonnait ; je ne l'ai malheureusement pas retenue jusqu'à ce jour, c'était quelque chose comme : « Il y a un homme coupé en deux par la fenêtre » mais elle ne pouvait souffrir d'équivoque, accompagnée qu'elle était de la faible représentation visuelle[1] d'un homme marchant et tronçonné à mi-hauteur par une fenêtre perpendiculaire à l'axe de son corps. À n'en pas douter il s'agissait du simple redressement dans l'espace d'un homme qui se tient penché à la fenêtre. Mais cette fenêtre ayant suivi le déplacement de l'homme, je me rendis compte que j'avais affaire à une image d'un type assez rare et je n'eus vite d'autre idée que de l'incorporer à mon matériel de construction poétique. Je ne lui eus pas plus tôt accordé ce crédit que d'ailleurs elle fit place à une succession à peine intermittente de phrases qui ne me surprirent guère moins et me laissèrent sous l'impression d'une gratuité telle que l'empire

1. Peintre, cette représentation visuelle eût sans doute pour moi primé l'autre. Ce sont assurément mes dispositions préalables qui en décidèrent. Depuis ce jour, il m'est arrivé de concentrer volontairement mon attention sur de semblables apparitions et je sais qu'elles ne le cèdent point en netteté aux phénomènes auditifs. Muni d'un crayon et d'une feuille blanche, il me serait facile d'en suivre les contours. C'est que là encore il ne s'agit pas de dessiner, *il ne s'agit que de calquer*. Je figurerais bien ainsi un arbre, une vague, un instrument de musique, toutes choses dont je suis incapable de fournir en ce moment l'aperçu le plus schématique. Je m'enfoncerais, avec la certitude de me retrouver, dans un dédale de lignes qui ne me paraissent concourir, d'abord, à rien. Et j'en éprouverais, en ouvrant les yeux, une très forte impression de « jamais vu ». La preuve de ce que j'avance a été faite maintes fois par Robert Desnos : il n'y a, pour s'en convaincre, qu'à feuilleter le n° 35 des FEUILLES LIBRES contenant plusieurs de ses dessins (Roméo et Juliette, Un homme est mort ce matin, etc.) pris par cette revue pour des dessins de fous et publiés innocemment comme tels.

que j'avais pris jusque-là sur moi-même me parut illusoire et que je ne songeai plus qu'à mettre fin à l'interminable querelle qui a lieu en moi.

Tout occupé que j'étais encore de Freud à cette époque et familiarisé avec ses méthodes d'examen que j'avais eu quelque peu l'occasion de pratiquer sur des malades pendant la guerre, je résolus d'obtenir de moi ce qu'on cherche à obtenir d'eux, soit un monologue de débit aussi rapide que possible, sur lequel l'esprit critique du sujet ne fasse porter aucun jugement, qui ne s'embarrasse, par suite, d'aucune réticence, et qui soit aussi exactement que possible la *pensée parlée*. Il m'avait paru, et il me paraît encore — la manière dont m'était parvenue la phrase de l'homme coupé en témoignait — que la vitesse de la pensée n'est pas supérieure à celle de la parole, et qu'elle ne défie pas forcément la langue, ni même la plume qui court. C'est dans ces dispositions que Philippe Soupault, à qui j'avais fait part de ces premières conclusions, et moi nous entreprîmes de noircir du papier, avec un louable mépris de ce qui pourrait s'ensuivre littérairement. La facilité de réalisation fit le reste. À la fin du premier jour, nous pouvions nous lire une cinquantaine de pages obtenues par ce moyen, commencer à comparer nos résultats. Dans l'ensemble, ceux de Soupault et les miens présentaient une remarquable analogie : même vice de construction, défaillances de même nature, mais aussi, de part et d'autre, l'illusion d'une verve extraordinaire, beaucoup d'émotion, un choix considérable d'images d'une qualité telle que nous n'eussions pas été capables d'en préparer une seule de longue main, un pittoresque très spécial et, de-ci de-là, quelque proposition d'une bouffonnerie aiguë.

Manifeste du surréalisme, 1924

ARAGON

Une vague de rêves

« Pourquoi ma Célia se désole-t-elle ? À la place d'un mari méprisable tu auras un amant digne de toi. Profite de ta chance et goûtes-en secrètement les joies. Vois sur quoi tu peux régner, non en reine d'un moment, mais en princesse couronnée. Regarde. Voici un rang de perles, chacune d'elles est plus brillante que celle portée jadis par la belle Égyptienne. Dissous-les et bois-les. Voici une escarboucle qui surpasse les yeux de saint Marc ; un diamant qu'aurait voulu acheter Lollia Paulina, quand elle vint comme une étoile, couverte de bijoux et représentant le butin de provinces conquises. Prends-les, porte-les, perds-les. Il te restera ces boucles d'oreilles pour les racheter, car elles valent à elles seules tout le reste. Une pierre représentant un patrimoine privé n'a pas de valeur ; nous en dépenserons le prix à chaque repas. Des têtes de perroquets, des langues de rossignols, des cervelles de paons et d'autruches seront notre nourriture, et si nous pouvons mettre la main sur le phénix dont la race est perdue, nous le découperons à table. »

BEN JONSON, *Volpone*

Il m'arrive de perdre soudain tout le fil de ma vie : je me demande, assis dans quelque coin de l'univers, près d'un café fumant et noir, devant des morceaux polis de métal, au milieu des allées et venues de grandes femmes douces, par quel chemin de la folie j'échoue enfin sous cette arche, ce qu'est au vrai ce pont qu'ils ont nommé le ciel. Ce moment que tout m'échappe, que d'immenses lézardes se font jour dans le palais du monde, je lui sacrifierais toute ma vie, s'il voulait seulement durer à ce prix dérisoire. Alors l'esprit se déprend un peu de la mécanique humaine, alors je ne suis plus la bicyclette de mes sens, la meule à aiguiser les souvenirs et les rencontres. Alors je saisis en moi l'occasionnel, je saisis tout à coup comment je me dépasse : l'occasionnel c'est moi, et cette proposition formée je ris à la mémoire de toute l'activité humaine. C'est à ce point sans doute qu'il y aurait de la grandeur à mourir, c'est à ce point sans doute qu'ils se tuent, ceux qui partent un jour avec un regard clair. À ce point en tout cas commence la pensée : qui n'est aucunement ce jeu de glaces où plusieurs excellent, sans danger. Si l'on a éprouvé, fût-ce une fois, ce vertige, il semble impossible d'accepter encore les idées machinales à quoi se résume aujourd'hui presque chaque entreprise de l'homme. Et toute sa tranquillité. On aperçoit au fond de la spéculation qui semblait la plus pure, un axiome inconsidéré, qui échappait à la critique, qui tenait à quelque autre système oublié, dont le procès n'est plus à faire, mais qui laissait pourtant cette ornière dans l'esprit, cette formule qu'il ne discutait pas. Ainsi les philosophes parlent par proverbes, et démontrent. Ils enchaînent leurs imaginations avec ces anneaux étrangers, volés dans des tombes célèbres. Ils distinguent des facettes à la vérité, ils croient aux vérités partielles.

J'ai vécu dans l'ombre d'une grande bâtisse blanche ornée de drapeaux et de clameurs. Il ne m'était pas permis de m'éloigner de ce château, la Société, et ceux qui montaient le perron faisaient sur le paillasson un affreux nuage de poussière. Patrie, honneur, religion, bonté, il était difficile de se reconnaître au milieu de ces vocables sans nombre qu'ils jettent à tort et à travers aux échos. Pourtant avec lenteur je démêlai leurs plus fermes croyances.

Elles se réduisent à bien peu. « La tendance de tout être à persévérer dans son être » est une de leurs formules favorites, encore que l'hédonisme soit assez discrédité à leurs yeux ; l'expression péjorative « Entaché de finalisme » leur suffit à condamner n'importe quoi ; enfin ils inaugurent des paragraphes de leur vie intellectuelle par cette phrase qui leur plaît : « Écartons un instant le voile des mots. » Que de telles méthodes les entraînent à des réalisations d'hypothèses, et d'hypothèses *a posteriori*, voilà ce qu'ils ne soupçonnent jamais. Leurs esprits sont des monstres hybrides, enfants du singulier amour de l'huître et de la buse. Mais les bossus de la pensée ne craignent point que les passants viennent frôler par superstition leur malformité porte-chance. Ils sont les rois du monde et les geôliers de ce cachot d'où j'entends leurs chansons joviales et le bruit des clefs qu'ils agitent.

Parfois, si quelque visiteur s'inquiétait passagèrement de ce qui m'occupait dans la réclusion où, disait-on sans ironie, je me confinais, si quelqu'un ne sachant trop s'il devait douter de moi ou de soi-même, un instant accédait à l'insolite de mon existence, vite à mes réponses montait dans ses yeux le reflet de potiche de l'incrédulité. Comment aurait-il admis que je ne recherche point le bonheur ? qu'il n'y a de pensée que dans les mots ? Et pourtant parfois ce visiteur, porté par une mode, et la croyance en la force d'une doctrine, se réclamait de l'idéalisme. Alors je commençais de comprendre que j'avais encore devant moi un réaliste honteux, comme sont aujourd'hui les hommes de bonne volonté, qui vivent sur un compromis entre Kant et Comte, qui ont cru faire un grand pas en rejetant l'idée vulgaire de la réalité pour lui préférer la réalité en soi, le noumène, ce piètre plâtre démasqué. À ceux-ci rien ne fera entendre la vraie nature du réel, qu'il n'est qu'un rapport comme un autre, que l'essence des choses n'est aucunement liée à leur réalité, qu'il y a d'autres rapports que le réel que l'esprit peut saisir, et qui sont aussi premiers, comme le hasard, l'illusion, le fantastique, le rêve. Ces diverses espèces sont réunies et conciliées dans un genre, qui est la surréalité.

Par quelle voie un concept apparaît, par quel détour, c'est proprement un sujet de merveilles. Il fallait pour que l'idée de la surréalité affleurât la conscience humaine d'extraordinaires écoles, et les événements des siècles amoncelés. Puis où se plaît-elle à surgir ? C'est au milieu de considérations bien particulières, au cours de la résolution d'un problème poétique, à l'heure il est vrai où la trame morale de ce problème se laisse apercevoir, qu'André Breton en 1919 en s'appliquant à saisir le mécanisme du rêve retrouve au seuil du sommeil le seuil et la nature de l'inspiration. Dans l'abord, cette découverte, qui en cela seul déjà est très grande, n'est rien d'autre pour lui, ni pour Philippe Soupault qui se livre avec lui aux premières expériences surréalistes. Ce qui les frappe, c'est un pouvoir, qu'ils ne se connaissaient pas, une aisance incomparable, une libération de l'esprit, une production d'images sans précédent, et le ton surnaturel de leurs écrits. Ils reconnaissent dans tout ce qui naît d'eux ainsi sans éprouver qu'ils en soient responsables, tout l'inégalable des quelques livres, des quelques mots qui les émeuvent encore. Ils aperçoivent soudain une grande unité poétique qui va des prophéties de tous les peuples aux *Illuminations* et aux *Chants de Maldoror*. Entre les lignes, ils lisent les confessions incomplètes de ceux qui ont un jour *tenu le Système* : à la lueur de leur découverte la *Saison en Enfer* perd ses énigmes, la Bible et quelques autres aveux de l'homme, sous leurs loups d'images. Mais nous sommes à la veille de Dada, la morale qui se dégage pour eux de cette exploration, c'est le bluff du génie ; ce qui s'emparera d'eux alors c'est l'indignation devant cet escamotage, cette escroquerie qui propose les résultats *littéraires* d'une méthode et dissimule cette méthode, et dissimule que cette méthode est à la portée de tous. Si les premiers expérimentateurs du surréalisme, dont le nombre est tout d'abord restreint, se laissent aller à leur tour à cette exploitation littéraire, c'est qu'ils se savent capables un jour d'abattre les cartes, et qu'ils éprouvent les premiers ce grand charme issu des profondeurs. Et d'abord ils agissent en toute tranquillité, car le monde rit bien de leurs chansons.

Ce qui leur fera tout d'un coup imaginer l'abîme au bord duquel ils sont campés, ce qui ouvrira leurs yeux sur ce champ de comètes qu'ils ont labouré par mégarde, c'est l'effet imprévu du surréalisme sur leur vie. Ils s'y sont jetés comme à une mer, et comme une mer trompeuse voici que le surréalisme menace de les emporter vers un large où croisent les requins de la folie. J'ai souvent pensé à cet homme qui assembla le premier de petites plaques sensibles, des charbons et des fils de cuivre, croyant parvenir à enregistrer les vibrations de la voix, et qui, la machine montée, entendit sans erreur le son de la voix humaine. Ainsi les premiers surréalistes, quand ils eurent atteint à une fatigue extrême par l'abus de ce qui leur semblait encore un simple jeu, virent se lever les prodiges, les grandes hallucinations qui accompagnent l'ivresse des religions et des stupéfiants physiques. C'était au temps que nous réunissant le soir comme des chasseurs, nous faisions notre tableau de la journée, le compte des bêtes que nous avions inventées, des plantes fantastiques, des images abattues. La proie d'une accélération, nous passions un nombre croissant d'heures à cet exercice qui nous livrait d'étranges contrées de nous-mêmes. Nous nous plaisions à observer la courbe de nos fatigues, l'égarement qui les suivait. Puis les prodiges apparurent. D'abord chacun de nous se croyait l'objet d'un trouble particulier, luttait contre ce trouble. Bientôt sa nature se révéla. Tout se passait comme si l'esprit parvenu à cette charnière de l'inconscient avait perdu le pouvoir de reconnaître où il versait. En lui subsistaient des images qui prenaient corps, elles devenaient matière de réalité. Elles s'exprimaient suivant ce rapport, dans une forme sensible. Elles revêtaient ainsi les caractères d'hallucinations visuelles, auditives, tactiles. Nous éprouvions toute la force des images. Nous avions perdu le pouvoir de les manier. Nous étions devenus leur domaine, leur monture.

Commerce, été 1924

ANTONIN ARTAUD

À table

Quittez les cavernes de l'être. Venez. L'esprit souffle en dehors de l'esprit. Il est temps d'abandonner vos logis. Cédez à la Toute-Pensée. Le Merveilleux est à la racine de l'esprit.

Nous sommes du dedans de l'esprit, de l'intérieur de la tête. Idées, logique, ordre, Vérité (avec un grand V), Raison, nous donnons tout au néant de la mort. Gare à vos logiques, Messieurs, gare à vos logiques, vous ne savez pas jusqu'où notre haine de la logique peut nous mener.

Ce n'est que par un détournement de la vie, par un arrêt imposé à l'esprit, que l'on peut fixer la vie dans sa physionomie dite réelle, mais la réalité n'est pas là-dessous. C'est pourquoi, nous, qui visons à une certaine éternité, surréelle, nous qui depuis longtemps ne nous considérons plus dans le présent, et qui sommes à nous-mêmes comme nos ombres réelles, il ne faut pas venir nous embêter en esprit.

Qui nous juge, n'est pas né à l'esprit, à cet esprit que nous voulons dire et qui est pour nous en dehors de ce que vous appelez l'esprit. Il ne faut pas trop attirer notre attention sur les chaînes qui nous rattachent à la pétrifiante imbécillité de l'esprit. Nous avons mis la main sur une bête nouvelle. Les cieux répondent à notre attitude d'absurdité insensée. Cette habitude que vous avez de tourner le dos aux questions, n'empêchera pas au jour dit les cieux de s'ouvrir, et une nouvelle langue de s'installer au milieu de vos tractations imbéciles, nous voulons dire des tractations imbéciles de votre pensée.

Il y a des signes dans la Pensée. Notre attitude d'absurdité et de mort est celle de la réceptivité la meilleure. À travers les fentes d'une réalité désormais inviable, parle un monde volontairement sibyllin.

La Révolution surréaliste, 15 avril 1925

ARAGON

Traité du style

Et s'il me plaît à moi parler de la syntaxe ? Est-ce à dire que les épaules du lecteur sont prises de convulsion ? Prenez du bromure. J'ai imposé depuis plusieurs années à votre admiration des pages où les fautes de syntaxe ne sont pas peu nombreuses.

Pas les erreurs, les fautes. Cependant vous admirez. Alors, moi, je vous entreprends sur la syntaxe. Simples comme l'âne et stupides comme le chardon, vous n'avez pas remarqué avec quelle impavidité blême, je foule systématiquement aux pieds sur le feuillage noir de tout ce qui est sacré — la syntaxe. Systématiquement. Or, on se demande quel profit singulier je pense tirer de ce piétinement incompréhensible. On se demande. Pas une réponse ne sort du gouffre. Les oiseaux qui tournoient au-dessus de l'abîme où se perpètre et se perpétue avec une continuité inquiétante le foulement ci-dessus décrit ne jettent pas une seule clameur à cet abîme. Ils ont l'habitude. Moi, je piétine. La syntaxe, elle, est piétinée. Voilà la différence entre la syntaxe et moi. Je ne piétine pas la syntaxe pour le simple plaisir de la piétiner ou même de piétiner. D'abord je prends très peu de plaisir par les pieds et le plaisir que je prends par les pieds n'est que d'une façon très exceptionnelle celui du piétinement. Je piétine la syntaxe parce qu'elle doit être piétinée. C'est du raisin. Vous saisissez. Les phrases fautives ou vicieuses, les inadaptations de leurs parties entre elles, l'oubli de ce qui a été dit, le manque de prévoyance à l'égard de ce qu'on va dire, le désaccord, l'inattention à la règle, les cascades, les incorrections, le volant faussé, les périodes à dormir debout boiteuses, les confusions de temps, l'image qui consiste à remplacer une préposition par une conjonction, sans rien changer de son régime, tous les procédés similaires, analogues à la vieille plaisanterie d'allumer sans qu'il s'en rende compte le journal que lit votre voisin, prendre l'intransitif pour le transitif et réciproquement, conjuguer avec être ce dont avoir est l'auxiliaire, mettre les coudes sur la table, faire à tout bout de champ se réfléchir les verbes, puis casser le miroir, ne pas essuyer ses pieds, voilà mon caractère. Si l'on reprend toutes ces propositions une à une, en commençant par la dernière et dans l'ordre inverse de celui que j'ai suivi pour les énoncer, mais très lentement, on remarquera bientôt que la matière n'est pas épuisée. Mais dans le même temps on saisira que la phrase qui se termine par caractère, d'une façon excessivement rapide, met à la portée de celui qui l'entend comme il faut une méthode à laquelle il ne manque au plus qu'une toute petite roue pour servir à l'assèchement de ce puits qu'on croyait inépuisable, sinon par un vaste traité. J'en ai donc fini avec la syntaxe.

Je considérerai maintenant l'homme qui écrit d'une façon très physique. Je vous prie de refréner les cavales écumantes du fou rire. Cet instantané ne surprend rien de plus bouffon que tout autre, à titre d'échantillon les photographies de mariage sur le perron d'un édifice public. Puisqu'on peut sans rougir et frémir, et arracher ses vêtements avec de grands cris, contempler l'homme qui se marie, pourquoi serait-il honteux de poser calmement ses yeux sur l'homme qui écrit. Sans doute celui-ci se croit seul et nous serons donc frappés par la hideur de ses traits. Il ne se surveille plus. Les tics nerveux se donnent libre cours sur son visage et dans toutes les zones débiles de son misérable corps. Il ne se gêne plus parce qu'il est incapable d'accorder les participes et ses membres dans un même temps. Oh le laid, le sale, le dégoûtant personnage. C'est un petit être négligé. Mais il s'agit d'épier son comportement. Il écrit. Il tient donc un porte-plume, et qu'on ne cherche pas à m'embarrasser avec le décor, les gens qui dictent, les littérateurs de métro, les crayonneurs en pleine Nature, les dactylographes de la poésie, les sténographes de l'angoisse, les agités qui hurlent dans la rue en brandissant de petits bouts de papier sali, les écorcheurs de vélin à domicile, les notateurs sur le vif, etc., l'homme qui écrit est assis à une table et il se sert d'une plume ordinaire et non d'un stylo, et la trempe de temps en temps dans l'encre. Il n'a pas forcément un buvard sous la main et quand au bout de sa page avec une sorte de soupir il jette autour de lui un regard idiot mais circulaire, il arrive qu'il se résolve à retourner le feuillet achevé sans le sécher avec délicatesse, et l'encre alors affreusement s'étale, créant parfois des quiproquos. Je me demanderai d'abord ce que le porte-plume pense de la course où monté par cinq jockeys des rivières de perplexité parfois l'arrêtent, quand ce n'est pas la ruisselante sueur, ou les balbutiements de la crainte. Il est certain que le porte-plume est absolument inconscient de son rôle d'entité. Mais il est en tout point comparable à un vieux train qui, ayant usé longuement sur les rails l'acier pesant de ses roues, tant sur les voies de garage et pendant les manœuvres épuisantes que sur la route glorieuse où, à grands jets de flamme, il émerveilla si souvent au loin les coccinelles, à un vieux train, disais-je, qui n'entend pas sans inquiétude à la halte où sa machine fait eau, les ouvriers courbés éprouvant du marteau ses anciennes chevilles. Plus précisément il ressemble à une danseuse qui s'aperçoit soudain que son cothurne est délacé. Aux soubresauts d'un homme au milieu d'un cauchemar. À la gâchette rouillée d'un fusil de chasse. À la petite vis accessoire qui tombe d'un canon pendant la bataille. Voilà pour la forme du porte-plume. Mais il me dira lui-même sa pensée. Parle, maigre porte-plume, qui n'as pas été mangé lors du dernier naufrage, parle, et dis-nous comment, en cette tempête soudaine, tu te sortis du danger, sans perdre tout à la fois et la tête et l'honneur.

La Révolution surréaliste, n° 11, mars 1928

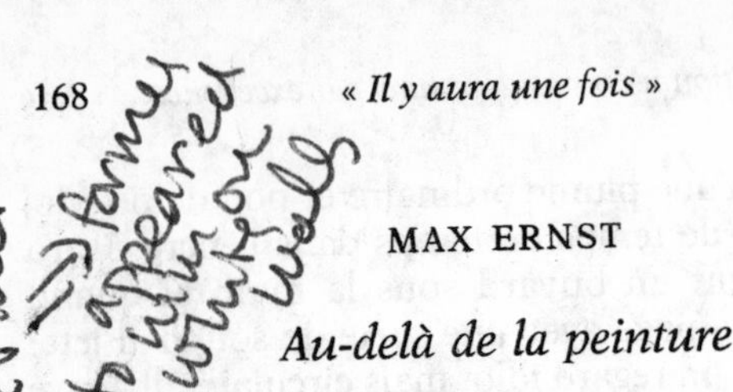

MAX ERNST

Au-delà de la peinture

Le 10 août 1925, une insupportable obsession visuelle me fit découvrir les moyens techniques qui m'ont permis une très large mise en pratique de cette leçon de Léonard. Partant d'un souvenir d'enfance (relaté plus haut) au cours duquel un panneau de faux acajou, situé en face de mon lit, avait joué le rôle de provocateur optique d'une vision de demi-sommeil, et me trouvant, par un temps de pluie, dans une auberge au bord de la mer, je fus frappé par l'obsession qu'exerçait sur mon regard irrité le plancher, dont mille lavages avaient accentué les rainures. Je me décidai alors à interroger le symbolisme de cette obsession et, pour venir en aide à mes facultés méditatives et hallucinatoires, je tirai des planches une série de dessins, en posant sur elles, au hasard, des feuilles de papier que j'entrepris de frotter à la mine de plomb. En regardant attentivement les dessins ainsi obtenus, les parties sombres et les autres de douce pénombre, je fus surpris de l'intensification subite de mes facultés visionnaires et de la succession hallucinante d'images contradictoires, se superposant les unes aux autres avec la persistance et la rapidité qui sont le propre des souvenirs amoureux.

Ma curiosité éveillée et émerveillée, j'en vins à interroger indifféremment, en utilisant pour cela le même moyen, toutes sortes de matières pouvant se trouver dans mon champ visuel : des feuilles et leurs nervures, les bords effilochés d'une toile de sac, les coups de pinceau d'une peinture « moderne », un fil déroulé de bobine, etc., etc. Mes yeux ont vu alors des têtes humaines, divers animaux, une bataille qui finit en baiser *(la fiancée du vent)*, des rochers, la *mer et la pluie*, des *tremblements de terre*, le *sphinx dans son écurie*, de *petites tables autour de la terre*, la *palette de César*, de *fausses positions*, un *châle à fleurs de givre*, les *pampas*.

[...] J'insiste sur le fait que les dessins ainsi obtenus perdent de plus en plus, à travers une série de suggestions et de transmutations qui s'offrent spontanément — à la manière de ce qui se passe pour les visions hypnagogiques —, le caractère de la matière interrogée (le bois par exemple) pour prendre l'aspect d'images d'une précision inespérée, de nature, probablement, à déceler la cause première de l'obsession ou à produire un simulacre de cette cause.

De 1925 à nos jours

Le procédé de frottage, ne reposant donc sur autre chose que sur l'intensification de l'irritabilité des facultés de l'esprit par des moyens techniques appropriés, excluant toute conduction mentale consciente (de raison, de goût, de morale), réduisant à l'extrême la part active de celui qu'on appelait jusqu'alors « l'auteur » de l'œuvre, ce procédé s'est révélé par la suite le véritable équivalent de ce qui était déjà connu sous le terme d'*écriture automatique*. C'est en spectateur que l'auteur assiste, indifférent ou passionné, à la naissance de son œuvre et observe les phases de son développement. De même que le rôle du poète, depuis la célèbre *lettre du voyant*, consiste à écrire sous la dictée de ce qui se pense (s'articule) en lui, le rôle du peintre est de cerner et de *projeter ce qui se voit en lui*[1]. En me vouant de plus en plus à cette activité (passivité), que plus tard on a appelée « paranoïaque critique[2] » et en adaptant aux moyens techniques de la peinture (par exemple : grattage de couleurs sur un fond préparé en couleurs et posé sur une surface inégale) le procédé de frottage, qui paraissait d'abord applicable seulement au dessin, et en tâchant de restreindre toujours davantage ma propre participation active au devenir du tableau, afin d'élargir par là la part active des facultés hallucinatoires de l'esprit, je parvins à assister *comme en spectateur* à la naissance de toutes mes œuvres, à partir du 10 août 1925[3], jour mémorable de la découverte du « frottage ». Homme de « constitution ordinaire » (j'emploie ici les termes de Rimbaud), j'ai tout fait pour *rendre mon âme monstrueuse.* Nageur aveugle, je me suis fait voyant. *J'ai vu.* Et je me suis surpris amoureux de ce que je *voyais*, voulant m'identifier avec lui.

[...] Quel est le mécanisme du collage ?

Je suis tenté d'y voir l'exploitation de la *rencontre fortuite de deux réalités distantes sur un plan non convenant* (cela soit dit en paraphrasant et en généralisant la célèbre phrase de Lautréamont : *Beau*

1. Vasari relate que Piero di Cosimo restait plongé parfois dans la considération d'un mur sur lequel des personnes malades avaient pris l'habitude de cracher ; de ces taches, il formait des batailles équestres, les villes les plus fantastiques et les paysages les plus magnifiques qu'on ait jamais vus ; il faisait de même avec les nuages du ciel.

2. Ce terme fort joli et destiné à faire fortune à cause de son contenu paradoxal, me semble être sujet à précautions, étant donné que la notion de paranoïaque y est employée dans un sens qui ne correspond pas à sa signification médicale. J'aime, par contre, la proposition de Rimbaud : « Le poète se fait *voyant*, par un long, immense et raisonné *dérèglement de tous les sens.* »

3. Exception faite pour *La Vierge corrigeant l'Enfant Jésus* (1926), tableau-manifeste, exécuté d'après une idée d'André Breton.

comme la rencontre fortuite sur une table de dissection d'une machine à coudre et d'un parapluie) ou, pour user d'un terme plus court, la culture des effets d'un *dépaysement systématique* selon la thèse d'André Breton : « La surréalité sera d'ailleurs fonction de notre volonté de dépaysement complet de tout (et il est bien entendu qu'on peut aller jusqu'à dépayser une main en l'isolant d'un bras, que cette main y gagne en tant que main, et aussi qu'en parlant de dépaysement, nous ne pensons pas seulement à la possibilité d'agir dans l'espace). » (Avis au lecteur pour *La Femme 100 têtes*.)

Une réalité toute faite, dont la naïve destination a l'air d'avoir été fixée une fois pour toutes (un parapluie) se trouvant subitement en présence d'une autre réalité très distante et non moins absurde (une machine à coudre) en un lieu où toutes deux doivent se sentir *dépaysées* (sur une table de dissection), échappera par ce fait même à sa naïve destination et à son identité ; elle passera de son faux absolu, par le détour d'un relatif, à un absolu nouveau, vrai et poétique : parapluie et machine à coudre feront l'amour. Le mécanisme du procédé me semble dévoilé par ce très simple exemple. La transmutation complète suivie d'un acte pur comme celui de l'amour, se produira forcément toutes les fois que les conditions seront rendues favorables par les faits donnés : *accouplement de deux réalités en apparence inaccouplables sur un plan qui en apparence ne leur convient pas*. Parlant du procédé de collage en 1920, Breton nous dit : « Mais la faculté merveilleuse, sans sortir du champ de notre expérience, d'atteindre deux réalités distantes et, de leur rapprochement, de tirer une étincelle ; de mettre à la portée de nos sens des figures abstraites appelées à la même intensité, au même relief que les autres ; et, en nous privant de système de référence, de nous dépayser en notre propre souvenir, voilà qui provisoirement le retient. » (Préface à l'exposition Max Ernst, mai 1920.) Et il ajoute ici ce mot prophétique : « Qui sait si, de la sorte, nous ne nous préparons pas quelque jour à échapper au principe d'identité. »

[...] La similitude des deux procédés est telle que je puis me servir, sans y changer grand-chose, des termes employés plus haut pour l'un, pour relater comment je fis la découverte de l'autre. Un jour de l'an 1919, me trouvant par un temps de pluie dans une ville au bord du Rhin, je fus frappé par l'obsession qu'exerçaient sur mon regard irrité les pages d'un catalogue illustré où figuraient des objets pour la démonstration anthropologique, microscopique, psychologique, minéralogique et paléontologique. J'y trouvais réunis des éléments de figuration tellement distants que l'absurdité même de cet assemblage provoqua en moi une intensification subite des facultés visionnaires et fit naître une succession hallucinante d'images contradictoires, images doubles, triples et multiples, se superposant les unes aux autres avec la persistance et la rapidité qui sont le propre des souvenirs amoureux et des visions de demi-sommeil. Ces images appelaient elles-mêmes des plans nouveaux, pour leurs rencontres dans un inconnu nouveau (le plan de non-convenance). Il suffisait alors d'ajouter sur ces pages de catalogue, en peignant ou en dessinant, et pour cela en ne faisant que reproduire docilement *ce qui se voyait en moi*, une couleur, un crayonnage, un paysage étranger aux objets représentés, le désert, un ciel, une coupe géologique, un plancher, une seule ligne droite signifiant l'horizon, pour obtenir une image fidèle et fixe de mon hallucination ; pour transformer en drames révélant mes plus secrets *désirs*, ce qui auparavant n'était que de banales pages de publicité.

J'ai réuni et exposé à Paris, en mai 1920, sous le titre « la mise sous whisky marin », les premiers résultats obtenus par ce procédé, de la *phallustrade* jusqu'à la *nourrice des étoiles*.

Au-delà de la peinture, 1936

Mais déjà en plaçant l'automatisme sous la bannière de Léonard de Vinci, Max Ernst s'écartait fort de toute pensée magique. Et voici le temps de l'approfondissement, pour la pensée de l'automatisme. Les textes surréalistes n'ont qu'à être bien écrits, proclamait Aragon à la fin du Traité du style.

ARAGON

Traité du style

En réalité toute poésie est surréaliste *dans son mouvement*. C'est ce qui engage les singes appliqués à en reproduire les gestes en face de leur miroir à penser qu'ils sont des poètes. Mais non, mais non. Ils sont simplement les sujets d'une expérience, à laquelle ils n'apportent que la banalité de petites tentatives déjà connues. Il y a moyen, si choquant qu'on le trouve, de distinguer entre les textes surréalistes. D'après leur force. D'après leur nouveauté. Et il en est d'eux comme des rêves : ils ont à être bien écrits. J'entends d'ici les exclamations hypocrites. Et qui vous dit que pour bien écrire il faut s'arrêter sept ans entre chaque mot ? Bien écrire, c'est comme marcher droit. Mais si vous titubez, ne me donnez pas cet affligeant spectacle. Cachez-vous. Il y a de quoi être honteux.

Ainsi le surréalisme n'est pas un refuge contre le style. On a trop facile à croire que dans le surréalisme le fond et la forme sont indifférents. Ni l'un ni l'autre, mon cher. La forme je viens de le dire. Le fond, j'y viens ensuite. Que l'homme qui tient la plume ignore ce qu'il va écrire, ce qu'il écrit, de ce qu'il le découvre en se relisant, et se sent étranger à ce qui a pris par sa main une vie dont il n'a pas le secret, de ce que par conséquent il lui semble qu'il a écrit n'importe quoi, on aurait bien tort de conclure que ce qui s'est formé ici est vraiment n'importe quoi. C'est quand vous rédigez une lettre pour dire quelque chose, par exemple, que vous écrivez n'importe quoi. Vous êtes livrés à *votre* arbitraire. Mais dans le surréalisme tout est rigueur. Rigueur inévitable. Le sens se forme en dehors de vous. Les mots groupés finissent par signifier quelque chose, au lieu que dans l'autre cas ils voulaient dire primitivement ce qu'ils n'ont que très fragmentairement exprimé plus tard. De même l'observation familière à ceux qui se sont adonnés au surréalisme, qu'un mot peut fort bien y remplacer un autre, sous certaines conditions physiques d'homologie, que souvent la main écrit un mot bien différent de celui que l'expérimentateur s'entend alors dicter, que le sens de la phrase en est bouleversé, mais sans que cela gêne aucunement l'homme qui écrit, on a tendance à admettre l'indifférence absolue de ce sens cristallisé, dont on n'assume point la responsabilité. Grossière erreur. D'abord pourquoi la main se tromperait-elle, et non pas l'oreille ? Mais surtout ce genre d'appréciation dénonce une notion absurde et superficielle de la réalité du langage. Le sens des mots n'est pas une simple définition de dictionnaire. On sait, ou l'on devrait savoir, qu'ils portent sens dans chaque syllabe, dans chaque lettre, et il est de toute évidence que cet épellement de mots qui conduit du mot entendu au mot écrit, est un mode de pensée particulier, dont l'analyse serait fructueuse. Ainsi le fond d'un texte surréaliste importe au plus haut point, c'est ce qui lui donne un précieux caractère de révélation. Si vous écrivez, suivant une méthode surréaliste, de tristes imbécillités, ce sont de tristes imbécillités. Sans excuses. Et particulièrement si vous appartenez à cette lamentable espèce de particuliers qui ignorent le sens des mots, il est vraisemblable que la pratique du surréalisme ne mettra guère en lumière autre chose que cette ignorance crasse. Ne venez pas nous montrer ces élucubrations vicieuses. Vous ne savez pas le sens des mots. Je parie que ce que vous écrivez est bête.

Une fois de plus je suis le Plevna des sourcils froncés, ces rats d'œil m'entourent, je vois des têtes hocher comme champs de blé qui frissonnent, ce n'est qu'un cri chez les cuscutes, ou du moins, l'expression m'emporte, la voix n'est jamais élevée par les personnes comme il faut, je veux dire qu'il se fait une merveilleuse unanimité d'échos : « Qu'est-ce, mais qu'est-ce que, mais qu'est-ce que c'est, qu'est-ce que c'est que ce point de vue littéraire ? » Messieurs les Nymphes, la littérature, c'est vos petits rochers. La littérature, aux divers sens du mot, se nomme recette. Le style, qu'ici je défends, est ce qui ne peut se réduire en recettes. Et puis je ne veux pas, tu m'entends multitude, que le texte surréaliste, non plus que le rêve, passe dans le compartiment des formes fixes, comme un perfectionnement de liberté payant patente, avec l'assentiment enregistreur des morveux qui trouvent déjà le vers libre bassinant. Un pas en avant du vers libre ! Voilà ce que les gens aimeraient entendre dire du surréalisme, et en effet ça a de la vraisemblance : pourquoi aller à la ligne, cette bêtise a fait son temps, on rimait d'une main très molle ces derniers jours, un autre arbitraire peu à peu s'était substitué au panpanpanpanpanpanpanpanpanpanpanpan de jadis, le surréalisme vint. Je ne dis pas que l'exemple qu'il donne n'implique pas cette leçon. Mais le réduire à cela, serait le réduire au succès, à la recherche d'un succès. Si vous entendez un traître mot à mon langage, vous aurez compris que quand je dis qu'un texte surréaliste doit être bien écrit, je porte un jugement qui atteint tous les textes qu'on me donne pour surréalistes, qui en sont la singerie. Tout le monde croyait jadis écrire en vers, c'est facile mon bonnet rime avec petit déjeuner, et maintenant tout le monde, après avoir dit un poème dada, rien de plus simple, tenez seau à charbon bonbons confiture, s'écrie le surréalisme j'en suis : les cuisses des horizontales obsolètes... (car ces acrobates trouvent le surréalisme un peu bordel). Mais sans aller à ces naïfs extrêmes, je rencontre mille intermédiaires qui ont plus ou moins saisi le truc. Ils sont de bonne foi, ils défendent le surréalisme. En d'autres temps ils eussent été des verlainiens, des mussettistes. Ils écrivent donc n'importe comment, c'est-à-dire suivant leur pouvoir, c'est-à-dire mal, ils écrivent. Du surréalisme, ça ? Vous voulez rire, mais chacun s'y trompe. Voilà la littérature réinstallée. Tout au contraire dans l'expérience surréaliste proprement dite, tout se passe comme si la courbe d'un mobile, duquel nous ne savons rien, s'inscrivait. Au nom de quoi, discuteriez-vous les variations de cette courbe ? Ses hauts, ses bas, ses interruptions valent par ce qu'ils expriment d'inconnu. Cet inconnu, c'est à sa quête que ceux qui poursuivent l'expérience présente se sont lancés. Les matériaux qu'ils accumulent, ou qu'ils accumuleraient s'ils avaient toujours conscience d'une tentative de laquelle tout veut les détourner, valent essentiellement les uns par les autres. Ce sont les éléments d'une hypothèse future, les monuments d'une hypothèse passée. Ils méritent, ils exigent quelque sévérité, le refus de considérer comme leurs partis des falsifications plus ou moins habiles. Et parmi eux il faut écarter les inutiles redites de faits déjà établis. J'appelle bien écrit ce qui ne fait pas double emploi. « Ah ! alors ! » Professionnels des interjections veuillez m'expliquer ces trois dernières syllabes. Vous n'y parvenez pas ? C'est bien simple, elles témoignent du besoin que vous avez de relire tout ce qui précède, depuis le début de ce livre en faisant bien attention.

Traité du style, 1928

*Beaucoup plus tard, en 1969, il explicite son esthétique, dans le livre de la collection « Les Sentiers de la création » : tout part, dit-il, d'une phrase « donnée », l'*incipit*. Et il avait même tenté en 1966 dans la postface du cycle romanesque du « Monde réel » de relier cette esthétique à celle d'un réalisme « expérimental », d'un réalisme « sans rivages ».*

ARAGON

Je n'ai jamais appris à écrire ou les Incipit

Il y a plusieurs façons de se jeter à l'eau. Plonger. Tomber. Se débattre. Je me jette à l'eau des phrases comme on crie. Comme on a peur. Ainsi tout commence... D'une espèce de brasse folle, inventée. Dont on coule ou survit. Ce n'est parfois qu'une rature où je démêle les traits insensés d'une femme couchée, toujours la même, qui se retourne en dormant, étend son bras, penche sa tête, et ses murmures... qu'est-ce que je dis ? Je ne commence pas un roman, j'explique d'où le roman part [...]

Au fait, un sentier n'a pas nécessairement de fin, il peut s'effacer, il s'efface. Il a nécessairement un commencement. Sans quoi il ne commencerait pas. Commencer, c'est parler, écrire. Finir, ce n'est que se taire. C'est pourquoi, tout compte fait, j'attache plus d'importance à la phrase de début qu'à la phrase terminale. Tant qu'il n'a pas de commencement, un sentier n'est pas un sentier. Un sentier qui se perd a tout de même été un sentier. Kavérine, dans sa jeunesse, dit avoir rêvé d'un récit qui ne serait qu'une seule phrase, et, moi aussi, j'ai rêvé de romans qui ne seraient chacun que leur première phrase, ou page, ou chapitre. Tandis que la dernière phrase n'est rien par elle-même, elle n'est dernière que s'il y a toutes les autres, avant. Et puis, pour la comprendre, il faut que quelqu'un, avant, lui ait donné le *la*. La première phrase est un diapason. La dernière, c'est la centième, la trois centième, la millième vibration du diapason, *qui ne sait que son commencement.*

. . . .

Tout cela vous paraît peut-être artificiel ? Tant pis. Mais si je me débats avec les verbes, leur conjugaison, le pauvre petit nombre de temps dont nous avons en français l'exercice... ce n'est pas de ma faute. Et il me manque, en particulier, un temps que j'ai souvent essayé de me représenter, qui d'ailleurs à ma connaissance n'existe dans aucun langage humain, ne manque pas qu'au seul français. Celui-ci peut bien être fier, par rapport au russe, par exemple, de la diversité de ses passés, croire l'emporter sur l'arabe pour, comme la plupart des langages, écrire et parler au futur. Il n'en reste pas moins que nous manquons de nuances dans le, dans les présents de nos verbes. Et que, c'est où j'en venais, ni nous ni personne ne semble, semblons, avoir éprouvé le besoin de ce temps que je disais, et que j'appellerais l'*absent*... non point rejeté en dehors du présent, un passé, un avenir, mais un *absent* à proprement parler, un langage de ce qui n'est pas. J'aimerais écrire entièrement un roman sur ce mode, qui aurait son indicatif, son conditionnel, son *subjuguant*[1], ses formes interrogatives à lui. Un temps où la continuelle osmose de l'imagination et de la mémoire se ferait sans contorsions ni jongleries, puisqu'il n'aurait d'aucun côté de murs...

Je n'ai jamais appris..., 1969

ARAGON

La fin du « Monde réel » (postface)

Il y a quatre siècles que Jérôme Cardan engagea les mathématiques dans une voie qui dut sembler celle de l'irréalité même, le recours aux racines des nombres négatifs, que nous appelons des imaginaires pour cette raison même qu'elles sont inimaginables. On sait que c'est au début de notre siècle que le nombre imaginaire dont, peu après Cardan, Bombelli avait admis l'existence, et qui ne s'était guère intégré dans les mathématiques qu'avec les travaux de Gauss, devait voir cette intégration confirmée par le fait qu'au lieu d'*imaginaire*, on se mit à l'appeler *nombre complexe*.

1. « On dit subjonctif... » Je sais : merci.

Connaissez-vous ailleurs que dans les mathématiques un pareil coup d'audace ? Je ne veux pas me lancer dans l'histoire de cette science, ni tirer des conséquences hasardeuses de ce passage du conjectural à la réalité, mais que diriez-vous d'un réalisme qui se refuse à regarder dans les yeux l'inimaginable, sous prétexte qu'il faudra attendre quatre siècles avant de le considérer comme réel ?

Je parle pour le roman, ne l'oubliez pas. Et dans ce domaine nous sommes bien loin du coup d'audace d'un Cardan ou d'un Bombelli, bien qu'après tout il semblerait plus naturel que ce qui ne peut s'imaginer, ni se représenter par un dessin, trouvât place dans un roman plutôt que dans la plus exacte des sciences dites exactes. Nous n'avons pas, romanciers mes frères, épuisé les possibilités de cette grande invention humaine qu'est le roman. Tout au contraire. Nous avons dans ce domaine un extraordinaire retard sur les autres disciplines de l'esprit.

C'est ainsi que, romanciers conventionnels ou *nouveaux*, nous en sommes toujours à mesurer notre art au trébuchet de la *crédibilité*, à cette mesure donnée par Paul Bourget à laquelle même les auteurs de romans fantastiques se sont rapportés : et vous savez bien que Charles Nodier demandait déjà que l'on commençât un conte de fées par la plus triviale réalité, afin de faire croire aux fées. Aucun roman de la Série Noire ne pourrait se baser sur l'incroyable. Et regardez-y de près, la crédibilité est à la fois l'évangile de Bourget et de Robbe-Grillet. Le principe de crédibilité dans le roman, c'est plus qu'un rivage, un mur au bout d'une impasse. Le temps est peut-être venu, où le roman pour être celui des hommes d'un monde hier inimaginable ne pourra plus avoir le caractère réaliste qu'autant qu'il osera employer ses nombres imaginaires à lui, concevoir ses carrés négatifs, contrevenir aux règles combinatoires qui lui sont propres, quitte à se voir au nom du réalisme maudit *ex cathedra* par tous les Tartaglia, d'aujourd'hui. Peut-être sommes-nous arrivés à l'heure où le roman doit sauter le fleuve infernal et pénétrer dans le domaine de l'inimaginable, se faire conjecture afin de contribuer au progrès de l'esprit humain, hâter la transformation de l'homme et de la nature. Peut-être sommes-nous à l'heure d'un grand défi, où le roman osera ce que ne peut encore qu'apercevoir la science la plus évoluée, la plus avancée. Peut-être que c'est lui qui va sonner devant l'avenir les trompettes qui font s'écrouler les murs, les limites, et que, par lui, nous allons pénétrer dans l'homme, cet imprenable Jéricho, plus loin que l'homme n'ira jamais dans les astres.

Pour cela, le roman doit s'appuyer sur les découvertes de la poésie. De même que les autres sciences n'ont progressé qu'en utilisant les découvertes des mathématiques. Et je dirais que par la force hypothétique, la poésie est la mathématique de toutes les écritures. Pour en revenir à l'usage métaphorique que je faisais tantôt de la découverte et de l'emploi des imaginaires, si je n'en vois aucun équivalent dans l'histoire même du roman, peut-être ai-je le droit de penser que la poésie présente quelques précédents qui ont des traits d'analogie avec l'audace conjecturale des sciences. Je nommerai ici à titre d'exemples non limitatifs, Nerval, Rimbaud, Lautréamont, Mallarmé. Ce sont là pour nous des Cardan, des Bombelli, des Gauss, des Évariste Gallois. Et sans doute ne faut-il pas oublier dans cette fort incomplète énumération de chercheurs, l'homme qui, le seul à ma connaissance, a combiné dans son œuvre l'invention mathématique et l'invention poétique, Charles L. Dodgson, plus connu sous le nom de Lewis Carroll, et dont il serait désirable qu'un jour quelqu'un établît les liens qui existent entre *Alice au pays des merveilles* et son étude des systèmes linéaires à coefficients réels ou imaginaires. Et, s'il nous faut en arriver d'un seul bond à l'époque de notre vie, je n'hésiterai pas à dire que c'est une des plus singulières tentatives d'exploration de l'esprit, à quoi les journalistes avaient donné le nom de *surréalisme*, repris, on l'a un peu trop oublié, comme un défi par ceux qui s'en réclamèrent les premiers... que c'est cette tentative qui me semble le plus se rapprocher, dans le domaine poétique, c'est-à-dire la théorie même de la création, du *coup de dés* des imaginaires en mathématiques. Le parallèle peut s'en pousser très loin, et sur ce sujet je donnerai un exemple, à proprement parler EXEMPLAIRE : lorsque, puisant dans les textes écrits par lui suivant la méthode de l'écriture automatique (qu'entre nous soit dit en ce temps-là nous appelions seule *surréalisme*), André Breton inscrit, pour titre à leur recueil, une image de cette nature et qu'il choisit les mots POISSON SOLUBLE, il donne en réalité valeur de manifeste à cette expression, il veut dire que les découvertes du surréalisme, en tant qu'écriture, sont à proprement parler des *poissons solubles*. Et je vous prie de considérer d'un peu plus près ce que cela veut dire. *Poisson*, dit Littré, *animal vertébré qui naît et qui vit dans l'eau.* Concevoir un poisson *soluble*, est, au moins, contrevenir aux règles combinatoires qui sont le propre de l'expression. Un poisson soluble est tout aussi inimaginable qu'un carré négatif. C'est bien une sorte d'*imaginaire*.

La fin du « Monde réel », postface, 1966

Le moment clé de cet approfondissement est sans doute aux alentours de 1930, année où paraissent en même temps « Il y aura une fois », texte majeur cité plus haut, et « L'Âne pourri », de Salvador Dalí, qui apporte de son côté l'idée que l'invention des formes peut provenir d'une activité *spécifique de l'esprit (on l'appellera « paranoïaque ») mais une activité contrôlée (elle sera « critique »). La distinction avec une conception idéaliste de l'automatisme est soulignée par Dalí quelques années plus tard, comme l'avait fait aussi André Breton dans sa réponse à André Rolland de Renéville au sujet de l'*Immaculée conception *et des mimes de délires psychotiques qu'on y pouvait lire. Roger Caillois et Tristan Tzara interviennent dans ce débat à une époque où le Surréalisme cherche à s'articuler avec une pensée dialectique et marxiste. Tristan Tzara oppose la « poésie-activité de l'esprit » à la « poésie moyen d'expression » et Man Ray, l'*expérience *à l'expérimentation dans une réflexion sur son propre travail de photographe.*

SALVADOR DALÍ

L'Âne pourri

À Gala Éluard

Une activité à tendance morale pourrait être provoquée par la volonté violemment paranoïaque de systématiser la confusion.

Le fait même de la paranoïa, et spécialement la considération de son mécanisme comme force et pouvoir, nous conduit aux possibilités d'une crise mentale d'ordre peut-être équivalent, mais en tout cas aux antipodes de la crise à laquelle nous soumet également le fait de l'hallucination.

Je crois qu'est proche le moment où, par un processus de caractère paranoïaque et actif de la pensée, il sera possible (simultanément à l'automatisme et autres états passifs) de systématiser la confusion et de contribuer au discrédit total du monde de la réalité.

Les nouveaux simulacres que la pensée paranoïaque peut subitement faire apparaître, non seulement auront leur origine dans l'inconscient, mais aussi la force du pouvoir paranoïaque sera mise au service de celui-ci.

Ces nouveaux simulacres menaçants agiront habilement et corrosivement avec la clarté des apparences physiques et diurnes, nous faisant rêver par sa spéciale auto-pudeur au vieux mécanisme métaphysique avec quelque chose que de bon gré nous confondrions avec l'essence même de la nature qui, selon Héraclite, aime à se cacher.

Aussi loin que possible de l'influence des phénomènes sensoriels auxquels l'hallucination peut se considérer comme plus ou moins liée, l'activité paranoïaque se sert toujours de matériaux contrôlables et reconnaissables. Il suffit que le délire d'interprétation soit arrivé à relier le sens des images des tableaux hétérogènes qui couvrent un mur, pour que déjà personne ne puisse nier l'existence réelle de ce lien. La paranoïa se sert du monde extérieur pour faire valoir l'idée obsédante, avec la troublante particularité de rendre valable la réalité de cette idée pour les autres. La réalité du monde extérieur sert comme illustration et preuve, et est mise au service de la réalité de notre esprit.

Tous les médecins sont d'accord pour reconnaître la vitesse et l'inconcevable subtilité fréquentes chez le paranoïaque, lequel, se prévalant de motifs et de faits d'une finesse telle qu'ils échappent aux gens normaux, atteint à des conclusions souvent impossibles à contredire ou à rejeter, et qui en tout cas défient presque toujours l'analyse psychologique.

C'est par un processus nettement paranoïaque qu'il a été possible d'obtenir une image double : c'est-à-dire la représentation d'un objet qui, sans la moindre modification figurative ou anatomique, soit en même temps la représentation d'un autre objet absolument différent, dénuée elle aussi de tout genre de déformation ou anormalité qui pourrait déceler quelque arrangement.

L'obtention d'une telle image double a été possible grâce à la violence de la pensée paranoïaque qui s'est servie, avec ruse et adresse, de la quantité nécessaire de prétextes, coïncidences, etc., en en profitant pour faire apparaître la deuxième image qui dans ce cas prend la place de l'idée obsédante.

L'image double (dont l'exemple peut être celui de l'image d'un cheval qui est en même temps l'image d'une femme) peut se prolonger, continuant le processus paranoïaque, l'existence d'une autre idée obsédante étant alors suffisante pour qu'une troisième image apparaisse (l'image d'un lion, par exemple) et ainsi de suite jusqu'à concurrence d'un nombre d'images limité uniquement par le degré de capacité paranoïaque de la pensée.

Je soumets à l'examen matérialiste le genre de crise mentale qu'une telle image peut provoquer, je lui soumets le problème, plus complexe encore, de savoir laquelle de telles images a plus de possibilités d'existence si l'on admet l'intervention du désir, et aussi le problème, d'ordre plus grave et plus général, de savoir si la série de ces représentations admet une limite ou bien si, comme nous avons toute raison de le croire, une telle limite n'existe pas ou bien existe uniquement en fonction de la capacité paranoïaque de chaque individu.

Tout cela (à supposer que d'autres raisons générales n'interviennent) me permet pour le moins d'avancer que les images mêmes de la réalité dépendent du degré de notre faculté paranoïaque et que pourtant, théoriquement, un individu doué à un degré suffisant de ladite faculté pourrait selon son désir voir changer successivement la forme d'un objet pris dans la réalité, tout comme dans le cas de l'hallucination volontaire mais avec la particularité d'ordre plus grave, dans le sens destructeur, que les diverses formes que peut prendre l'objet en question seront contrôlables et reconnaissables pour tout le monde, dès que le paranoïaque les aura simplement indiquées.

Le mécanisme paranoïaque, par lequel naît l'image à multiples figurations, donne à la compréhension la clé de la naissance et de l'origine de la nature des simulacres, dont la furie domine l'aspect sous lequel se cachent les multiples apparences du concret. C'est justement de la furie et de la nature traumatique des simulacres vis-à-vis de la réalité et de l'absence de la plus légère osmose entre celle-ci et les simulacres, que nous concluons à l'impossibilité (poétique) de tout ordre de *comparaison*. Il n'y aurait possibilité de comparer deux choses que si seulement était possible la non-existence d'aucun ordre de reliement entre elles, conscient ou inconscient. Une telle comparaison rendue tangible illustrerait pour nous avec clarté l'idée que nous nous sommes faite du gratuit.

C'est par leur manque de cohérence avec la réalité et pour ce qu'il peut y avoir de gratuit dans leur présence, que les simulacres peuvent facilement prendre la forme de la réalité et celle-ci à son tour s'adapter aux violences des simulacres, qu'une pensée matérialiste confond[1] crétinement avec les violences de la réalité.

Rien ne peut m'empêcher de reconnaître la multiple présence des simulacres dans l'exemple de l'image multiple, même si l'un de ses états adopte l'apparence d'un âne pourri et même si un tel âne est réellement et horriblement pourri, couvert de milliers de mouches et de fourmis, et, comme dans ce cas on ne peut pas supposer la signification par elle-même des états distincts de l'image en dehors de la notion du temps, rien ne peut me convaincre que cette cruelle putréfaction de l'âne soit autre chose que le reflet aveuglant et dur de nouvelles pierres précieuses.

Et nous ne savons pas si derrière les trois grands simulacres, la merde, le sang et la putréfaction, ne se cache pas justement la *désirée* « terre de trésors ».

Le Surréalisme au service de la Révolution, n° 1, juillet 1930

SALVADOR DALÍ

Nouvelles considérations générales sur le mécanisme du phénomène paranoïaque du point de vue surréaliste

Dès 1929 et les débuts encore incertains de *La Femme visible*, j'annonce comme « proche le moment où, par un processus de caractère paranoïaque et actif de la pensée, il sera possible (simultanément à l'automatisme et autres états passifs) de systématiser

1. J'ai ici en vue, particulièrement, les idées matérialistes de Georges Bataille, mais aussi en général tout le vieux matérialisme que ce monsieur prétend sénilement rajeunir en s'appuyant gratuitement sur la psychologie moderne.

la confusion et de contribuer au discrédit total du monde de la réalité ».

Le « drame poétique » du surréalisme résidait à ce moment pour moi dans l'antagonisme (appelant la conciliation dialectique) des deux types de confusions qui implicitement étaient prévus dans cette déclaration : d'une part, la confusion passive de l'automatisme ; d'autre part, la confusion active et systématique illustrée par le phénomène paranoïaque.

On ne saurait trop insister sur l'extrême valeur révolutionnaire de l'automatisme et l'importance capitale des textes automatiques et surréalistes. L'heure de telles expériences, loin d'être passée, peut sembler plus actuelle que jamais au moment où s'offrent à nous des possibilités parallèles, résultant de la conscience que nous pouvons prendre des manifestations les plus évoluées des états passifs et de la nécessité d'une communication vitale entre les deux principes expérimentaux qui nous sont apparus plus haut comme contradictoires.

Après les coactions intellectuelles que, sous une grande charge d'émotion sthénique, Dada avait revendiquées sous la forme mécanique d'un programme d'attitude réactionnelle (comportant, il est vrai, l'intuition de presque toutes les principales imminences), l'assimilation de l'automatisme par les surréalistes liquide toute possibilité d'« attitude » à adopter, qui serait nécessairement incompatible avec leur passivité, avec leur capitulation sans réserve devant le fait même du fonctionnement réel et involontaire de la pensée, cette capitulation à l'automatisme, cette soumission totale à la pensée en dehors de tout contrôle coercitif ne pouvant manquer d'apparaître, chaque jour davantage, comme la tentative la plus sensationnelle de tous les temps en vue d'atteindre à la liberté de l'esprit.

D'une manière plus cohérente, par suite plus grave que par la simple intuition des imminences dont il vient d'être question, l'automatisme dépasse et libère, dans les strictes limites du phénomène psychique, les aspirations latentes auxquelles Dada imposait pour contrainte les réactions mécaniques des dernières situations et attitudes « intellectuelles ».

[...]

Pourtant, [ces] objections tendent encore à faire entrer le surréalisme dans l'orbe d'obscurantisme et de mort du phénomène artistique. Elles sont à elles seules une preuve évidente de cette myopie analytique, qui porte à considérer l'automatisme comme un but en soi, immobile, tenu pour entité abstraite, se nourrissant de ses propres cendres, sans communication avec le réel, au lieu de lui conférer sa véritable signification exigeant l'intégration à sa propre vie d'un ensemble de phénomènes en rapport et en communication avec leur devenir relatif et conditionné, qui constitue l'essence dialectique concrète de leurs puissances de possession cognitives.

L'irrationalité générale qui se dégage de l'aspect délirant des rêves et des résultats automatiques, jointe à la cohérence croissante que présentent ceux-ci au fur et à mesure que leur interprétation symbolique tend à devenir plus parfaitement synchronique à l'activité critique, nous poussent, par besoin lyrique, à la réduction exacerbée au concret de ce qui nous a été suffisamment éclairé pour que, de ces prétendus délires d'exactitude obsédante, nous dégagions la notion d'*irrationalité concrète*.

Sur le plan spécifiquement poétique, l'irrationalité concrète, plus encore que comme une prédisposition grave, et même vertigineuse, de l'esprit humain, se présente à nous comme une de ces « contagions lyriques sans remède » qui, dans leur propagation catastrophique, permettent de déceler tous les saisissants stigmates d'un véritable vice de l'intelligence. Une fois rendu virulent par la complaisance novice qu'il trouve dans cet « aspect général » délirant et irrationnel des résultats automatiques et des rêves, dont la vitesse de réduction ne peut que nous décevoir et provoquer instantanément des aggravations et complications spontanées (dans lesquelles nous ne pouvons manquer de reconnaître la présence larvaire du fait systématique), l'« irrationnel concret » surgira dans l'imagination et cela, comme on peut s'y attendre, avec la même fréquence que les phantasmes différents s'organisant de toutes parts dès qu'il a été pris conscience d'un nouveau désir érotique.

Encore à ce propos ferai-je remarquer, pour prévenir la vaine alarme d'une supposée revendication des notions alpestres de « pensée dirigée », que la présence reconnue plus haut du fait systématique n'implique nullement de coercition de la pensée par un système ou raisonnement intervenant *a posteriori*, mais qu'au contraire, comme cela se passe pour le phénomène paranoïaque consubstantiel au fait, il faut voir dans le système une conséquence du développement même des idées délirantes, ces idées, délirantes au moment où elles se produisent, se présentant comme *déjà* systématisées.

À l'opposé des nouvelles interventions raisonnantes coercitives de nature à faire supposer toute autre intervention de l'idée de systématisation sur les contenus délirants, la considération du mécanisme paranoïaque comme force et pouvoir agissant à la base même du phénomène de la personnalité, de son caractère « homogène », « total », « subit », de ses caractéristiques de « permanence », d'« accroissement », de « productivité » inhérents au fait systématique ne fait que se confirmer d'une manière rigoureuse à la lecture de l'admirable thèse de

Jacques Lacan : « De la Psychose paranoïaque dans ses rapports avec la Personnalité[1]. » C'est à elle que nous devons de nous faire, pour la première fois, une idée homogène et totale du phénomène, hors des misères mécanistes où s'embourbe la psychiatrie courante. Son auteur s'élève spécialement contre les idées générales des théories constitutionnalistes rasant l'abstrait, suivant lesquelles la systématisation s'élaborerait après coup par suite du développement de très vagues facteurs constitutionnels, ce qui contribue à créer les équivoques grossières de « folie raisonnante ». Cette dernière notion, en annulant l'essence concrète et réellement phénoménologique du problème, fait encore ressortir, par son statisme unilatéral, toute l'éblouissante signification dialectique du processus paranoïaque, qui ne peut à cette occasion manquer de nous apparaître comme éminemment exemplaire. L'ouvrage de Lacan rend parfaitement compte de l'hyperacuité objective et « communicable » du phénomène, grâce à laquelle le délire prend ce caractère tangible et impossible à contredire qui le place aux antipodes mêmes de la stéréotypie de l'automatisme et du rêve. Loin de constituer un élément passif propice à l'interprétation et apte à l'intervention comme ceux-ci, le délire paranoïaque constitue déjà en lui-même une forme d'interprétation. C'est précisément cet élément actif né de la « présence systématique » qui, au-delà des considérations générales qui précèdent, intervient comme principe de cette contradiction en laquelle réside pour moi le drame poétique du surréalisme. Cette contradiction ne peut mieux trouver sa conciliation dialectique que dans les idées nouvelles qui se font jour sur la paranoïa, et selon lesquelles le délire surgirait *tout systématisé.*

1. Le François, éd., 1932.

Aucun exemple immédiat ne me paraît aussi persuasif, aussi capable d'illustrer le caractère « brusque » et « réactionnel » du phénomène, le « changement profond de l'objet », la présence simultanée du fait systématique, associatif, l'interprétation implicite, la communicabilité objective, etc., que l'image délirante du « visage paranoïaque » reproduite dans le numéro 4 du *Surréalisme au service de la Révolution.*

« Interprétation paranoïaque-critique de l'image obsédante. "L'Angélus de Millet" », *Minotaure,* n° 1, 1933

ANDRÉ BRETON

Lettre à A. Rolland de Renéville

Quoi de plus tentant [...] que de substituer à cette détermination qui spécifiquement est la nôtre une détermination d'un autre ordre, quelle qu'elle soit, et si particulière qu'on la veuille, pourvu que les mots ne soient pas invités à graviter dans leur cercle *pour rien* ? Il nous a paru que cette détermination *a priori* pouvait, par exemple, fort bien être le groupe de symptômes définis à ce jour comme pathognomonique de telle ou telle maladie mentale. Ainsi conditionnée, la parole inconnue ou non que nous attendions ne pouvait manquer de se déchaîner d'une manière à bien des égards plus saisissante que de coutume. Nous savions, en effet, que la pensée ne dispose que d'un petit nombre de *signaux d'alarme* pour manifester ses troubles extrêmes. Qu'arriverait-il si ces signaux étaient manœuvrés volontairement, par groupes à peu près autonomes, correspondant aux modes de liaison que l'analyse psychiatrique avait révélés ? Non seulement nous en finissions par là avec l'obsession poétique, principale cause d'erreur, mais encore nous y gagnions de mettre aux prises avec le langage une pensée atteinte par hypothèse en plusieurs de ses points essentiellement vulnérables. L'automatisme psychique, comme on pouvait le prévoir, est venu remplir avec une force extraordinaire le cadre que nous lui avions fixé. Il me semble impossible de parler de pensée *dirigée* dans ces conditions. Bien plutôt pourrait-on dire que nous avons spéculé sur les moyens électifs que nous connaissions à cette pensée de se perdre, en se soustrayant à toute obligation d'échange immédiat entre les hommes. À l'exception de l'« Essai de simulation du Délire d'interprétation », délire d'hypertrophie des facultés raisonnantes que cette seule particularité nous empêcha valablement de reproduire, nous croyons, hors de tout pastiche, être arrivés sans aucune peine à présenter des monologues d'aspect clinique acceptable. Quant à éprouver chemin faisant les états de conscience correspondants, nous n'y prétendions pas. L'intérêt principal de l'expérience tenait au fait qu'interrogés nous eussions sans doute pu fournir, partant des textes ainsi obtenus, des éclaircissements originaux sur le mécanisme de certaines altérations graphiques qu'on y relève et dont la psychiatrie, toujours hypnotisée par le contenu manifeste des élucubrations de malades, n'a guère entrepris jusqu'à ce jour que le classement. Le surréalisme, surmontant toute préoccupation de pittoresque, passera bientôt, j'espère, à l'interprétation des textes automatiques, poèmes ou autres, qu'il couvre de son nom et dont l'apparente bizarrerie ne saura, selon moi, résister à cette épreuve. Il est permis de penser que cette entreprise systématique aura pour effet de réduire considérablement le champ des anomalies soi-disant irréductibles de certains langages. Il est à remarquer que MM. J. Lévy-Valensi, Pierre Migault et Jacques Lacan, auteurs d'une communication sur un cas de schizographie inséré dans le numéro de décembre 1931 des *Annales médico-psychologiques* insistent à juste titre sur la « remarquable valeur poétique » de certains passages de lettres de leur malade. C'est un signe des temps que la poésie, aux yeux mêmes du médecin, a rompu les barrages derrière lesquels on s'ingéniait à la maintenir. Pardonnez-moi de vous renvoyer à cette déclaration des auteurs précités : « Les expériences faites par certains écrivains sur un mode d'écriture qu'ils ont appelé surréaliste, et dont ils ont décrit très scientifiquement la méthode, montrent à quel degré d'économie remarquable peuvent atteindre les automatismes graphiques en dehors de toute hypnose. Or, dans ces productions, certains cadres peuvent être fixés d'avance, tel un rythme d'ensemble, une forme sentencieuse, sans que diminue pour cela le caractère violemment disparate des images qui viennent s'y couler. » À en juger par ces propos, Éluard et moi, en nous livrant à la simulation écrite de divers délires, n'aurions pas fait trop bon marché de l'ambition surréaliste d'apporter une lueur *authentique* sur les lieux provisoirement condamnés de l'esprit humain.

Lettre..., 1932

TRISTAN TZARA

Essai sur la situation de la poésie

L'idée qui nous a guidé et qui à partir de 1916 reçoit une nouvelle vérification a été celle de la poésie poursuivant un développement dont le sens de direction est donné par la ligne reliant la poésie-moyen d'expression à la poésie-activité de l'esprit, cette tendance se répétant à l'intérieur de la poésie, c'est la même que la poésie suivra dans son ensemble. Autrement dit : malgré tous les états intermédiaires, la poésie-activité de l'esprit s'accroît quantitativement et progressivement dans le temps au détriment de la poésie-moyen d'expression. La poésie *tend à devenir* une activité de l'esprit. Elle *tend à nier* la poésie-moyen d'expression. Qu'aujourd'hui elle soit en partie un moyen d'expression, ceci est déterminé par sa liaison avec le langage, c'est-à-dire sa forme. La poésie ne pourra donc devenir uniquement une activité de l'esprit qu'en se dégageant du langage ou de sa forme[1]. Par quel moyen ?

Ce n'est pas par un tour de main que je veux faire accepter ma proposition d'identifier la forme de la poésie au langage. (Il s'agit en quelque sorte du langage que j'appellerai grossièrement logique, et non pas des mots, concepts.)

Deux modes de penser existent et s'affrontent. Si la pointe extrême de l'un est figurée par le rêve, il est facile de trouver à la pointe de l'autre le penser dit « dirigé » ou logique.

Sans accorder une grande importance au vocabulaire employé par Jung, je donnerai d'après celui-ci un court aperçu de la distinction entre le penser « dirigé » et le penser « non dirigé ». (Voir dans « Les Métamorphoses et les Symboles de la Libido » le chapitre consacré aux *deux formes du penser*.)

1. Il est bien entendu que dans le cadre de la poésie-activité de l'esprit, entrent aussi la peinture et la sculpture *(voir aussi les objets surréalistes décrits par Breton et Dalí)*, on le verra plus clairement à propos de Dada et du Surréalisme.

Le penser dit dirigé est un processus psychique d'adaptation au milieu. Cette forme du penser, dit Jung, « sert à communiquer avec le dehors au moyen des éléments de la langue, elle est pénible et épuisante, elle acquiert, adapte, imite la réalité et cherche à agir sur elle ». Nous pensons en paroles. Comme s'il s'agissait de convaincre quelqu'un, nous nous récitons la pensée en nous-même. Le langage est à chaque stade de la civilisation la somme totale du savoir humain passé au crible de l'expérience collective. Le penser dit dirigé (ou logique) engendre le progrès des sciences, il est productif. Étant un processus d'adaptation au milieu, il correspondrait dans la vie psychique à ce que le travail vital est en biologie (et le travail productif dans la vie économique, pourrait-on ajouter).

La forme du penser dit non-dirigé (ou associatif ou hypologique) « se détourne (de la réalité), libère des désirs subjectifs, et reste absolument improductive, réfractaire à toute adaptation » (Jung). Ce penser consiste en un enchaînement, en apparence arbitraire, d'images ; il est supra-verbal, passif, et c'est dans sa sphère que se placent le rêve, le penser fantaisiste et imaginatif et les rêveries diurnes.

Je ne me fais pas d'illusions sur les confusions qui pourraient résulter de l'introduction de ce nouvel élément dans le débat. Il n'a que la valeur d'un terme de comparaison.

Dans une étude en préparation : *Du rêve dans la pensée des peuples primitifs*, je me propose de démontrer que le penser dit « non dirigé » est à tel point la dominante de ce qu'improprement on a appelé « la mentalité primitive », qu'il serait possible d'envisager un état pur de celle-ci où la cassure que représente pour nous le passage de l'état de rêve à celui de veille disparaisse complètement. De même que dans une société communiste, les notions de travail, paresse, prolétariat, etc., prennent un tout autre aspect, un nouveau contenu spécifique, dans la société primitive les états de rêve et de veille ne sont pas mesurables aux connaissances dont nous disposons. Jung affirme que la forme du penser dit « dirigé » (celui qui engendre le développement des sciences) est une acquisition relativement récente de l'humanité. Mais de quelle façon, au cours de l'histoire, le développement de ce dernier s'effectue en augmentant si considérablement au détriment de l'autre forme du penser dit « non dirigé », Jung ne nous l'apprend pas. Qu'il soit intimement lié au développement des conditions économiques et au passage de la société primitive à la société capitaliste nous paraît indubitable ; nous aurons l'occasion de revenir sur ce sujet. Historiquement, le processus du mode du penser suit une direction dans le sens donné par la ligne reliant le penser dit « non dirigé » à celui dit « dirigé ». Les éléments du premier encore existants sous forme de résidu dans la « mentalité civilisée » (ce n'est pas sans une certaine ironie que j'emploie ce mot), sont le rêve, la rêverie diurne, le penser fantaisiste. Il me semble que cette activité de l'esprit, la poésie, telle que Breton l'a apparentée au rêve sous le nom d'écriture automatique et de surréalisme, y trouve une place toute naturelle.

En parcourant de nouveau l'exposé historique de la poésie, on fera aisément la part du penser dit « dirigé » correspondant à la poésie-moyen d'expression et celle du penser dit « non-dirigé » à la poésie-activité de l'esprit : on remarquera d'un côté la prépondérance du langage systématiquement logique, le penser en paroles, instrument de ce penser au sein duquel il s'est perfectionné, et de l'autre côté les caractéristiques du penser qui consiste en une succession d'images.

La poésie suit, sur un plan tout différent, une direction de sens contraire à celle des formes du penser. Mais le développement de ces dernières se reproduisant individuellement dans chacun d'entre nous, il va de l'inconscient au conscient, de la pensée infantile à la pensée logique, il serait facile d'établir l'attitude oppositionnelle, contradictoire, que les deux développements des modes de penser et de la poésie-rêve, s'assignent mutuellement dans la sphère généralisée de la pensée humaine.

Ce qui touche au langage a été pour Dada un problème et un constant souci. À travers toute cette activité tentaculaire et dispersée que fut Dada — et qu'on finira bien par étudier plus sérieusement que ne le fit dernièrement un illustre brouilleur de cartes — la poésie se voit harcelée, insultée et méprisée. Une certaine poésie, entendons-nous bien, la poésie-art, la beauté statique. On lui oppose Dada (un « état d'esprit » comme l'a appelé Breton). Lorsqu'en 1920, Picabia à la matinée de « Littérature » expose un dessin exécuté sur un tableau noir, qui est effacé devant le public, que moi-même, je ne sais plus sous quel prétexte, je lis un article de journal pendant qu'une sonnette électrique couvre ma voix, lorsque, un peu plus tard, sous le titre « Suicide » Aragon publie l'alphabet en forme de poème dans *Cannibale*, que dans la même revue Breton publie un extrait de l'annuaire de téléphone sous le titre « PSST » (des dizaines d'autres exemples pourraient encore être cités) ne convient-il pas de voir dans ces manifestations l'affirmation que l'œuvre poétique n'a pas de valeur statique, le poème n'étant pas le but de la poésie, celle-ci pouvant fort bien exister ailleurs ? Que pourrai-je invoquer de mieux pour expliquer le sens de la recette que je donnais pour fabriquer un poème dadaïste (les mots sortis au hasard d'un chapeau) ? Détruire la poésie par ses propres moyens, il est certain que dans cet objectif de Dada entrait en partie la haine que nous portions à la poésie qui n'avait pas réussi à se dégager de sa part de « moyen d'expression » (« la pensée se fait dans la bouche », écrivais-je en 1920 pour montrer mon dédain à son égard), la poésie étant toujours de la littérature. Dada cherche une issue dans l'action, et plus spécialement dans l'action poétique qui souvent se confond avec la gratuité. Exemples : l'annonce d'une série de visites aux endroits les plus absurdes de Paris, « les dadaïstes se feront couper les cheveux en public » annonce le programme d'une matinée à la salle Gaveau, etc. Mais un autre courant, moins démonstratif, prit naissance et se développa rapidement. Je n'ai fait que l'esquisser dans *La première aventure céleste de M. Antipyrine* (1916) et, ce n'est que plus tard, d'une façon suivie, qu'on commence à placer l'un à côté de l'autre des mots n'ayant apparemment aucun sens. Dénués le plus souvent du lien grammatical (style elliptique), il était naturel qu'une tendance générale se dessinât sous la forme d'une lutte organisée contre la logique. Je croyais alors qu'on pouvait enlever les sens aux mots et que ceux-ci pouvaient agir dans un poème par leur simple force évocatrice (l'analogie avec la succession d'images, les mots dans le penser, dit non dirigé nous était bien consciente quoique nous ne l'ayons pas formulée) à la lumière d'une nouvelle magie aussi difficile à saisir qu'à exprimer. Expliquer, par ailleurs, nous répugnait, Dada étant une dictature de l'esprit. Quelques essais furent entrepris de composer de nouveaux mots et peu nombreux sont les poèmes entiers écrits en une langue inventée. L'expérience se justifiait quant aux conséquences à tirer des capacités de fuite de la signification des mots, mais devint inopérante aussitôt que le poème fut réduit à une succession de sons.

Il serait injuste de passer sous silence un moment important, *la poésie dite cubiste*, qui précédait Dada (Apollinaire et les « Soirées de Paris ») et lui était en partie contemporain (Reverdy et « Nord-Sud », et, malgré ses confusions futuristes, Birot et « Sic »). Ces trois poètes ont collaboré aux revues Dada à leurs débuts comme certains dadaïstes aux leurs. Ils établissent un parallélisme entre la peinture cubiste et la poésie par l'introduction dans le domaine de celle-ci du *lieu commun*, ce comprimé de langage, sur la base d'un minimum d'entente collective, la sagesse populaire qui passait par le tamis de son expérience les résultats du penser dit « dirigé ». La participation de ce nouvel élément à la poésie est un fait acquis pour Dada[1]. C'est sous l'initiative de Paul Éluard dans *Proverbe* que le lieu commun apparaît plus clairement comme une sorte de polarisation du moyen d'expression. En essayant d'inventer de nouveaux *clichés* valables, les sens péjoratifs y jouant un rôle important, Éluard nous mène en droite ligne vers une sorte de superposition d'ordre spirituel qui sera la meilleure application du procédé des *collages* à la vie psychique. *Proverbe*, dont le dernier numéro s'intitulait *L'Invention*, présente un réel effort expérimental.

Si Dada n'a pas pu se dérober au langage, il a bien constaté les malaises que celui-ci causait et les entraves qu'il mettait à la libération de la poésie. La désorganisation, la désorientation, la démoralisation

1. L'opposition de Dada au Cubisme se dessine du fait que celui-ci tendait dans l'œuvre réalisée à exprimer une beauté immuablement statique ou éternelle, tandis que dans Dada, tout converge à faire valoir sa nature *occasionnelle*, due aux *circonstances* et dont le véritable mérite est de s'intégrer véritablement à *l'actualité*. L'œuvre réalisée n'aura plus que la valeur d'une *signalisation*. Pour Dada, la poésie se définit déjà comme une réalité qui n'est pas valable hors de son devenir.

de toutes les valeurs admises étaient pour nous tous d'indiscutables directives. Le dégoût devint un dogme et la spontanéité un principe moteur.

Non, la poésie n'a pas de fin en soi. Bien maigres sont les satisfactions qu'elle pouvait nous donner, et c'est en dehors d'elle que nous nous efforçâmes de les trouver. Faut-il dire que tous les moyens nous étaient bons ? Que la poésie pouvait se trouver en un tableau ou une sculpture, et que ceux-ci quittaient petit à petit les matières dont ils s'étaient faits les esclaves (les papiers collés de Picasso et de Braque avaient réellement apporté quelque chose de nouveau), inutile de le rappeler, l'exposition de la Galerie Montaigne où tous les poètes dadaïstes d'alors exposaient, au grand scandale du public, des œuvres plastiques, est un exemple suffisant.

La place me manque pour examiner comme je le voudrais l'influence considérable qu'eurent Jacques Vaché et Marcel Duchamp, tous les deux indépendamment de Dada, mais l'ayant prévu dans ses traits caractéristiques, sur le développement ultérieur de Dada auquel ils resteront intimement liés.

Je conçois fort bien aujourd'hui que les espoirs de certains d'entre nous à l'égard de Dada aient été déçus. Dada avait trop promis et la Révolution ne venait pas. Tout en lui pourtant y tendait désespérément. Rien ne nous paraissait plus haïssable que l'installation d'un nouveau poncif. L'essai de Breton de donner à Dada de nouvelles impulsions par l'institution du *Congrès de Paris* (pour la détermination des directives et la défense de l'esprit moderne, avril 1922) me sembla, ainsi qu'à quelques autres d'entre nous, politiquement dangereux. Il s'agissait d'objectiver une position où Dada tenait encore à se cantonner, il ne voulait pas être confronté avec les autres tendances de l'esprit moderne (celui-ci se dessinait surtout à l'époque sous la forme bassement hygiénique représentée par *L'Esprit Nouveau*) et tenait à affirmer sa supériorité sur les autres qu'il prétendait avoir dépassées, le stade avancé où il avait amené cet esprit lui permettant de le nier (« Dada n'est pas moderne »). Ma brouille qui en résulta avec Breton et qui fut plus tenace que les tentatives de réconciliation, compte parmi mes souvenirs les plus douloureux.

Ce sont *Les Champs magnétiques* (1921), où Breton résolut d'obtenir « un monologue de débit aussi rapide que possible, sur lequel l'esprit critique du sujet ne fasse porter aucun jugement, qui ne s'embarrasse, par suite, d'aucune réticence, et qui soit aussi exactement que possible, la *pensée parlée* » (Breton, *Manifeste du Surréalisme*, 1924, p. 37), qui marquent le début du Surréalisme.

Le récit des rêves, « l'entrée des médiums », les textes surréalistes ou écriture automatique et l'expérimentation poétique systématisée — qu'on me pardonne de passer rapidement sur une activité étonnante de richesse et de possibilités, de mises au point rigoureuses, son activité de ces dernières années est encore trop vivante parmi nous pour que je recoure à un résumé[1] — nous rapprochent singulièrement de la poésie-activité de l'esprit. Le surréalisme tend à amener cette activité à une expression *pure*, il est conscient de la possibilité d'existence dans le futur d'une activité de cet ordre, en dehors et au-delà du poème écrit ou du tableau et de la sculpture. La poésie pourrait devenir un *élément de vie* — au même titre que le rêve — mais ce passage ne saurait s'effectuer sans celui de l'individuel au collectif et du subjectif à l'objectif.

1. L'exposé sur Dada n'a pas la prétention d'expliquer le *dadaïsme*, mais simplement de fixer quelques points de l'attitude de celui-ci envers la poésie.

Toute création de l'esprit, en tant qu'expression de cet esprit, ne saurait se dérober à l'idéologie régnante, résultant elle-même de l'antagonisme des classes. L'œuvre dite « d'art », à toute époque, reflète un fait historique qui est engendré par les rapports sociaux et économiques. Il est à remarquer que, dans le cadre de la poésie, c'est la part de poésie-moyen d'expression où l'influence d'une idéologie bourgeoise est à déceler, la part de poésie-activité de l'esprit échappant complètement à cette emprise. À travers une longue suite d'actes plastiquement démonstratifs (Dada) et de vérifications avec un réel souci de méthode scientifique (le Surréalisme) — je parle de la poésie, — ces influences sont réduites au minimum en proportion directe avec la réduction de la quantité de poésie-moyen d'expression.

Si dans la société actuelle la poésie constitue un *refuge*, une *opposition* à la classe dominante, la bourgeoisie, dans la société future où l'antagonisme économique des classes disparaîtra, la poésie ne sera plus soumise aux mêmes conditions. Le poète (à défaut d'un autre nom, je suis forcé d'employer ce mauvais terme, tant il est vrai que déjà pour nous la terminologie n'est plus adéquate aux nouveaux contenus), se réfugie dans le domaine de la poésie parce qu'il assimile son opposition à la classe capitaliste avec l'opposition au penser dit « dirigé », engendreur de la science, de la civilisation actuelle, asservie par la bourgeoisie.

De même que le travail dans une société socialisée n'est plus ce qu'aujourd'hui nous nous représentons comme tel, de même que le prolétaire n'étant plus l'exploité perd le sens que nous lui accordons, peut-on prédire que la poésie, qui perdra jusqu'à son nom en poursuivant son devenir historique, se muera en une activité de l'esprit collective (comme le rêve en est une), suivant la loi de la ligne nodale des rapports de mesure et que sous cette forme la formule de Lautréamont « la poésie faite par tous » deviendra une réalité ?

Théoriquement, nous pouvons admettre que, de même qu'une mentalité primitive a pu exister, dont la caractéristique a été le penser dit non-dirigé à l'état relativement pur, ce qui pour nous est difficilement concevable, un nouvel état pourrait naître dans une société communiste où tous les rapports de valeur sont nouveaux, un *état poétique* qui serait dominé par le penser dit non-dirigé superposé à la structure de la civilisation et à ses conquêtes indestructibles. Il ne peut plus, pour nous, s'agir de retrancher quoi que ce soit et retourner en arrière, à un état primitif par exemple, comme certains auteurs du XVIIIe siècle le voulaient, mais d'établir une *superstructure* d'ordre psychique sur une masse existante. Il serait aussi anti-dialectique de vouloir retrancher quoi que ce soit d'une activité qui, historiquement, se justifie parfaitement comme une continuelle progression et de retourner soit à une forme de poésie qui a déjà été surmontée, soit à des fins d'éducation ou de propagande que, par son évolution, la poésie a éliminées comme étant anti-poétiques[1].

Engels dit : « C'est... la ligne nodale des rapports de mesure de Hegel, où une addition ou une soustraction purement quantitative produit en certains points déterminés un saut qualitatif ; par exemple, pour l'eau chauffée ou refroidie, le point de fusion

1. Quelques niais idéalistes, inconscients peut-être du rôle qu'ils jouent en sauvegardant la culture bourgeoise ont essayé d'opposer l'*esprit* à la *machine* (Werfel), oubliant que le rôle de cette dernière est de *servir* et non d'*asservir*. N'ai-je pas entendu récemment un célèbre confusionniste, un de ces faussaires professionnels de l'histoire (Barbusse), dire que seul le réalisme intégral (!) (« j'ai ajouté au réalisme une petite rallonge sociale » sont ses propres paroles) est capable d'amener la Révolution ? Se basant sur le positivisme de Comte, nettement réactionnaire, il demandait la liberté pour le peuple ! Incroyable, mais c'est comme cela.

et le point de congélation sont les nœuds où s'accomplit à la pression normale, le passage brusque à un nouvel état d'agrégation, où, par conséquent, la quantité se transmue en qualité. » Et plus loin : « Nous aurions pu citer dans la nature comme dans la société humaine, des centaines de faits semblables pour prouver cette loi. Ainsi dans *Le Capital* de Marx, toute la quatrième section... traite d'innombrables cas où un changement quantitatif change la qualité, et de même un changement qualitatif la quantité des choses dont il s'agit, où donc... la quantité se convertit en qualité et réciproquement. »

Est-il possible d'appliquer cette loi à la poésie ? J'en suis fermement convaincu. L'accroissement quantitatif de la part de poésie-activité de l'esprit à l'intérieur de la sphère généralisée de la poésie, rendra nécessaire le saut du qualitatif au quantitatif : la poésie qui en naîtra n'aura plus rien des apparences de celle que nous connaissons.

La poésie-activité de l'esprit *nie* la poésie-moyen d'expression. Les exigences vitales de la Révolution (nous voyons le conflit se produire dès à présent) demandent à la poésie une participation que celle-ci ne saurait accorder sans risquer sa mort, l'écrasement d'une longue activité dont le devenir est bien établi dans un sens déterminé. Elle est à son tour *niée*. De cette négation de la négation doit naître une nouvelle poésie, élevée à une puissance qu'on ne saurait trouver que sur le plan psychique de la collectivité.

Il me faut de nouveau recourir à Engels et reprendre son exemple du grain d'orge qui, nié (non pas anéanti), disparaissant comme tel s'il tombe sur un terrain favorable, sous l'action de l'humidité et de la chaleur, germe et est remplacé par la plante née de lui. À travers certaines métamorphoses spécifiques, cette plante produit à la fin de nouveaux grains d'orge, elle est à son tour niée. Nous obtenons le grain d'orge primordial, mais *multiplié*. Dans certaines plantes nous obtenons des germes qualitativement améliorés, et « chaque nouvelle négation de la négation accentuera ce perfectionnement », dit Engels, qui applique le principe aussi bien à la mathématique, à la géologie, à l'histoire qu'à la philosophie. Il démontre la négation du matérialisme immédiat des Grecs par l'idéalisme qui, à son tour, est nié par le matérialisme moderne. Or, celui-ci n'est plus le même que celui d'il y a deux mille ans (qui le contenait pourtant en germe), il est multiplié, il est en puissance de ce que l'évolution des deux mille ans qui se sont écoulés a apporté de nouveau aux connaissances humaines.

Un fait troublant que les archéologues et les préhistoriens n'ont jamais expliqué d'une façon satisfaisante, un point mystérieux, une cassure qu'on n'arrive pas à combler se produit dans l'étude de toute civilisation ancienne. Les fouilles, en Égypte, par exemple, mettent à jour un nombre très *réduit* d'objets préhistoriques, résultats rudimentaires d'une culture primitive qui s'étend sur un laps de temps assez considérable. Sur des couches immédiatement supérieures (chronologiquement correspondantes) on trouve, après une phase de certains perfectionnements, une *grande quantité* d'objets dont l'amélioration se poursuit sur de courtes périodes. Un saut s'est produit. Pendant une longue période, la civilisation matérielle se manifeste par une évolution minime et lente des objets fabriqués peu différenciés. La forme du penser dominant est ce que nous avons appelé le « non-dirigé » (contenant en germe le penser dit « dirigé »). Arrivé au terme d'une évolution, qui pourrait être la prise de conscience du penser « dirigé », provoquée par de nouveaux rapports économiques, un élan brusque se produit, qui, par les vestiges abondants d'une civilisation matérielle, leur évolution rapide et leur perfectionnement se précipitant à un rythme de plus en plus accéléré, nous fait entrevoir l'importance qu'avait prise dans une nouvelle société ce nouveau mode de penser qui aboutit, à travers les sciences, à la civilisation actuelle. Ce phénomène de « rupture » se constate, à des époques différentes, partout où les fouilles systématiques ont décelé l'existence d'une culture préhistorique, sauf là où celle-ci s'est continuée pendant assez longtemps (Australie, Océanie, Afrique) et où nous en ramassons les derniers débris.

D'une façon schématique on pourrait affirmer : le penser « non-dirigé » est nié (c'est-à-dire vérifié, conservé et élevé à la fois, *aufgehoben*) par un phénomène d'ordre économique : il en naît la prédominance du penser « dirigé ». Nous vivons actuellement cette époque[1] dont les produits, le machinisme, la standardisation, etc., sont peut-être les derniers échelons. Or ceux-ci seront mis au service de l'humanité par le communisme. Il est possible de prévoir dès à présent l'effet que ce nouveau fait aura sur le mode de penser dit « dirigé ». Il sera nié à son tour et un nouveau mode de penser dit « non-dirigé » naîtra de cette négation de la négation, qui ne sera pas uniquement le penser non-dirigé préhistorique, mais ce que celui-ci contenait en germe (disons grossièrement le rêve projeté sur la réalité), multiplié, élevé à la puissance de l'enseignement des milliers d'années et des additions que constituent la logique, la science, etc. Sans vouloir jouer au prophète, c'est à cette destinée que je lie le devenir de la poésie dans la société future.

1. Des vestiges de l'époque précédente restent à l'état embryonnaire (rêve, rêveries), dans une attitude oppositionnelle quoique créatrice et apte au développement.

Si le surréalisme, en son ensemble, comme le fait judicieusement remarquer Aragon, s'oppose à la culture bourgeoise et doit, par conséquent, être mis au service de la Révolution, la poésie, que par ailleurs le surréalisme doit amener à parfaire son cycle, ne peut agir sur la réalité, car c'est sa part de poésie-moyen d'expression qui en serait seule, à la rigueur, capable, et celle-ci doit tendre à diminuer progressivement.

N'est digne de se réclamer d'un développement conscient et suivi qu'une manifestation ayant pour but suprême *la liberté*, voilà pourquoi, me semble-t-il, il n'est pas possible de concevoir, en partant de postulats différents, un autre cheminement de la poésie, si toutefois la méthode dialectique d'un devenir en formation est admise comme uniquement valable. Pour simplifier, je n'ai pas étudié le problème de la poésie dans des langues étrangères, qui, malgré le jeu des influences réciproques d'un pays à l'autre et suivant le développement idéologique et les circonstances historiques qui leur sont propres, est en avance ou en retard sur nous ; il me semble pourtant utile d'insister sur ce fait que la marche suivie est parallèle à celle de la poésie française qui me sert ici de type.

Une remarque d'ordre technique s'impose. Depuis Dada, sous un style elliptique et volontairement obscur, bien des éléments de poésie-moyen d'expression ont été superficiellement voilés et leur élimination n'était qu'apparente. La gratuité comme l'arbitraire et l'absurde sont insaisissables sous la forme *pure* que Dada leur octroyait. Il s'agit donc, aujourd'hui, d'objectiver le plus possible cette part de moyen d'expression, pour mieux pouvoir dégager la poésie-activité de l'esprit.

Ce n'est que dans la mesure où s'exercent sur sa forme des influences sociales et économiques ou le restant d'une idéologie bourgeoise dans le monde des sentiments que la poésie n'est pas arrivée à une indépendance totale, de même que le rêve, quoique autonome en ce qui concerne son fonctionnement, représente encore en ses images le reflet d'une vie bourgeoise à laquelle il s'oppose. Il est pourtant vraisemblable que la matière transformable de la poésie ne joue qu'un rôle minime si on la compare aux intentions d'indépendante souveraineté de la poésie dont le caractère a été donné depuis Dada. Il s'agit de limiter de plus près les différences entre le *rêve* proprement dit et la *poésie (rêve projeté sur la vie diurne)* ainsi que leurs caractères spécifiques.

C'est de l'étude de leur fonctionnement que naîtra le sens complet de la *paresse*. « Le droit à la paresse » dit Lafargue, « est sacré », mais cette paresse est un élément de lutte pour le renversement des valeurs sociales, car dès qu'elle deviendra une conquête réelle de la Révolution, elle cessera d'exister comme telle. En quoi consistera-t-elle lorsque le travail productif sera réduit à très peu d'heures ? Quelle sera l'orientation du loisir qui en résultera, pour qu'il ne crée pas de nouveaux besoins qui, à leur tour, augmenteront quantitativement les heures de travail au détriment de ce même loisir ? Par quel moyen empêchera-t-on ce qui sera le travail productif de ressembler à ce que nous sommes habitués à appeler la paresse et le loisir de devenir virtuellement le travail ?

L'activité poétique est seule capable de donner là une conclusion *humaine* de *libération*. Il faut organiser le rêve, la paresse, le loisir, en vue de la société communiste, c'est la tâche la plus actuelle de la poésie. Elle n'y parviendra qu'en se refusant à toute concession temporaire et en servant par là d'exemple et de point de départ à ceux qui, plus tard, sauront rendre pratique et assimilable à la masse un processus d'activité que, pour le moment, peu de gens admettent, qui est *qualité* et qui, dans la société communiste, peut se transformer en *quantité*.

Des malaises créés par les positions mal définies de plusieurs activités, de la non-concordance de leurs développements, des intérêts spirituels, les uns se manifestant avec plus d'intensité que les autres, successivement pris pour points de mire, abandonnés, repris, s'entrelaçant, croissant parallèlement les uns aux autres, se séparant, les uns pour les appels de la raison, les autres pour les séductions de l'esprit, dans une lutte continuelle, entrecoupée de lassitudes (car celles-là aussi sont virulentes et contiennent les germes d'une activité imprévisible) est né chez la plupart d'entre nous un *élément émotionnel* irréductible. Ne nous attardons pas à analyser ce qui sépare et ce qui unit les surréalistes entre eux et acceptons une fois pour toutes l'image qui actuellement se fait de plus en plus valable, d'une émotion résultant des combats entre les désirs et les satisfactions, les attentes et les incertitudes et même les insuffisances, l'émotion au premier degré humaine, qui ne nous a jamais fait défaut pour nous aider à sortir des impasses souvent douloureuses où se jouait tout l'avenir d'une activité de groupe.

Je sais ce que peut avoir de féroce la froide application de lois à un phénomène qui nous touche de très près. Je suis le premier à être tenté de m'écrier : à ce prix-là la poésie ne m'intéresse pas. Une poésie agissant indépendamment et détachée de l'ensemble des phénomènes de la vie… peut-on consacrer sa vie à la poésie quand le moindre mouvement de rue, un peu plus vif que d'ordinaire, vous fait sursauter, vous fait croire que tout espoir n'est pas perdu ? Agir, réellement agir ! Mais les faits sont là dans toute leur nue cruauté. Plus d'une fois ils nous mettront devant le dilemme : abandonner ou continuer nos efforts. La Révolution sociale n'a pas besoin de la poésie, mais cette dernière a bien besoin de la Révolution.

Tendre, de toutes ses forces, à l'accomplissement de la Révolution, en poursuivant parallèlement l'activité poétique qui se justifie du point de vue du matérialisme dialectique, voilà, me semble-t-il, le rôle historique du Surréalisme : organiser le loisir dans la société future, donner un contenu à la paresse en préparant sur des bases scientifiques la réalisation des immenses possibilités que contient la phrase de Lautréamont :

« LA POÉSIE DOIT ÊTRE FAITE PAR TOUS, NON PAR UN. »

Le Surréalisme au service de la Révolution, n° 4, décembre 1931

ROGER CAILLOIS

Spécification de la poésie

Il est de fait que la poésie continue à bénéficier d'une indulgence de mauvais aloi qui tend à lui conférer de dangereux avantages en la sauvegardant, sous prétexte d'intrusion sacrilège, de tout examen critique tant soit peu précis et rigoureux. À une telle complaisance, la poésie a plus à perdre qu'à gagner, car il suffit qu'on puisse supposer qu'elle en vit, pour qu'elle soit immédiatement disqualifiée. Or tant d'œuvres précisément se présentent comme poèmes alors qu'il est difficile d'y trouver autre chose que les plus inexcusables escroqueries sentimentales, artistiques ou intellectuelles, qu'il n'est pas possible à une pensée sévère de ne pas considérer la poésie comme le droit donné à n'importe qui de dire n'importe quoi, et cela sans garantie, sans obligation de rendre des comptes. C'est pourquoi, à la moindre compromission, elle tombe au rang de genre littéraire particulièrement littéraire qui ne se recommande guère à l'attention, outre une disposition typographique généralement irritante, que par une plus grande confusion et une plus grande audace dans l'inflation et le tripotage. Aussi cet état de fait pourrait-il être invoqué par les intéressés pour tenter de justifier l'opposition qu'ils se plaisent à creuser entre le poétique comme cas spécial de l'imaginaire et le réel. Il est néanmoins certain que cette situation risque de balancer à elle seule les prétentions du surréalisme à l'objectivité absolue et d'obliger à le tenir comme une concurrence déloyale et non fondée de l'activité scientifique (étant mise de côté pour le moment, la question préjudicielle touchant la portée véritable de ce concept de concurrence déloyale). Au contraire, c'est justement dans la mesure où le surréalisme a considéré la poésie comme un fait et l'a systématiquement épuisée en tant que telle jusqu'en ces limites extrêmes, limites qui sont à leur tour des faits poétiques susceptibles d'un développement concentrique et ainsi de suite, qu'il s'est acquis en propre le droit d'entreprendre avec quelque validité la critique de l'imagination empirique.

Il s'agit donc d'*organiser la poésie*. Dans ces conditions le concept et l'objet sont au fond des points d'application également valables, étant donné qu'il existe entre le concept et l'ensemble des aventures singulières qui le supportent affectivement, la même *indépendance concrète*, les mêmes rapports inquiétants qu'entre l'objet et son rôle utilitaire, bien loin qu'on puisse apercevoir ici et là la coïncidence parfaite qu'y suppose la pensée rationnelle. Il est manifeste que jamais le rôle utilitaire d'un objet ne justifie complètement sa forme, autrement dit l'objet déborde toujours l'instrument. Ainsi est-il possible de découvrir dans chaque objet un résidu irrationnel déterminé entre autres choses par les représentations inconscientes de l'inventeur ou du technicien[1]. De même, tout concept possède une valeur concrète spécifique qui permet de le considérer comme objet et non plus comme abstraction. Par exemple, en tant qu'abstraction, le mot « araignée » ne peut passer que pour une façon commode et approximative de s'exprimer. C'est là le plan ordinaire de la littérature : celle-ci se caractérise donc par un emploi hâtif et inconsidéré des mots, se servant de ce qu'il y a en eux de plus superficiel, de plus squelettique et de moins saisissable, les prenant à leur minimum de représentations, tant impersonnelles que personnelles, tant obscures que distinctes, ce qui rend, sans préjudice du reste, son importance scientifique à peu près nulle. Au contraire la poésie commence au moment où l'on considère le mot dans l'infinité théorique de ses représentations, soit, dans l'exemple précédent, le concept irrationnel d'araignée comme agrégat de données empiriques. Il est clair que l'indépendance affective du concept vis-à-vis du mot qui le supporte est déterminée à la fois — par l'objet, c'est-à-dire par son potentiel de représentations ou d'excitations collectives (ainsi la psychanalyse et la gestalt-théorie révèlent dans des domaines différents l'existence de symboles et de formes attractives de valeur universelle), — par le sujet, c'est-à-dire par la systématisation consciente et inconsciente de ses souvenirs et tendances, d'un mot, par sa vie, — et

1. Il y aurait évidemment un énorme intérêt poétique à *isoler* ce résidu irrationnel. Mais pratiquement l'opération se révèle extrêmement délicate. Seul l'emploi simultané de méthodes différentes permettra par la comparaison des résultats d'arriver à quelque certitude. Malgré un certain manque de mise au point, les questionnaires surréalistes sont à considérer comme un premier moyen d'investigation.

enfin par leurs précédents rapports, c'est-à-dire par le « *décor* » des occasions où ils se sont déjà trouvés en présence : les toiles d'araignée détruites en avançant dans l'ombre, celles que faisait recueillir Héliogabale en énormes quantités avant la fin du jour, les pattes d'araignée dites faucheurs qui remuent longtemps sur une main ouverte, les ouvrages d'érudition sur les araignées, les araignées que les prisonniers apprivoisent dans leur cellule, les araignées et le somnambulisme, les araignées et les plats qu'il faut manger froids.

On aperçoit d'autre part que cette médiation du concept irrationnel où l'histoire complète de l'individu intervient justifie surabondamment le rôle fondamental que dans la poésie le surréalisme assigna à l'automatisme.

Enfin et surtout, l'opposition du poétique et du réel est devenue difficilement défendable. On peut à la rigueur admettre qu'une civilisation industrielle jette pour l'avantage de ses intérêts très particuliers un certain discrédit sur les manifestations de la réalité les moins immédiatement utilisables à son point de vue (le rêve et la folie par exemple) et qu'elle les range en conséquence dans des catégories comme celles de l'insolite ou de l'anormal, du moins dans la mesure où celles-ci n'impliquent qu'un jugement statistique ou commercial. Mais au moment où une déviation abusive a réussi à imposer généralement les concepts d'apparence et de subjectivité, c'est-à-dire à trier dans la réalité un certain nombre de ses manifestations et à les déclarer moins réelles que les autres pour l'unique raison qu'elles sont moins apparemment dépendantes du reste des représentations, qu'elles n'intéressent que la conscience individuelle ou, pour comble, qu'elles sont effet du hasard, suivant les cas hypocrite aveu d'ignorance ou commode fin de non-recevoir, il devient indispensable de dénoncer un tel arbitraire et d'affirmer une fois pour toutes que dans une philosophie qui ne fait pas de sort spécial à l'esprit les concepts d'apparence et de subjectivité ne peuvent avoir de sens.

Ceci dit, l'effort du surréalisme sera peut-être plus facilement situé : on a pu croire qu'il travaillait à déconsidérer la réalité, ou plus exactement à mettre en doute avec preuves à l'appui toute solidité objective. Cette proposition n'est exacte que dialectiquement, c'est-à-dire si l'on considère en même temps l'aspect antithétique de cet effort : accréditer tout ce que le pragmatisme industriel et rationnel avait tenté de retrancher de la réalité, sans jamais apercevoir l'absurdité prétentieuse d'une telle suppression. Le surréalisme peut donc prendre comme maxime de ses expériences le très évident aphorisme de Hegel : « Rien n'est plus réel que l'apparence en tant qu'apparence. » C'est aussi l'épigraphe de toute poésie, qui renonce à bénéficier de ses privilèges artistiques pour se présenter comme science. Elle est alors par principe violemment unilatérale dans le sens du merveilleux et de l'insolite et s'attache indépendamment de toute autre considération et par tous les moyens à faire la part de l'irrationnel dans l'objet et dans le concept, mais il n'est rien dont elle ne doive rendre compte après coup à la plus stricte des critiques méthodologiques.

Sur cette route, la présence d'esprit ailleurs si utile fait place à une mystérieuse *absence d'esprit*, et la prétendue et illusoire liberté d'esprit ailleurs si brillante à la *nécessité d'esprit* — qui pardonne moins et qui connaît mieux. La poésie n'a pas droit à l'autonomie.

Le Surréalisme au service de la Révolution, n° 5, 1933 (D. R.)

MAN RAY

L'âge de la lumière

Dans cet âge semblable à tous les âges, où le problème de la perpétuation d'une race ou d'une classe et la destruction de ses ennemis absorbe totalement une société civilisée, il semble mal venu et futile de créer des œuvres inspirées seulement de l'émotion et du désir de l'individu. Il semble qu'on ne puisse retourner aux occupations idylliques qu'après avoir mérité ce retour par une solution des problèmes plus vitaux. D'un autre côté l'incapacité d'une race ou d'une classe à s'améliorer n'a d'égale que son incapacité à profiter des erreurs passées et des exemples de l'histoire ; car tout progrès naît d'un désir intense dans l'individu vers un meilleur présent immédiat, remédiant à une insuffisance matérielle. Dans cet état d'exaltation, l'action s'impose et prend la forme révolutionnaire. Race, classe, comme la mode, perdent alors leur place tandis que l'émotion individuelle prend le sens universel. Peut-on en effet imaginer un rapprochement des êtres plus impératif que la découverte d'un désir commun ? Où trouver une meilleure source d'action que dans la confiance éveillée par une expression lyrique de ce désir ? Du premier geste de l'enfant montrant du doigt un objet et lui donnant un nom, mais avec quelle intense signification, à l'esprit développé créant une image qui nous émeut au plus profond de notre inconscient par son étrangeté et sa réalité, l'éveil d'un désir est toujours le premier pas vers la participation et l'expérience.

C'est dans un esprit d'expérience et non pas d'expérimentation que sont présentées les images autobiographiques qui suivent[1]. Saisies aux moments d'un détachement visuel, pendant des périodes de contact émotionnel, ces images sont les oxydations de résidus, fixés par la lumière et la chimie, des organismes vivants. Toute expression plastique n'est que le résidu d'une expérience. La reconnaissance d'une image qui, tragiquement, a survécu à une expérience, rappelant l'événement plus ou moins clairement, comme les cendres intactes d'un objet consumé par les flammes, la reconnaissance de cet objet si peu visible et si fragile et sa simple identification de la part du spectateur avec une expérience personnelle similaire, exclut toute possibilité de classification psychanalytique ou d'assimilation à un système décoratif arbitraire. Quant à la question de mérite et d'exécution, c'est l'affaire de ceux qui se dispensent d'atteindre même les frontières de telles expériences. Car soit qu'un peintre, pour intensifier l'idée qu'il veut exprimer, introduit des morceaux de chromos dans son travail manuel, soit qu'un autre, se servant directement de la lumière et de la chimie arrive à déformer le sujet au point de lui ôter presque toute ressemblance avec l'original en créant une forme nouvelle, ce viol des matériaux employés est une garantie des convictions de l'auteur. Un certain mépris pour le moyen physique d'exprimer une idée est indispensable pour la réaliser au mieux.

Chacun de nous, par sa timidité, ne peut aller au-delà d'une certaine limite sans être outragé. Celui qui, par une application sévère, a réussi, pour lui-même, à pousser plus loin cette limite, éveille nécessairement un sentiment d'antagonisme chez ceux qui, pour accepter des conventions admises par tout le monde,

1. Ce texte constituait la préface à un Album de photographies (N.D.E.).

ne montrent aucune initiative. Et cet antagonisme prend généralement la forme d'un ricanement insignifiant, d'une critique ou même d'une persécution. En tout cas cette outrance apparente est préférable aux habitudes monstrueuses excusées par l'étiquette et l'esthétisme.

Tout effort mû par le désir doit aussi s'appuyer sur une énergie automatique ou subconsciente qui aide à sa réalisation. De cette énergie, nous possédons des réserves illimitées ; il suffit de vouloir puiser en nous-mêmes en éliminant tout sentiment de retenue ou de convenance. De même que le savant qui, comme un simple prestidigitateur, manipule les nombreux phénomènes de la nature et profite de tous les soi-disant hasards ou lois, le créateur s'occupant de valeurs humaines, laisse filtrer les forces inconscientes colorées par sa propre personnalité qui n'est autre chose que le désir universel de l'homme et met en lumière des motifs et des instincts longtemps réprimés qui sont, après tout, une base de fraternité et de confiance. L'intensité du message n'inquiète qu'en raison du degré de liberté accordé à l'automatisme ou au subconscient. Tout changement aux modes de présentation obstinément ancrés, qui, sous une apparence d'artificiel et d'étrange, affirme le libre fonctionnement de cet automatisme doit être accueilli sans réserve.

Chaque jour, ouvertement, on nous fait des confidences ; notre œil peut s'entraîner à les comprendre sans préjugé ni contrainte.

Minotaure, n° 3-4, décembre 1933 (D. R.)

Parallèlement, se dégagent une esthétique du théâtre et une écriture dramatique, par la voix d'Antonin

Artaud, ou de Roger Vitrac ; chez les Belges, autour de Paul Nougé et d'André Souris une réflexion originale sur la musique (Conférence de Charleroi, 1929, qu'on peu lire dans Histoire de ne pas rire, *de Nougé), et, plus tard, une réflexion sur l'art et la science, par le peintre et savant Wolfgang Paalen, comme par le médecin Pierre Mabille. Car l'esthétique, mot d'ailleurs honni des surréalistes, mène finalement aussi chez eux à une réflexion épistémologique.*

ANTONIN ARTAUD

Le Théâtre de la cruauté

(Premier manifeste)

On ne peut continuer à prostituer l'idée de théâtre qui ne vaut que par une liaison magique, atroce, avec la réalité et avec le danger.

Posée de la sorte, la question du théâtre doit réveiller l'attention générale, étant sous-entendu que le théâtre par son côté physique, et parce qu'il exige *l'expression dans l'espace*, la seule réelle en fait, permet aux moyens magiques de l'art et de la parole de s'exercer organiquement et dans leur entier, comme des exorcismes renouvelés. De tout ceci, il ressort qu'on ne rendra pas au théâtre ses pouvoirs spécifiques d'action, avant de lui rendre son langage.

C'est-à-dire qu'au lieu d'en revenir à des textes considérés comme définitifs et comme sacrés, il importe avant tout de rompre l'assujettissement du théâtre au texte, et de retrouver la notion d'une sorte de langage unique à mi-chemin entre le geste et la pensée.

Ce langage, on ne peut le définir que par les possibilités de l'expression dynamique et dans l'espace opposées aux possibilités de l'expression par la parole dialoguée. Et ce que le théâtre peut encore arracher à la parole, ce sont ses possibilités d'expansion hors des mots, de développement dans l'espace, d'action dissociatrice et vibratoire sur la sensibilité. C'est ici qu'interviennent les intonations, la prononciation particulière d'un mot. C'est ici qu'intervient, en dehors du langage auditif des sons, le langage visuel des objets, des mouvements, des attitudes, des gestes, mais à condition qu'on prolonge leur sens, leur physionomie, leurs assemblages jusqu'aux signes, en faisant de ces signes une manière d'alphabet. Ayant pris conscience de ce langage dans l'espace, langage de sons, de cris, de lumières, d'onomatopées, le théâtre se doit de l'organiser en faisant avec les personnages et les objets de véritables hiéroglyphes, et en se servant de leur symbolisme et de leurs correspondances par rapport à tous les organes et sur tous les plans.

Il s'agit donc, pour le théâtre, de créer une métaphysique de la parole, du geste, de l'expression, en vue de l'arracher à son piétinement psychologique et humain. Mais tout ceci ne peut servir s'il n'y a derrière un tel effort une sorte de tentation métaphysique réelle, un appel à certaines idées inhabituelles, dont le destin est justement de ne pouvoir être limitées, ni même formellement dessinées. Ces idées qui touchent à la Création, au Devenir, au Chaos, et sont toutes d'ordre cosmique, fournissent une première notion d'un domaine dont le théâtre s'est totalement déshabitué. Elles peuvent créer une sorte d'équation passionnante entre l'Homme, la Société, la Nature et les Objets.

La question d'ailleurs ne se pose pas de faire venir sur la scène et directement des idées métaphysiques, mais de créer des sortes de tentations, d'appels d'air autour de ces idées. Et l'humour avec son anarchie, la poésie avec son symbolisme et ses images, donnent comme une première notion des moyens de canaliser la tentation de ces idées.

Il faut parler maintenant du côté uniquement matériel de ce langage. C'est-à-dire de toutes les façons et de tous les moyens qu'il a pour agir sur la sensibilité.

Il serait vain de dire qu'il fait appel à la musique, à la danse, à la pantomime, ou à la mimique. Il est évident qu'il utilise des mouvements, des harmonies, des rythmes, mais seulement au point où ils peuvent concourir à une sorte d'expression centrale, sans profit pour un art particulier. Ce qui ne veut pas dire non plus qu'il ne se serve pas des faits ordinaires, des passions ordinaires, mais comme d'un tremplin, de même que L'HUMOUR-DESTRUCTION, par le rire, peut servir à lui concilier les habitudes de la raison.

Mais avec un sens tout oriental de l'expression ce langage objectif et concret du théâtre sert à coincer, à enserrer des organes. Il court dans la sensibilité. Abandonnant les utilisations occidentales de la parole, il fait des mots des incantations. Il pousse la voix. Il utilise des vibrations et des qualités de voix. Il fait piétiner éperdument des rythmes. Il pilonne des sons. Il vise à exalter, à engourdir, à charmer, à arrêter la sensibilité. Il dégage le sens d'un lyrisme nouveau du geste, qui, par sa précipitation ou son amplitude dans l'air, finit par dépasser le lyrisme des mots. Il rompt enfin l'assujettissement intellectuel au langage, en donnant le sens d'une intellectualité nouvelle et plus profonde, qui se cache sous les gestes et sous les signes élevés à la dignité d'exorcismes particuliers.

Car tout ce magnétisme, et toute cette poésie, et ces moyens de charme directs ne seraient rien, s'ils ne devaient mettre physiquement l'esprit sur la voie de quelque chose, si le vrai théâtre ne pouvait nous donner le sens d'une création dont nous ne possédons qu'une face, mais dont l'achèvement est sur d'autres plans.

Et il importe peu que ces autres plans soient réellement conquis par l'esprit, c'est-à-dire par l'intelligence, c'est les diminuer et cela n'a pas d'intérêt, ni de sens. Ce qui importe, c'est que, par des moyens sûrs, la sensibilité soit mise en état de perception plus approfondie et plus fine, et c'est là l'objet de la magie et des rites, dont le théâtre n'est qu'un reflet.

TECHNIQUE

Il s'agit donc de faire du théâtre, au propre sens du mot, une fonction ; quelque chose d'aussi localisé et d'aussi précis que la circulation du sang dans les artères, ou le développement, chaotique en apparence, des images du rêve dans le cerveau, et ceci par un enchaînement efficace, une vraie mise en servage de l'attention.

Le théâtre ne pourra redevenir lui-même, c'est-à-dire constituer un moyen d'illusion vraie, qu'en fournissant au spectateur des précipités véridiques de rêves, où son goût du crime, ses obsessions érotiques, sa sauvagerie, ses chimères, son sens utopique de la vie et des choses, son cannibalisme même, se débondent, sur un plan non pas supposé et illusoire, mais intérieur.

En d'autres termes, le théâtre doit poursuivre, par tous les moyens, une remise en cause non seulement de tous les aspects du monde objectif et descriptif externe, mais du monde interne, c'est-à-dire de l'homme, considéré métaphysiquement. Ce n'est qu'ainsi, croyons-nous, qu'on pourra encore reparler au théâtre des droits de l'imagination. Ni l'Humour, ni la Poésie, ni l'Imagination, ne veulent rien dire, si par une destruction anarchique, productrice d'une prodigieuse volée de formes qui seront tout le spectacle, ils ne parviennent à remettre en cause organiquement l'homme, ses idées sur la réalité et sa place poétique dans la réalité.

Mais considérer le théâtre comme une fonction psychologique ou morale de seconde main, et croire que les rêves eux-mêmes ne sont qu'une fonction de remplacement, c'est diminuer la portée poétique profonde aussi bien des rêves que du théâtre. Si le théâtre comme les rêves est sanguinaire et inhumain, c'est, beaucoup plus loin que cela, pour manifester et ancrer inoubliablement en nous l'idée d'un conflit perpétuel et d'un spasme où la vie est tranchée à chaque minute, où tout dans la création s'élève et s'exerce contre notre état d'êtres constitués, c'est pour perpétuer d'une manière concrète et actuelle les idées métaphysiques de quelques Fables dont l'atrocité même et l'énergie suffisent à démontrer l'origine et la teneur en principes essentiels.

Ceci étant, on voit que, par sa proximité avec les principes qui lui transfusent poétiquement leur énergie, ce langage nu du théâtre, langage non virtuel, mais réel, doit permettre, par l'utilisation du magnétisme nerveux de l'homme, de transgresser les limites ordinaires de l'art et de la parole, pour réaliser activement, c'est-à-dire magiquement, *en termes vrais*, une sorte de création totale, où il ne reste plus à l'homme que de reprendre sa place entre le rêve et les événements.

« *Le Théâtre...* », *N.R.F.*, octobre 1932

Roger Vitrac, quant à lui, nous propose un « drame sans paroles », en un propos esthétique qui prend ses racines, à l'évidence, dans celui du théâtre symboliste.

ROGER VITRAC

Poison

(Drame sans paroles)

Premier tableau

Le fond de la scène est un vaste miroir. Dix personnages vêtus de blouses noires uniformes s'y mirent. Tout à coup ils font face au public, ils mettent la main droite en visière sur les yeux, se tâtent le pouls, consultent leurs montres, s'agenouillent, se relèvent et vont s'asseoir respectivement sur les dix chaises qu'on a disposées au premier plan. Une détonation fait voler le miroir en éclats, découvrant sur un mur blanc l'ombre d'une femme nue qui tient toute la hauteur du théâtre et qui va en diminuant graduellement jusqu'au moment où elle atteint la taille normale. Il semble que la femme ait choisi ce moment pour se révéler. Elle apparaît alors, issue du mur même en une statue de plâtre. Elle se dirige vers le premier des dix personnages qui lui donne une paire de gants rouges qu'elle chausse sur-le-champ. Elle quitte le premier pour le deuxième qui lui donne un bâton de raisin dont elle se farde les lèvres. Le troisième lui fait don de lunettes noires. Le quatrième d'une fourrure. Le cinquième de postiches bleus. Le sixième de bas de soie blanche. Le septième d'un voile de crêpe dont elle se fait une traîne. Le huitième d'un revolver. Le neuvième d'un enfant. Le dixième se déshabille, et la poursuit avec un marteau.

2ᵉ tableau

La scène représente une chambre dont le plancher est recouvert de débris de plâtre. Du pot à eau, sur la toilette, jaillit une gerbe noire de liquide. Les draps du lit trahissent une forme énorme. On entend la sonnerie d'un réveille-matin. La porte s'ouvre et une tête de cheval apparaît. Elle se balance un moment et le lit se découvre mystérieusement. Il en sort une fumée abondante qui obscurcit momentanément la chambre. Lorsqu'elle s'est dissipée, on peut voir une chevelure qui tombe du plafond sur un diamant d'une grosseur démesurée, apparu sur le lit. Un personnage traverse la scène en se frottant les mains et se dirige vers l'armoire à glace, devant laquelle il s'arrête un instant. Il lève les bras au ciel en ouvrant la bouche, puis s'assied devant une table. Il agite une sonnette, aussitôt une femme couverte d'une robe de perles lui apporte, sur un plateau, un petit déjeuner. Il attend qu'elle soit sortie pour peindre sur la glace de l'armoire sa propre silhouette. À peine a-t-il terminé que l'armoire s'ouvre et que la femme à la robe de perles lui saute dans les bras. Il la renverse sur une chaise et la baise longuement sur la bouche. Mais de l'armoire restée ouverte surgissent douze soldats et un officier qui les mettent en joue l'un et l'autre.

3ᵉ tableau

La scène représente un poème écrit :

Entre l'amour et l'orthographe
Il y a plume pour penser
Au cri
Le sang fait le tour de la place
Homme debout avec l'été
Liberté, liberté des terres
Perdue ah ! le... la vache

Avec des souliers de velours
Pointe du scalp et de la reine
Moins la tortue avec amour

Signé :

Hector de JÉSUS

Un projecteur éclaire le poème sur lequel se superposent des ombres chinoises faites à la main. Ce sont : un chat, une vieille, un jockey, un bilboquet, une raquette, un masque, un palmier, une bottine, un cœur.

4e tableau

La scène représente une étoffe de soie froissée. Au lever du rideau on entend un bruit de verres qui se brisent. Des vapeurs colorées différemment flottent au-dessus. Un jeune homme et une jeune fille, le premier vêtu d'un costume marin, la seconde d'une robe de laine blanche, apportent au milieu de la scène un fauteuil où vient s'asseoir un violoniste. Ce dernier se met à jouer une romance populaire. Il en a à peine exécuté les premières mesures que l'étoffe de soie s'anime de mouvements confus. On entend le son des trompes de pompiers et l'étoffe se déchire laissant apparaître des pieds, des mains, des têtes et autres parties du corps. Un homme et une femme suivis d'un petit chien et s'abritant sous des parapluies, traversent la scène. Le violoniste effrayé est maintenant debout sur son fauteuil. On entend des acclamations, il salue à droite, à gauche, et tombe en arrière dans les bras du jeune homme et de la jeune fille qui l'emportent.

5e tableau

La scène est vide. Un personnage à l'allure de peintre vient faire des taches de couleur sur les murs. Deux amoureux, pendant qu'il travaille, apportent un banc de jardin et s'y installent. L'amant est en chemise, l'amante est enveloppée dans un drap. Soudain l'amant fait le signe du cercle, le peintre le regarde et éventre le mur du fond. Il plonge son bras dans le trou béant et en retire un câble qu'il déroule. Il semble qu'au bout de ce câble se trouve un objet léger, mais le mur s'effondre et un paquebot s'avance sur la scène. Une lampe électrique placée à la pointe fait des signaux de détresse.

6e tableau

La scène représente une cuisine. Une femme surveille le fourneau. Entre un homme vêtu d'un complet-veston il a le visage ensanglanté. La femme lui offre un bol de bouillon. Il le boit d'un trait, puis ouvre la fenêtre. Il désigne du doigt un point dans la rue. On entend des sanglots et des plaintes. Des enfants font irruption et viennent se jeter à ses pieds. Il leur donne à chacun une petite tape amicale, et les reconduit à la porte. La mère, sans doute, apparaît alors en peignoir. Elle semble parler naturellement. L'homme la contemple et l'invite à regarder dans la rue. La porte du buffet s'ouvre et plusieurs centaines d'oranges roulent sur le parquet. Les trois personnages perdent l'équilibre et tombent.

7e, 8e, 9e, 10e, 11e tableaux

La scène représente une gare, un bureau, une cheminée, un livre, un tableau, devant lesquels se tiennent un homme, puis une femme, puis un homme, puis une femme, puis un homme portant respectivement des pancartes où sont inscrits les numéros 7, 8, 9, 10, 11.

12e tableau

La scène représente une bouche qui fait le simulacre de parler.

Littérature, n° 8, nouvelle série, janvier 1923

PIERRE MABILLE

Le miroir du merveilleux

[Dans le] cercle magique où Lewis Carroll aurait aimé entraîner Alice, il lui aurait révélé [...] le jeu des équations par lesquelles elle eût pénétré plus aisément que par le terrier du lapin blanc dans le royaume enchanté.

Hélas ! les professeurs qui, au lycée, nous enseignaient l'optique, ne ressemblaient guère à Lewis Carroll. Ils exposaient consciencieusement cette branche de la physique comme une science particulière ayant sa discipline et ses applications pratiques. L'idée que la science est un langage, un mode d'exploration, au même titre que la poésie et les arts, et que, par ces voies différentes, on tend vers un mystère unique, ne paraissait pas les troubler. Par contre, l'élève que j'étais en avait le sentiment le plus net. Je comprenais déjà qu'il suffit de remplacer les notations scientifiques pour que les mêmes schémas représentent les démarches les plus diverses de la pensée. La valeur universelle de la géométrie, sa signification, à la fois intérieure pour l'esprit et extérieure dans la réalité, s'imposaient à moi. Toutes les possibilités de constructions métaphysiques sont dans ces figures simples ; et là résident le danger et la tentation. Les tracés qui sont si utiles pour résoudre des problèmes pratiques sont des pièges. On peut y intervertir à volonté l'objet réel et l'image virtuelle. Cette liberté n'est pas particulière à l'optique, elle règne dans tout le monde abstrait des mathématiques, elle aboutit au jeu de l'intelligence : au jeu d'Alice.

En dehors des conditions que l'esprit s'impose à lui-même, rien n'identifie les points du cercle, les sommets du triangle, le sens d'un mouvement ; dans l'expérience du monde, au contraire, toute indétermination disparaît, rien n'est réversible, les choses ont une situation, une fonction et une direction qui leur sont propres. L'esprit est saisi de vertige s'il vient à croire que ce n'est pas l'homme qui s'approche de la table mais celle-ci qui vient à lui ; que ce sont les objets qui font briller la lampe et non elle qui les éclaire ; ces exemples qui paraissent grossiers et caricaturaux ne sont pas éloignés des questions que pose la métaphysique ? C'est bien de métaphysique qu'il s'agit, en optique ; si l'on songe que les mêmes tracés représentent aussi bien le trajet d'un rayon lumineux apportant à l'œil l'énergie extérieure du monde que le parcours du regard issu de nous et allant se projeter dans l'espace. Les circonstances ordinaires de la vie tendue vers l'action pratique ne soulèvent pas ces discussions, par contre elles deviennent primordiales dès que surgit un phénomène inhabituel.

Parfois, sur le miroir, des images apparaissent qu'aucun objet extérieur n'explique ; leur perception peut être spontanée, coïncider avec un état d'émotion intense ou succéder à quelque cérémonie d'invocation.

Qu'êtes-vous, formes étranges où les traits humains deviennent tragiques ou burlesques et se mêlent à des profils animaux ; visions d'absents qui, à la même heure, se meuvent, quelque part, très loin ; silhouettes émouvantes d'êtres disparus ? Puissance de l'imagination ? Vertus particulières d'un miroir ? Ou encore reflets de l'existence réelle d'anges, de démons, de spectres ou de doubles peuplant l'espace de présences invisibles.

[...]

Pour moi comme pour les réalistes du Moyen Âge, aucune différence fondamentale n'existe entre les éléments de la pensée et les phénomènes du monde, entre le visible et le compréhensible, entre le perceptible et l'imaginable.

Dès lors, *le merveilleux est partout*. Compris dans les choses, il apparaît dès que l'on parvient à pénétrer n'importe quel objet. Le plus humble, à lui seul, soulève tous les problèmes. Sa forme, témoignage de sa structure personnelle, résulte des transformations qui se sont opérées depuis l'origine du monde, elle contient en germe les innombrables possibilités que l'avenir se chargera de réaliser.

Le merveilleux est encore entre les choses, entre les êtres, dans cet espace où nos sens ne perçoivent rien directement mais qu'emplissent des énergies, des ondes, des forces sans cesse en mouvement, où s'élaborent des équilibres éphémères, où se préparent toutes les transformations. Bien loin d'être des unités indépendantes, isolées, les objets participent à des compositions, vastes assemblages fragiles ou constructions solides, réalités dont nos yeux ne perçoivent que des fragments mais dont l'esprit conçoit la totalité.

Connaître la structure du monde extérieur, déceler le jeu des forces, suivre les mouvements de l'énergie, ce programme est celui des sciences exactes. Il semblerait donc que celles-ci devraient être les clefs véritables du merveilleux. Si elles ne le sont pas davantage, c'est qu'elles n'intéressent pas la totalité de l'homme. Leurs disciplines sévères excluent l'émotion sensible. Elles rejettent les facteurs individuels de connaissance au profit d'une investigation impersonnelle et mécanique.

[...]

Un tel morcellement, une telle volonté analytique cesseront. Bientôt, grâce à une vaste synthèse, l'homme établira son autorité sur les connaissances qu'il a acquises. La science sera une clef du monde dès qu'elle sera susceptible d'exprimer les mécanismes de l'Univers dans une langue accessible à l'émotion collective. Cette langue constituera la poésie nouvelle lyrique et collective, poésie dégagée enfin des frissonnements, des jeux illusoires, des images désuètes.

La conscience cessera alors d'enfermer les élans de la vie dans un corset de fer ; elle sera au service du désir ; la raison, dépassant le plan sordide du bon sens et de la logique où elle se traîne aujourd'hui, rejoindra à l'étage des transcendances les grandes possibilités de l'imagination et du Rêve.

Le Miroir du Merveilleux, 1940

WOLFGANG PAALEN

Le grand malentendu

Art et Science

La controverse qui opposa, il y a plus d'un siècle, le poète au savant, ne fut liquidée qu'en apparence ;

au fait elle continue à révéler un des majeurs conflits de notre civilisation. Il s'agit de la controverse Goethe-Newton à propos de l'Optique de Newton. Ce qui frappe immédiatement c'est le mépris agressif du poète, sa colère en apparence bien incongrue au sujet. Goethe contre Newton : il faut tenir pour un singe celui qui veut diviser en couleurs la lumière ; ne sont que nouveaux obscurantistes, sinon malhonnêtes ceux qui prétendent composer de lumières colorées la lumière éternellement pure. Le poète, à tout propos et hors de propos, cherche à discréditer l'optique newtonienne avec une telle véhémence qu'il appert clairement que son indignation vise quelque chose de bien plus fondamental que les problèmes optiques discutés dans sa « Farbenlehre » (Traité sur les couleurs). Ici il n'y a pas lieu d'entrer en détail dans une querelle que la science a liquidée depuis longtemps en faveur de Newton. Schopenhauer, qui essaya vainement de défendre la théorie du poète, touche le point essentiel quand il reproche à Newton d'interpréter comme *quantité* ce qui est *qualité*. Mais dans l'ensemble, le philosophe idéaliste « résout » la question par cette confusion entre qualité et quantité restée caractéristique pour la pensée métaphysique aussi bien idéaliste que matérialiste. Goethe voyait plus juste en affirmant que qualité et quantité doivent être tenues pour les deux pôles de l'existence perceptible. Mais il faut ajouter que le poète n'admet cette polarité que théoriquement et avec de telles restrictions qu'elle ne permet pas d'enquête scientifique. Pratiquement en proclamant que la physique doit considérer la lumière comme entité suprême et indivisible il en exclut l'interprétation quantitative. Comme par ailleurs il ne permet que la compréhension qualitative de l'univers et proteste contre les procédés inquisitoriaux de la nouvelle physique qui veut forcer les secrets de la nature par « leviers et tenailles ». Et parce qu'il refuse de considérer la lumière autrement que comme totalité qualitative, ses essais optiques ne pouvaient progresser.

À l'encontre de Goethe, Newton dans cette interprétation mécaniste de l'univers qui devint le credo scientifique pour deux siècles, *pratiquement* ne reconnaît que l'interprétation quantitative de la réalité. Cet intérêt exclusif dans les relations quantitatives est resté si dominant dans la physique moderne que Bertrand Russell a pu dire qu'il serait possible à un homme aveugle de connaître toute notre physique. Sans souscrire à cette affirmation, il est indéniable qu'un savant aveugle pourrait en connaître assez pour influencer la théorie et la pratique de ceux qui voient. Car la réduction de la connaissance à des formules quantitatives a permis une telle *capitalisation* du savoir que l'activité d'un savant privé de vue pourrait s'exercer même dans ce qui par excellence constitue le domaine du visible. Ainsi il ne serait nullement impossible pour un aveugle de s'occuper d'optique et de découvrir, par exemple, d'inconnues interactivités de couleurs. Comme de toute façon la sensibilité de notre rétine, sur la carte du spectre électromagnétique, n'embrasse que cette mince bande équatoriale appelée « spectre visible », le professeur aveugle pourrait se servir d'appareils analogues à ceux qui enregistrent automatiquement des différences de couleurs qui échappent à notre œil. De plus : par analogie avec ses sensations tactiles, auditives, olfactives il lui serait possible de parvenir même à une certaine compréhension psychologique du monde des couleurs. Il y a l'objection : l'aveugle ne saurait, de toute façon, que désigner les couleurs sans les connaître, ne sachant que les manier dans un ordre numérique par l'échelle des longueurs d'ondes correspondantes — bref, il ne connaîtrait que noms et chiffres et non pas couleurs ; et même si par analogie il en obtenait une notion psychologique, le subtil aveugle, aussi subtil qu'il soit, en ignorerait toujours l'essentiel, la qualité. Russell lui-même ne dit-il pas par ailleurs qu'on ne peut, en fin de compte, faire comprendre le mot *rouge* qu'en pointant sur quelque chose de rouge ? Cette objection, pourtant, n'est pas conclusive. Car puisque l'aveugle pourrait connaître assez d'optique pour influencer la pratique des voyants, il est indéniable qu'il en connaîtrait quelque chose d'important. Et le fait que ni un ni d'innombrables aveugles n'auraient pu créer notre physique et son optique, n'exclut nullement qu'ils puissent se servir de connaissances accumulées tirées d'expériences qu'eux-mêmes n'auraient pu faire. En élargissant l'exemple, il n'est, hélas, que trop manifeste que notre monde est dominé par toutes sortes d'*aveugles* qui se servent avec une dextérité funeste de très puissants outils qu'eux-mêmes auraient été incapables de créer. Ainsi il ne faut être ni chimiste ni mathématicien pour lancer des bombes — et c'est probablement pourquoi notre civilisation ressemble tellement à un géant aveugle.

C'est parce que la coordination quantitative met les choses dans l'ordre le plus facilement maniable et par conséquent le plus apte à l'activité collective, que cette coordination s'est avérée si féconde en résultats pratiques. Les machines sont ses enfants — et si on ne se contente pas d'expliquer de grands changements historiques par l'immaculée conception dialectique, il est facile de voir que pour une culture qui ne considère comme réel que ce qui peut être exprimé en chiffres, le capitalisme est l'expression économique adéquate. Car le capitalisme est l'expression des relations de puissance en forme purement quantitative. En ce sens, Sombart a très bien compris que la comptabilité en partie double est née du même esprit que les systèmes de Galilée et de Newton, et qu'elle repose « sur l'idée accomplie dans toutes ses conséquences de saisir toutes les choses uniquement en tant que quantités ». C'est dans le capitalisme qu'une omniprésente *tendance quantitative* trouve sa forme la plus répugnante et la plus néfaste. Néanmoins, les doctrines matérialistes, dans la mesure où elles soutiennent que tout le mal ne vient que du malajustement quantitatif, que le développement industriel mène automatiquement vers des solutions meilleures, prouvent seulement qu'elles partagent avec les défenseurs du capitalisme le préjugé caractéristique de cette civilisation. Affirmer qu'une chose est nécessaire du fait qu'elle existe, peut être rassurant mais n'ajoute rien à la compréhension. Seule une vanité bien naïve prend succession pour progrès et conclut à la supériorité inévitable du dernier venu.

D'autres cultures que nous ne pouvons d'aucun droit tenir pour inférieures à la nôtre s'occupèrent essentiellement de qualité. Dans l'ancienne Grèce, par exemple, cette tendance s'exprime du fait que les mathématiques grecques peuvent être dérivées entièrement de nombres naturels. Ne dissociant pas entre *formes* et *nombres*, les Grecs ne savaient inventer le grand symbole qui est le nombril de l'algèbre : le Zéro — inventé aussi bien par l'Inde ancienne que par les Mayas. Encore Aristote ne considère les relations quantitatives que comme « accidentelles ». Et cette tendance à ne pas abandonner l'idée de totalités qualitatives qui fit l'unité de l'univers grec n'est certainement pas tout à fait inconsciente, pas plus que la sourde résistance de Goethe contre le développement *irrationnel* des mathématiques de son époque. Dans la mesure où il continue Platon, Kant également participe à cette résistance et son disciple Schiller, dans un poème célèbre, fait périr le plongeur audacieux qui a vu le chaos abyssal interdit aux yeux humains — exactement comme un mythe grec fait périr celui qui dévoila l'amorphe, « car ce qui est l'Indicible et l'Inimaginable à jamais doit rester caché ». Autrement dit, pour eux, l'homme ne doit vouloir saisir ce qui ne peut être exprimé en termes de qualités humaines.

Ceci peut paraître en contradiction avec l'anticipation de la théorie atomique par Démocrite. Car en disant que : « doux est doux, amer est amer, froid est froid seulement par convention », Démocrite semble anticiper Galilée pour lequel ces perceptions qualitatives ne sont que des « noms ». Mais pour la Grèce cette théorie restait une trouvaille philosophique : pratiquement la science antique ne mesure pas mais classifie des entités qualitatives. Tandis que la science moderne naît précisément des expériences de Galilée qui commence à établir des « lois » universelles basées sur le mesurable. L'objection que la physique ne doit pas être considérée comme la seule science, que nous en avons d'autres pas uniquement occupées de quantité, ne touche pas l'essentiel. D'abord parce que c'est la physique qui a engendré la technique qui domine notre monde — et ensuite parce que c'est elle qui a su développer la méthode d'investigation la plus féconde, la méthode d'« enquête contrôlée ».

Mais la vie ne consiste pas en abstractions — et pour une intelligence non inclinée à l'ascétisme savant il est insupportable de vivre dans un état de *cécité émotionnelle*, dans le désert d'une réalité quantitative. Newton s'était tiré d'affaire avec un Dieu-mécanicien en chef qui une fois pour toutes avait remonté la machine universelle — depuis performant à l'infini son « unimaginative push-and-pull business ». Pour ceux qui demandaient mieux, il fallait retrouver les qualités. Mais où ? Pauvres qualités ! Mises au ban de la réalité scientifique, un premier contingent avait été refoulé au purgatoire métaphysique sous la vague désignation de « qualités secondaires » : secondaires ou non, elles eurent au moins la satisfaction de voir petit à petit les autres venir les rejoindre. Car la physique, incapable de retenir à la longue même théoriquement (pratiquement elle ne l'avait jamais pu) plusieurs sortes de qualités, a fini par les abandonner à peu près toutes. C'est la philosophie qui les adopta. Mais elle les traita en marâtre. Car la philosophie, jusqu'à nos jours, pour ses exercices ventriloques, se servait d'une poupée métaphysique rembourrée avec les sous-produits des mathématiques et physiques en cours. Et comme ces sciences ne savaient que faire des qualités, force fut à la philosophie de les exclure à son tour de sa *réalité nouménale* — elle les poussa, pour ainsi dire, d'une irréalité dans l'autre. En plus, la pensée métaphysique, malheureusement, est restée fidèle à la méthode théologique, qui consiste à expliquer une inconnue par deux inconnues. C'est peut-être parce qu'elle émergea avec Thomas d'Aquin du déluge théologique comme premier îlot de la raison, que la métaphysique s'arroge un droit d'exterritorialité. Au fait, quand elle ne sait pas situer une chose dans la réalité, elle ajoute une pièce de rallonge, une réalité-postiche. Pièces de rallonge : le sur-naturel pour une trop petite nature, le sur-rationnel pour une raison trop maigre, une liberté à fond double, une morale extra-morale et partisane pour les bien-pensants à l'intérieur de l'« isme » consacré — bref, si on ne sait pas définir une chose on en fait deux. C'est commode, mais cela ne mène pas très loin. Qu'une pensée vraiment profonde n'échappe pas au dualisme inhérent à la nécessité d'admettre certains *a priori* et axiomes intellectuels, est une affirmation qui prouve seulement que la question a été faussement posée. Car selon l'excellente remarque de Ratner, « les termes sont eux-mêmes des conséquences, non pas des causes originelles ou métaphysiquement primitives parce que tout schéma d'idées est déjà une interprétation d'expérience — de l'expérience dont ce schéma d'idées est la conséquence formulée ». Mais la confusion devint seulement totale, quand une pseudo-science, dite dialectique, prétendit réconcilier les nécessités de la vie avec les exigences de la connaissance. Inutile de revenir sur ce sujet[1] ; ici il suffit de dire que même si le miraculeux mécanisme dialectique de la transformation des opposites avait jamais pu fonctionner ailleurs que dans la tête de son inventeur, la quantité néanmoins jamais ne pouvait devenir qualité. Pour la très simple raison que quantité et qualité ne peuvent aucunement être définies comme « contraires », comme « opposites ». Car la quantité présuppose la qualité. Par ailleurs sa constante confusion entre *succession* et *cause* amena la métaphysique matérialiste à l'ineptie de traiter science et art comme « superstructures ». Pourtant, le non-sens est tellement flagrant : on n'aurait pas idée de dire que l'amour est une superstructure parce qu'il faut être nourri avant de procréer et parce que, pour l'*individu* il est plus indispensable de manger que de faire l'amour — puisque pour l'humanité l'amour est aussi indispensable que la nourriture. Et ce n'est nullement le distinctif de la science et de l'art de présupposer la satisfaction de certains besoins primordiaux — parce que l'homme, à proprement parler, ne commence qu'après la satisfaction des plus impérieuses nécessités animales. Ce qui n'empêche qu'il puisse être momentanément plus

1. Voir l'Enquête sur le Matérialisme dialectique, *Dyn*, n° 3.

urgent de défendre sa vie que de faire l'amour, mais sans amour il n'y aurait pas de vie à défendre. Ainsi en voyant où en est une civilisation qui a cru pouvoir se moquer de valeurs qualitatives, rien ne permet plus d'affirmer que l'activité artistique soit moins importante dans l'ensemble de l'existence que telle activité militante en vue d'un but déterminé.

Car c'est à l'art qu'appartient le domaine de la qualité. Éliminée sommairement par ailleurs, la qualité n'a jamais cessé de régner dans l'immense étendue interdite au nombre, dans l'étendue où l'apparence ne trompe pas. Il est vrai que depuis Goethe les poètes ont perdu toute voix au chapitre. Mais comme aucun être vivant ne peut se tenir pour quitte avec la constatation que la lumière n'est qu'un nombre de vibrations, il est grand temps de comprendre que le poète dit aussi *vrai* que le savant en proclamant que la lumière appartient à la vision. Et que nous sommes bien au-dessous du XVIIIe siècle dans la mesure où nous croyons connaître tout ce qu'il faut d'une chose par une formule scientifique. Au fait, le public (et la plupart des savants) aujourd'hui *croient* aussi superstitieusement dans la science comme hier on croyait dans la sorcellerie. Et on ne saurait prétendre que cette superstition vaut mieux qu'une autre parce que les résultats pratiques de la science sont bénéfiques en eux-mêmes — ils ne le seront guère aussi longtemps que pour une façon de guérir nous apprenons cent façons de tuer, aussi longtemps que la domination des forces de la nature au lieu d'humaniser la vie bestialise l'homme. C'est pourquoi il ne s'agit pas d'une théorique réhabilitation de l'art, mais d'un problème vital. Car autant que subsistera la terrible frustration émotionnelle consacrée par la science, la voie restera ouverte aux charlatanismes qui promettent les indispensables satisfactions émotionnelles. Ceux qui refusent de ramper dans l'ombre d'églises pourries ne deviennent que trop facilement la proie de mysticismes totalitaires.

Mais — et c'est ici où il y a le grand malentendu — le poète de son côté a tort s'il ne veut admettre que la qualité émotionnelle des choses, et s'il la met en fausse opposition contre l'étude de leur fonctionnement. Il a toujours raison tant qu'il parle en *poète*. Alors le soleil *est* au-dessus de sa tête et il peut en faire un dieu ou une bille si tel est son bon plaisir. Mais dès que cesse l'inspiration, cet état de somnambule infaillibilité par lequel le poète appartient à tous et n'agit pas comme individu mais comme un sens de l'humanité — il doit se méfier de lui-même. Il doit alors savoir de quoi il parle ou se taire. Sinon, le poète, ne parlant plus au nom du mystère risque d'agir en mystagogue[1] qui ouvre la porte à l'obscurantisme. La discussion sur la nécessité de créer des mythes est vaine. De nouveaux mythes se formeront de toute façon, qu'on le veuille ou non. Au poète d'en libérer les forces créatrices, à lui de les dynamiser quand ils se fossilisent en églises.

Autant que la science pour coordonner ses données doit être normative, l'art pour émouvoir doit singulariser — et ne peut être qu'individualiste dans la mesure où chaque expérience directe est singulière. Pour cela aucune *œuvre d'art* ne peut être universelle comme une formule scientifique — mais l'art est universel en tant qu'expression primordiale. Lui seul peut donner l'*équation dynamique* d'expériences directes en termes de valeurs humaines. Le poète n'observe pas, il perçoit. À l'encontre de l'observation qui compare et mesure, la perception enregistre en proportion de la valeur affective et ainsi

1. J'emploie mystagogue en analogie à démagogue.

organise rythmiquement ou l'observation coordonne systématiquement. C'est pour cela que tous les enfants ont du talent jusqu'à ce qu'ils apprennent à dessiner en perspective ; c'est-à-dire jusqu'à ce que le rythme de l'expression spontanée est détruit par le souci de conventions normatives.

Ceci n'exclut nullement de l'art toute préoccupation de mesure. Comme le fait que l'une ne puisse pas se transformer dans l'autre n'exclut pas des rapports entre qualité et quantité — et comme la différence fondamentale de leurs procédés n'empêche pas que la science présente des aspects esthétiques et que l'art peut constituer un problème pour la science. Mais cette fondamentale différence dans les moyens et buts immédiats fait qu'il est aussi impossible pour le savant d'œuvrer en artiste que pour l'art d'être scientifique. C'est pourquoi tout souci de calcul dans l'art, dès qu'il prétend être plus qu'un principe purement régulatif dans l'exécution de l'œuvre, dès qu'il veut être un principe constitutif dans sa création, ne mène qu'à un formalisme académique. Peu importe si c'est un académisme naturaliste ou abstrait. Pour cela, l'abstractivisme, qui par ailleurs a tant fait pour libérer l'expression, n'a mené qu'à des exercices stériles dans la mesure où il essayait de s'astreindre à des normes scientifiques et à des abstractions philosophiques. « La beauté absolue se trouve seulement dans les figures géométriques, dans les couleurs pures », on croit entendre Mondrian, mais c'est du Platon. Mais n'est-il pas paradoxal que ce fût l'esthétique de la Grèce classique qui devint le parangon de tout académisme — de tout ce qui au lieu de découverte infinie cherche la certitude dans la mesure ? Paradoxal parce que l'académisme cherche à introduire des notions quantitatives dans l'art — tandis que la pensée grecque était si essentiellement préoccupée de qualité ? Le paradoxe est facile à résoudre. C'est précisément parce que la science grecque ne traitait que d'unités qualitatives qu'en Grèce l'art pouvait être rattaché à une géométrie plastiquement imaginable, tandis qu'il est incompatible avec une science amorphement quantitative.

Du côté opposé, le surréalisme fait fausse route quand il veut poétiser la science, ce qui ne peut mener qu'au mysticisme. Il faut que savant et poète finissent par se comprendre — que chacun cesse d'abord de croire tenir la vérité à bail. Le discernement entre qualité et quantité ne partage pas la réalité en deux, c'est une nécessité instrumentale — au moins jusqu'à *nouvel ordre*. La réalité est une et indivisible. Car ce mot perd tout sens s'il ne doit pas désigner à la fois être et devenir. Seulement en faisant usage d'abstractions creuses telles que « l'absolu » ou le « néant », cette réalité cesse d'être *nôtre*. Et c'est précisément parce que nous sommes toujours et partout *dans* la réalité et non pas *face à elle* que nos aspirations humaines sont valables comme telles et n'ont besoin d'aucune justification de finalité cosmique. Ce qui importe, et décisivement, c'est de bien comprendre et de bien développer nos moyens spécifiquement humains.

La crise capitale que la science traverse en ce moment permet peut-être de prédire un nouvel ordre où elle cessera de prétendre à une vérité plus absolue que celle de la poésie. Où elle s'apercevra que c'est la valeur de l'art qui est complémentaire à la sienne, au lieu de prendre des faux-fuyants dans la métaphysique quand sa physique lui devient trop étroite. « Nous ne pouvons jamais dire ce qui réellement *est* ou ce qui réellement *arrive*, mais seulement ce qui est *observable* dans chaque cas concret », ainsi conclut Schroedinger qui ose entrevoir les implications philosophiques de ses découvertes (italiques dans le texte). Par ailleurs, quand elle veut se comprendre philosophiquement elle-même, la science ressemble parfois un peu trop à un serpent qui essaye d'avaler sa propre queue sans bien comprendre ce qui lui obstrue la gorge. La nouvelle Physique des Quanta est forcée d'abandonner le déterminisme rigoureux jusqu'ici tenu pour la base même de la physique, forcée de reconnaître qu'il est impossible de savoir exactement et simultanément « la position et la vélocité », d'admettre qu'en microphysique on « ne peut plus faire une distinction nette entre le phénomène qu'on observe ou mesure et la méthode d'observation et mesurement ». Si, autrement dit, la distinction parfaite entre instrument et matière d'expérience au suprême degré de précision devient incertaine, n'est-il pas permis de conclure que la physique abandonne la prétention à une satisfaisante interprétation purement quantitative ? Quelques grands physiciens comparent les difficultés de la physique microscopique avec celle de l'introspection en psychologie. Et la nouvelle réponse à la question : « Est-ce que des couleurs existent dans la lumière blanche avant qu'elle passe à travers le prisme qui est destiné à la décomposer ? » — cette réponse semble à distance égale des idées de Goethe et de Newton. Car la nouvelle physique répond qu'elles existent « mais seulement comme une possibilité existe avant l'événement qui nous dira si cette possibilité a été effectivement réalisée[1] ». Comme une possibilité. Est-ce à dire que la nouvelle physique ose abandonner la certitude pour la potentialité ? Comme une possibilité. Et devant la preuve matérielle qu'entre réalité intérieure et extérieure il n'y a pas séparation mais seulement une précaire démarcation idéelle : n'est-il pas permis d'ajouter que ce qui est pensable est possible ?

Dyn, n° 3, Mexico, 1944 (D.R.)

1. Louis de Broglie, *Matière et Lumière*, p. 272.

III

Hasard objectif, nécessité du mythe, humour noir

L'esthétique confrontée à « la vie ». C'est d'une réflexion sur les « pétrifiantes coïncidences » et sur leur accompagnement par le langage humain que procède l'invention du « hasard objectif ». Le terme n'est avancé — et c'est par André Breton — que dans les années 30, alors que le récit de Nadja *permettait déjà d'en repérer les traces. Le livre titré plus tard* L'Amour fou *en donne une illustration très éclatante, comme si la rencontre en 1934 de la seconde femme d'André Breton, Jacqueline, avait été préparée, désignée, formulée par les mots du poème « Tournesol » écrit en 1923. Entre-temps, les surréalistes avec Breton s'interrogent de façon subtile sur ces effets de « causalité retorse »* (Les Vases communicants) *qu'entretiennent dans certaines situations troublantes les mots et les événements. Zdenko Reich, par exemple, mène une belle méditation sur la causalité à propos... de la métaphore. Paul Nougé médite sur le passage de la métaphore à la métamorphose des formes. Pierre Mabille pousse de son côté cette interrogation vers la croyance, lorsqu'il nous raconte les circonstances de la mutilation spectaculaire dont a été victime le peintre Victor Brauner, lui qui ne cessait depuis des années de peindre des toiles montrant des peintres borgnes ou éborgnés. Ce faisant, n'en a-t-il pas perverti le sens, qui est d'abord interrogation sur l'herméneutique, et sur le rôle majeur du* langage *humain dans la survenue de « l'événement » pour l'homme ? C'est ma position. Il reste cependant dans le surréalisme et ses alentours une interrogation enchantée sur la rencontre amoureuse qui, de « l'Esprit nouveau » en 1922 jusqu'à « Madeleine qui veillait » (René Char en 1948), s'émerveille du quotidien.*

ANDRÉ BRETON

La nuit du tournesol

Je dis qu'il n'est rien de ce poème de 1923 qui n'ait été annonciateur de ce qui devait se passer de plus important pour moi en 1934. Resterait-il un doute touchant seulement la nécessité future de la dédicace du poème que ce doute, comme on va voir, s'évanouirait. Moins de deux mois après ce que j'ai appelé « la nuit du tournesol » — c'était exactement le 23 juillet au matin — je m'étais longuement entretenu avec René Char et Paul Éluard des bouleversantes concordances dont il vient de s'agir, puis je les avais quittés pour aller déjeuner au restaurant. Le restaurant le plus proche n'était autre que celui dont j'ai parlé à la fin du premier chapitre de ce livre à propos d'un dialogue à grande ramification poétique que j'y avais surpris le 10 avril. Je n'avais fait encore que quelques pas pour m'y rendre quand je me ravisai par crainte de me trouver trop seul à cet endroit que, depuis longtemps, l'étrange servante dont j'ai parlé n'éclairait plus de son sourire de jolie chèvre, très ambigu. Quand je rejoignis mes amis, je les trouvai encore en train d'épiloguer sur ce que nous venions de dire. Char, en particulier, avait soulevé la question de cette dédicace en remarquant que les deux seuls poèmes que j'eusse dédiés à Pierre Reverdy portaient respectivement les titres apparentés de « Clé de sol » et « Tournesol ». Je ne pouvais à ce moment en proposer d'autre explication rationnelle que celle-ci : j'ai toujours aimé ce nom, Pierre Reverdy, auquel j'ai dû jadis donner inconsciemment ce prolongement : pierre qui ne roule plus, pierre qui amasse mousse. L'idée d'une telle pierre m'est visuellement très agréable, elle est encore fortifiée en moi par le souvenir de cette rue *des Saules*, construite en torrent, que j'escaladais toujours avec joie pour aller voir Reverdy certains matins de 1916 et 17. Je dois dire, par ailleurs, que dans ma mémoire chante aussi, souvent, ce vers de lui :

Un poing sur la réalité bien pleine

vers que j'espère ne pas citer inexactement et qui est celui en quoi se résume le mieux l'enseignement qu'a été pour moi sa poésie. Il n'y aurait par suite rien d'extraordinaire à ce que le mot « sol » (toucher le sol, ne pas perdre pied) se fût associé dans mon esprit plus particulièrement à ce nom d'homme et je suis prêt à croire qu'il a pour fonction de rétablir, dans le cas des deux poèmes, l'équilibre rompu tout particulièrement au profit de l'éperdu (« Clé de sol » transpose l'émotion que j'ai éprouvée à l'annonce de la mort de Jacques Vaché). Deux heures environ après la reprise de cette conversation, Char, qui m'avait accompagné à la mairie du XVIIe arrondissement, devait me signaler, au mur faisant face au guichet où j'attendais qu'on me remît une pièce d'état civil, une affiche, unique, portant en gros caractères noirs sur fond blanc ces mots qui m'ont paru alors si décisifs : « Legs de Reverdy ».

Il ne me reste, pour avoir tout à fait mis en valeur le conditionnement purement spirituel de cette merveilleuse aventure, qu'à ramener vivement l'attention sur le caractère irrationnel du dialogue du 10 avril auquel je fais plus haut allusion et sur le besoin, à peine moins irrationnel, que j'ai éprouvé de le reproduire sans commentaire à la fin d'un texte essentiellement théorique. On voudra bien se reporter à cette scène remarquablement alerte et mystérieuse, dont le déroulement est commandé par ces paroles non moins impératives que dans le poème celles du grillon : « Ici, l'ondine ». Tout se passe comme si la seule naïade, la seule ondine vivante de cette histoire, toute différente de la personne interpellée qui, d'ailleurs, sur ces entrefaites, allait disparaître, n'avait pu faire autrement que se rendre à cette sommation et une autre preuve en est qu'elle tenta à cette époque de louer un appartement dans la maison faisant rigoureusement face au restaurant dont il s'agit, avenue Rachel.

Le 14 août suivant, j'épousais la toute-puissante ordonnatrice de la nuit du tournesol.

Minotaure, n° 7, juin 1935, repris dans *L'Amour fou*

ZDENKO REICH

Préface à une étude sur la métaphore

fragment

Si une démarche poétique est humainement possible, si une représentation imagée, une métaphore, faite dans ce monde et en vue de ce monde, peut exister avec un contenu qui n'est pas d'une autre nature que le contenu de la pensée logique — et si moi, je puis la concevoir et être ému sans la soumettre à une justification logique, force m'est de me demander : comment se fait-il qu'une telle démarche puisse avoir lieu sans entraîner la modification complète des fondements de notre connaissance ?

Je cherche en vain, dans tous les systèmes philosophiques, une réponse satisfaisante. La philosophie a, dialectiquement, pris naissance comme antithèse à toutes les démarches de la pensée qui n'ont pas été capables de s'enchâsser à l'intérieur d'un système dont le but est d'expliquer le monde. Si la philosophie n'avait pas été accaparée par la religion qui a créé dans son sein un dérivatif très efficace pour tout ce qui se dérobe à son entreprise — et qu'on s'obstine encore aujourd'hui à qualifier de pensée irrationnelle, terme aussi vague que louche qui aggrave la dualité entre les démarches de l'homme et fait le jeu des postulats mystiques — elle aurait certainement eu une évolution bien différente et ce problème aurait été résolu beaucoup plus tôt.

Il n'est donc pas autrement étonnant qu'en 1725, juste au moment où se desserrait l'étreinte de la religion, un siècle avant que se formât une nouvelle conception de l'homme, basée sur les lois de son propre devenir, il n'est donc pas autrement étonnant, dis-je, qu'un penseur de la clairvoyance de Jean-Baptiste Vico ait publié sous le titre : *Les Principes d'une Science nouvelle*, un ouvrage où il insiste sur la valeur de l'activité poétique comme base d'une nouvelle connaissance de l'homme :

« Les Philosophes et les philologues devraient s'occuper en premier lieu de la métaphysique poétique, comme de la science qui cherche ses preuves non pas au-dehors, mais dans les modifications mêmes de l'esprit qui médite sur elle. Le monde des nations ayant été fait par des hommes, c'est dans l'esprit de ces mêmes hommes qu'il faut en rechercher les principes. »

Les théories de Vico, mélange de pensées profondes qui annoncent déjà l'arrivée du matérialisme historique — et je pense ici à ce principe : « L'histoire humaine est différente de l'histoire naturelle, parce que nous avons fait l'une et nous n'avons pas fait l'autre », que Marx a repris dans *Le Capital* comme fondamental pour toute étude de l'histoire des religions — et de divagations absurdes sur l'évolution de l'humanité depuis les géants jusqu'à l'homme moderne, expliquée par la mythologie, ont presque entièrement mérité leur oubli. Pourtant rien n'est plus déprimant que de voir l'échec d'un projet qui, malgré toutes les erreurs que Vico a pu commettre en tentant de le réaliser, reste un exemple lumineux, entièrement isolé, dans l'histoire. La pensée de l'auteur, formulée dans un moment où la lutte entre la bourgeoisie et la féodalité allait être engagée, se trouve ainsi anticiper apparemment sur l'histoire et porter en elle les lueurs d'une connaissance qu'elle était incapable de préciser. En dehors de sa conception de l'histoire, basée sur un matérialisme rudimentaire — et qui n'a été valablement accréditée qu'un siècle plus tard — les théories de Vico ont été injustement jetées dans le fatras d'idées périmées qu'aucun philosophe n'a cru nécessaire de reprendre. Elles étaient énoncées prématurément. La réaction contre les postulats transcendants de la métaphysique devait ramener d'abord les démarches de la pensée dans les limites de la raison — avant que cette raison pût, par ses propres moyens, incorporer son antithèse originaire, qui lui a donné historiquement naissance, et réaliser la synthèse de l'homme.

Le fondement subjectif de cette synthèse doit donc être conditionné par le devenir inhérent à toute pensée et qui la conduit, fatalement, à la limite de ses possibilités. Chaque acte de la pensée est un produit du dédoublement initial (diremption) du sujet qui pense et de l'objet auquel il pense. Son but est pourtant de supprimer ce dédoublement et de réaliser le sujet dans l'objectivité à travers les contenus de la pensée.

L'avènement de la philosophie dans l'histoire est logiquement justifié par la possibilité permanente pour la pensée d'ouvrir une brèche à l'intérieur de ce dédoublement — dès que la pensée est libérée du joug de la civilisation qui dans son stade archaïque exige de chaque effort mental un maximum de réalisation possible, dans les cadres, le plus souvent religieux, qui lui sont imposés par la tradition — et de polariser, méthodiquement, tous les raisonnements entre le sujet et l'objet.

La destinée de la philosophie a été la ruine de son entreprise. Au lieu de considérer cette dualité comme provisoire, au lieu de la dépasser en faisant intervenir le dynamisme de la pensée, elle a creusé l'abîme entre l'homme et le monde, cherchant une place convenable qui n'est ni dans l'un ni dans l'autre, mais voulant à tout prix être partout, afin de juger de tout et n'étant, finalement, nulle part. C'est la raison de l'inefficacité de tous les systèmes philosophiques, de leur appauvrissement progressif au profit des sciences exactes, à qui la philosophie a donné, historiquement, naissance. Incapable de réaliser le moi dans toute son étendue, parce qu'elle n'étudiait que le moi qui est tourné vers le monde extérieur, en vue de la connaissance, en laissant à la psychologie le soin de l'approfondir davantage, incapable d'atteindre le monde extérieur, qu'elle a dû abandonner à la physique et à la chimie, la philosophie se trouve, aujourd'hui, devant cette alternative (si l'on peut, naturellement ici, parler d'alternative) : ou bien se convaincre qu'elle tourne, qu'elle tournera toujours dans les limites de la pensée non réalisée et qu'elle tombe lentement dans un sommeil agnostique, endormie par son éternel *leitmotiv* « je pense, je pense, je pense » — ou bien s'envoler vers une idée transcendante et, entre les plis d'un dieu inexistant, oublier sa propre inutilité.

Les résultats positifs qui ont été obtenus par la philosophie sont basés sur l'observation empirique de réalisations de la pensée. Le principe de causalité — expression de la possibilité de renverser le devenir de la pensée et d'aller aussi bien de l'effet à la cause que de la cause à l'effet — n'affirme que la nécessité intérieure qui détermine la réalisation d'une démarche de la pensée, si les éléments dont elle se compose sont dans un tel rapport que, dès qu'on isole l'un, on doit aboutir à l'autre.

Le principe de causalité nous mène donc, lui-même, aux limites de la philosophie et à la suppression du dédoublement entre le sujet et l'objet. L'objet contient le sujet comme le sujet contient l'objet. En partant de l'un on aboutit à l'autre et réciproquement. Cette interdépendance doit être prise uniquement dans un sens relatif, c'est-à-dire qu'elle doit préciser la position de l'homme dans la réalité et celle de la réalité par rapport à l'homme. Poussé à ses dernières conséquences le principe de la causalité conduit ainsi la philosophie à un dilemme. Si la pensée discursive n'est que la seule démarche possible qui exprime les rapports entre l'homme et le monde, et si ces rapports sont réversibles, il faut admettre ou que la dualité entre le sujet qui pense et l'objet auquel il pense ne peut pas être supprimée

— la pensée discursive serait alors une démarche arbitraire se déroulant sans aucune nécessité intérieure : ce qui impliquerait la négation de sa propre utilité — ou qu'une autre démarche est encore possible, qui se déroule dans le sens inverse avec la même utilité que la pensée discursive. En d'autres termes : la démarche de la pensée discursive réhabilite, aux limites de sa réalisation, son antithèse logique, sans laquelle elle doit nier sa propre nécessité et la rigueur qui la justifie en tant qu'acte de la connaissance.

Un objet, une phrase, un mot, prononcé par hasard, sans intention particulière, peut provoquer en nous une démarche de la pensée qui, au lieu de rester isolée, comme l'objet qui lui a donné naissance, se transforme en nous-mêmes et réalise, dans une forme concrète, la totalité de notre vie émotive.

Cette démarche est la base de l'élaboration du langage. Ayant eu, autrefois, le moyen d'étudier les langues des indigènes d'Australie et de Mélanésie, j'ai constaté, à ma surprise, qu'il y a là des racines qui, partant d'une signification très précise, voire concrète, s'élaborent et donnent naissance à toute une suite de mots, pour la plupart émotifs. La racine « Mar » ou « Man » signifie à la fois la main et le nombre cinq. La répétition du même mot exprime un très grand nombre que l'Australien est incapable de préciser. Or, cette même racine est la base des expressions grand, bon, bien, beau, beaucoup, puissant. Le mot polynésien « Mana » qui signifie le pouvoir, la force magique et surnaturelle, pourrait être mis en rapport étymologique avec la racine primitive qui signifie main.

Le devenir du langage est la transposition du devenir de la pensée dans l'histoire. L'un doit être observé dans l'autre et inversement. L'élaboration de mots repose sur une nécessité humaine de réaliser la plus grande subjectivité à l'intérieur du contenu objectif de chaque signification. Le terme « signifier » ou « désigner » exprime, sous la forme d'un verbe, donc du devenir, un noyau objectivement et rationnellement irréductible : *le signe*. Toute démarche de la pensée se réalise, en dernier lieu, dans un signe. Mais, au lieu d'être un concept négatif et problématique — le noumène de la philosophie kantienne — le signe est le fondement objectif de toute pensée et la seule preuve de son existence.

L'expérience onirique doit être la base empirique pour une étude du fonctionnement de la pensée qui veut dépasser les limites de la raison discursive. Le dédoublement entre l'homme et le monde disparaît, dans le rêve, sous la poussée de contenus émotifs. Tout ce qui a été freiné, ou seulement partiellement réalisé dans la vie éveillée, se précipite comme une vague grouillante d'images, renversant sur son passage ce que l'homme a si laborieusement cultivé pour justifier le progrès et la véracité de son raisonnement. Il n'y a plus de pensée absurde. La vérité n'est plus une écluse. Elle est la force de l'émotion qui pousse les images et les associe, entre elles, dans les actes. Le symbole onirique est un raccourcissement de démarches de la pensée et sa réalisation dans un signe émotif qui est, en lui-même, si on le soumet à une analyse, l'acte érotique dans toute sa réalité.

La poésie garde, dans la vie éveillée, le même élan et, en braquant ses regards sur le monde extérieur, elle réalise à la fois l'unité de rêve et le désir humain de la connaissance. Cette activité s'exprime dans la métaphore, dans la représentation imagée qui ne signifie plus rien logiquement, parce que le signe, c'est-à-dire le contenu irréductible de cette représentation, ne peut plus devenir un verbe pour figurer dans un enchaînement de raisonnements.

La métaphore est à la vie éveillée ce que le symbole est au rêve. Mais son contenu est d'une autre nature. Le symbole onirique objectivise l'émotivité ; la métaphore, la démarche entière de la pensée. Elle est l'image et le signe et un produit de la synthèse définitive de l'homme et du monde. Son analyse objective nous permettra donc d'arriver à une autre vue de la réalité qui n'est plus le départ hypothétique d'une démarche de la pensée, mais qui est son produit final : le monde de l'homme, tel qu'il est, qu'on le veuille ou non.

Le Surréalisme au service de la Révolution, n° 6, 1933 (D. R.)

PAUL NOUGÉ

Les images défendues

LA VISION DÉJOUÉE

L'on souhaiterait une théorie générale de la vision qui n'entrât pas en contradiction flagrante avec les faits d'observation quotidienne...

L'œil qui voit encore ce qui n'est plus, l'étoile ; sur l'écran, l'image disparue ; qui ne voit pas ce qui est trop rapide, la balle de fusil, ce sourire ; qui ne voit pas ce qui est trop lent, l'herbe qui pousse, la vieillesse ; qui reconnaît une femme et c'en est une autre, un chat et c'est un soulier, son amour et c'est le vide, — la liberté de l'œil aurait dû depuis longtemps nous mettre en garde.

Cette liberté, qui n'a cessé de s'exercer à nos dépens, il conviendrait d'en tirer quelque avantage.

Les prestidigitateurs y ont songé, sans trop de précision peut-être, mais ont réussi.

Ainsi, rendre invisible, se rendre invisible, cette vieille espérance n'est peut-être pas aussi chimérique que l'on veut croire. Mais la solution n'est pas dans le sens des contes arabes. Que je vous charge les bras d'un sac de plomb et le bouleversant jardin que vous traverserez ensuite, en toute réalité n'existera pas pour vos yeux soudain pétrifiés. Et vous-même, invisible, vous l'êtes, à la lumière de cette femme belle à combler tous les regards.

... Il y a aussi cette histoire de lettre volée, singulièrement édifiante.

L'anatomie, la physiologie peuvent jouer de vilains tours à qui les suit d'un peu trop près ; la psychologie abstraite et la science de l'optique nous aveuglent.

L'assimilation de l'œil à un miroir, à la chambre noire, ne va pas sans désastres.

Il ne suffit pas, pour que nous le voyions, qu'un objet éclairé existe devant l'œil ouvert.

Les objets ne s'imposent pas à notre œil, tout au plus le viennent-ils solliciter d'une manière plus ou moins confuse ou insistante. La passivité, ici, n'est pas de mise. Voir est un acte ; l'œil voit comme la main prend. Notre main peut passer à la portée de bien des choses que rien ne l'entraîne à saisir ; notre œil ouvert passe sur bien des choses qui demeurent, au sens *physique* du mot, *invisibles*.

La vision est discontinue.

Nous ne voyons que ce que nous avons quelque intérêt à voir. L'intérêt peut naître soudain, qui nous fait découvrir ce que nous côtoyions depuis des années. Et il s'agit bien de *voir*, non pas de *regarder*. La terreur illumine brutalement l'objet, ou le désir, le plaisir, et nous parlerons de menace, de charme, de dégoût quand il nous faudra par la suite nous expliquer avec nous-mêmes.

Ce qui est vrai des objets l'est aussi de leur image. Nous désirons nous engager dans cette forêt, qu'elle soit réelle ou peinte. Nous ne la voyons qu'au prix d'un semblable désir. Et ne pas éprouver ce désir, ne pas voir cette forêt, en quelques circonstances, juge son homme.

Ce qui est vrai de la vision l'est aussi des autres sens. Nous n'entendons que les mots que nous avons quelque intérêt à entendre, dans un lieu public, ceux des personnes qui nous sont familières, ou par quelque côté curieuses, et non les indifférents. Solitude méditative des cafés très fréquentés...

C'est à la faveur d'un souvenir déchirant que nous percevons soudain ce faible parfum de roses.

Ce choc, nous n'en avons rien senti, mais bien l'imperceptible frôlement de cette main délicieuse.

Il ne suffit pas de créer un objet, il ne lui suffit pas d'être, pour qu'on le voie. Il nous faut le montrer, c'est-à-dire, par quelque artifice, exciter chez le spectateur le désir, le besoin de le voir.

C'est ici qu'interviennent avec bonheur ces choses intimes et banales, certaines figures et quelques mouvements étroitement mêlés à toute existence humaine, amorces sûres qui toujours et si facilement nous engagent.

À ce propos, il convient de s'adresser aux coquettes, aux escrocs, aux gens de foire et de commerce. Ils nous renseigneront plus exactement que les peintres.

L'HOMME EN PROIE AUX IMAGES

Le premier trait de la peinture va de soi au point de passer inaperçu : la peinture nous propose, au milieu des images continues de l'univers, certaines images isolées.

Isolées ; de la manière la plus subtile ou la plus grossière, il n'importe. Le cadre de bois ou d'or, la rupture plus ou moins accusée d'avec l'ambiance, la campagne au cœur de la ville, la neige au cœur de l'été. Ou si Apelle peut un instant égarer les oiseaux, il n'en reste pas moins que l'image d'un raisin n'est pas la même qu'elle nous vienne de la grappe ou d'Apelle. Et de s'y être laissé prendre dès l'abord accentue par la suite l'isolement de l'image.

L'image isolée, qu'advient-il de l'esprit ?

L'esprit ne souhaite rien tant que de s'abandonner à son premier mouvement, il n'aime rien tant que ses chemins inlassablement battus. Depuis qu'il existe une peinture, la plupart des images peintes flattent étrangement ce goût profond pour la facilité. Comme à l'ordinaire, au fil du discours et de l'eau, pourquoi l'imagination ne suivrait-elle pas, à travers ces paysages sans surprise, cette femme un peu trop belle pour évoquer l'amour ? Il reste à peine, en fin de *conte*, un souvenir de promenade.

Mais il arrive que la peinture n'offre pas de semblables commodités. Loin d'ouvrir bénignement les perspectives familières, l'image barre à l'esprit ses voies de tout repos.

Plutôt que d'offrir la première d'une série d'images fort logiquement déduites, première image qui cède en les appelant sa place aux suivantes, il arrive que le tableau immobile s'installe dans la conscience — et demeure. Comme il a retenu l'œil, le tableau retient l'esprit.

Mais il arrive à la conscience occupée d'une seule image, et qui dure, ce qui arrive à l'œil fixant un seul objet. L'œil se brouille. La conscience s'obscurcit. L'œil s'aveugle, la conscience…

Il arrive que celui qui fixe longuement un point brillant meure à la réalité extérieure, ou que la réalité se prenne à mourir autour de lui. Des voix montent d'on ne sait quelle profondeur, voix jusqu'alors ignorées de lui-même. Pour cet homme endormi, les murailles et les têtes deviennent transparentes. Voici surgir les pensées secrètes et les trésors cachés.

Il n'est pas nécessaire d'aller jusqu'à l'hypnose. Certaines images isolées que nous présente la peinture sont capables de fixer la conscience claire au point de la faire coïncider avec elles et d'arrêter ainsi le flux de paroles et de fantômes, l'immense *fuite* qui la constitue normalement.

Mais l'on n'oppose pas vraiment une résistance à l'esprit. L'immobilité, pour lui, se confond avec la mort. L'énorme fleuve obscur qui roule inlassablement au fond de nous-mêmes, rompt toute digue et déborde soudain en pleine lumière. Il contraint l'homme à voir, à penser, à sentir ce qu'il se croyait à tout jamais incapable d'éprouver ou de vouloir.

Ainsi s'expliquerait la seule puissance de la peinture qui ne soit pas indigne. On peut parler ici d'« illumination », de « révélation ». On sait assez exactement ce que parler veut dire.

LA NAISSANCE DES IMAGES

L'on souhaiterait qu'une image soutînt les images.

Si le tableau existe, on sait comment il traite le spectateur. On peut se soucier toutefois de l'instant où ce tableau n'était pas encore. Et le peintre entre en jeu.

Il ne saurait être question d'une forêt de symboles, mais au milieu des incessantes et fuyantes images du monde, du contact singulier de quelque objet et de l'esprit.

Objet banal ou exceptionnel que rencontre très spécialement le regard ou qui se lève de quel remous silencieux de la mémoire, objet qui tient sa vertu d'attraction de ses propriétés particulières ou se la voit conférer par la pensée qu'il captive, il n'importe ici.

L'objet, séparé par quelque opération mystérieuse de l'univers touffu auquel il appartenait il y a un instant encore, l'objet étrangement *délié* se prend à vivre au fil des jours et des sommeils. Un espace sans mesure se peuple de figures inconnues, et qui font le vide autour d'elles. L'ombre hantée se fait moins transparente. Voici l'heure, la seconde décisive. Et soudain l'esprit sombre dans le miracle. La merveille prend corps. Une évidence imprévisible joint d'un lien de chair et de sang ses membres épars. Ainsi, parfois, le tableau existe.

Imposée en quelque sorte à la conscience du peintre, entre cet instant décisif et, livrée à elle-même, la surface palpable saturée de toutes ses couleurs, se situent les mille événements qui font de l'œuvre peinte cet objet physique et mental éminemment complexe, carrefour singulier de souvenirs, de désirs, de plaisirs et d'intentions plus ou moins délibérées.

Mais, on le voit, ni quelque programme, ni quelque préoccupation d'ordre plastique, ne décident de l'essentiel.

...On peut voir encore, de part et d'autre du tableau, coïncider bien curieusement le portrait du peintre et le portrait de l'authentique amateur de peinture.

LA MÉTAPHORE TRANSFIGURÉE

Transformer le monde à la mesure de nos désirs suppose cette croyance que les hommes, dans leur ensemble, sont animés à des degrés divers du même besoin profond d'échapper à l'ordre établi. La validité de l'entreprise est liée à l'existence d'un tel désir.

Il est donc capital de le déceler dans sa totale extension et c'est ainsi que Magritte observera qu'une certaine figure de langage en pourrait témoigner, la métaphore, à condition de la prendre d'une manière qui n'est pas l'habituelle.

La métaphore ne relèverait pas d'une difficulté à nommer l'objet, comme le pensent certains, ni d'un glissement analogique de la pensée. C'est au pied de la lettre qu'il conviendrait de la saisir, comme un souhait de l'esprit que ce qu'il exprime existe en toute réalité, et plus loin, comme la croyance, dans l'instant qu'il l'exprime, à cette réalité. Ainsi des mains d'ivoire, des yeux de jais, des lèvres de corail.

Mais il n'est guère de sentiment qui ne se double à quelque degré d'un sentiment contraire ; le désir qu'il en soit ainsi se trouve aussitôt miné, chez le commun des hommes, par la peur, — la peur des conséquences. La métaphore, on ne consentira plus à y voir qu'un artifice de langage, une manière de s'exprimer plus ou moins précise, mais sans retentissement sur l'esprit qui en use ni sur le monde auquel elle s'adresse.

C'est ainsi que l'on peut en venir à souhaiter une *métaphore qui dure*, une métaphore qui enlève à la pensée ses possibilités de retour. À quoi tend la seule poésie que nous reconnaissons pour valable. Et la peinture, qui confère au signe l'évidence concrète de la chose signifiée, évidence à laquelle on n'échappe plus.

Le Surréalisme au service de la Révolution, n° 5, mai 1933

PIERRE MABILLE

L'œil du peintre

La soirée du 27 août 1938 s'annonçait fort banale. La chaleur orageuse du jour continuait à peser accablante au fond des rues étroites du quartier Saint-Germain-des-Prés. C'était là que suivant l'usage quotidien, plusieurs de nos amis se trouvaient rassemblés pour l'apéritif. Le dîner fut pris en commun, puis on monta terminer la soirée dans l'atelier de D... Malgré les essais de danse au son du phonographe, le temps s'étira assez morne. Vers minuit, alors qu'on se séparait, l'incident se produisit.

Mystérieuse est l'éclosion brutale d'un drame entre gens se connaissant de longue date, dont les rapports semblent définitivement établis. Cependant, ces équilibres sont instables. Soudain une querelle survient imprévisible ; personne, ni sur le moment ni plus tard, ne peut en éclaircir les motifs réels. Sous la croûte fragile de la conscience, les passions ignorées ont poursuivi leur œuvre érosive, elles préparent éruptions et cassures. Les excitations transitoires ne sont point causes véritables mais simples circonstances auxiliaires. Devant ces phénomènes stupéfiants, semblables aux cataclysmes cosmiques, on comprend que les esprits aient jadis pensé à l'intervention du démon de la perversité et vu la malicieuse intelligence du surnaturel.

C'est une scène rapide de ce genre qui survint ce soir-là. D... se prend de colère violente contre un de ses camarades. Des menaces, il passe aux actes. L'assistance inquiète s'interpose. On sépare pour empêcher un déplorable combat. Victor Brauner retient celui qui avait été pris à partie. Mais D... au comble de la frénésie libère un bras, il saisit le premier projectile à sa portée, un verre ; il le lance. Brauner s'écroule ensanglanté, son œil gauche arraché pendait.

Un spectateur est blessé dans une rixe par un coup qui ne lui était pas destiné, tel est le fait divers banal fréquemment cité à l'appui des thèses opposées. D'aucuns, hochant la tête, exprimant la soumission de leur nature, concluent qu'il faut bien que le destin soit écrit inéluctable pour échapper ainsi aux prévisions logiques. Ces accidents sont pour d'autres la négation du destin, le cours des événements semblant être changé par une circonstance fortuite. Laissons là ces propos de salons et de cafés, ces récits de faits insuffisamment observés. Examinons de plus près le cas de Brauner. Nul ne contestera qu'il ne fournisse l'exemple du hasard pur. La responsabilité de la victime n'est pas engagée. Aucune intention précise ne saurait être retenue à la charge de l'agresseur, dont la maladresse seule a causé le mal.

Analysant le mécanisme de la blessure, le hasard semblera plus extraordinaire encore. Si Brauner avait été visé, les conséquences auraient été pour lui moins fâcheuses : il aurait reçu le choc de face, il aurait sans doute vu le geste, et s'en serait protégé ; enfin le verre se brisant aurait peut-être blessé l'œil, il ne l'aurait certainement pas enlevé. Pour que le globe oculaire se soit trouvé sectionné, un éclat important a dû pénétrer l'orbite de profil, suivant une incidence précise. L'angle de chute du projectile pouvait à peine varier de quelques degrés.

Quiconque a observé de nombreux accidents demeure étonné de l'impitoyable rigueur qui préside à l'enchaînement de détails en apparence insignifiants. Les projectiles, dans leurs trajets, semblent doués d'une perverse ingéniosité. Ils se frayent des accès qu'une main avertie ne pourrait atteindre sans mille tâtonnements.

S'agit-il de circonstances exceptionnelles, de faits banaux, de rencontres quotidiennes, inéluctables, la succession des phénomènes est régie avec une précision mathématique dépassant celle que réalisent les machines les plus exactes de la technique moderne. Notre surprise tient à ce que nous regardons volontiers le domaine des êtres vivants comme soumis au règne de l'à-peu-près et à des adaptations plastiques approximatives. De nos connaissances trop imprécises, nous concluons à tort à l'imprécision du déterminisme.

Quoi qu'il en soit, les millions de chances contraires, qui ne sont qu'hypothèses de notre esprit, ayant été surmontées, le fait est créé : l'œil de Brauner perdu.

La thèse officielle du jeu du hasard exigerait, pour être adoptée, que rien auparavant n'ait pu faire prévoir l'accident. Or nous allons constater que toute la vie de Brauner convergeait vers cette mutilation. En elle se trouve la clé de la psychologie de l'homme ; en elle la solution qui éclaire l'activité antérieure du peintre. Quelques documents sont reproduits ici, je les ai choisis parmi un très grand nombre de peintures et de dessins qui ne sont pas moins significatifs. Le portrait (I) date de 1931. Sur un tableau de la même époque (II) on s'aperçoit que l'homme abrité sous le parasol est éborgné. Une toile (III) assez mystérieuse, ornée de caractères rappelant ceux des hermétistes anciens, représente un personnage masculin atteint à l'œil par une tige qui supporte un D. Cette lettre se trouve être l'initiale de celui qui causa l'accident.

Ainsi pendant plus de huit années, des dizaines, peut-être des centaines de figurations annoncent qu'un œil doit être détruit. Ces documents abondants, si lisibles, n'exigent pas d'ingéniosité quant à leur interprétation. Les faits s'expliquent-ils par une prémonition persistante ou le peintre n'a-t-il pas été victime d'une sorte d'envoûtement ? Les formes mutilées n'ont-elles pas mis en œuvre des forces magiques, créé un climat psychique dont l'accident devait être le terme inéluctable ? Les deux thèses ne sont pas opposées, car, à supposer qu'une action magique de cet ordre soit possible, il faudrait expliquer pourquoi une telle mutilation a été électivement choisie. Elle révèle sans conteste une obsession profonde et ancienne. Devant cette hantise persistante, on est en droit de chercher dans le passé de Brauner si un choc psychique grave n'est pas venu à un moment donné charger l'œil d'un complexe particulier. On apprend en effet que, pendant son adolescence en Roumanie, notre ami a été ému par le récit d'un scandale mondain : un jeune homme de la « haute » société avait écrasé les deux yeux d'une femme riche et âgée qui l'entretenait et qui au moment de l'attentat se livrait à des embrassements particuliers. Le renseignement, pour n'être pas négligeable, ne nous éclaire guère. Il en est souvent ainsi lorsqu'on tente d'expliquer la genèse des obsessions par des chocs mentaux anciens non assimilés. Brauner a vu nombre d'autres scènes émouvantes pendant la guerre, pendant les épisodes révolutionnaires ; il a entendu conter, il a lu maints récits dramatiques. Pourquoi l'incident relaté ici, dont il n'a pas été spectateur, aurait-il laissé une trace aussi vive si l'inconscient, préoccupé déjà, ne s'était chargé de retenir tout ce qui concerne la blessure des yeux.

Remontant plus avant le cours du temps, peut-être trouverait-on quelques impressions datant de la première enfance : une curiosité visuelle découverte par la famille et suivie de menaces, la crainte que l'œil ne tombe s'il voit certains spectacles. Un complexe d'autopunition a pu ainsi se constituer ; des récits religieux peuvent ne pas être étrangers à sa formation. Le Dieu Mosaïque, symbole du père foudroyant, est souvent conçu comme un œil qui voit tout ; l'enfant soucieux d'échapper à ce contrôle a pu avoir envie de le supprimer. D'autres hypothèses plus simples ne peuvent être rejetées a priori ; je mentionne en passant le souvenir de ces vases de nuit dont le fond est orné d'un œil central qu'il est attrayant de viser. Mes conversations avec Brauner ne m'ont rien révélé de démonstratif. J'avoue d'ailleurs l'insuffisance d'une enquête qui n'a pas été une psychanalyse prolongée. Là n'était d'ailleurs pas mon dessein ; m'intéressent davantage le rôle joué par la hantise obsessionnelle d'une mutilation oculaire dans le développement psychique de Brauner et la transformation de la crainte en fait matériel accompli.

Si les toiles de 1931-1932 font apparaître la nécessité de crever l'œil, les œuvres ultérieures témoignent à cet égard d'une évolution ; les yeux sont remplacés par des cornes dressées, comme l'indique la peinture (IV) de 1937. L'étrange personnage mi-humain, mi-animal, tend à constituer une sorte de mythe autour duquel se centre l'activité intellectuelle et sensible de l'artiste.

À n'en pas douter, l'œil est dans le visage une partie de nature féminine. Les plus anciennes traditions de l'astrologie, de la morphologie en témoignent au même titre que de nombreux aphorismes populaires. Le fait est si patent que le sexe féminin a été parfois représenté comme un œil. Un dessin (V) de Brauner, exécuté en 1927, publié en 1928, fait apparaître clairement que cette valeur symbolique n'échappait pas à l'artiste.

L'obsession qui, au début, tendait à la destruction simple de l'œil, se complique d'année en année. L'équivalent de l'organe sexuel femelle doit être remplacé par un attribut masculin — la corne — signe d'érection, de puissance, d'autorité et même de brutalité animale. L'être ainsi transformé sera devenu un surmâle. De tels désirs sont assez fréquents aujourd'hui : le goût des taureaux, des minotaures transparaît dans les œuvres de Picasso, de Masson, pour ne citer qu'eux. Sur elles règnent des souvenirs de Nietzsche, de Lautréamont, de Jarry.

Les mouvements sociaux qui s'affrontent à notre époque témoignent de la volonté des nouvelles générations d'accéder à une surmasculinité héroïque. Cependant l'originalité de la figure mythique tracée par Brauner tient moins à la présence de cornes, qu'à leur valeur de remplacement à l'égard des yeux.

Le souci d'atteindre par le sacrifice d'une mutilation grave un plus haut degré d'énergie s'est trouvé, chez notre ami, pleinement comblé. L'homme que je connaissais avant l'accident était effacé, timide, pessimiste, démoralisé par son dernier séjour en Roumanie, il est aujourd'hui délivré, affirmant avec clarté et autorité ses idées, il travaille avec une vigueur nouvelle et atteint davantage son but.

Minotaure, n° 12-13, mai 1939

RENÉ CHAR

Une communication ?

Madeleine qui veillait

J'ai dîné chez mon ami le peintre Jean Villeri. Il est plus de onze heures. Le métro me ramène à mon domicile. Je change de rame à la station Trocadéro. Alourdi par une fatigue agréable, j'écoute distraitement résonner mon pas dans le couloir des correspondances. Soudain une jeune femme, qui vient en sens inverse, m'aborde après m'avoir, je crois, longuement dévisagé. Elle m'adresse une demande pour le moins inattendue : « Vous n'auriez pas une feuille de papier à lettres, monsieur ? » Sur ma réponse négative et sans doute devant mon air amusé, elle ajoute : « Cela vous paraît drôle ? » Je réponds non, certes, ce propos ou un autre… Elle prononce avec une nuance de regret : « Pourtant ! » Sa maigreur, sa pâleur et l'éclat de ses yeux sont extrêmes. Elle marche avec cette aisance des mauvais métiers qui est aussi la mienne. Je cherche en vain à cette silhouette fâcheuse quelque beauté. Il est certain que l'ovale du visage, le front, le regard surtout doivent retenir l'attention, troubler. Mais de là à s'enquérir ! Je ne songe qu'à fausser compagnie. Je suis arrivé devant la rame de Saint-Cloud et je monte rapidement. Elle s'élance derrière moi. Je fais quelques pas dans le wagon pour m'éloigner et rompre. Sans résultat. À Michel-Ange-Molitor je m'empresse de descendre. Mais le léger pas me poursuit et me rattrape. Le timbre de la voix s'est modifié. Un ton de prière sans humilité. En quelques mots paisibles je précise que les choses doivent en rester là. Elle dit alors : « Vous ne comprenez pas, oh non ! Ce n'est pas ce que vous croyez. » L'air de la nuit que nous atteignons donne de la grâce à son effronterie : « Me voyez-vous dans les couloirs déserts d'une station, que les gens sont pressés de quitter, proposer la galante aventure ? — Où habitez-vous ? — Très loin d'ici. Vous ne connaissez pas. » Le souvenir de la quête des énigmes, au temps de ma découverte de la vie et de la poésie, me revient à l'esprit. Je le chasse, agacé. « Je ne suis pas tenté par l'impossible comme autrefois (je mens). J'ai trop vu souffrir... (quelle indécence !) » Et sa réponse : « Croire à nouveau ne fait pas qu'il y aura davantage de souffrance. Restez accueillant. Vous ne vous verrez pas mourir. » Elle sourit : « Comme la nuit est humide ! » Je la sens ainsi. La rue Boileau, d'habitude provinciale et rassurante, est blanche de gelée, mais je cherche en vain la trace des étoiles dans le ciel. J'observe de biais la jeune femme : « Comment vous appelez-vous, mon petit ? — Madeleine. » À vrai dire, son nom ne m'a pas surpris. J'ai terminé dans l'après-midi *Madeleine à la veilleuse,* inspiré par le tableau de Georges de La Tour dont l'interrogation est si actuelle. Ce poème m'a coûté. Comment ne pas entrevoir, dans cette passante opiniâtre, sa vérification ? À deux reprises déjà, pour d'autres particulièrement coûteux poèmes, la même aventure m'advint. Je n'ai nulle difficulté à m'en convaincre. L'accès d'une couche profonde d'émotion et de vision est propice au surgissement du grand réel. On ne l'atteint pas sans quelque remerciement de l'oracle. Je ne pense pas qu'il soit absurde de l'affirmer. Je ne suis pas le seul à qui ces rares preuves sont parfois foncièrement accordées. « Madeleine, vous avez été très bonne et très patiente. Allons ensemble, encore, voulez-vous ? » Nous marchons dans une intelligence d'ombres parfaite. J'ai pris le bras de la jeune femme et j'éprouve ces similitudes que la sensation de la maigreur éveille. Elles disparaissent presque aussitôt, ne laissant place qu'à l'intense solitude et à la complète faveur à la fois, que je ressentis quand j'eus mis le point final à l'écriture de mon poème. Il est minuit et demi. Avenue de Versailles, la lumière du métro Javel, pâle, monte de terre. « Je vous dis adieu, ici. » J'hésite, mais le frêle corps se libère. « Embrassez-moi, que je parte heureuse... » Je prends sa tête dans mes mains et la baise aux yeux et sur les cheveux. Madeleine s'en va, s'efface au bas des marches de l'escalier du métro dont les portes de fer vont être bientôt tirées et sont déjà prêtes.

Je jure que tout ceci est vrai et m'est arrivé, n'étant pas sans amour, comme j'en fais le récit, cette nuit de janvier.

La réalité noble ne se dérobe pas à qui la rencontre pour l'estimer et non pour l'insulter ou la faire prisonnière. Là est l'unique condition que nous ne sommes pas toujours assez purs pour remplir.

daté 1948, dans *Recherche de la base et du sommet,* 1955

Le mythe : les surréalistes ont toujours été fascinés par les mythes, tels que la mémoire humaine les a transmis, tels que les ont consignés les voyageurs et les ethnologues. Comment ne pas percevoir, poètes qu'ils sont d'abord, combien ces « dits », ces pages pour nous, arrachent la parole à sa contingence ? Or, s'ils sont fascinés, c'est bien de ce lien — énigmatique, et qui semble nécessaire — *qui s'établit soudain entre la parole et l'action, dans ces récits. Mais les surréalistes, on le sait, ne sont pas seulement des lecteurs, et passifs. Ils veulent « fabriquer pour comprendre ». Dès lors puisque les mythes de notre société, seraient-ils les plus « modernes » (prenons pour les années 20 l'exemple des affiches de publicité), confortent cette dernière dans ses injustices inégalitaires, il faut fabriquer un mythe collectif suffisamment séduisant et « vrai » pour que chacun y lise l'esquisse de son propre désir, pour que la collectivité oriente de son côté son « inconscient de masse » vers ce modèle, un modèle projectif.*

Après qu'ont apporté leur témoignage lyrique les « regardeurs » des mythes modernes, Aragon, notamment dans Le Paysan de Paris, *Robert Desnos dans* La Liberté ou l'Amour !, *c'est dans l'ordre politique que cette réflexion des surréalistes prend forme. André Breton, dans la préface à* Position politique du surréalisme, *en 1935, parle soudain de « la préoccupation qui est depuis dix ans la [sienne] de concilier le Surréalisme comme* mode de création d'un mythe collectif *avec le mouvement beaucoup plus général de libération de l'homme ». Il pense trouver des alliés, écrit-il, auprès de Pierre-Jean Jouve, Tristan Tzara, André Malraux. Et le « Collège de Sociologie », fondé en 1938 par Georges Bataille, Michel Leiris et Roger Caillois, tente lui aussi de son côté de créer des sociétés fermées pour y analyser la montée des mythes et leur fonctionnement « en acte ».*

GEORGES BATAILLE

L'apprenti sorcier

Le *mythe* demeure à la disposition de celui que l'art, la science ou la politique étaient incapables de satisfaire. Bien que l'amour constitue à lui seul un monde, il laisse intact ce qui l'entoure. L'expérience de l'amour accroît même la lucidité et la souffrance : elle développe le malaise et l'épuisante impression de vide qui résulte du contact de la société décomposée. Le mythe seul renvoie à celui que chaque épreuve avait brisé l'image d'une plénitude étendue à la communauté où se rassemblent les hommes. Le mythe seul entre dans les corps de ceux qu'il lie et leur demande la même attente. Il est la précipitation de chaque danse ; il porte l'existence « à son point d'ébullition » : il lui communique l'émotion tragique qui rend son intimité sacrée accessible. Car le mythe n'est pas seulement la figure divine de la destinée et le monde où cette figure se déplace : il ne peut pas être séparé de la communauté dont il est la chose et qui prend possession, rituellement, de son empire. Il serait fiction si l'*accord* qu'un *peuple* manifeste dans l'agitation des fêtes ne faisait pas de lui la réalité humaine vitale. Le mythe est peut-être fable mais cette fable est placée à l'opposé de la fiction si l'on regarde le peuple qui la danse, qui l'agit, et dont elle est la *vérité* vivante. Une communauté qui n'accomplit pas la possession rituelle de ses mythes ne possède plus qu'une vérité qui décline : elle est vivante dans la mesure où sa volonté d'être anime l'ensemble des hasards mythiques qui en figurent l'existence intime. Un mythe ne peut donc pas être assimilé aux fragments épars d'un ensemble dissocié. Il est solidaire de l'existence *totale* dont il est l'expression sensible.

Le mythe rituellement vécu ne révèle rien de moins que l'être véritable : en lui la vie n'apparaît pas moins terrible ni moins belle que la *femme aimée* sur le lit où elle est nue. La pénombre du lieu sacré qui contient la présence réelle oppresse davantage que celle de la chambre où s'enferment les amants ; ce qui s'offre à la connaissance n'est pas moins étranger à la science des laboratoires dans le lieu sacré que dans l'alcôve. L'existence humaine introduite dans le lieu sacré y rencontre la figure du destin fixée par le caprice du *hasard* : les *lois déterminantes* que définit la science sont à l'opposé de ce jeu de la fantaisie composant la vie. Ce jeu s'écarte de la science et coïncide avec le délire engendrant les figures de l'art. Mais alors que l'art reconnaît la réalité dernière et le caractère supérieur du monde vrai qui contraint les hommes, le mythe entre dans l'existence humaine comme une force exigeant que la réalité *inférieure* se soumette à son empire.

L'APPRENTI SORCIER

Il est vrai que ce retour à la vieille maison humaine est peut-être l'instant le plus inquiet d'une vie vouée à la succession des illusions décevantes. La vieille maison du mythe à mesure qu'une démarche singulière se rapproche d'elle n'apparaît pas moins désertée que les décombres « pittoresques » des temples. Car la représentation du mythe exprimant la totalité de l'existence n'est pas le résultat d'une expérience actuelle. Le passé seul ou la civilisation des « arriérés » ont rendu possible la connaissance mais non la possession d'un monde qui semble désormais inaccessible. Il se pourrait que l'existence totale ne soit plus pour nous qu'un simple rêve, nourri par les descriptions historiques et par les lueurs secrètes de nos passions. Les hommes présents ne pourraient se rendre maîtres que d'un amas représentant les débris de l'existence. Cependant cette vérité reconnue apparaît vite à la merci de la lucidité que commande le besoin de vivre. Il faudra tout au moins qu'une première expérience soit suivie d'échec avant que le négateur ait acquis le droit au *sommeil* que sa négation lui garantit. La description méthodique de l'expérience à tenter indique d'ailleurs qu'elle ne demande que des conditions réalisables. L'« apprenti sorcier », tout d'abord, ne rencontre pas d'exigences différentes de celles qu'il aurait rencontrées dans la voie difficile de l'art. Les figures inconséquentes de la fiction n'excluent pas moins l'intention déterminée que les figures arides du mythe. Les exigences de l'invention mythologique sont seulement plus rigoureuses. Elles ne renvoient pas, comme le voudrait une conception rudimentaire, à d'obscures facultés d'invention collective. Mais elles refuseraient toute valeur à des figures dans lesquelles la part de l'arrangement voulu n'aurait pas été écartée avec la rigueur propre au sentiment du *sacré*. D'un bout à l'autre, l'« apprenti sorcier » doit d'ailleurs se faire à cette rigueur (à supposer qu'elle ne réponde pas à son impératif le plus intime). Le secret, dans le domaine où il s'avance, n'est pas moins nécessaire à ses étranges démarches qu'il ne l'est aux transports de l'érotisme (le monde total du mythe, monde de l'*être*, est séparé du monde *dissocié* par les limites mêmes qui séparent le *sacré* du *profane*). La « société secrète » est précisément le nom de la réalité sociale que ces démarches composent. Mais cette expression romanesque ne doit pas être entendue, comme il est d'usage, dans le sens vulgaire de « société de complot ». Car le secret touche à la réalité constitutive de l'existence qui séduit, non à quelque action contraire à la sûreté de l'État. Le mythe naît dans les actes rituels dérobés à la vulgarité statique de la société désagrégée, mais la dynamique violente qui lui appartient n'a pas d'autre objet que le retour à la totalité perdue : même s'il est vrai que la répercussion soit décisive et transforme la face du monde (alors que l'action des partis se perd dans le sable mouvant des paroles qui se contredisent), sa répercussion politique ne peut être que le résultat de l'existence. L'obscurité de tels projets n'exprime que la déconcertante nouveauté de direction nécessaire au moment paradoxal du désespoir.

Pour un Collège de sociologie, 1938

Après les Mythologies *d'André Masson, à la fin des années 30, André Breton persiste à peu près seul à dessiner des modèles, théoriques et concrets à la fois, de mythes sur lesquels notre imaginaire peut se projeter. Tel est l'énigmatique* Au lavoir noir, *1936, dont le titre peut se lire « ô la voir noire », et désigner la lumière-femme de la Révélation. Tel est aussi plus tard l'extraordinaire texte « Les Grands Transparents », qui clôt le* Troisième Manifeste du surréalisme ou non, *écrit à New York en 1942, qui est à mes yeux une fable d'appel à la* libido, *et notamment la* libido sciendi.

ANDRÉ BRETON

Au lavoir noir, 1936

Papillons de nuit, petits toits de la nécessité naturelle à l'œil de paille, à l'œil de poutre ! Et vous, toits humains qui vous envolez chaque nuit aussi pour revenir vous poser les ailes jointes sous le compas des dernières étoiles : il va falloir vivre encore, quel temps fait-il ? De l'intérieur de la maison on découvre en s'éveillant le dessous des ailes, un peu de leur poussière n'a pas encore fini de tomber, elle danse dans le premier rayon de soleil. Et c'est toute la vie d'hier qui se ramifie en un corail impossible de la pâleur de tes mains, cette poudre est le buvard de tes premiers gestes. Les as-tu vus s'élancer à la tombée du jour des arbres et des haies, pour couper les fils télégraphiques qui se roulent en bobines derrière eux et foncer par les fenêtres entrouvertes sur la rangée haute ? Un long frisson parcourt aussitôt l'assistance, il est à la fois question de fermer et d'ouvrir, quelqu'un trouve même qu'une odeur suffocante se répand : à bas la myrrhe ! Les fusils restent cependant aux murs mais le silence devient intolérable : bien sûr, on entendrait voler un papillon. Les avions se croisent à ce moment dans le ciel, ils descendent même très bas, ils menacent d'atterrir sur la maison sans toit, de faire jacasser les coqs de la vaisselle. Mais nul n'en a cure tant les fleurs du papier s'émeuvent, et l'on redoute d'une seconde à l'autre une pire rafale de grêle. Tout peut apparaître dans un grêlon, la Vierge à des enfants, cela s'est vu, et même un papillon à des hommes. Mais le papillon disparaît beaucoup plus lentement. Dans ce dernier cas tout me porte à croire que je suis coupable, on vient me chercher jusqu'à table, je distingue les menottes, il va me falloir lutter, lutter encore pour être libre ! La nuit, quand il n'y a plus de plafond, je sens s'ouvrir sur moi les ailes de la lichénée bleue ! Un soir que je parlais plus que de coutume, un grand papillon entra : pris d'une terreur indicible à pointe d'émerveillement, comme je lui opposais les grands gestes désordonnés que je croyais appelés à le faire fuir il se posa sur mes lèvres.

LE PAPILLON

Non. La belle bouteille cachetée des mots que tu aimes et qui te font mal doit rester enrobée de tulle et tu risquerais à l'élever trop haut de faire flamber à l'intérieur une rose grise. Une jeune femme en transe, chaque fois que s'enflamme la rose grise, apparaît sur un perron dont les degrés brûlent à leur tour derrière elle et c'est autant de paliers du désir que tu n'atteindras plus. La jeune femme, l'immortelle rose grise à la main, fait le tour de la maison qui descend toujours. C'est seulement quand les murs en ont déjà disparu dans le sol qu'elle retourne s'étendre sur le lit de la chambre qui fut la plus haute et que referme instantanément au-dessus d'elle une coupe fraîche de gazon. Toute la maison, reprise alors en montée par un ascenseur insensible, revient dans l'espace à une position légèrement inférieure à celle qu'elle occupait. Le gazon de plus en plus ras n'est plus, tiré aux quatre points cardinaux, qu'un tamis de gaze verte laissant passer dans la nuit le seul parfum aimanté de la rose grise... Adieu. Je repars sur ma roue oblongue, pareille au désir japonais de se jeter dans la gueule du volcan.

Et le merveilleux petit bâillon vivant reprit sa course, tant qu'il fut dans la pièce suivi comme au projecteur par la lanterne sourde de mon enfance. Mes cils battaient toujours à se rompre et je n'aurais sans doute pas reconnu mon regard épinglé dans une glace en sortant. Depuis longtemps on m'avait laissé seul. La rue était une table mise avec les couverts bien réguliers de ses lumières, les cristaux de ses voitures filant les éclairs, où cependant, de-ci de-là, le haut d'un buste de femme, rendu lui aussi transparent par la vitesse, mettait l'imperceptible point de phosphorescence laiteuse qui tend à gagner toute l'étendue des verreries de fouille. « Ô substance, m'écriai-je, il faut donc toujours en revenir aux ailes de papillon ! » Et j'avais, pour ma consolation philosophique, le souvenir de l'homme qui, consulté sur ce qu'il aimerait qu'on fît pour lui quand il viendrait à mourir, demanda qu'on plaçât dans son cercueil une brosse (pour quand il tomberait en poussière). La belle brosse sentimentale court toute seule sur le temps. Jasmins, jasmins des cuisses de ma maîtresse, rappelez à vous l'atropos qui jette un cri strident lorsqu'on le saisit.

Les plus obscurs présages renaissaient. Ils se guidaient sur ce cri lugubre, repris par l'instrument qu'un mendiant cherchait à accorder, un instrument aux ouïes en forme de V. Les étoiles étaient du sel renversé, vite une pincée d'algues sèches pardessus l'épaule. Le pharmacien, qui s'était fait la tête du peintre Seurat, venait de paraître sur sa porte, tenant manifestement à régner sur la bonne odeur d'iode supplémentaire. Je n'ai jamais compris pourquoi il avait voulu venir flanqué de ses bocaux vert et rouge au Palais des Glaces mais l'effet était superbe. Quand ils furent inespérément teintés à perte de vue, tous les miroirs d'alors se brisèrent en forme de papillons.

C'est dans l'un de ces éclats que je me regarde. Tu es dans ta pensée comme sur un talon toujours virant un vol de castagnettes, tu es, te dis-je, dans ton sort, attaché au mauvais diamant rose, le genou de la femme sur quoi, dans l'étourdissement, retombe le volant d'écume admirable. Tu as des mains pour perdre ce que tu n'as pas trouvé. Tu es immobile, enchaîné à la roche froide au-dessus du précipice, en ce point culminant de toute la tragédie où Io passe dans Eschyle, annoncée par la phrase sibylline :

LE CHŒUR

Entends-tu la voix de cette jeune fille-qui-portedes-cornes-de-vache ?

Je l'entends comme je me vois. À ce signe sur sa tête, à cet aiguillon de feu qui la pénètre et qu'elle fuit, je reconnais celle qui répand chaque nuit sa grande plainte voluptueuse sur le monde, je sais la saluer à travers tous ces êtres qui me poursuivent de leurs courbes contrariantes et augurales comme les loups seuls visibles d'un bal masqué. Ce qui fut ne demande encore qu'à s'assombrir dans les yeux de l'Argus aveugle et brillant qui veille toujours. Mais le guidon de plumes ne lance pas en vain contre le lustre de ce que nous rêvons logiquement d'établir la petite machine parfois incendiée, toujours incendiaire. Entends-tu, mais entends-tu, dismoi, la voix de cette jeune fille... ? Le soleil vient seulement de se coucher.

Au lavoir noir, 1936

ANDRÉ BRETON

Les grands transparents

L'homme n'est peut-être pas le centre, le *point de mire* de l'univers. On peut se laisser aller à croire qu'il existe au-dessus de lui, dans l'échelle animale, des êtres dont le comportement lui est aussi étranger que le sien peut l'être à l'éphémère ou à la baleine. Rien ne s'oppose nécessairement à ce que ces êtres échappent de façon parfaite à son système de références sensoriel à la faveur d'un camouflage de quelque nature qu'on voudra l'imaginer mais dont la *théorie de la forme* et l'étude des animaux mimétiques posent à elles seules la possibilité. Il n'est pas douteux que le plus grand champ spéculatif s'offre à cette idée, bien qu'elle tende à placer l'homme dans les modestes conditions d'interprétation de son propre univers où l'enfant se plaît à concevoir une fourmi du dessous quand il vient de donner un coup de pied dans la fourmilière. En considérant les perturbations du type cyclone, dont l'homme est impuissant à être autre chose que la victime ou le témoin, ou celles du type guerre, au sujet desquelles des versions notoirement insuffisantes sont avancées, il ne serait pas impossible, au cours d'un vaste ouvrage auquel ne devrait jamais cesser de présider l'induction la plus hardie, d'approcher jusqu'à les rendre vraisemblables la structure et la complexion de tels êtres hypothétiques, qui se manifestent obscurément à nous dans la peur et le sentiment du hasard.

Je crois devoir faire observer que je ne m'éloigne pas sensiblement ici du témoignage de Novalis : « Nous vivons en réalité dans un animal dont nous sommes les parasites. La constitution de cet animal détermine la nôtre et *vice versa* » et que je ne fais que m'accorder avec la pensée de William James : « Qui sait si, dans la nature, nous ne tenons pas une aussi petite place auprès d'êtres par nous insoupçonnés, que nos chats et nos chiens vivant à nos côtés dans nos maisons ? » Les savants eux-mêmes ne contredisent pas tous à cette opinion : « Autour de nous circulent peut-être des êtres bâtis sur le même plan que nous, mais différents, des hommes, par exemple, dont les albumines seraient droites. » Ainsi parle Émile Duclaux, ancien directeur de l'Institut Pasteur (1840-1904).

*

Un mythe nouveau ? Ces êtres, faut-il les convaincre qu'ils procèdent du mirage ou leur donner l'occasion de se découvrir ?

« *Prolégomènes...* », *V.V.V.*, n° 1, New York, 1942

Le livre de Freud sur le mot d'esprit, à peine traduit en langue française, en 1930, est l'objet d'un compte rendu, qui semble une commande passée à Jean Frois-Wittman, dans la revue Le Surréalisme ASDLR. *Et l'on peut dire que les surréalistes ont haussé la réflexion sur l'humour au statut de morale de vie. Peu d'années après, Max Ernst emploie le mot d'humour noir pour la première fois, et Marco Ristić décrit l'humour comme « attitude morale » tandis qu'André Breton commence à travailler à sa grande anthologie, dont la publication en 1939 est différée par la censure jusqu'à l'après-guerre. Ce livre qui a marqué tout le siècle connaîtra d'ailleurs une seconde édition, augmentée. La tradition s'en poursuit dans les derniers groupes surréalistes, notamment sous la plume haute en couleur de José Pierre.*

MARCO RISTIĆ

L'humour, attitude morale

Réponse à l'enquête « *L'humour est-il une attitude morale ?* »

Quels sont les rapports de l'humour et de la poésie, de l'humour et de la morale, de l'humour et de la mort ?

Il s'agit tout d'abord d'une nouvelle manière d'envisager la réalité et de se comporter envers elle (mais sous cet angle les objets eux-mêmes se montrent dans ce qui est en eux réellement l'aspect du moderne), et cela, tandis que la machine à détraquer et à nier de l'humour ne fonctionne pas, ou après le bref instant de son fonctionnement fulgurant. Je veux dire que je parle sans humour de l'humour.

Les quatre pages de la publication *L'Impossible* (Belgrade, 1931) qui furent, sous le titre *Le Réveille-Matin*, une première tentative d'établir expérimentalement les rapports entre la poésie et l'humour, ont été totalement incomprises des intellectuels bourgeois. À la lumière de ces rapports, il apparaît pourtant très clairement que l'humour est, dans son essence, une critique intuitive et implicite du mécanisme mental conventionnel, une force qui extrait un fait ou un ensemble de faits de ce qui est donné comme leur normale pour les précipiter dans un jeu vertigineux de relations inattendues et surréelles. Par un mélange de réel et de fantastique, hors de toutes les limites du réalisme quotidien et de la logique rationnelle, l'humour et l'humour seul donne à ce qui l'entoure une nouveauté grotesque, un caractère hallucinatoire d'inexistence, ou du moins, une objectivité douteuse et méprisable et une importance dérisoire, à côté d'un *sur-sens* exceptionnel et éphémère, mais total. En contact avec la poésie, l'humour est l'expression extrême d'une inaccommodation convulsive, d'une révolte à laquelle sa retenue, sa compression ne font que donner plus de force.

Selon Freud, l'humour a « *un côté grandiose* » qui « *se trouve sans aucun doute dans le triomphe du narcissisme, dans l'invulnérabilité victorieusement affirmée du moi. Le moi refuse de subir une offense, de souffrir par des causes venant de la réalité, il persiste à croire que les traumas du monde extérieur n'ont aucune prise sur lui, il va même jusqu'à prouver qu'ils fournissent des motifs à son plaisir* ».

En tant qu'inacceptation, non-reconnaissance de la réalité et de sa gravité, l'humour satisfait certaines tendances, « tendances ludiques et régressives vers des modes de pensée pré-logique et pré-réaliste ». À ce propos, Jean Frois-Wittmann attire l'attention sur les rapports qui existent entre le mot d'esprit et l'humour d'une part et l'image poétique de l'autre, et arrive ainsi à des conclusions qui sont celles de l'expérience purement poétique.

La psychanalyse nous montre comment la transformation des sentiments accumulés en plaisir humoristique rend momentanément superflue toute extériorisation effective.

Par ailleurs, l'humour est d'une certaine façon un masque estampillé et approuvé par le sur-moi, qu'arbore l'inconscient pour pouvoir passer en resquilleur à côté du contrôle de ce même sur-moi.

Et maintenant, quels sont les rapports entre l'humour et la morale, entre l'humour et une *attitude morale*, qui suppose justement cette réaction constante, consciente et agissante dont l'humour dispense ?

Dans notre *Esquisse d'une phénoménologie de l'irrationnel*, Kotcha Popovitch et moi, après avoir rejeté la *morale normative* bourgeoise — ensemble dégoûtant de règles et de règlements, codification qui pour varier en deçà et au-delà des Pyrénées n'en demeure pas moins codification et non seulement du bien et du mal, *in abstracto*, mais de la conduite de l'homme, de l'homme et de femme en amour (le normal et le pervers, le permis et le défendu, la procréation et le soixante-neuf...) —, nous avons distingué, d'une part, la morale réelle (processus de la réalisation du désir concret, irrationnel et individuel, expression des revendications directes de l'inconscient, de l'instinct, du « *raisonnement* », en dehors de toute systématisation) et, d'autre part, la *morale moderne* (étape de ce devenir, système relatif, *attitude* conditionnée par les exigences des catégories dont la morale réelle, individuelle et inapplicable dans la société actuelle, ne peut, par définition, tenir compte, telles que les catégories du « *jugement* », de la conscience rationnelle, de la chronologie, de l'histoire, de la société).

À défaut d'une conception dialectique, la notion de morale nous apparaîtrait sur deux plans irréconciliables. Sur le premier, — déjà contradictoirement, mais du moins sur le même plan, — il nous faudrait considérer la morale comme *un système* qu'à tout prix il faut abolir et, en même temps, comme la condition même de cette abolition, comme la négation de ce système. Sur l'autre de ces deux plans, étant l'exigence irréductible et pleinement arbitraire de la liberté personnelle de l'individu, le droit du désir de se réaliser, la morale nous apparaîtrait comme la personnification du désystématisé de la *désystématisation* elle-même. Pour éviter ce paradoxe confusionnel, la distinction et la terminologie proposées par l'*Esquisse* me semblent suffisamment justifiées.

Si l'on tient compte de la distinction mentionnée entre la morale réelle (la morale du désir) et la morale moderne (l'attitude révolutionnaire « dépendante de la dialectique sociale »), la réponse à la question : *l'humour est-il une attitude morale* ? est *négative*, tandis qu'à la question *l'humour est-il moral ?* la réponse est *affirmative*. Car, par cela même que l'humour est parfaitement amoral, on peut dire qu'il est parfaitement moral, étant donné que par lui-même, il ne tombe pas sous le coup de la catégorisation du moral et de l'immoral, qui ne peut s'occuper que des *conséquences* pratiques de l'humour. Cependant un tel humour « en soi », en dehors de sa détermination et de ses résultats, qu'il soit utilisable ou non révolutionnairement, ne pourrait s'imaginer que dans le plein devenir phénoménologique illimité, impensable au stade actuel de notre conscience ou bien dans l'infiniment brève fulguration d'un présent éternisé, c'est-à-dire hors du temps dans l'un et l'autre cas. Mais nous sommes dans le temps, et comment ! Et dans quel temps ! Si donc on conçoit qu'ici, dans l'implacable lumière de la veille, en pleine lutte de classes, le mot *moral* énoncé à haute voix (je ne suis pas seul au monde, tu n'es pas seul au monde, quelqu'un parle à quelqu'un, quelqu'un s'explique à quelqu'un) signifie *conforme aux exigences de la morale moderne,* — car l'énonciation donne aux mots un sens social, — alors, il devient clair que seul est moral ce qui est *révolutionnaire.* Révolutionnaire parce que moral ; moral parce que (peut être considéré comme) révolutionnaire : c'est par ses conséquences, ses résultats que l'on peut juger de la moralité d'une donnée initiale. Parce qu'il ne laisse en paix aucune pierre tombale des siècles, aucune pierre angulaire de l'amphithéâtre de l'éternelle sagesse, l'humour est moral, tout comme la folie, la poésie, l'amour (réponse affirmative). Se pourrait-il d'ailleurs qu'une chose qui *idéalement* s'identifie avec la réalisation désintéressée de l'inconscient, c'est-à-dire avec la morale réelle du désir, qu'une telle chose n'ait pas des conséquences morales ? Mais cela ne veut pas encore dire que l'humour soit une attitude morale. « *L'humour serait l'anarchie s'il pouvait être une attitude. Mais il n'existe qu'instantané, aussi loin que puissent rouler ses conséquences, dont il n'est pas responsable et qu'il n'a pas pu prévoir* » (Kotcha Popovitch).

L'humour en tant qu'attitude vitale est intenable.

Jacques Vaché s'est tué, Jacques Rigaut s'est tué. L'humour persistant pourrait être la morale de la solitude, mais la solitude s'est condamnée elle-même à mort (ou bien elle est obligée de se transformer en action, c'est-à-dire de se nier), précipitée vers son unique résolution, vers l'autodestruction, solitude définitive. L'humour, nihiliste, tend régressivement vers sa propre annihilation, vers la paix intra-utérine de l'isolement, de la non-participation, de l'irresponsabilité, vers le repliement humoreux de l'embryon.

L'humour par définition ne peut choisir, prendre parti, car il n'admet pas, n'accepte pas la réalité où son choix, sa décision devraient s'exercer. Son « *ironie suprême* » est en réalité une indifférence sans issue. *En opposition avec toutes les données possibles de la réalité sociale* l'humour généralisé, perpétué est incompatible avec chaque décision, avec chaque adéquation sociale possible… Et, en tant qu'indifférence, l'humour n'est ni vital, ni viable ; la vie de l'homme particularisée dans la matière ne peut pas être indifférente (*Esquisse*, pp. 170-171).

Les temps sont trop sévères et trop présents pour que qui que ce soit puisse espérer s'en tirer par la conservation artificielle d'une illusion, sous le vague toit de chaume de l'humour, dans le moulin solitaire et mort de l'humour, dans le phare sans feux de l'humour. L'humoriste désenchanté (je ne parle pas des journalistes), enveloppé dans la cape illusoire du fatalisme, est accroupi au sommet de la plus haute meule de foin (celle-ci brûle à la base), sans une miette d'illusion (et voué tout entier à une illusion), sans espoir mais sans amertume créatrice, sans un seul geste de révolte agissante, sans mouvement et sans efficacité. « *Sensation — J'allais presque dire un* SENS *— de l'inutilité théâtrale (et sans joie)* de tout » (Vaché) : sentiment qui doute de tout (« *Ô* DIEU ABSURDE ! *Car tout est contradiction — n'est-ce pas ? — et sera umoreu celui qui toujours ne se laissera pas prendre à la vie cachée et* SOURNOISE *de tout — Ô mon réveillematin* »). « *Sensation de l'inutilité théâtrale de tout* », (« … *et sera umoreu celui qui* *sentira le trompe-l'œil lamentable des simili-symboles universels »)* : aube trouble et cendrée de dada. Sentir la vanité lamentable, l'absurde irréalité de tout, c'est sentir sa propre inutilité, c'est être inutile. Alors, il faut ou bien s'anéantir ou bien se transformer, se dépasser par une négation substantielle : Vaché s'est tué, dada est devenu le surréalisme. L'indifférence de l'humour est une force d'expansion refoulée, dont la puissance virtuelle d'explosion est tirée au clair par une autre puissance, réelle et déterminante, celle du temps présent, au clair de la décision et de l'action : l'énergie cachée, particulière à cette indifférence, attelée, devient ainsi un moteur de l'action.

Et pour cela, je salue très bas les miasmes virulents de l'humour.

Psychologiquement, par son « attitude humoristique » un homme montre qu'il ne veut rien savoir des attaques du monde extérieur, et il transmue ses traumas en motifs de plaisir humoristique. Mais nul n'est mithridatisé contre le poison opaque et perfide de la réalité de ses désastres. Il est vrai que dans ses minutes actives, l'humour est un poison plus secret, subtil et corrosif. Dans certains cas précis (p. ex. à la face d'un prêtre), sans tenir compte du nihilisme narcissiste qui lui est généralement propre, non seulement il est moralement justifié, mais encore ses réactions s'identifient avec celles de la morale moderne du révolutionnaire. Or, voilà qui ne saurait être constant, qui ne saurait se prolonger objectivement.

L'humour devient immoral, dès qu'il tente (même inconsciemment) de parer à son incapacité de validité durable par une *systématisation* non moins immorale que toutes celles opérées abusivement sur les éléments subversifs de l'esprit, *excepté celle, consciente et consciemment relative et pratique, de la morale moderne*. Statiquement généralisé à des fins narcissistes et illusoires, l'humour n'est plus l'expression désintéressée et directe de l'inconscient. Traître à sa propre particularité concrète et irrationnelle, il n'est pas non plus une systématisation rationnelle nécessaire, au but objectivement, c'est-à-dire révolutionnairement efficace, il se réduit à rien. Il n'est plus qu'une désertion, un alibi et couvre tous les compromis.

Pour que la liberté de la vie désystématisée puisse devenir universelle, il faut une systématisation (tout le contraire de la généralisation de certains éléments *pris à part*) qui englobe tous les éléments présents et incomplets et, non moins que les autres, ceux de l'humour, image fuyante de l'arbitraire déchaîné.

Le Surréalisme va droit à la zone interdite. Mais si, dans son expérimentation spécifique, il ne saurait en rien être rationalisé, il s'est, d'autre part, mis au service d'une cause — la seule historiquement inévitable et décisive — qui exige une organisation rationnelle de la pensée, le surréalisme s'est mis au service de la révolution qui, elle-même, en travaillant à transformer les conditions matérielles de l'existence humaine, est au service d'une liberté concrète et certaine dont les éléments, autant qu'il est actuellement possible, se sont déjà incorporés au surréalisme, se mettant à leur propre service. L'humour, par exemple, peut être une arme à ne pas négliger. Mais le fatalisme — qui devient son fait dès qu'il se généralise — n'a rien à voir avec le caractère déterministe de l'attitude morale du révolutionnaire. Un révolutionnaire sait qu'on n'atteint à la liberté que par la connaissance de la nécessité, et qu'on ne se dérobe pas à la responsabilité devant la nécessité de cette connaissance et de l'action avec laquelle elle s'identifie.

Le Surréalisme au service de la Révolution, n° 6, mai 1933 (D. R.)

ANDRÉ BRETON

Anthologie de l'humour noir

PARATONNERRE

La préface pourrait être intitulée : le paratonnerre (Lichtenberg).

« Pour qu'il y ait comique, c'est-à-dire émanation, explosion, dégagement de comique, dit Baudelaire, il faut... »

Émanation, explosion : il est frappant de trouver les deux mêmes mots associés chez Rimbaud et cela au cœur d'un poème on ne peut plus prodigue d'humour noir (il s'agit, en effet, du dernier poème qu'on ait de lui, où l'expression bouffonne et égarée au possible » resurgit, condensée à l'extrême, suprême, des efforts qui ont eu pour but son affirmation, puis sa négation) :

« *Rêve* »

On a faim dans la chambrée,
C'est vrai. . . . .
Émanations, explosions,
Un génie : Je suis le gruère !
. . . .

Rencontre, réminiscence involontaire, citation ? Il faudrait, pour en trancher, qu'on eût poussé assez loin l'exégèse de ce poème, le plus difficile de la langue française, mais cette exégèse n'est pas même entreprise. Une telle coïncidence verbale n'en est pas moins déjà significative. Elle révèle, chez les deux poètes, une même préoccupation des conditions pour ainsi dire atmosphériques dans lesquelles peut s'opérer entre les hommes le mystérieux échange du plaisir humoristique. Échange auquel, depuis un siècle et demi, s'est trouvé attaché un prix croissant qui tend à en faire aujourd'hui le principe du seul commerce intellectuel de haut luxe.

[...] M. Léon Pierre-Quint, dans son ouvrage *Le Comte de Lautréamont et Dieu*, présente l'humour comme une manière d'affirmer, par-delà « la révolte absolue de l'adolescence et la révolte intérieure de l'âge adulte », une *révolte supérieure de l'esprit*.

Pour qu'il y ait humour... le problème restera posé. On peut toutefois considérer que Hegel a fait faire à l'humour un pas décisif dans le domaine de la connaissance lorsqu'il s'est élevé à la conception d'un *humour objectif*. « L'art romantique, dit-il, avait pour principe fondamental la concentration de l'âme en elle-même qui, ne trouvant pas que le monde réel répondît parfaitement à sa nature intime, restait indifférente en face de lui. Cette opposition s'est développée dans la période de l'art romantique, au point que nous avons vu l'intérêt se fixer tantôt sur les accidents du monde extérieur, tantôt sur les caprices de la personnalité. Mais, maintenant, si cet intérêt va jusqu'à faire que l'esprit s'absorbe dans la contemplation extérieure, et qu'en même temps l'humour, tout en conservant son caractère subjectif et réfléchi, se laisse captiver par l'objet et sa forme réelle, nous obtenons dans cette pénétration intime un *humour* en quelque sorte *objectif*. » Nous avons annoncé d'autre part que le sphinx noir de l'*humour objectif* ne pouvait manquer de rencontrer, sur la route qui poudroie, la route de l'avenir, le sphinx blanc du *hasard objectif*, et que toute la création humaine ultérieure serait le fruit de leur étreinte.

[...] « Il serait temps, dit Freud, de nous familiariser avec certaines caractéristiques de l'humour

L'humour a non seulement quelque chose de libérateur, analogue en cela à l'esprit et au comique, mais encore *quelque chose de sublime et d'élevé,* traits qui ne se retrouvent pas dans ces deux ordres d'acquisition du plaisir par une activité intellectuelle. Le sublime tient évidemment au triomphe du narcissisme, à l'invulnérabilité du *moi* qui s'affirme victorieusement. Le *moi* se refuse à se laisser entamer, à se laisser imposer la souffrance par les réalités extérieures, il se refuse à admettre que les traumatismes du monde extérieur puissent le toucher ; bien plus, il fait voir qu'ils peuvent même lui devenir occasions de plaisir. » Freud en donne cet exemple grossier, mais suffisant : le condamné que l'on mène à la potence un lundi s'écriant : « Voilà une semaine qui commence bien ! » On sait qu'au terme de l'analyse qu'il a fait porter sur l'humour, il déclare voir en celui-ci un mode de pensée tendant à l'épargne de la *dépense nécessitée par la douleur.* « Nous attribuons à cet assez faible plaisir — sans trop savoir pourquoi — un caractère de *haute valeur,* nous le ressentons comme particulièrement apte à nous libérer et à nous exalter. » Selon lui, le secret de l'attitude humoristique reposerait sur l'extrême possibilité pour certains êtres de retirer, en cas d'alerte grave, à leur *moi* l'accent psychique pour le reporter à leur *surmoi,* ce dernier étant à concevoir génétiquement comme l'héritier de l'instance parentale (« il tient souvent le *moi* sous une sévère tutelle, continuant à le traiter comme autrefois les parents — ou le père — traitaient l'enfant »). Il nous a paru intéressant de confronter avec cette thèse un certain nombre d'attitudes particulières qui relèvent de l'humour et de textes où cet humour s'est trouvé porté littérairement à son plus haut degré d'expression.

Préface à l'*Anthologie de l'humour noir,* 1939

JOSÉ PIERRE

Hara-Kiri ou les lois de la publicité

comédie musicale en trois actes

Remarques préliminaires

De la publicité, en effet, je suis la victime ravie, si tant est que j'en sois la victime. Ce n'est quand même pas trop jouer à l'artiste que me prétendre, en tant qu'intellectuel, davantage immunisé contre les sirènes publicitaires que la pauvre ménagère qui tombe d'Ajax en Pactol (bel exemple de mise à contribution de la culture classique, laquelle a toujours été au service de l'oppression culturelle et politique) ou d'Ariel en Génie (non, rien ne nous aura été épargné !). Mais dans la mesure justement où la publicité est le fait d'intellectuels mettant au service de l'économie capitaliste la culture jusque dans ses ressorts les plus révolutionnaires, une certaine complicité s'établit au niveau de cette culture qui trouve ici un de ses emplois les plus aliénants. Que la culture ait des aspects révolutionnaires, voilà quelque chose qui a été un peu oublié, fatalement, dès l'instant que la « révolution culturelle » perdait en acuité ce qu'elle gagnait en extension. Comme était oublié le fait corollaire que ces aspects étaient justement ceux qui supportaient les offensives les plus perfides de la « récupération ». Rappelons simplement que la psychanalyse, instrument critique au moins aussi incisif que le marxisme, est depuis longtemps aussi familière aux dominicains de choc qu'aux spécialistes de la recherche des « motivations » ; que le « nonsense » en général et le surréalisme en particulier ont inspiré à *L'Express* le style de ses légendes « décalées » par rapport à ce qui est montré dans l'illustration ; que Publicis ferait un pont d'or à l'Internationale Situationniste si celle-ci acceptait de mettre sa virulence au service de la consommation ; et que, d'ailleurs, avant longtemps, la critique « situationniste » et la « contre-publicité » vont se trouver elles aussi partiellement assimilées par la publicité[1], comme suffirait à l'annoncer l'exemple des réclames ordurières (« Cette page [de vomi] vous est offerte par le vin du Postillon ») pratiquées par le journal *Hara-Kiri*, et dûment payées par les intéressés...

Alors, que tous les intellectuels soient complices de la culture telle qu'elle se présente à un moment donné et de l'emploi qui en est fait dans une société donnée, il est bien évident ; mais les poissons sont également complices de la mer qui les contient et les nourrit ! En attendant que l'on parvienne à déshabituer les poissons de l'élément liquide (Alphonse Allais, comme on sait, avait failli y parvenir) et par conséquent les intellectuels de la culture (de méritoires efforts en ce sens sont encore poursuivis aujourd'hui en U.R.S.S. et en Chine populaire), je voulais simplement dire que je n'avais pas du tout (oh ! mais pas du tout) l'intention de vous suivre sur ce terrain-là, mais plutôt de souligner que je devais à la publicité (la vraie) quelques-unes de mes plus grandes joies. Je parle de joies intimes et non point intellectuelles, à ce point intimes même que je ne les confie qu'à contrecœur... Lorsque j'avais vingt ans (c'est loin, tout ça !), m'a longuement

1. Par exemple, près d'un jeune homme dynamique en sous-vêtements blancs, dans le couloir de correspondance La Motte-Piquet-Grenelle, cet extraordinaire slogan : « Si votre mari travaille, prenez un amant ! », à faire crever d'envie l'entier personnel de Publicis, indique dans quel sens pourra s'opérer cette « récupération ».

troublé la publicité du rouge Baiser (une femme aux yeux bandés, lèvres offertes) comme, il y a trois ou quatre ans, telle merveilleuse affiche Ricils (immense œil de femme, si doux !), l'an dernier l'émouvante odalisque rousse de la gaine Lejaby et, maintenant, la gracieuse mère-enfant, les bras croisés sur la poitrine, des collants Capricieux Le Bourget. (Aussi ai-je attentivement observé la « contre-publicité » portée sur les affiches dont une femme troublante constitue l'élément essentiel ; concernant la dernière citée, je n'ai relevé aucune inscription désobligeante, et l'on s'attendrit souvent sur son bébé-phallus, futur chômeur ou futur « enragé » ; si une autre fille paraît plus « bêcheuse », un certain dépit se mêle à la critique économico-sociale : « Moi, je ne baise qu'avec des P.-D.G. » ; est-il hâtif de conclure qu'en de tels cas les contestataires ne se montrent pas plus que moi insensibles ?) Certes, je ne suis pas dupe au point d'user moi-même (ainsi que le fait tel peintre de mes amis, absolument fasciné par « l'appareil » féminin) de rouge Baiser, de fard Ricils, de gaine Lejaby ni de collants Capricieux ! Et mon fétichisme personnel est d'une qualité si vulgaire que je n'ai guère songé à user de critères pourtant si justifiés à des fins de discrimination sexuelle. En ce qui me concerne, la publicité n'est donc pas parvenue à surmonter le déprimant divorce du rêve et de l'action. (Et si c'était là le but, dans la cité de demain, de la publicité révolutionnaire, faite par les poètes et soucieuse de créer des besoins nouveaux, non plus pour stimuler la production et faciliter la consommation, mais pour encourager le désir ? Imaginons un instant : « Quelque part, une femme au goût de noisette... » ; « Un nuage viendra se poser sur votre tête... » ; « Observez chaque larme au microscope... » ; « Au moment où le silence descend d'un demi-ton... » ; « Entre deux brins d'herbe, pour toi tout seul... »)

Espérant avoir, grâce à la digression qui précède, mal disposé à mon égard un nombre assez élevé de lecteurs, je peux maintenant affirmer que ma propre ambiguïté à l'égard du phénomène publicitaire n'est pas étrangère à l'attitude bizarre du héros de ma pièce. Il entre en publicité comme on entrait en religion et il en meurt. Il en meurt parce que la publicité, peut-être, est une garce, comme celle (peut-être) qui lui ouvre son lit. (« Peut-être, peut-être, mouillez-vous donc un peu, mon ami ! » — « Eh ! c'est que... le moyen d'être sûr ? ») On dira que c'est une mort pour rire, cette mort. Oui, mais uniquement parce que toute mort, au théâtre, et tant qu'on n'aura pas pris le parti d'y user (ainsi qu'au cinéma d'ailleurs) de vraies balles, de vrais poignards et de vrais sabres, est une mort pour rire. (« Stanislavski, réaliste extrémiste, aurait souhaité la mort effective et définitive de l'acteur qui doit jouer sa mort en scène », raconte Yves Klein.) À moins que le théâtre justement ne soit la seule protection contre la mort, puisque fondé sur la *répétition* à l'infini des mêmes paroles, des mêmes gestes, des mêmes sentiments ou de leur simulacre... Mais qu'est-ce réellement qui triomphe ici : le théâtre ou la publicité ? Les deux, peut-être, ainsi qu'il convient lorsque les formes de la culture et le contenu de la culture sont de connivence pour maintenir dans les chaînes de son aliénation l'homme de la société de consommation. (Hein, qu'est-ce que vous dites de ça ? C'est envoyé, non ?) Car je ne pense pas que, la comédie de boulevard exceptée (dans laquelle l'exploitation de l'homme par l'homme est sous-jacente, bien que l'accent soit mis au mode gai sur la décomposition des mœurs de la classe possédante) (ce n'est pas mal non plus, ça !), il existe un genre plus frelaté, plus mystifiant, plus démobilisateur (je ne mâche pas mes mots, moi !), en un mot plus apte à noyer dans le sirop de la chansonnette et l'orgeat des entrechats les aspects quotidiens de la lutte de classes que la comédie musicale. (Ouf !) Surtout lorsque, comme moi, l'on se réfère à la version hollywoodienne de cette comédie musicale (ah ! Minnelli, Fred Astaire, Gene Kelly, Stanley Donen...), dont la nocivité contre-révolutionnaire est multipliée par la machine à décerveler du cinéma américain, instrument de diffusion numéro un du capitalisme yankee, etc. Ah oui ! j'en prends le lecteur à témoin : je ne suis pas encore à la veille de me libérer...

Mais c'est que le catéchisme « rouge » (ainsi appelé à cause de la couleur de sa couverture) m'est aussi odieux que l'autre, que les autres, ou plus généralement que les « vérités premières » m'emmerdent, et que je fais de mon mieux pour le leur rendre. Que ces « vérités premières » soient, par exemple, « La femme est faite pour être mère », « Il faut mourir pour la patrie » ou « L'artiste doit se mettre aux ordres de la classe ouvrière », elles me paraissent également haïssables et révèlent les unes comme les autres un insondable abîme de servilité dans l'âme de ceux qui les profèrent. Là est pour moi la vraie contre-révolution, celle qui *menace de mort* tout espoir pour l'humanité de s'arracher au fleuve de merde et de sang dans lequel elle patauge depuis l'origine des temps. L'honneur de l'artiste et de l'écrivain dignes de ce nom est justement d'être toujours des opposants, même lorsque le pouvoir devient révolutionnaire, et de ne jamais rien tenir pour définitif, pour vérité révélée, consacrée, désormais immuable. Nos joyeux petits « Chinois » qui nous préparent, si nous les laissons faire, un néo-stalinisme auprès duquel l'ancien apparaîtra comme une aimable plaisanterie, ont plus de haine, il me semble, pour le mot de « création » et pour ce qu'il représente que pour le capitalisme tout entier. C'est que sans doute ils savent que le capitalisme occidental n'est qu'un moment et que, tôt ou tard, il sera rejeté « dans les poubelles de l'histoire » alors que la pensée créatrice, sans laquelle aucune théorie révolutionnaire n'aurait vu le jour, est un danger permanent, une menace constante, une remise en cause perpétuelle des dogmes quels qu'ils soient. Je n'ai, en écrivant *Hara-Kiri ou les lois de la publicité*, à aucun moment eu la prétention de faire œuvre révolutionnaire, mais plutôt d'interroger en moi cette ambiguïté dont j'ai longuement fait état. Il me semble naïvement que nos contradictions, à condition d'être un tant soit peu vécues, ont beaucoup plus à nous apprendre que tous les catéchismes. J'ajouterai, pour en finir avec cet ordre de considérations, ceci : ce que certains interpréteront comme une attaque « inadmissible » contre le syndicalisme n'a pas d'autres *raisons* (celles-là me paraissent amplement suffisantes !) que le dégoût et la haine que m'a inspirés la conduite, au mois de mai 1968, de M. Georges Séguy, secrétaire général de la C.G.T. (pour ne point parler de moindres seigneurs, du genre Alaphilippe).

Pourtant, *Hara-Kiri* (où j'interdis que l'on voie la moindre publicité faite à une publication que je tiens pour immonde, bien qu'y ait brillé une perle d'aussi belle eau que la *Pravda* de Guy Pellaert) est, des trois pièces dont je me suis à ce jour rendu coupable, la plus brechtienne. Non point eu égard à cette caricature de Brecht qu'amis et adversaires en ont accréditée, mais à cette ambiguïté de Brecht à l'égard du théâtre, à ce mélange ou plutôt cette alternance de fascination et de méfiance qui me le rendent parfois si proche. (J'aime aussi que cette référence, aujourd'hui, tombe à plat alors qu'elle eût été tellement « dans le vent » des coulisses il y a encore trois ou quatre ans !) Mais, à la réflexion, je me demande si (à l'inverse de ce que Marx prétendit faire d'Hegel) je n'en suis pas à remettre Brecht sur la tête, à le caresser (gros matou, vétéran des gouttières !) à rebrousse-poil. Je veux dire par là à remonter, à travers lui, jusqu'au théâtre expressionniste allemand, si scandaleusement méconnu en France faute de traductions, et dans lequel indiscutablement Brecht a poussé ses premières racines. On sait que la structure la plus typique de ce théâtre expressionniste est le *Stationendrama* (ou *Wegdrama*) dans lequel « la succession des états d'âme ou des étapes (vers l'accomplissement ou le non-accomplissement du nouvel homme) remplace l'enchaînement logique de l'action[1] ». Un parfait exemple de *Stationendrama* a été récemment montré (ce fut un « four » magnifique) au public parisien du Vieux-Colombier par le Théâtre de la Mandragore : il s'agissait de la bouleversante pièce de Georg Kaiser, *De l'aube à minuit* (*Von morgens bis mitternachts*). Ajoutons que l'origine de cette structure dramatique est à chercher dans la pièce mère de l'expressionnisme allemand, *Woyzzek*, de Georg Büchner, où un personnage (et une vie) se construisent (et se défont) sous nos yeux à travers une succession de scènes brèves qui sont autant d'épreuves, comme un puzzle fatidique.

ACTE III, scène 3

HECTOR. *Tout d'une traite.*

Je m'appelle Hector vingt-deux ans célibataire.

1. Ilse et Pierre Garnier, *L'expressionnisme allemand*, André Silvaire, Paris, 1962.

HÉLÈNE. *Un peu piquée.*

Célibataire voyez-vous ça eh bien mesdemoiselles
Ayez l'œil sur lui un bon publicitaire peut
Certainement faire un excellent mari Monsieur
Hector avant que commence la série de vos trois
Épreuves vous allez chanter avec moi l'hymne
Officiel de votre profession allons-y.

HECTOR ET HÉLÈNE. *En chœur, chantant.*

Pour être un bon publicitaire
Il faut avoir de la santé
Et apprécier tous les plaisirs
De l'esprit du lit de la table
Ainsi l'on peut s'imaginer
La variété des appétits
Qu'il conviendra savamment
De satisfaire et de susciter.

HÉLÈNE. *Seule, parlant.*

Rien de ce qui est humain ne lui est étranger.

HECTOR ET HÉLÈNE. *En chœur, chantant.*

Pour être un bon publicitaire
Il faut le souffle lyrique
Afin de chanter les émois techniques
De la ville mécanisée
Célébrons le tracteur à zizique
Les préservatifs en chewing-gum
Les curés en matière plastique
Et la police électronique.

HÉLÈNE. *Seule, parlant.*

Il est le seul l'authentique poète du progrès.

HECTOR ET HÉLÈNE. *En chœur, chantant.*

Pour être un bon publicitaire
Un peu de folie est nécessaire
Il faut tirer de leur torpeur
Nos abrutis de contemporains
Fabriquer des statues de yaourt
Montrer ses fesses pour écouler
Des crayons et brûler Jeanne d'Arc
Pour vendre des poêles à frire.

HÉLÈNE. *Seule, parlant.*

Il est le penseur à l'échelle de la planète.

HECTOR. *Hochant la tête.*

Homme poète et penseur tout cela à la fois.

HÉLÈNE. *Un peu surprise, le regarde et poursuit.*

Et voici maintenant le début de notre jeu première
Séquence Monsieur Hector va mimer devant vous
Une scène dont il est seul à connaître le sens
Et qui doit vous permettre de deviner de quel
Produit de quelle matière ou de quel objet il a
Décidé de faire le sujet de sa campagne publicitaire.

(Hector, revenu au centre du plateau, ôte son habit noir jusqu'à n'être plus vêtu que d'une sorte de maillot rayé de marin et d'un caleçon ; peut-être garde-t-il ses chaussettes. Il creuse ses joues, fait comprendre qu'il n'est pas rasé et qu'il a l'estomac vide.)

VOIX. *Venant d'un haut-parleur*
ou LES SPECTATEURS *groupés autour du récepteur.*

Un clochard mais non les clochards ne se
Déshabillent jamais il a froid aux pieds

(Hector, tournant autour de lui-même, désigne d'un grand geste du bras ce qui l'entoure, et mime des mouvements de gauche à droite et de droite à gauche, puissants et balancés, et aussi des sortes d'éclatements lourds.)

C'est un champ de blé non il caresse un chat
Une balançoire la fête foraine il danse la valse

(Hector, en marchant en rond, délimite une étroite surface dans laquelle il se tient et dont le centre est occupé par un objet qu'il décrit par un geste vertical ascendant puis par son bras tendu vers le haut, les doigts écartés, fixes puis agités de faibles tressaillements.)

Il tourne en rond il essaie d'attraper quelque
Chose il cueille un fruit c'est une fourchette.

HÉLÈNE. *D'une voix douce.*

N'oubliez pas chers téléspectateurs que Monsieur
Hector vous décrit toute une scène un ensemble
De choses qui doit vous aider à comprendre la
Nature du produit ou de l'objet auquel il songe.

(Hector maintenant montre quelque chose au bout de son pied, s'accroupit, fait semblant de creuser et de découvrir un objet dur, de forme géométrique, qu'il secoue à son oreille comme s'il était creux et susceptible de contenir quelque chose. Il fait comprendre qu'il attend de grandes joies de sa trouvaille : ses yeux brillent, il se passe la langue sur les lèvres, montre les dents et se frotte l'estomac.)

VOIX *ou* SPECTATEURS. *Sur un ton de plus en plus animé.*

C'est quelque chose de bon à manger un trésor
Il va être riche des pommes de terre une brique.

(Soudain le drame : Hector se presse la tête à deux mains, reprend l'objet, le tourne en tous sens, le jette sur le sol, le ramasse, essaie avec ses ongles de l'entamer, mais en vain.)

Il ne sait pas quoi en faire il devient fou

(Hector s'illumine : l'idée géniale ! Il montre qu'il a un collier et qu'à ce collier est suspendu un objet d'assez petite taille puisqu'il peut le tenir dans le creux de sa main. Il est tout heureux, danse de joie autour de l'axe invisible qu'il a déjà évoqué, puis s'accroupit et, se servant de l'objet attaché à son collier, décrit sur l'objet qu'il a déterré un cercle tout le long duquel il répète un mouvement bref d'avant en arrière.)

Quoi il dessine avec son scapulaire il moud
Du café la clef du trésor il ouvre le coffre

(Hector a remis en place l'objet pendu à son cou, il jette un objet de forme circulaire par-dessus son épaule, regarde l'objet déterré comme s'il pouvait voir à l'intérieur, le porte à sa bouche en renversant la tête en arrière et fait comme s'il avalait, en mâchant ou non, reprend son souffle, recommence, secoue l'objet comme s'il était devenu plus léger, le jette par-dessus son épaule et se frotte l'estomac et le ventre d'un air satisfait.)

C'était une noix de coco non une bouteille.

(Hector reprend l'objet pendu à son cou et le tient en l'air, lui envoie des baisers, puis s'immobilise.)

HÉLÈNE

Eh bien chers téléspectateurs la première
Séquence est terminée la première bonne réponse
Qui nous parviendra vaut une bouteille d'apéritif

(On lui apporte des petits papiers.)

Non ce n'est pas cela ah ah voici la bonne
Réponse c'est Madame Boutentrain épicière en
Retraite à Tétaneuf Morbihan qui nous téléphone
Monsieur Hector a mimé un marin naufragé sur une
Île déserte qui trouve une boîte de conserve et
L'ouvre grâce à un ouvre-boîte bravo Monsieur
Hector bravo Madame Boutentrain qui gagne une
Bouteille de Judevo notre apéritif national.

VOIX *ou* SPECTATEURS

Ah j'allais le dire c'est de l'hébreu tu parles.

HÉLÈNE

Voici maintenant la deuxième séquence pour
Laquelle vous le savez le candidat dispose
Cette fois des accessoires qu'il a demandés.

(On a apporté une horloge en carton qui marque par exemple 7 heures. Hector a mis un tablier de soubrette et fait voir qu'il a une grosse poitrine. Soudain une sonnerie : Hector se précipite. Un petit télégraphiste ou un machiniste lui remet une pancarte, peut-être bleue, sur laquelle on lit :

MONSIEUR ET MADAME DUPONT
VIENNENT DÎNER À 8 HEURES

Hector saute, donne tous les signes de l'affolement, fait le geste d'ouvrir des armoires, des tiroirs, etc., sans rien trouver, s'arrache les cheveux, prie, tourne en rond, les bras au ciel.)

VOIX *ou* SPECTATEURS

Ça c'est trop facile elle a des invités elle
N'a rien à leur donner à manger la boîte de conserve

(En roulant ou en descendant des cintres, une énorme boîte de conserve arrive aux pieds d'Hector qui s'y cogne brutalement, tombe, se relève, saute de joie et se met à chercher des ouvre-boîtes. Mais chacun de ceux qu'il essaie se brise, se plie ou même explose. Enfin, Hector découvre le bon dans sa poche, ouvre la boîte sans effort et, face au public, sourit triomphalement.)

HÉLÈNE

Mesdames mesdemoiselles messieurs ici le sens
N'offrait guère de difficulté mais vous le savez
C'est le slogan exprimé par le candidat qu'il
S'agissait de trouver voici déjà des réponses

(On lui apporte des papiers.)

Oui non pas tout à fait ah voici le gagnant
Monsieur Brisemiche instituteur à Bise-dans-le-Cou
Meurthe-et-Moselle qui écrit On a toujours
Besoin d'un ouvre-boîte mais pas de n'importe
Quel ouvre-boîte bravo Monsieur Hector bravo
Monsieur Brisemiche qui gagne un flacon de quoi
De Métro le désodorisant à la chlorophylle.

VOIX *ou* SPECTATEURS

Pas énorme le slogan trop long pas si mal.

HÉLÈNE

Mais toujours vous ne l'ignorez pas la troisième
Et dernière séquence est de toutes la plus
Redoutable et pour le candidat et pour la
Perspicacité des téléspectateurs car si l'objet
De la campagne publicitaire est désormais connu
Il reste à découvrir la marque une marque
Bien entendu inventée par le candidat lui-même.

VOIX *ou* SPECTATEURS

Ah ça c'est le meilleur on va voir chut ça va.

HÉLÈNE. *À mi-voix.*

Voici donc chers téléspectateurs la troisième
Séquence de notre émission La Publicité c'est
La Vérité produite par l'Agence Pigeonvole

(L'air sur lequel se chante le slogan de l'Agence Pigeonvole accompagne les premiers gestes d'Hector. Très raide, pieds nus, il a endossé une sorte de tenue de judoka blanche nouée d'une ceinture rouge. Il s'assied en tailleur au milieu du plateau et, immobile un instant, semble s'abîmer dans la méditation. Survient un messager qui, à genoux, lui présente une missive qu'Hector ne lit pas tout de suite. Il la lit enfin et un geste d'émotion aussitôt réprimé lui échappe. De nouveau, immobilité, puis il frappe trois fois dans ses mains. Un serviteur ou un machiniste lui apporte son sabre de samouraï. Lentement, Hector retire le sabre du fourreau, pose le fourreau à sa gauche, le sabre à sa droite. Puis il prend la poignée de sabre à deux mains et, dirigeant la lame parallèlement au sol, en appuie la pointe au-dessous

de sa ceinture. Il gonfle sa poitrine d'air et, avec force mais sans hâte, commence à enfoncer le sabre. Au fur et à mesure que celui-ci est censé s'enfoncer, l'effroi et la douleur se peignent sur le visage d'Hector. On apporte un papier à Hélène.)

Bravo Mademoiselle c'est en effet Mademoiselle
Silesoir Marguerite Silesoir dactylographe à
Turêve Pyrénées-Orientales qui nous a donné la
Première la bonne réponse Mademoiselle Silesoir
Turêve Pyrénées-Orientales nous téléphone
La réponse Achetez l'ouvre-boîte Hara-Kiri eh bien
Mademoiselle vous gagnez un superbe récepteur
De télévision en couleurs de la marque Levoyeur

(L'attention d'Hélène est alors attirée vers Hector dont le corps s'affaisse légèrement en avant tandis que la tête aux yeux grands ouverts, fixes, glisse sur le côté. Elle pousse un cri prolongé.)

Mais Hector aaaaaaahhhh tout ce sang Hector
Hector tout ce sang il est mort il est mort.

(Elle tombe à genoux. À son cri, Alfred et le Directeur de l'Agence se sont détournés de l'appareil de télévision, contournent de loin le cadavre d'Hector et s'approchent d'Hélène, qu'ils encadrent. L'opérateur filme toujours Hector. Les secrétaires se regroupent au fond de la scène sur une ligne et s'avancent en chantant et en dansant vers la rampe.)

LES SECRÉTAIRES. *En chœur.*

Ah l'Agence Pigeonvole
C'est une belle nécropole
À l'Agence Pigeonvole
Quand vous crevez on rigole.

HÉLÈNE. *Balbutiant.*

Je suis veuve il est mort au champ d'honneur
De la publicité Hector mon chéri je suis seule.

LE DIRECTEUR DE L'AGENCE

Allons Hélène ne restez pas là venez avec nous

(Il l'aide à se relever et l'entraîne pas à pas, mais elle garde les yeux fixés sur Hector.)

Ne le regardez plus ce n'est pas beau à voir.

ALFRED. *À l'oreille d'Hélène.*

Je vous l'avais dit Hélène que ça ne durerait
Pas moi je suis toujours là quand vous voudrez.

LES SECRÉTAIRES. *Se lançant de nouveau à l'assaut pendant que les deux hommes sortent en soutenant Hélène.*

À l'Agence Pigeonvole
Quand vous crevez on rigole
Ah l'Agence Pigeonvole
C'est une belle nécropole.

(Elles se retirent, ne laissant plus sur scène qu'Hector et l'opérateur. Alors celui-ci dépouille sa salopette et la troisième secrétaire, vêtue d'un collant couleur chair, apparaît, sa chevelure rousse déployée.)

TROISIÈME SECRÉTAIRE. *Chantant et dansant.*

À l'Agence Pigeonvole
Quand vous crevez on rigole.

HECTOR. *Se levant et se débarrassant de son sabre, qu'il jette loin de lui.*

Ah l'Agence Pigeonvole
C'est une belle nécropole.

(Tout le monde rentre en scène et, se tenant par la main ou autrement, fait une ronde en chantant et en dansant jusqu'à ce que le public ait abandonné la salle.)

TOUS. *En chœur, y compris les machinistes et le pompier de service.*

Ah l'Agence Pigeonvole
C'est une belle nécropole
À l'Agence Pigeonvole
Quand vous crevez on rigole.

Rideau.

Paris, 4-15 décembre 1968

IV

« À fourneau vert, chameau bleu »

Il est temps de revenir à l'autre versant de l'activité surréaliste : le jeu sur les mots. On pourrait y rattacher le rôle de la métaphore qu'on a vu travailler aussi bien l'écriture automatique que le hasard objectif. Mais les filières et filiations sont différentes. Il faudrait plutôt dire qu'à partir de la souche commune qu'est l'aventure de l'écriture automatique, aventure qui précède dada en France, puisqu'elle date de 1919, deux branches divergent. L'une qui tend à donner sens, à tout prix, à l'aventure des mots : et c'est la « branche » bretonienne, l'autre qui tend à exhiber le non-sens, l'absurde, la fatrasie. Et ce fut de ce côté l'aventure de dada puis celle des Belges, bizarrement, comme sans doute des Québécois, et de beaucoup d'autres pages au sein du mouvement surréaliste.

*L'essentiel est encore de marquer la distance entre l'idée qui sous-tend le jeu surréaliste sur les mots et l'idée qui sous-tend la littérature dite « de l'absurde ». S'il est vrai que des racines communes relient l'œuvre de Jean Tardieu ou celle d'Eugène Ionesco dans ses premiers essais et l'écriture surréaliste, si Samuel Beckett fut celui qui « rendit » en langue anglaise les pages dites automatiques (« rendered into English ») écrites par Breton et Éluard sous le titre de l'*Immaculée

Conception, *en 1930, le projet en devient vite extrêmement différent. L'absurde surréaliste est précaire. Tout, en lui, dit le sens « à venir ». Sa fin n'est pas le non-sens pour lui-même, qui dirait l'échec de l'homme dans le monde. Le non-sens est sa limite, perçue, désignée, comme l'inhumain campé aux confins des valeurs que l'homme élabore, mais pour renforcer la quête de ces dernières.*

Lisons donc, comme une étourdissante préface à cette série de pages, les 152 proverbes mis au goût du jour *par Paul Éluard et Benjamin Péret, puis des textes dada dont la place ne doit pas être oubliée, et enfin les écrivains belges, qui ont particulièrement cultivé le talent de la contrepèterie, dans leurs notes elliptiques et drolatiques. Faute de place, on regrette de ne pas pouvoir évoquer les jeux verbaux des automatistes québécois, dont le groupe naît après la Seconde Guerre mondiale. Ils sont davantage connus pour la veine picturale de Borduas ou de Riopelle, mais les poètes Claude Gauvreau ou Roland Giguère en sont des représentants majeurs.*

PAUL ÉLUARD / BENJAMIN PÉRET

152 proverbes mis au goût du jour

Avant le déluge, désarmez les cerveaux.

Une maîtresse en mérite une autre.

Ne brûlez pas les parfums dans les fleurs.

Les éléphants sont contagieux.

Il faut rendre à la paille ce qui appartient à la poutre.

La diction est une seconde punition.

Comme une huître qui a trouvé une perle.

Qui couche avec le pape doit avoir de longs pieds.

Le trottoir mélange les sexes.

À fourneau vert, chameau bleu.

Sommeil qui chante fait trembler les ombres.

Ne mets pas la manucure dans la cave.

Quand un œuf casse des œufs, c'est qu'il n'aime pas les omelettes.

L'agent fraîchement assommé se masturbe de même.

La danse règne sur le bois blanc.

Les grands oiseaux font les petites persiennes.

Un crabe, sous n'importe quel autre nom, n'oublierait pas la mer.

Nul ne nage dans la futaie.

Paul Éluard et Benjamin Péret, *152 proverbes mis au goût du jour,* 1925

JACQUES VACHÉ

Lettre à André Breton, 11 octobre 1916

À Monsieur André Breton

X, le 11 octobre 16.
3 P.M.

Cher ami,

Je vous écris d'un lit où une température agaçante et la fantaisie m'ont allongé au milieu du jour.

J'ai reçu votre lettre hier — L'Évidence est que je n'ai rien oublié de notre amitié, qui, j'espère durera — tant râres sont les sârs et les mîmes ! — et bien que vous ne conceviez l'Umour qu'approximativement.

Je suis donc interprète aux Anglais et y apportant la totale indifférence ornée d'une paisible fumisterie — que j'aime à apporter ès les choses officielles — Je promène de ruines en villages mon monocle de Crystal et une théorie de peintures inquiétantes.

J'ai successivement été un littérateur couronné, un dessinateur pornographe connu et un peintre cubiste scandaleux — Maintenant, je reste chez moi et laisse aux autres le soin d'expliquer et de discuter ma personnalité d'après celles indiquées.

Le résultat n'importe.

Au surplus j'imagine être dans l'Armée allemande et y réussis — Cela change, et je suis arrivé à avoir la certitude de servir contre les armées alliées — Que voulez-vous ?...

Je vais en permission vers la fin de ce mois, et passerai quelque temps à Paris — J'y ai à voir mon très meilleur ami que j'ai complètement perdu de vue.

Une prochaine lettre contiendra — n'en doutez — une effigie de guerre — selon un post-scriptum raturé avec soin.

Où est T. F. ? — J'ai écrit au peuple polonais, une fois je crois, en réponse à deux amusantes lettres.

Pourrai-je demander aussi une correspondance de vous ? — Je suppose — ayant pris la plume — pouvoir à l'avenir en user plus aisément ; d'ailleurs je vous ai écrit déjà une fois, si je me souviens ?

À part cela — qui est peu — Rien. L'Armée Britannique, tant préférable qu'elle soit à la Française, est sans beaucoup d'Umour.

J'ai prévenu plusieurs fois un colonel à moi attaché que je lui enfoncerai un petit bout de bois dans les oneilles — Je doute qu'il m'ait entièrement saisi — d'ailleurs ne comprenant pas le Français.

Mon rêve actuel est de porter une chemisette rouge, un foulard rouge et des bottes montantes — est d'être membre d'une société chinoise sans but et secrète en Australie — Je ne nie d'ailleurs pas qu'il y ait là du vampire.

Vos illuminés ont-ils le droit d'écrire ? — Je correspondrais bien avec un persécuté, ou un « catatonique » quelconque.

En attendant, je relis Saint-Augustin (pour imaginer un sourire du peuple polonais), et essayer d'y voir autre chose qu'un moine ignorant de l'Umour.

Sur ce, je commence d'attendre une réponse, cher ami, à cette incohérence qui n'en comporte guère, et vous demande de croire à mon souvenir.

J. T. H.

JACQUES RIGAUT

« *Je serai sérieux...* »

Je serai sérieux comme le plaisir. Les gens ne savent pas ce qu'ils disent. Il n'y a pas de raisons de vivre, mais il n'y a pas de raisons de mourir non plus. La seule façon qui nous soit laissée de témoigner notre dédain de la vie, c'est de l'accepter. La vie ne vaut pas qu'on se donne la peine de la quitter. On peut par charité l'éviter à quelques-uns, mais à soi-même ? Le désespoir, l'indifférence, les trahisons, la fidélité, la solitude, la famille, la liberté, la pesanteur, l'argent, la pauvreté, l'amour, l'absence d'amour, la syphilis, la santé, le sommeil, l'insomnie, le désir, l'impuissance, la platitude, l'art, l'honnêteté, le déshonneur, la médiocrité, l'intelligence, il n'y a pas là de quoi fouetter un chat. Nous savons trop de quoi ces choses sont faites pour y prendre garde ; juste bonnes à propager quelques négligeables suicides-accidents. (Il y a bien, sans doute, la souffrance du corps. Moi, je me porte bien : tant pis pour ceux qui ont mal au foie. Il s'en faut que j'aie le goût des victimes, mais je n'en veux pas aux gens quand ils jugent qu'ils ne peuvent endurer un cancer.) Et puis, n'est-ce pas, ce qui nous libère, ce qui nous ôte toute chance de souffrance, c'est ce revolver avec lequel nous nous tuerons ce soir si c'est notre bon plaisir. La contrariété et le désespoir ne sont jamais, d'ailleurs, que de nouvelles raisons de s'attacher à la vie. C'est bien commode, le suicide : je ne cesse pas d'y penser ; c'est trop commode : je ne me suis pas tué. Un regret subsiste : on ne voudrait pas partir avant de s'être compromis ; on voudrait, en sortant, entraîner avec soi Notre-Dame, l'amour ou la République.

Le suicide doit être une vocation. Il y a un sang qui tourne et qui réclame une justification à son interminable circuit. Il y a dans les doigts l'impatience de ne se serrer que sur le creux de la main. Il y a le prurit d'une activité qui se retourne sur son dépositaire, si le malheureux a négligé de savoir lui choisir un but. Désirs sans images. Désirs d'impossible. Ici se dresse la limite entre les souffrances qui ont un nom et un objet, et celle-là, anonyme et autogène. C'est pour l'esprit une sorte de puberté, ainsi qu'on la décrit dans les romans (car, naturellement, j'ai été corrompu trop jeune pour avoir connu une crise à l'époque où commence le ventre) mais on en sort autrement que par le suicide.

Je n'ai pas pris grand-chose au sérieux ; enfant, je tirais la langue aux pauvresses qui dans la rue abordaient ma mère pour lui demander l'aumône, et je pinçais, en cachette, leurs marmots qui pleuraient de froid ; quand mon bon père, mourant, prétendit me confier ses derniers désirs et m'appela près de son lit, j'empoignai la servante en chantant : *Tes parents faut les balancer, — Tu verras comme on va s'aimer*... Chaque fois que j'ai pu tromper la confiance d'un ami, je crois n'y avoir pas manqué. Mais le mérite est mince à railler la bonté, à berner la charité, et le plus sûr élément de comique c'est de priver les gens de leur petite vie, sans motifs, pour rire. Les enfants, eux, ne s'y trompent pas et savent goûter tout le plaisir qu'il y a à jeter la panique dans une fourmilière, ou à écraser deux mouches surprises en train de forniquer. Pendant la guerre j'ai jeté une grenade dans une cagna où deux camarades s'apprêtaient, avant de partir en permission. Quel éclat de rire en voyant le visage de ma maîtresse, qui s'attendait à recevoir une caresse, s'épouvanter quand je l'ai eu frappée de mon coup de poing américain, et son corps s'abattre quelques pas plus loin ; et quel spectacle, ces gens qui luttaient pour sortir du Gaumont-Palace, après que j'y eus mis le feu ! Ce soir, vous n'avez rien à craindre, j'ai la fantaisie d'être sérieux. — Il n'y a évidemment pas un mot de vrai dans cette histoire et je suis le plus sage petit garçon de Paris, mais je me suis si souvent complu à me figurer que j'avais accompli ou que j'allais accomplir d'aussi honorables exploits, qu'il n'y a pas là non plus un mensonge. Quand même, je me suis moqué de pas mal de choses ! D'une seule au monde, je n'ai pas réussi à me moquer : le plaisir. Si j'étais encore capable de honte ou d'amour-propre, vous pensez bien que je ne me laisserais pas aller à une si pénible confidence. Un autre jour je vous expliquerai pourquoi je ne mens jamais : on n'a rien à cacher à ses domestiques. Revenons plutôt au plaisir, qui, lui, se charge bien de vous rattraper et de vous entraîner, avec deux petites notes de musique, l'idée de la peau et bien d'autres encore. Tant que je n'aurai pas surmonté le goût du plaisir, je serai sensible au vertige du suicide, je le sais bien.

La première fois que je me suis tué, c'est pour embêter ma maîtresse. Cette vertueuse créature refusa brusquement de coucher avec moi, cédant au remords, disait-elle, de tromper son amant-chef d'emploi. Je ne sais pas bien si je l'aimais, je me doute que quinze jours d'éloignement eussent singulièrement diminué le besoin que j'avais d'elle : son refus m'exaspéra. Comment l'atteindre ? Ai-je dit qu'elle m'avait gardé une profonde et durable tendresse ? Je me suis tué pour embêter ma maîtresse. On me pardonne ce suicide quand on considère mon extrême jeunesse à l'époque de cette aventure.

La deuxième fois que je me suis tué, c'est par paresse. Pauvre, ayant pour tout travail une horreur anticipée, je me suis tué un jour, sans convictions, comme j'avais vécu. On ne me tient pas rigueur de cette mort, quand on voit quelle mine florissante j'ai aujourd'hui.

La troisième fois... je vous fais grâce du récit de mes autres suicides, pourvu que vous consentiez à écouter encore celui-ci : Je venais de me coucher, après une soirée où mon ennui n'avait certainement pas été plus assiégeant que les autres soirs. Je pris la décision et, en même temps, je me le rappelle très précisément, j'articulai la seule raison : Et puis, zut ! Je me levai et j'allai chercher l'unique arme de la maison, un petit revolver qu'avait acheté un de mes grands-pères, chargé de balles également vieilles. (On verra tout à l'heure pourquoi j'insiste sur ce détail.) Couchant nu dans mon lit, j'étais nu dans ma chambre. Il faisait froid. Je me hâtai de m'enfouir sous mes couvertures. J'avais armé le chien, je sentis le froid de l'acier dans ma bouche. À ce moment il est vraisemblable que je sentais mon cœur battre, ainsi que je le sentais battre en écoutant le sifflement d'un obus avant qu'il n'éclatât, comme en présence de l'irréparable pas encore consommé. J'ai pressé sur la gâchette, le chien s'est abattu, le coup n'était pas parti. J'ai alors posé mon arme sur une petite table, probablement en riant un peu nerveusement. Dix minutes après, je dormais. Je crois que je viens de faire une remarque un peu importante, si tant est que... naturellement ! Il va de moi que je ne songeai pas un instant à tirer une seconde balle. Ce qui importait, c'était d'avoir pris la décision de mourir, et non que je mourusse.

Un homme qu'épargnent les ennuis et l'ennui trouve peut-être dans le suicide l'accomplissement du geste le plus désintéressé, pourvu qu'il ne soit pas curieux de la mort ! Je ne sais absolument pas quand et comment j'ai pu penser ainsi, ce qui d'ailleurs ne me gêne guère. Mais voilà tout de même l'acte le plus absurde, et la fantaisie à son éclatement, et la désinvolture plus loin que le sommeil et la compromission la plus pure.

Littérature, n° 17, décembre 1920

FRANCIS PICABIA

Jésus-Christ Rastaquouère

ENTRACTE D'UNE MINUTE

J'ai fait un voyage sur le plus beau bateau qui ait jamais été construit ; particularité étrange, à bord de ce transatlantique, passagers et hommes d'équipage étaient à cheval !

Le capitaine, cavalier émérite, montait un pur-sang de course, il portait un costume de chasse et sonnait du cor pour diriger la manœuvre, quant à moi, ayant horreur de l'équitation, j'avais pu obtenir de passer mes journées sur le cheval de bois de la salle de gymnastique. Nous débarquâmes sur une terre nouvelle où les chevaux étaient inconnus ; les indigènes prirent pour un animal à deux têtes les passagers montés de notre navire, ils n'osèrent s'en approcher en proie à la terreur : moi seul, reconnu semblable à ces êtres primitifs, je fus fait prisonnier par eux. C'est de la prison où l'on m'enferma que j'écrivis les lignes qui vont suivre. Cette prison était une île absolument déserte le jour, mais la nuit, les habitants d'une grande ville continentale où le mariage et l'union libre étaient également défendus, s'y donnaient rendez-vous pour faire l'amour, j'ai pu ainsi rapporter de mon exil la plus splendide collection de peignes de femmes qui soit au monde, depuis le triste celluloïd jusqu'à l'écaille la plus transparente, couverte de pierres précieuses. J'ai offert cette collection à l'un de mes oncles, conchyliologiste distingué, chez lequel elle fait pendant à une vitrine de coquillages indiens.

TOUT EST POISON EXCEPTÉ NOS HABITUDES

Il faut communier avec du chewing-gum, de cette façon Dieu vous fortifiera les mâchoires ; mâchez-le longtemps, sans arrière-pensée ; puisqu'il aime votre bouche, qu'il sache à quoi elle sert ! Vos langues tièdes ne sont pas à dédaigner, même pour un Dieu.

Songez aux ridicules illusions que vous cherchez à vous donner les uns aux autres ; les corsets que vous portez sont des pièges à souris. Vous êtes tous des morceaux de glace et vous voulez me faire croire que cette glace brûle et se consume comme le soleil. Votre cœur fond, tout simplement, et le liquide tiède qui s'en échappe ne sert qu'à faire flotter un tout petit corps froid et sale que vous nommez âme. La réalité jette vos rêves sur le fumier ? Il faut enjamber ce fumier et entrer de plain-pied dans ce que j'appelle l'infamie rastaquouère.

PHÉNOMÈNES

L'intelligence est officielle, institut, vous voulez des phénomènes : femmes à barbe de la peinture, ou petits cyclopes de la littérature. Tous les artistes sont bossus ; bosses boîtes à musique, réceptives des rythmes de la vie-castagnettes. Les phénomènes de Barnum sont les bolchevistes involontaires et internationaux du pittoresque monstrueux ; ils nous font songer à l'arrêt de l'évolution, à l'hypertrophie de la pensée, donnée avec plus d'agrément, par la morphine ou l'opium. Tous les individus phénomènes veulent être « opium » ou « morphine », d'autres, plus pratiques, vendent leur signature-charlatan, comme les poils du cul de Mahomet ou un morceau de la croix de Jésus, signés par la suggestion des snobs.

LA JUSTICE DES HOMMES EST PLUS CRIMINELLE QUE LE CRIME

Le sommeil éternel de la vie est assis dans votre lit, il est gentil et bon camarade, son corps est plus mince que l'air qui souffle à la même place, sur le visage de la majesté humaine ; n'est-ce pas cher philosophe, méditateur ou prestidigitateur des nuages salés, lorsque tu t'envoles avec ces nuages, il ne reste plus que la bouffonnerie de l'eau douce ? Toi seul es soustrait aux lois de la pesanteur : dis-moi donc, cher philosophe, si vraiment ton poids n'est pas comme le rasoir des vagues phosphorescentes et si le socialisme rouge est autre chose que la grue au bec de pieuvre, dont les tentacules-phonographe vous jouent la très moutarde miséricorde.

La bouche des hommes est un sexe inconscient ; le bruit qui sort de vos fronts se replonge sans bruit dans l'immobilité-circonférence.

Quand quelqu'un parle,
Sa mâchoire inférieure
Me fait honte ;
L'intérieur de sa bouche
Est un ciel noir.
Je ne puis vous aimer,
Je me déteste.

Amie, tu brilles sous les rayons de la lune.
Amie, je voudrais être enterré dans un énorme paratonnerre.
Amie, mon amitié est indissoluble dans le lycée tra-la-la-tra-la-la.

1920

Le texte qui suit a été lu lors d'une soirée dada avant d'être publié ; il « réécrit » les Centuries de Nostradamus.

TRISTAN TZARA

La grande complainte de mon obscurité un

froid tourbillon zigzag de sang
je suis sans âme cascade sans amis et sans talents
seigneur
je ne reçois pas régulièrement les lettres de ma mère

qui doivent passer par la russie par la norvège et par
l'angleterre
les souvenirs en spirales rouges brûlent le cerveau
sur les marches de l'amphithéâtre
et comme une réclame lumineuse de mon âme
malheur jailli de la sphère
tour de lumière la roue féconde des fourmis bleues
nimbe sécheresse suraiguë des douleurs

viens près de moi que la prière ne te gêne pas elle
descend dans la terre comme les scaphandres
qu'on inventera
alors l'obscurité de fer en vin et sel changera
simplicité paratonnerre de nos plantes prenez garde
les paratonnerres qui se groupent en araignée
ainsi je deviens la couronne d'un christ énorme
pays sans forme arc voltaïque

les aigles de neige viendront nourrir le rocher
où l'argile profonde changera en lait
et le lait troublera la nuit les chaînes sonneront
la pluie composera des chaînes
lourdes
formera dans l'espace des roues des rayons
le sceptre au milieu parmi les branches
les vieux journaux les tapisseries
un paralytique
nimbe sécheresse
roue féconde des fourmis bleues
seigneur doigt d'or fourneau sphingerie
pourquoi l'étrangler pourquoi
après le coup de foudre la marche militaire éclatera
mon désespoir tube en fer d'étain mais pourquoi
pourquoi alors ?
ainsi ainsi toujours mais le chemin
tu dois être ma pluie mon circuit ma pharmacie nu
mai plânge nu mai plânge veux-tu

Vingt-cinq poèmes, Zurich, collection dada, 1918

CAMILLE GOEMANS

Aphorismes

Grand comme une image.

...

L'homme à la mesure de ses rêves.

...

Et même il a choisi le moment de mourir.

...

Il faut préférer parfois aux poètes les faiseurs de vers. La poésie est ailleurs.

...

B... et Z... se rencontrant dans la rue, marquèrent quelque hésitation à se saluer. Ils ne se connaissaient pas.

...

Travailler pour l'éternité et détruire à mesure.

Réflexions, 1925

ACHILLE CHAVÉE

Décoctions

Parfois le silence devient de plus en plus silencieux.

*

Même la haine a parfois une larme au coin de l'œil.

*

Le temps est un mort vivant ; c'est le seul.

*

Il faut pas toujours tourner la page, il faut la déchirer.

*

Le suicide est une arme à double tranchant.

*

Deux augures ne peuvent se regarder sans faire sonner de la trompette thébaine.

*

C'est parce que Dieu est toujours muet que nous avons acquis une ouïe si fine.

*

Il faut qu'autour de soi quelques cadavres entrent en putréfaction pour éprouver que la mort spirituelle est concrète réalité.

On a parfois un mal de chien à retrouver sa niche.

*

La valeur n'attend pas le nombre des idées.

On a souvent besoin d'un plus puissant que soi.

*

Fatalement allai-je dire en parlant à un cadavre.

*

J'étais tellement démuni que je dus me dévaliser.

*

La dialectique est un couteau qui tue et qui n'a jamais une tache de sang sur sa lame.

années 1960, La Louvière, Belgique (D. R.)

MARCEL MARIËN

Le paraclet noir

Crier comme un possédé sourd.

...

J'ai connu un chat qui était né sous le signe du taureau, un hamster qui était capricorne et, si mes estimations sont exactes, les mouches que je vois voleter devant moi, au moment où j'écris, sont probablement des poissons.

...

Le Fait accompli, n° 8, Bruxelles

Aphorismes

Faites l'amour pour boucher vos trous de mémoire.

...

Comme j'éclatais de rire, je compris à quel point j'étais malheureux.

...

Certains jours, Jésus ne pouvait compter que sur Judas.

...

Bander comme Velpeau.

Les Lèvres nues, n° 4, Bruxelles, 1971 (D. R.)

LOUIS SCUTENAIRE

C'est beau les fleurs, c'est rouge

Extraits

...

Un arc tendu comme une flèche.

..

Je ne suis guère sensible au charme érotique des chiennes.

.

Une balle dans le dos ou une balle dans la poitrine est heureusement toujours une balle dans la peau.

...

Ne pensez pas : un fait ; pensez : une fée.

...

Dieu n'est pas un saint.

...

Noli me tangere, sweetie.

Rhétorique, n° 13, février 1966, Bruxelles (D. R.)

E.L.T. MESENS

Alphabet sourd aveugle

Siméon est un joli prénom
Six est un joli nom de famille
Siméon
Six ce n'est pas long
Silence est plus lent et plus long
Silence
Silence
Silence et passion.

T

héâtre
angentiel

ango de
ambour sur
andem.

U

nivers voué au massacre

sines hurlant la misère

niformes pour tous les temps

nions sans importance

rinoirs aristocratiques.

V

oleur de son propre bien

acillant comme la flamme d'une

isite nuitamment les parages d'un

iaduc sur lequel passe un

élocipède jouant du

iolon.

W

attman subtil perdu dans

hitechapel passe son

eek-end debout sur une fontaine

allace.

X

énophile Durand triste

ylophoniste quand donc retrouveras-tu

anthippe ta compagne.

Y

earling debout près d'une

euse pour le plaisir des

eux lui parle peut-être en

iddish.

Z

éphyr

élé

ézaye

ut au

ouave.

1933

Le mieux est l'ennemi du bien

Maintenant c'est à notre tour
Espionne au masque de cuir

Dont la chair embaume
Comme une aube boulangère

Souvenir
J'ai occulté ton corps
J'ai mis de l'ordre pas assez jardin sec
Ô ! seins à boire
Et eau à endiguer
Ô ! épaules en mouvement
Perdue pas assez jardin sec
Souvenir espion gardé d'une espionne perdue
Malgré le goût de sang que j'ai gardé
Ô ! sang pas assez jardin sec

Sang obscur et pourtant…

Espionne au masque de cuir
Écoute tête écouteuse qui n'écoute pas
LA MAGIE pas assez jardin sec
N'HABITE PAS assez jardin sec
LES PALACES pas assez jardin sec
Elle est simple comme un œuf
Légère comme un mirliton
Discrète comme un dé à coudre
Mais elle s'impose
Comme une lampe allumée en plein jour

Ne sois plus ce tas de méduses
Vieux stock
Impossible à liquider
Car il y a
Mieux que les pas maladroits
Dans de bons souliers
Mieux que l'obstiné retour
Aux ordres du maniaque

Mieux que le malaise social pas assez
Dans le malaise social jardin sec
Mieux que la sardine
Faisant rendre gorge à la rose
Mieux que la géographie pas assez
À un doigt jardin sec

Il y a contre toi LE MATIN
LE MIDI
ET LE SOIR
Il y a tes yeux dans les miens
Pas assez
Et ta main jardin sec

Il y a pour moi LE MATIN
LE MIDI
ET LE SOIR

Dans ma main il y a tes yeux
Je te tuerai
Pas assez

Ah ! dans ma main
Il y a MA main.

Poèmes 1923-1958 (D. R.)

Mais lisons aussi des œuvres historiquement rattachées au Surréalisme, que leurs auteurs soient déjà fort connus (on pense à Marcel Duchamp, dont l'œuvre plastique, fondée largement sur des jeux de mots, a orienté l'art de tout le XXe *siècle, ou à Robert Desnos, dont la fragilité a deviné dans la langue tant de pou-*

voirs, ou encore à Jacques Prévert, à Philippe Soupault, au merveilleux Glossaire, *inépuisable, de Michel Leiris, ou enfin aux premières pages de Georges Schéhadé, qui ne s'est pas voulu surréaliste, mais qu'on évoquera ici pour sa proximité indubitable), ou bien qu'ils soient beaucoup moins, voire à peine connus : celles de Paul Paon ou de Ghérasim Luca, tous deux roumains de langue maternelle mais écrivant dans la langue française. Redécouvrons la verve populaire, extraordinairement inventive, de Benjamin Péret, et, dans une plus jeune génération, celle de Giovanna.*

MARCEL DUCHAMP

Ovaire toute la nuit.

Se livrer à des foies de veau sur quelqu'un.

Le système métrite par un temps blennorragieux.

Du dos de la cuillère au cul de la douairière.

Paroi parée de paresse de paroisse.

Prendre 1 centimètre cube de fumée de tabac et en peindre les surfaces extérieure et intérieure d'une couleur hydrofuge.

Aiguiser l'ouïe (forme de torture).

Quand on a un corps étranger entre les jambes, il ne faut pas mettre son coude près des siennes.

Faut-il réagir contre la paresse des voies ferrées entre deux passages de trains ?

Si je te donne un sou, me donneras-tu une paire de ciseaux ?

Une boîte de Suédoises pleine est plus légère qu'une boîte entamée parce qu'elle ne fait pas de bruit.

Bains de gros thé pour grains de beauté.

Fossettes d'aisances.

Nous nous cajolions (nounou ; cage aux lions).

M'amenez-y.

Étrangler l'étranger.

Orchidée fixe.

Abcès opulent.

Anemic cinema.

Lits et ratures.

Aphorismes signés Rrose Sélavy, 1922-1974

ROBERT DESNOS

21 heures le 26-11-22

En attendant
en nattant l'attente.
Sous quelle tente

mes tantes
ont-elles engendré
les neveux silencieux
que nul ne veut sous les cieux
appeler ses cousins ?
En nattant les cheveux du silence
six lances
percent mes pensées en attendant.

L'Aumonyme, 1923

Élégant cantique de Salomé Salomon

Mon mal meurt mais mes mains miment
Nœuds, nerfs non anneaux. Nul nord
Même amour mol ? mames, mord
Nus nénés nonne ni Nine.

Où est Ninive sur la mammemonde ?

Ma mer, m'amis, me murmure :
« nos nils noient nos nuits nées neiges ».
Meurt momie ! môme : âme au mur.
Néant nié nom ni nerf n'ai-je !

Aime haine
Et n'aime
haine aime
aimai ne

M N
N M
N M
M N

Langage cuit, 1923

Au mocassin le verbe

Tu me suicides, si docilement.
Je te mourrai pourtant un jour.
Je connaîtrons cette femme idéale
et lentement je neigerai sur sa bouche.
Et je pleuvrai sans doute même si je fais tard, même
  si je fais beau temps.
Nous aimez si peu nos yeux
et s'écroulerai cette larme sans
raison bien entendu et sans tristesse.
Sans.

Langage cuit, 1923

Infinitif

Y mourir ô belle flammèche y mourir
voir les nuages fondre comme la neige et l'écho
origines du soleil et du blanc pauvres comme Job
ne pas mourir encore et voir durer l'ombre
naître avec le feu et ne pas mourir
étreindre et embrasser amour fugace le ciel mat
gagner les hauteurs abandonner le bord
et qui sait découvrir ce que j'aime
omettre de transmettre mon nom aux années
rire aux heures orageuses dormir au pied d'un pin
grâce aux étoiles semblables à un numéro
et mourir ce que j'aime au bord des flammes.

Les Ténèbres, 1927 (D. R.)

GIOVANNA

Hyperbate

« *Les mots font l'amour* » *(André Breton)*

« *Les verbes copule[s]* » *(Le Grévisse)*

... personne n'ayant pu me convaincre du contraire j'ai toujours pris Mallarmé et Mérimée pour des verbes du premier groupe.

M'astreignant volontairement à conjuguer le premier verbe du premier groupe uniquement au passé surcomposé :

j'ai eu aimé Mallarmé...

et à conjuguer le second verbe du premier groupe au futur antérieur du passé :

j'aurais eu aimé Mérimée...

étant entendu que certaines contraintes débouchent sur la liberté, les unes étayant l'autre, je me suis trouvée à même, à partir de ce choix sinon judicieux du moins délibérément non névrotique, d'user d'anapodotons comme tout un chacun et d'abuser de solécismes comme personne...

Simple comme Bonjour Mallarmé !

Inédit (D. R.)

À José Pierre

Voir Naples en pantalon et mourir !

Voir Naples sans pantalon et jouir !

Voir Napoléon sans pantalon et rire !

Voir Napoléon violer Sainte-Hélène et fuir !

Voir Napoléon se déboutonner du bras gauche gauchi par le froid alors que le droit de rester bien au chaud à droit !

Voir Napoléon se reboutonner du bras gauche et n'y arrivant pas

Alors que le droit bien au chaud n'y supplée pas !

Voir Napoléon de façon délibérée quoique de biais montrer à la société de quoi il retournait !

Voir sa mine ahurie quand vers elle sa main il tendit !

Voir Napoléon se retourner pour bien montrer au parterre stupéfait de quoi il s'agissait

Voir à quel point la main gauche ignore ce que fait la main droite !

Voir à quel point un grand stratège peut manquer d'opportunité !

Voir que selon toute justice il n'a pas pensé mettre au chaud la main froide et au froid la main chaude !

Voir à quel point la main chaude ignore ce que fait la main froide !

La main passe et repasse !

Du gilet ou du pantalon il faut choisir le bouton !

Pleine Marge, n° 12, 1990

Philactère

Pour te torcher un mot d'amour
Sur du papier format vautour

J'ai aussi bien qu'une petite fée
Chié et pissé dans l'encrier

Et pour ne point le saloper
N'ai point omis avant plier

D'y asseoir comme tampon buvard
De mes fesses roses le lard

Ainsi tatouée sur mon pourtour
T'envoie sous pli à pourlécher

Cette déclaration d'amour
Revue bien sûr et corrigée

Inédit (D. R.)

Le favoritisme ne manque pas de souffle

Le poème, cher éditeur, le voulez-vous poivré comme la gueule d'un vaporisateur de coiffeur ou gominé extra-plat comme du bon Chatterton ?

Je ne suis pas née de ce jour de grand vent qui mit au monde Chateaubriand…

ni de ce jour béni qui emporta les favoris de Jules Ferry

Avec son frère Jacques ils avaient pris le pli de se les fixer mutuellement. Le matin ils ne rechignaient pas à se les coller en s'embrassant pour se dire bonjour ce qui par définition les incitait à se les décoller en s'étreignant pour se dire au revoir.

Ils avaient pris le pli de se les fixer mutuellement et allaient même parfois, pour sceller leur dévouement depuis leur adhésion à une cause commune, jusqu'à les échanger les soirs de pleine lune…

cependant malgré l'amour teinté de sollicitude qu'ils leur portaient, jamais n'éprouvèrent le besoin de les chérir au point de les nommer comme César Franck leurs « Béatitudes » !

Ce dernier, pressentant que sans le concours des favoris d'autrui serait en manque un jour, sollicita Berlioz pour passer de l'ébouriffant à l'échevelé grandiose.

Le favoritisme ne manque pas de souffle !

Inédit (D. R.)

PHILIPPE SOUPAULT

Dernières cartouches

La nuit a des yeux sans prunelles
et des longues mains
Comme il fait beau
Il y a une étoile rouge
et des longs serpents nocturnes
Il fait beau
Il faut crier pour ne pas être triste
les heures dansent
Il faut hurler pour ne pas tuer
pour ne pas mourir en chantant
pour ne pas rougir de honte
et de fureur
Il faut encore mieux s'en aller
prendre sa canne
et marcher
Quand on est très énervé
et qu'on rage
Comme il fait beau
les cloches sonnent pour les trépassés
et pour la gloire des armées
tout est à recommencer
je vois malgré l'obscurité
des têtes tomber dans le panier
sous le poids de la guillotine
j'aperçois des noyés flotter
et des pendus se balancer
On entend des cris dans les hôpitaux
Comme il fait beau
On se regarde dans un miroir
pour le plaisir

et l'on se trouve vraiment très laid
mais on pense à autre chose
pour ne pas se désespérer
qu'est-ce qu'on voit
Vraiment
qu'est-ce qu'on voit
Le cimetière est ravissant
Il y a des fleurs des couronnes
des croix et des inscriptions
Comme il fait beau
Qu'est-ce qu'on entend
le soleil joue du clairon
à la porte des cafés
c'est la lutte définitive
La ville meurt au son des grenouilles
et les fleurs tombent
gravement
comme des arbres déracinés
Voici les hommes
Ils sont pâles comme des vivants
Ils portent des cravates rouges
des cannes plombées
et des journaux de toutes les couleurs
Ils s'arrêtent
et jouent
à pile ou face
Il fait de plus en plus beau
Drapeaux et musique en tête
nous courbons la tête
parce que nous sommes de plus en plus seuls
pâles
laids
Il faut recommencer à marcher
à pile ou face
et rire de vin et d'alcool
Les cafés sont pavoisés

comme les sourires des demoiselles
avançons toujours
on verra bien ce qui arrivera
Il fait vraiment trop beau

Georgia, 1926

À louer

À Philippe Soupault

Le soleil dort devant la porte
à droite ou à gauche
à la même heure
le vent se lève
la nuit vient

ENTRÉE LIBRE

les nuages se noient dans le miroir
à tous les étages
tous les murs ont des oreilles
tout près d'ici
les arbres ont des colliers de cris
les yeux au ciel
on perd la tête

DANGER DE MORT

Dimanche

L'avion tisse les fils télégraphiques
et la source chante la même chanson

Au rendez-vous des cochers l'apéritif est orangé
mais les mécaniciens des locomotives ont les yeux
blancs
la dame a perdu son sourire dans les bois

Rose des vents, 1919

JACQUES PRÉVERT

J'en ai vu plusieurs...

J'en ai vu un qui s'était assis sur le chapeau d'un
autre
il était pâle
il tremblait
il attendait quelque chose... n'importe quoi...
la guerre... la fin du monde...
il lui était absolument impossible de faire un geste
ou de parler
et l'autre
l'autre qui cherchait « son » chapeau était plus pâle
encore
et lui aussi tremblait
et se répétait sans cesse :
mon chapeau... mon chapeau...
et il avait envie de pleurer.
J'en ai vu un qui lisait les journaux
j'en ai vu un qui saluait le drapeau
j'en ai vu un qui était habillé de noir
il avait une montre
une chaîne de montre
un porte-monnaie
la légion d'honneur

et un pince-nez.
J'en ai vu un qui tirait son enfant par la main
et qui criait...
j'en ai vu un avec un chien
j'en ai vu un avec une canne à épée
j'en ai vu un qui pleurait
j'en ai vu un qui entrait dans une église
j'en ai vu un autre qui en sortait...

Paroles, 1945

BENJAMIN PÉRET

Dormir, dormir dans les pierres, 1

De la corne du sommeil aux yeux révulsés des soupirs
il y a place pour une cornemuse bleue
d'où jaillit le son fatal du réséda fleuri
Réséda réséda si tu fleuris c'est au quartz que tu le
dois
car il a mis dans tes racines une poudre de sang et
de cervelle
qui poivre te caresse les yeux
Il a mis aussi sa caresse marine sur la face inférieure
de tes pétales
et l'eau pure de sa tête dans tes mains

Réséda réséda
lorsque le jour des blanches cambrées sera venu
tu sentiras ta tête s'incliner comme un soleil sans
épaisseur
et le sang de tes veines se répandra sur les étoiles
qui te répondront

Réséda réséda
tes mouvements rebelles aux caresses du vent
qui passe près de toi comme une minute usée
comme une minute liquide
dont les inutiles regards se perdent dans les puits
où tu voudrais vivre souple et pâle comme un cheveu
de source

Oiseaux oiseaux de mes oreilles
envolez-vous
Envolez-vous comme un courant d'air
vers le spectre de sel où gémissent vos plumes

Telle plume qui gémit n'attend que la pluie fine pour
vous retrouver
Telle plume qui pâlit sera verte demain
si l'ouragan lui dévoile son destin
Et telle plume qui disparaît comme un **A B C D**
se retrouve au printemps sur la tête des cieux
car les cieux sont faits de vos plumes
mes oreilles
et la mort de celles-ci est la mort de vos cieux
Gouttes de sang gouttes d'eau du plus ancien bijou
des femmes

La poudre s'ennuyait dans le désert des mains
dont le superflu s'épanche sur des gorges pâles
issues du miroir que nul ne découvrit
car il part et revient comme une feuille
car il est bleu
car il est rouge
suivant que ton regard se fixe ou s'égare comme un
drapeau
suivant que ta voix éclate comme une aurore boréale
ou coule comme les cerises du temps
cueillies par les obscurs voyageurs de ton sang
qui mousse le long de tes hanches

vagues fraîches
sur des lèvres qui brûlent au passage la mer et ses îles

Entourez de vos mains le corps fragile des vents
Les vents de l'erreur et du sang s'enflent dans nos corps
comme un poème de sel
et le réséda du ciel s'anémie près des miroirs
car il se voit grandir comme un torrent
car il se voit osciller sur son support osseux
trop semblable à l'angoisse d'un fauve
car il se sent il se sent la bouche et les oreilles d'un dieu
d'un dieu salubre et fort balayant le matin les germes spontanés des mains lasses

Dormir, dormir dans les pierres, 1927

Cou tordu

À Michel Leiris

Qu'il s'élance le ruisseau solidifié par les grandes branches du vent
qu'il s'élance du haut de la cathédrale de hannetons
qu'il s'élance sans crainte
car la crainte est attelée au buffet vermoulu des chaleurs moites
et son appel ressuscitera la grande muraille des têtes coupées
et la poussière la poussière aux ailes tordues par ses courants intérieurs
n'hésitera pas à s'envoler

pour courir la chance d'un internement dans les racines de l'armée
quitte à s'évader à l'instant où les hommes
fatigués par leurs méditations sur les spasmes de l'horizon
tombent avec le bruit d'un nuage heurtant les poissons de ses rêves
et lui offrent l'alcôve de leurs floraisons intenses
Qu'il s'étonne donc ce ruisseau aux écailles de cuivre
et que son élan le porte à l'orée de cette forêt liquide
dont les yeux étincelants me regardent
et me répètent sans arrêt
La fumée s'échappe de ton cœur
et ce n'est pas celle d'une maison blanche dont les volets sont clos à cause de la nuit
Découvre le père de la fumée
et ton rire secouera les vertigineuses cohortes des rails perdus par les fantômes

Le Grand Jeu, 1928

MICHEL LEIRIS

A

ABÎME – vie secrète des amibes.
ABONDANCE (non-sens, sans l'abandon.)
ABRUPT – âpre et brut.
ABRUTI, abrité.
ABSENCE – espace vacant, d'un banc de sable qui s'en va...
ABSOLU – base unique : sol aboli.
ACADÉMIE – macadam pour les mites.
ACCALMIE – lame de mica tranquille.
ACCIDENT – phénomène en dents de scie (la scie est l'axe).

ACCOUPLEMENT – poulpe d'amants, en coupe.
ACROBATE – embarqué de bas en haut, de haut en bas, il bat du corps et baratte l'air sans accrocs.
ACTE, attaque.
AGONIE – je divague, j'affirme et je nie tour à tour, honni par l'âge qui m'est une dague.
AIGLE – angle d'ailes.
AIR (sais-je flairer ses raies légères ?)
AISSELLES – les aimer, y essaimer...
ALCOOL (les deux O haussent le col ; ils s'allègent. L'eau claque.)
ALCÔVE – elle couve.
ALGÈBRE – abrégé agile des givres cérébraux.
ALPAGE – page blanche du pré qu'un troupeau lape.
ALPHABET – l'étal des lettres, pas affublé de falbalas.
ALVÉOLE – vallée close, que nul fleuve n'a lavée.
AMBIGU – entre l'ambre et la ciguë.
AMBIVALENCE – les envies en balance.
AMEN, âme-mène.
AMENUISER – aiguiser, affiner, jusqu'à l'inanimé.
AMERTUME – la mer s'abreuve d'écume. Je hume la mer.
AMOUR, armure.
ANAGRAMME – arène, gamme, rame ; mare de marges et de ramages.
ANCÊTRES – leurs crânes sont les ancres et le centre des aîtres.
ANGOISSE – hangar poisseux, foisonnant de cent engins pour étrangler.
ANIMAL – laminoir mâle, Nil femelle : Himalaya ou maladie ?
ANNEAU (l'ennui pend à nos naseaux.)
ANNIHILÉ – annulé, par le néant inhalé.
ANTHROPOLOGIE, en tripes au logis.
ANTINOMIE : la tentation homicide qui tyrannise les amants.
ANTIQUITÉ – temps inquiétant quitté, que hantaient les Titans.

ANUS – nuque basse, creuse...
APPARAÎTRE, à part être.
APPARENCE – forme happée par la présence.
AQUARIUM – square humide des requiems.
ARC-EN-CIEL – lac essentiel, et fil d'archal...
ARCHE – herse arrachée, pour les chars.
ARCHEVÊQUE – rat revêche.
ARCHÉE, archet.
ARGUMENT – arme urgente, contre les égarements d'Argus hagard.
ARMÉE – merde amère.
ARMOIRE – malle de rois mages, garnie de miroirs rares.
ARMURE – ramure de larmes pétrifiées.
ARTÈRES – lézardes et cratères.
ASSASSIN – saint que le sang rassasie.
ASSASSINAT – sinapisme lancinant, assainissant le Sinaï.
ASSIETTE – la disette y fait place à la satiété.
ASTRE – trace d'âtre.
ATHÉISME – état de l'athlète sans étai. Théâtre de séismes.
ATMOSPHÈRE – la fosse de l'air maussade, l'assomme-terre.
ATTRIBUT – trahit les habitudes du substrat nu.
AUBÉPINE – épi béni de l'aube, ô belle pine !
AURÉLIA, Or il y a.
AURÉOLE – aérolithe ; corolle du héros, du lauréat.
AUTHENTIQUE – tous tics ôtés, le restant.
AUTOMNE – tonneau pluvieux.
AVENIR = navire.
AVENTURE – les mâtures aveugles sont avides de vent.
AVEUGLE – la vue avare le jugule.
AXIOME – miasme fixe, maudit arôme...
AZUR – pur de toute bavure, une embrasure.

Glossaire, j'y serre mes gloses, 1939

PAUL PAON

La Rose parallèle

Tous mes nerfs, c'est-à-dire tout l'exaspéré *refus* qui de mon corps échappe parfois dans la peste ambiante — tous mes nerfs s'insurgent contre l'affreuse image populaire et blasée connue sous le nom de « la roue des âges ». Initialement amputée de toute une moitié de sa circonférence, moitié subtilisée et comme enterrée qui seule aurait pu par son mystère justifier pareille imagerie symbolique, cette roue, cette demi-roue crasseuse et paysanne s'efforce gauchement de décrire à l'aide d'une courbe concave en bas, l'ascension et le déclin de ce que, abusivement sans aucun doute, on appelle la vie d'un homme pendant son séjour terrestre. Atroce niaiserie, ce faux trajet est orné de quelques figures, toujours les mêmes, représentant le type idéal du crétin surpris aux différentes étapes de sa mort : 1° petit morveux aux pieds mous ; 2° adolescent avec un livre d'école ; 3° jeune marié souriant et fleuri, au sommet de la courbe ; 4° richard à honnête embonpoint ; 5° vieillard décrépit ; c'est tout.

L'étendue générale de ce cliché mental ne peut pas empêcher la nausée de prendre ici la forme de la colère incoercible. Notre unique et merveilleuse rencontre avec la matière présente ne pourrait être plus avilie, plus abaissée qu'elle ne l'est par cette soumise idée temporaire sur la vie.

Contre toute apparence, en réalité, la roue des âges d'un homme éclate au moins une fois au cours de son trajet et alors, comme un astre, elle perd toute sa masse — et contre toute apparence encore, c'est bien sûr en cet instant qu'elle trouve tout son sens projectif et même rétrospectif. Et c'est mille fois, d'autre part, qu'elle se tord et qu'elle se brise dans le désir et dans le plaisir et c'est alors qu'elle mélange les poisons aériens qui doivent la faire éclater. Et c'est alors qu'elle n'avance plus, qu'elle hésite, qu'elle glisse, rien ne passe alors car le temps que les choses mettent à se perdre est indéfiniment long et stagnant, et parce que la perte des choses, forme de leur existence la plus permanente et spatialement la plus étendue, reste malgré tout une force matérielle indéniable. Cette force tue l'idée de temps passager, ferme cette idée, comme à la fin la tautologie ferme la dialectique (et l'ouvre).

Physiquement, le permanent rayonnement prolongé des présences et des gestes est la seule trame du monde, et l'ignorance de la réalité surtemporelle de son indéchiffrable dessin est l'un des signes les plus bizarres du néant initiatique de notre ère. Et c'est la moitié ensevelie de la roue.

Quant à l'autre moitié, celle qui respire, son souffle est entièrement volé par le grand orage négatif de l'avenir. Étrange voilier : ses innombrables cordages tendus en tous sens, extrêmement minces et rigides, remplissent de leurs clairs filets plusieurs horizons et hauteurs du ciel ; ils entourent les femmes et les mains des hommes ; la grande voile apparemment absente qui les tend fait le tour de tout le présent, toutes les forces qu'elle subit s'appliquant sur la convexité (sa face unique d'ailleurs). Et tout cela immobile ou bien en pleine vitesse fulgurante, on ne peut pas s'en rendre compte puisque la course entraîne avec elle tous les repères.

Voici la forêt légère aux arbres obliques, elle se nourrit du sol de tous les astres parce qu'elle a le don de l'ubiquité. Chacune de ses branches comme un miroir filiforme lie tous les chemins et les pas des fauves. Hors de la fausse mort introduite par la peur des hommes, il n'y a pas (ici) d'espace proprement dit. La vraie vie se passe à la fois partout ; de même ton visage et la nuit dans l'acte qui les unit.

Inédit. Bucarest, 1953, Haïfa, 1972 (D. R.)

GHÉRASIM LUCA

Ma déraison d'être

le désespoir a trois paires de jambes

le désespoir a quatre paires de jambes

quatre paires de jambes aériennes volcaniques absorbantes symétriques

il a cinq paires de jambes cinq paires symétriques

ou six paires de jambes aériennes volcaniques

sept paires de jambes volcaniques

le désespoir a sept et huit paires de jambes volcaniques

huit paires de jambes huit paires de chaussettes

huit fourchettes aériennes absorbées par les jambes

il a neuf fourchettes symétriques à ses neuf paires de jambes

dix paires de jambes absorbées par ses jambes

c'est-à-dire onze paires de jambes absorbantes volcaniques

le désespoir a douze paires de jambes douze paires de jambes

il a treize paires de jambes

le désespoir a quatorze paires de jambes aériennes volcaniques

quinze quinze paires de jambes

le désespoir a seize paires de jambes seize paires de jambes

le désespoir a dix-sept paires de jambes absorbées par les jambes

dix-huit paires de jambes et dix-huit paires de chaussettes

il a dix-huit paires de chaussettes dans les fourchettes de ses jambes

c'est-à-dire dix-neuf paires de jambes

le désespoir a vingt paires de jambes

le désespoir a trente paires de jambes

le désespoir n'a pas de paires de jambes

mais absolument pas de paires de jambes

absolument pas absolument pas de jambes

mais absolument pas de jambes

absolument trois jambes

Autres secrets du vide et du plein

le vide vidé de son vide c'est le plein

le vide rempli de son vide c'est le vide

le vide rempli de son plein c'est le vide
le plein vidé de son plein c'est le plein
le plein vidé de son vide c'est le plein
le vide vidé de son plein c'est le vide
le plein rempli de son plein c'est le plein
le plein rempli de son vide c'est le vide
le vide rempli de son vide c'est le plein
le vide vidé de son plein c'est le plein
le plein rempli de son vide c'est le plein
le plein vidé de son vide c'est le vide
le vide rempli de son plein c'est le plein
le plein vidé de son plein c'est le vide
le plein rempli de son plein c'est le vide
le vide vidé de son vide c'est le vide
c'est le plein vide
le plein vide vidé de son plein vide
de son vide vide rempli et vidé
de son vide vide vidé de son plein
en plein vide

Héros-Limite, Le Soleil Noir, 1970

Guillotinés en tête à tête

Guillotinés en tête à tête
sans tête ni jugement
une tête d'émeute sans tête

et le chef d'une révolte sans chef
échangent entre eux leur destin
(contre le chaos)

Bicéphales sans tête
en corps à corps d'acéphales sans corps

Comment s'en sortir sans sortir

En pure perte
sur la voie a-puissante
(Z) Éros parla
de sa voix a-puissante
En pure perte :
À perte sur prise
cartes sur table
(« *carte* » sans queue ni tête
et carte blanche)
sur table rase
Table allégée d'émeraudes
On sort du sort
allégés d'émeraudes
On s'en sort par lapsus linguæ
par lapsus vitæ
par lapsus linguæ
par lapsus vitæ, on s'en sort
Et, sans sort,
essenc'« or » des sens a-légers
Poisson sans poids ni son
dans l'eau sans voyelles

L'hombre a-femme
l'eau d'a-puits

Paralipomènes, Le Soleil Noir, 1976

Quart d'heure de culture métaphysique

Allongée sur le vide
bien à plat sur la mort
idées tendues
la mort étendue au-dessus de la tête
la vie tenue de deux mains
Élever ensemble les idées
sans atteindre la verticale
et amener en même temps la vie
devant le vide bien tendu
Marquer un certain temps d'arrêt
et ramener idées et mort à leur position de départ
Ne pas détacher le vide du sol
garder idées et mort tendues
Angoisses écartées
la vie au-dessus de la tête
Fléchir le vide en avant
en faisant une torsion à gauche
pour amener les frissons vers la mort
Revenir à la position de départ
Conserver les angoisses tendues

et rapprocher le plus possible
la vie de la mort
Idées écartées
frissons légèrement en dehors
la vie derrière les idées
Élever les angoisses tendues
au-dessus de la tête
Marquer un léger temps d'arrêt
et ramener la vie à son point de départ
Ne pas baisser les frissons
et conserver le vide très en arrière
Mort écartée
vide en dedans
vie derrière les angoisses
Fléchir la mort vers la gauche
la redresser
et sans arrêt la fléchir vers la droite
Éviter de tourner les frissons
conserver les idées tendues
et la mort dehors
Couchée à plat sur la mort
la vie entre les idées

Détacher l'angoisse du sol en baissant la mort
en tirant les idées en arrière
pour soulever les frissons
Marquer un arrêt court
et revenir à la position de départ
Ne pas détacher la vie de l'angoisse
Garder le vide tendu
Debout
les angoisses jointes

vide tombant en souplesse
de chaque côté de la mort
Sautiller en légèreté sur les frissons
à la façon d'une balle qui rebondit
Laisser les angoisses souples
Ne pas se raidir
toutes les idées décontractées
Vide et mort penchés en avant
angoisses ramenées légèrement fléchies
devant les idées
Respirer profondément dans le vide
en rejetant vide et mort en arrière
En même temps
ouvrir la mort de chaque côté des idées
vie et angoisses en avant
Marquer un temps d'arrêt
aspirer par le vide
Expirer en inspirant
inspirer en expirant

Le Chant de la Carpe, Le Soleil Noir, 1973

GEORGES SCHÉHADÉ

Les jets d'eau

Les jets d'eau font des bonds de chats
Pour loucher jusqu'aux étoiles,
Dans le jardin des acacias
Où coule une lune de toile.

Ils imitent des pagodes,
Une chute de clefs d'argent
Puis les actrices à la mode
Et les pinsons des pauvres gens.

Derrière le mur du jardin
Qu'enjambe le bruit des choses,
Les aveugles les croient des roses
Et s'arrêtent sur le chemin.

Les gargoulettes

Les gargoulettes après la sieste
Évaporent des inscriptions ;
Avant de partir, reste !...
La nuit empaille les pigeons.

Chez un menuisier absent,
Des copeaux de lune
Volent un à un
Sous le rabot du vent.

Ex-Voto

Dans l'église du village
On rencontre, dans un tableau, Simon.
Les voix montent à plusieurs étages ;
Oreille : cendrier des sons.

Vous écoutiez à travers les psaumes,
Femmes aux aisselles d'oursins,

Passer des camions pleins de marins
Aux muscles de pommes.

Larmes de tes yeux défroqués,
Petite icône miraculeuse,
Laisse se durcir ton rêve
Comme un vieux biscuit délaissé.

J'écris au capitaine Bob'le

J'écris au capitaine Bob'le
Qui a la toux bleu marine.
Petit chasseur dans l'ascenseur,
Rouge-gorge en cage.

Les oiseaux dans les feuilles
Sifflent des aiguilles.
Voici des fautes d'orthographe
Pour ta petite bague.

Tu avais de longs cils d'insecte
Dans ce jardin planté de bouteilles,
Un âne faisait avec ses oreilles
Un guidon de bicyclette.

Guitare d'un mardi gras

Guitare d'un mardi gras,
Un portrait entre dans la carafe ;
Bâille et tu entendras
La tempête de ton cœur !

La fille de l'ogre t'a donné
Pour seul souvenir un cheveu,
Tu le conserves dans un bonnet
Le temps passe et tu es malheureux.

L'Écolier Sultan, 1950

Il resterait à évoquer des œuvres énigmatiques et étonnantes, soit qu'elles semblent flotter dans un entre-deux du sens, soit qu'elles fétichisent un sens en tous sens qui émerge de l'absurde. Ce sont des œuvres de femmes : Gisèle Prassinos, Unica Zürn.

GISÈLE PRASSINOS

Resquillage

Un jour, sur le toit d'un autobus, on trouva un cadavre de poule déchiqueté et rempli de menues pierrailles. L'homme qui l'aperçut le premier était un coureur du Tour de France qui venait de tomber sur la route après avoir bousculé un piéton. Quand il eut montré la poule à tout le monde, il remonta sur sa bicyclette et poursuivit son chemin.

Alors une femme qui se trouvait assise au fond de l'autobus se leva en sursaut. Elle tenait dans ses bras un tout petit enfant entortillé dans du papier d'emballage. Elle se dirigea vers la sortie et descendit les deux marches à la fois en s'abattant contre la poitrine d'une midinette. Aussitôt relevée, elle déposa son enfant sur le rebord du trottoir et se servit des épaules du contrôleur pour grimper sur le toit de l'autobus. Là, elle se mit à genoux à côté de la poule morte et, la prenant par la queue, elle la vida de son contenu. Puis elle redescendit dans la rue, reprit son enfant qu'elle déshabilla et alla le déposer près de l'oiseau. Avant de s'en aller, elle revêtit la poule des vêtements du petit enfant et la recouvrit du papier d'emballage.

Quand elle eut tourné le coin de la rue, le contrôleur de l'autobus alla s'asseoir à sa place habituelle et alluma un morceau de papier.

après 1944

Une défense armée

Un jour, un monsieur qui avait les yeux jaunes entra dans une épicerie où se trouvaient déjà deux femmes.

Quand il eut passé le seuil de la boutique, l'une des femmes, armée d'une arbalète, vint vers lui, le serra dans ses bras et murmura : « Comme tu as les yeux jaunes aujourd'hui ! » Alors, l'homme la prit dans ses bras et l'emmena dans la pièce d'à côté.

Ils s'installèrent dans un fauteuil pour mieux comprendre la jalousie et ils se mirent à parler.

Il dit que, bien qu'il eût les yeux jaunes, on ne pourrait pas lui dire que son chapeau était de velours et qu'il saurait bien répondre si sa mère le battait sur les mains.

Alors la femme fronça les sourcils, appuya sur l'un des boutons de sa jupe et dit : « Julie doit avoir soufflé sur ses doigts car je l'entends dire sa prière. »

Puis ils s'endormirent.

Ils rêvèrent ensemble d'un petit garçon qui avait des yeux jaunes et les joues pleines d'or. Quand des pas retentirent, ils se réveillèrent en poussant sur la clef du buffet.

La seconde femme entra. Elle portait sur la tête un petit pot de haricots et chaque fois qu'elle respirait, il tombait et se cassait.

Elle s'approcha d'eux et leur sourit en désignant avec sa chevelure une boîte de café au lait qui était sur la commode.

Alors ils poussèrent des cris de joie, choisirent dans une assiette une bouteille de Cinzano et se retournant vers la seconde femme, ils la coupèrent et lui dirent : « Nous sommes une grande souffrance. »

Puis ils brillèrent d'un éclat vermillon et la femme s'arracha une mèche de cheveux pendant que l'homme s'épluchait le nez.

1934

Qualités d'apôtre

Lire et chanter est une chose propre tandis que parler c'est des minutes.

J'ai parlé et mon être brave a gémi.

J'ai joué peu et j'ai mal fini.

Parce que la fin c'est la fin d'une chose et quand je m'apercevrai que j'existe, je dirai : « La neige a commencé de tomber ce matin. »

J'ai vu très clair pendant que le ciel me regardait.

Et, parmi ces brouillards liquides, j'ai pensé qu'entre elles deux il n'y avait que chansons.

Alors, merveilleusement bien, j'ai couru vers la ferme en sifflant et mon cœur plus digne que la poussière a crié sous vos pas.

Mais, comme je n'ai jamais vu d'apôtre, je ne pourrai pas sortir d'ici. Aussi, avec un zèle sans pareil, mon âme simple et nonchalante a prononcé ces mots :

« Chose sucrée que la vanille ! »

après 1944

Un acacia dangereux

Pendant un jour entier, un monsieur qui avait des moustaches chercha l'emplacement où il pourrait planter son acacia.

Après avoir écrit ses commissions, il bourra sa pipe avec un peu de goudron. Puis, entendant sa femme ourler un mouchoir, il s'essuya le front en déclamant.

Enfin, il ouvrit une armoire qui donnait sur la rue et en sortit trois mains coupées qui avaient la forme d'un bâtiment original. Il prit une de ces mains et, avec un sourire satisfait, il alla la poser sur un baquet bleu qui se trouvait dans la boîte à ordures.

Puis, se rappelant qu'il devait désigner un mineur, il courut à la barrière pour ramasser un coquillage qu'il mit aussitôt dans ses étroites narines.

Il retourna chez lui en chantant joyeusement *La Marseillaise* :

« Nous entrerons à la campagne
quand les citrons auront séché... »

Il trouva sa fille qui rendait un champignon qu'elle avait découpé la veille. En le voyant, elle ne bougea pas mais lui dit d'un ton approbateur :

« La mère n'a pas encore épluché les raisins. »

En entendant cela, il prit sa fille par le bras et l'emmena là où vivent les porcs ladres.

Ils y trouvèrent un morceau de craie et le rapportèrent dans la cuisine avec une grande satisfaction. La mère fut très contente et leur déclara qu'un livre valait mieux qu'un veau.

Alors, ils passèrent tous dans la salle à manger. Le monsieur enleva sa cravate et la plaça dans son assiette à peinture.

La mère sortit un moment puis revint avec une branche de céleri qu'elle donna à sa fille en disant : « N'aie pas peur : les divisions sont plus faciles à faire. »

La fille pleura beaucoup et recueillit ses larmes dans un morceau de papier qu'elle alla porter chez son amie.

Puis elle revint se coucher légèrement. Ses parents dormaient déjà et elle s'aperçut que son père terminait un pull-over.

1934

UNICA ZÜRN

Quatre anagrammes

Mon enfance est le bonheur de ma vie

Au fond — la petite voix de l'instant
C'est ma meilleure balle m'enfonçant
Le fini tourne doucement les coins jaunis en boitant.
C'est cela — ma fin… gisant dans la pierre, répandant une mauvaise odeur
dans mon dos — laissant le bonheur de ma vie qu'est mon enfance.

1959

Au fond — la petite voix de l'instant. Elle,
elle est ma plus lourde balle, m'enfonçant.
Quand le Fini, boiteux, tourne les pages aux coins jaunis du présent
Voilà, ma fin... Haïssant —
Sous la pierre étendue, la puanteur tient mon dos —
le bonheur de ma vie, mon enfance.

Ma jeunesse est le malheur de ma vie

Voix chantant tout malheur, ses yeux bleus de Jungle —
Un regard de glace muette — cela est ma jeunesse de malheur,
le siège de momie pour ma vie.
Tout malheur ronge ta jambe
Tout bonheur n'est que — être bête.
Longtemps la désunion, chaque morceau de colle sans liaison,
jamais d'union.

Dans chaque voix le malheur, sa Jungle aux yeux d'acier bleu,
le regard glacé — Voilà ma jeunesse, mon malheur,
ma vie momifiée.
Tout malheur peu à peu monte, dévorant ta jambe,
stupide est le bonheur. Longtemps désunis
lambeaux épars, jamais réunis.

1959

Le lit est mon refuge contre la vie

Ombre du sang d'amour, bouche de plumes, temps, remplissez mon lit
de poissons par enchantement.
Heure fuie du brouillard dans un bain de cannelle
Vers, toi, si vivant, fondant dans la rosée du drap.

Ombre du rouge Amour, grotte plumeuse, Temps
remplissez mon lit de poissons enchantés. Heures
lavez-vous de la brume dans un bain de cannelle,
et toi, Poème, si vivant, fonds dans la rosée du drap.

1959

La mort est le désir passionné de ma vie.

Je vois approcher hâtivement, la bouche amère, les heures de la mort.
C'est facile — l'heurt de la lune te soulève vers les étoiles.
Fatiguée de la souffrance, pousse-moi, je te prie, Chien, dans le vide du fini.
C'est là que je devrais voir, moi l'aveugle.

Elles se hâtent, les heures de la mort, je vois leurs bouches amères.
Comme c'est facile... si la lune
d'un rayon te touche, elle t'enlève vers les étoiles.
Assez de souffrance, Chien de l'Hadès, je t'en prie,
pousse-moi dans le vide.
Aveugle ici — inéluctablement je vais voir.

1959
Traduction littérale de Gabrielle Noss
Lecture parallèle de Marcelle Fonfreide

Et puis voici que certaines pages surréalistes, s'appuyant sur des jeux de mots souvent occultés, font rebondir sur leur tension des histoires ou des mythes extraordinaires : Matta, le peintre, invente le sens du mot, du verbe Hommérica/Amériquer, Aragon construit le conte « Paris la nuit » sur deux jeux de mots d'ailleurs occultés (la « fleur des rues » est une péripatéticienne, mais c'est aussi une violette qu'éventuellement on peut cueillir entre les pavés ; et l'ensemble du récit n'est-il pas une histoire de « ravissement » dans tous les sens du mot : ravi, mais aussi enlevé ?), Georges Limbour écrit à Michel Leiris des lettres d'une folle invention et construit sur le fil de métaphores successives un récit inspiré où l'on peut s'amuser à retrouver des éléments issus de sa vie aventureuse,

Leonora Carrington écrit en langue française et parfois anglaise des contes de mort et de métamorphoses, où les mots sont des pièges, enfin le René Crevel du « roman » Êtes-vous fous ? *construit des épisodes entiers sur le fil de jeux de mots extravagants et magnifiques.*

Le peintre Matta, qui aurait lancé avant André Breton l'idée des « Grands Transparents », a toujours cultivé la recherche de mythes personnels, tel celui qui fait du Pacifique le centre du monde et qui donne aux Amériques un rôle singulier.

MATTA

Le verbe Hommérica

Verbe *América* parce que tout ce continent est une fournaise où, comme portées par les vents, toutes les races de la terre déposent un humus d'inquiétude. Cet humus « Homo », déjà imprégné d'arachnides, pollen, est nourri par ces vents qui lui apportent une zoologie aérienne et des oiseaux sous-terrains. Au Nord, une déformation de la Science appliquée avec comme norme la vérité, toute la vérité, rien que leur vérité (Je le jure.) Au Sud, une *interrogation*, le sens de la vérité. Sentir la vérité, l'aimer vraiment, même quand elle nous ment. Mais de pôle à pôle, déserteurs de la mémoire, traîtres d'un Tertre, un autre théâtre, les inquiétudes de l'autre moi de la mémoire, l'optimiste des frustrés. Le Sud reproche au Nord son *sens* pratique. Le Nord accuse le Sud de manque de *sens* pratique et de trop pratiquer le sens des sens. C'est-à-dire qu'au Nord, tout est peut-être, c'est-à-dire, être pour, tandis qu'au Sud ce sont des preuves d'être qui laissent l'être lui-même être l'être qu'il est. (C'est la pensée qui propose l'être en vie pour être au monde.) Au Nord, le monde dit : « Si tu es. » Si l'opinion publique et république, qui signe un être ? Au Sud, l'opinion publique ne publie pas. Mon public, c'est moi. Je me transforme en signe. C'est l'être dans son unité, comme Don Q. face à l'être du nord qui est dans la vérité des autres... etc-*écrable*. Mais dans cette énorme noéisme se consolide un filtre qui peut devenir une nouvelle civilisation avec comme centre modèle le goût du beau — proverbe où l'Islam. Un champ magnétique où la vérité en *pub* coagule et dissout jusqu'au déshonneur ce qu'on a voulu appeler « dignité », « personne ».

Où fait irruption l'*esprire* ? Toutes les conditions sont là pour un verbe tant attendu, le verbe de l'être entier. C'est dans ces sonorités que peut apparaître un être entier, l'oreille emplie du son d'être.

Continent contenant des Russes arrivant du Nord, des Suédois, des Allemands émigrant vers le Sud, des Chinois et des Africains emportés comme esclaves. Tout un parc zoologique. Tous les composants sont là, face à l'océan Pacifique, future Méditerranée. Histoire de donner le signe d'ouverture par anastrophe. Connaître par cœur, ce n'est pas connaître par cœur. L'entrée est à la sortie.

ARAGON

Paris la nuit

À Robert Desnos

C'est tout le fait du hasard si, le miroir et l'esplanade, errant rue de l'Hôtel-de-Ville j'avais été retenu par un phénomène naturel assez singulier pour mériter l'attention malgré la niaiserie de cette fleur et le cliché qui permet à l'imagination populaire sa naissance entre les pavés. Ai-je dit une violette ? Lorsque d'une maison sort cette grande rousse, et dans l'instant un adolescent nu, que j'allais lui crier : « Vous n'y pensez pas », mais le voilà qui m'ouvre une paire d'ailes de trente-six couleurs pour disparaître entre les toits. La fille mangeait une gousse d'ail et moi, ma violette entre le pouce et l'index... Alors je la suivais, non que je la trouvasse bien désirable, bigle avec cela, mais plus pour le prodige que pour elle-même de ce Monsieur sans autre habit que ses plumes, et de la violette aussi, encore que, bref je la suivis jusqu'aux Halles et je m'aperçois que j'ai oublié l'essentiel et le comique de l'histoire. J'y reviens : il régnait une nuit de petit-gris et, partant qu'il était bien 2 heures, cela faisait déjà tout le remue-ménage dans le quartier.

Depuis qu'on a inventé le cinéma, les nuits vous croiriez une comédie ; ça prend des airs de grand jour passé au bleu, et il y en a du monde.

Avez-vous déjà vu des gens se battre, rrran les tables, la bière et le champagne, un homme de trop ou une femme de moins ? Alors il fait bon vivre, alors il n'y a pas à dire, alors... qu'est-ce que je racontais ? Oui, l'homme qui s'empara de mon bras avait le visage en sang, et cette manie que j'ai ! un peu de plus je le lui faisais remarquer, quand il me montre la rousse, si j'en avais à elle ? et voyons, comme cela à un inconnu, allais-je expliquer la violette et certaine humeur vagabonde ? Il se serait moqué.

Il y a des plaisirs qui passent pour des crimes, c'est que communément on n'y a pas goûté. Du temps qu'il y avait des esclaves, le loisir qu'on avait d'essayer au moins presque toute chose rendait moins sévère le jugement qu'on en portait. Je ne dis pas cela par excuse. Enfant, je me coupais par goût, ainsi.

Mais on n'agit pas toujours à son gré et la rareté d'un mets en fait et le prix qu'on y attache et celui qu'on le solde.

La violette je n'y pensai guère qu'une fois avec Alfred à attendre nos grillades au coin de la rue, un peu las de tout ce qui s'était passé dans la maison, dont je ne revoyais plus que vaguement l'escalier raide et, au-dessus du sofa d'andrinople, la *Salomé* de Regnault. Il jura le nom de Dieu que les femmes me feraient croire ce qu'elles voudraient. Pour lui, son visage, on le pense, n'allait pas bien dans tout ça, et comme on prétend que c'est bon, Alfred l'enduisit de graisse chaude quand il eut sa petite saucisse et son cervelas.

Les maraîchers passaient avec un grand tintamarre.

« La croix de guerre, comme donneur qu'ils me l'ont donnée, et une permission. Mais avec l'armistice, fini le bon temps : ils m'ont mis en prison comme donneur. Ça n'a pas de justice, j'ai bien ricané. Je lui ai montré la breloque, au juge, et il m'a dit : "Vous n'avez pas honte ? " Moi ça n'a pas traîné. Est-ce que ce n'est pas lui qui aurait dû rougir ? »

Voici les cris : à travers les vitres du café tout un peuple en rumeur et une femme pâle, pâle contre le verre. Ça va saigner : une chaise traverse la glace et un bras, croyez-vous que c'est un bras ? Les cheveux sont défaits, et plusieurs collés aux tempes. Le rideau de fer tombe tandis qu'on jette les gens dehors, têtes basses sous la guillotine du passage. « Vous avez vu l'Américain ? » murmure Alfred et le dernier, un homme franchit la chatière qui se referme sur lui.

Et la femme ? L'*Américain* est en smoking et remet des gants clairs.

ALFRED :

Vous avez rencontré un ange, laissez-moi vous présenter au

DÉMON

Le démon pas plus que moi n'est américain. Hollandais qui sait ? et encore, cette idée ! Je le trouve moins beau qu'aimable. Aimable voilà le mot. Il parle un peu plus vite qu'il ne pense. Il pense avec les dents, éclatantes. Du diable, si je sais pourquoi Alfred a voulu m'acoquiner au démon. C'est toujours la même rousse, qui vient ici de s'évanouir, et qui là-bas, mais au fait. Le démon, bien entendu, aime aussi la belle liqueur rouge quand elle fume encore d'un corps à peine quitté dans la coupe où elle se caille ; ou, invisible, quand elle accourt tout droit d'un cœur à des lèvres par le petit caoutchouc souple à l'embout brillant de nickel (extraordinaire paille, monsieur, avec son asepsie qui vaut les manchons de papier Pipoz). Il y a des moments, qu'il dit, que la chair a l'aspect de la flamme des becs papillons : alors il faut la piquer pour que s'étirent mille arborescences de rubis, comme si c'était l'été et que le soleil changeait le vert des feuilles en feu. Ces façons de voir m'agacent, moi. Je comprends mal, quand c'est si simple, le besoin de tout ce raffinement, d'étaler ce raffinement. Lui, me devine et demande : « Que pensez-vous du plaisir ? »

Les voilà, tous deux Alfred, qui échangent des clins d'yeux. [...]

Le Libertinage, 1924

GEORGES LIMBOUR

Lettre à Michel Leiris

[1925]

Mon cher Michel,

Où est Cardiff la charbonnière où une femme vêtue de la couleur des fantômes apparaissait des tas de coke, immaculée, défiant les mines et leurs désastres, où est donc cette âme qui passe parmi les débris de la terre sans y toucher et sans y croire et Londres, la ville des banques où nous avons certainement travaillé, bu, aimé, souffert de la faim et des chiffres dans les brouillards d'opium, loin des cris des oiseaux marins ; est-ce que tu ne voyageras plus ? Verrons-nous Shanghaï ensemble ? Penses-tu encore aux châteaux de la Bohème où nous pourrons renouer nos souliers sur les plumages des paons tués par les folles princesses à l'heure où l'araignée de pierre précieuse entoure son quinzième pentagone ? Ne plongerons-nous plus ensemble à la recherche de l'huître précieuse afin de dissoudre le diamant dans un vinaigre digne d'assaisonner le pissenlit sublime qui pousse entre les pierres qui servent de tombeau à l'ibis rêvant encore à sa belle momie ? Est-ce que pour nous tous les éléphants ne voudront pas devenir blancs en se roulant dans la gomme écoulée des grands arbres blessés par leurs défenses à l'heure où la lune orientale dissout son teint sur ces écoulements magnifiques ? Veux-tu des princesses des Indes, des bayadères sans nez et tatouées ou dont quelques doigts sont restés accrochés à l'Arbre Épouvantable en échange d'un fruit amer ? Leur beauté, des autres, se roule parmi les herbes magiques, parmi ces armes des sorciers. Pas une, de ces herbes, qui ne guérisse un mal ou qui ne le fasse naître, et le voici, ce corps inhumain, couché dans la multitude des herbes périlleuses, empruntant à toutes leur secret, mais inaccessible à leur venin, alors que toi, seulement leur ombre te ferait mourir. Sera-ce cet hiver que la voix de la mer sur les brisants, mettra le trouble dans ton âme ? Ô compagnon infidèle, ingrat, quand me conduiras-tu jusqu'à la frontière, avec politesse ? Que sont devenues ces paroles trompeuses dont tu me leurrais au *Silver Dollar*[1], aux soleils des chevelures ? Hélas ! Je dois te dire que l'un s'est éteint dans le lit d'un mari et que l'autre s'est déteint de lui-même à la triste couleur de la vie et que le *Silver Dollar* est aujourd'hui chargé de vert-de-gris. Au fond d'un verre je te vois te promener comme sur un manège. Tes yeux brillent

1. Le *Silver Dollar* était le nom d'un bar du Havre.

toujours adorablement, austères et désespérés, et il y a quelques voyous qui te regardent. Pour mieux connaître ton destin je verse un peu de rhum. Je vois le bateau qui t'emmène à la Jamaïque et tu es prisonnier des nègres. Tu es attaché au poteau et je ne sais que faire pour t'en délivrer, qu'appeler aux quatre points cardinaux les puissances du destin, l'Invisible à ton secours. Hélas, après de si beaux voyages dans le verre, entre les mains du Nègre Cannibale, à ce poteau de torture que je ploierais de mon genou ! Michel où es-tu ? Je bois le rhum comme toute la mer, engloutis ton voyage pour essayer de te tirer de ces mains délirantes, car les danses de la folie de l'ivresse et l'amour ont commencé leur rage autour de toi. Patience ! On fait rougir la broche et le pal. Tu seras dévoré par de royales dents. Ô verre, je te casse. Il est cassé ! Éclaté par terre comme un millier de billes et Mademoiselle Silver Dollar, la seule, puisque l'autre soleil s'est dénoué sous les mains d'un mari, et que celle-ci n'a plus que son image — comme sœur — dans la glace, de son petit visage falot encore coquet, mais graisseux et tristetristetristetriste... me dit nous sommes quelques jeunes filles ainsi dans le monde tôt fanées, tôt damnées. Je t'embrasse chère ombre à ton poteau.

Limbour

Pleine Marge, n° 5, juin 1987

Les réverbères africains

J'étais ivre l'autre nuit d'un vin venu d'Europe et qui avait fait le voyage sur un bateau lent et secoué par la tempête.

Ce vin qui avait des souvenirs marins et l'humeur impétueuse des flots, avait communiqué pour toujours à son essence spirituelle un caractère sauvage et tumultueux. La mer donne à ses amis un goût ardent de la liberté : ce vin avait un goût de corsaire ; en des temps meilleurs il se fût fait pirate, aurait mérité d'être pendu à une vergue dans le port de Londres, non loin de quelque célèbre capitaine. Je ne dirai rien de moi : ce vin merveilleux m'habitait.

Ainsi gréé, puissant comme un dieu, je partis au hasard des rues du Caire.

Europe, tu es la seule partie du monde (et c'est déjà beaucoup) où il y ait des noctambules, ces grands amants de la nuit que l'on voit errer sur une terre inhabitée, sans autre but que de voir se lever dans l'ombre les images surgies de leur cœur lumineux. Europe, magnifique Europe, à la nuit transpercée de leurs regards lucides qui voient un autre monde, ton corps et tout le firmament résonnent du pas de ces hommes et toutes les portes cochères retentissent de leur écho comme une vibration de l'enfer et du ciel. C'est que chacun des vents se tourmente d'un songe, en chaque pan d'ombre se réfugie une pensée et le passage d'un homme suffit à réveiller mille spectres.

Il ne doit pas y avoir beaucoup de somnambules au Caire : ce serait trop beau. Encore moins de noctambules. C'est un genre aussi rare que les étoiles filantes en certains pays. Ce sont gens qui portent un soleil dans le cœur, une lumière si intense que pour la regarder, comme on vise les éclipses à travers des verres fumés, ils ont besoin de la nuit. Ils détestent à ce point leurs frères humains diurnes, qu'ils attendent l'heure du sommeil universel pour aller faire leur petite promenade, sans risquer de se heurter à quelques-uns, excepté quelques filous qui sont peut-être les meilleurs. Les lueurs de la nuit leur sont des rosiers embrasés, et le ciel, comme une treille, est fleuri de jasmins. L'ombre des grandes cathédrales les entoure et ces mystiques y promènent un rêve insensé. En d'autres temps, nomades toujours, ils le sont en ce siècle toute une nuit. Leur lit les attend, ouvert et froid comme un cercueil duquel le cadavre s'est relevé, et ces promeneurs ont, comme Lazare, un feu glacé dans le regard qui indique quelles obscures et éternelles régions ils ont traversées. Certains portent dans leur cœur un visage qui ne saurait sourire à la lumière du monde.

Ce personnage sympathique de la rue, l'ivrogne nocturne, est de la même famille, mais c'est un noctambule impur, j'entends qu'il a besoin de quelque excitant pour élever son esprit à la hauteur de celui du vrai noctambule. Il profile en noir sa démarche automatique, au rythme perdu sur les murs éclairés par la lune ou le bec de gaz et sa démarche incertaine le distingue du noctambule qui marche avec sûreté vers un but inexistant. Néanmoins, quelque inquiétude le conduit ; un mystère l'obsède. Il ne gueule ni ne dégueule. Il est digne. Ce n'est pas une de ces crapules du samedi soir qui font du bruit, en bandes ou isolément et dérangent les sommeils bourgeois. Celui dont je fais ici l'éloge porte sur son front de grands rêves et il marche la tête dans les étoiles comme dans un nid d'abeilles. Il vient de le heurter : une ruche immense l'a dénoncé comme l'ennemi et la future victime, et tout le ciel est contre lui. Il cherche ce qu'il ne trouvera jamais, il songe au paradis perdu et son ivresse, son délicieux et tourmenté délire, est si secret que les derniers passants attardés le remarquent à peine.

C'est alors, perdu dans un monde étranger et sur la voie des apparitions, qu'il rencontre cette chose fabuleuse, ce monstre légendaire, l'arbre fleur de la nuit, le spectre toujours dressé sur le chemin de l'homme, la croix de son calvaire, et le phare de sa tempête : le Réverbère ; Europe, patrie du Vrai, de l'Unique Réverbère, je pense à toi avec émotion et à toutes ces lumières allumées dans la nuit, si nombreuses, si hallucinantes, si terribles, qu'elles ont fait peur aux dieux dans le ciel peu à peu dépeuplé par l'effroi, à ces yeux clignotants du mystère, car je ne puis considérer le réverbère africain que comme une fleur artificielle, une plante jamais acclimatée, qui rêve ici de brumes, de rafale et de pluie, avec la même nostalgie que sur la place de la Concorde le grand obélisque regrette ses soleils. Où il n'y a pas de vie nocturne, je dis de pensée et de vie solitaire nocturnes, le bec de gaz ne peut prospérer car il se nourrit d'Esprit. À son éclairage étouffé, agité par tous les vents, des billets d'amour furent écrits ou furent lus. Comme à une oasis des yeux affamés de lire en d'autres regards y puisèrent la pauvre lumière nécessaire à déchiffrer l'amour dans une prunelle grande ouverte, à reconnaître la couleur d'un regard, à voir briller un sourire. Ils éclairèrent le cadran tragique où le criminel lut l'heure du signal et du forfait, compta plus tard son butin ; ils éclairèrent le visage ignorant des futures victimes, et les misérables espérèrent trouver à sa lueur une chaleur illusoire et la prostituée profita de son éclat pour, dans un miroir brisé, refaire son visage fané, là, tout au fond de la nuit, telle une noyée dans les profondeurs de la mer. Le mal et le bien, l'amour et le crime, la souffrance et la joie, il jeta sa lueur jusqu'au fond de ces abîmes, et placé à l'entrée des mers de hasard, cachant de mortels rochers, aux mauvaises passes de toutes les nuits, il éclaira d'un reflet sinistre, des solitudes épouvantables et des tempêtes.

Mais lui, le Réverbère africain, n'a pas d'âme. Tu es nègre, bec de gaz du Caire, triste chaouiche endormi tout debout. Tu ne sais pas cligner ton œil unique par les nuits inapaisées, faire des œillades à des ombres de femmes ou simplement, d'un œil entendu, faire un signe ironique au néant des heures. Oui ! Tu sais qu'au besoin les étoiles et la lune peuvent faire ton métier. Fais le trottoir, réverbère africain, tu n'as que peu de passants à raccrocher, passants à l'ombre menue, ridicule et pressée, et qui ont hâte de se faire engloutir par leur lit comme par un joyeux crocodile. Nul brouillard n'a jamais terni tes verres, qui ne claquent pas de ce bruit significatif de vieux cercueil disjoint comme s'il y avait une bête divine, un scarabée, une âme emprisonnée dans cette boîte lumineuse et rêvant de s'en échapper. Ah ! à ce point de vue, le service de la voirie est trop bien fait : on ne laisse pas se plaindre, grincer, se lamenter les réverbères. Mais où diable trouveraient-ils bien le vent nécessaire à leur chagrin, jaloux qu'ils sont des moulins de Hollande !

Pourtant, un soir, j'ai vu un spectacle assez joli, une sorte de drame d'amour mystique, qui m'a consolé des maux de la journée. Dès mon enfance, j'ai toujours aimé lire dans les journaux les histoires d'amoureux évincés qui se postent un soir au coin d'une rue, sur le passage de la beauté perfide, avec du poivre plein les mains, et vlan ! belle infidèle, voici pour ton regard ensorceleur, pour tes beaux yeux mystificateurs qui viennent encore d'en emberlificoter un autre, ces traîtres yeux fermés maintenant, brûlés, dévorés par la flamme (si ce n'est celle de l'amour, du moins une autre) et qui vont apprendre à pleurer. Quel nom, moi aussi je brûle... de l'apprendre, quel nom donneras-tu à ces larmes-là ? Amour, tendresse ou repentir ? La très chère, faisons-en notre deuil, les larmes qu'elle ait jamais versées, celles d'à présent ne viennent pas de son cœur. Ah ! que le poivrier est une belle plante ! Il fait pleurer les femmes, vous dis-je, comme un homme ne saurait le faire, comme l'amour souvent s'y efforce et renonce à ce travail d'Hercule.

Un soir donc, le désert où poussent ces poivriers ardents qui brûlent autant les yeux des hommes que ceux des femmes, en fournissant au vent Khamsim ce poivre qu'il nous jette certains jours à la face, lança sur l'œil blafard d'un traître réverbère une poignée de ses flammes : cela crépita, précipité à pleine volée par une main vigoureuse sur le verre. La méchanceté de la nature joua sur la vitre une petite chanson, d'un doigté savant et mélancolique, jusqu'à ce que le sable, s'étant introduit par quelque fissure, m'eût éteint cette lanterne qui faisait ma joie et par la même occasion me délivra des singeries de mon ombre. Alors je crus entendre un cri déchirant de femme dans la nuit, et la gorge qui le poussait devait être si belle et si pleine, tant il était beau, ce cri, harmonieux, profond, jailli jusqu'aux étoiles, que je cherchai avec fureur la main criminelle qui avait causé ce beau meurtre ; et ce réverbère mourant me fit penser à l'Amour, avec la plus âpre violence et le plus profond désespoir.

Réverbère africain, lugubre eunuque à l'œil droit fermé ou crevé, est-ce toi qui, de ton sabre, chasses les hommes hors des rues et de la nuit, condamnes les femmes à la réclusion, et surveilles d'en bas le jeu des persiennes ? À ta lueur imbécile, je rêve à tous ceux de l'Europe et me souviens que Gérard de Nerval, prince de la Nuit, noctambule et somnambule, météore enchanteur, une nuit de désespoir, se pendit au bras tendu d'un bec de gaz, comme au poing surhumain d'un Dieu.

1929

LEONORA CARRINGTON

Le septième cheval

Une créature bizarre se débattait au milieu d'une touffe de ronces. Elle était retenue par ses longs cheveux, si étroitement emmêlés aux ronces qu'elle ne pouvait ni avancer ni reculer. Elle lançait des jurons et le sang lui coulait le long du corps tant elle se débattait.

« Je n'aime pas voir ça, dit l'une des deux dames qui se proposaient de faire un tour dans la roseraie. Ce pourrait être une jeune femme... et pourtant...

— C'est mon jardin, répliqua l'autre qui était mince et sèche comme une trique. Et j'ai horreur des violations de propriété. Mon pauvre sot de mari l'aura laissée entrer, sans doute. Il est comme un enfant, vous savez.

— Je suis ici depuis des années, jeta la créature d'une voix coléreuse, mais vous êtes trop stupides pour m'avoir vue.

— Impertinente, en plus, fit remarquer la première dame, qu'on appelait Mademoiselle Myrte. Vous devriez plutôt appeler le jardinier, je trouve, Mildred. À mon avis, il n'est pas tout à fait sans danger de s'approcher comme ça. Cette créature a l'air de manquer de retenue. »

Hévaline, en colère, tira de toutes ses forces sur sa crinière comme si elle voulait se jeter sur Mildred et sa compagne. Les deux dames tournèrent les talons, non sans avoir échangé un long regard de haine avec Hévaline.

La soirée de printemps se prolongea : enfin le jardinier vint rendre sa liberté à Hévaline. « Jean, dit Hévaline étendue sur l'herbe, peux-tu compter jusqu'à sept ? Sais-tu que je peux haïr pendant soixante-dix-sept millions d'années sans souffler ? Dis à ces pauvres gens que leur sort est arrêté. » Elle s'éloigna, traînante, vers les écuries où elle vivait, tout en marmonnant en chemin « soixante-dix-sept, soixante-dix-sept ».

Il y avait des coins dans le parc où s'enchevêtraient dans leur croissance les fleurs, les arbres, les plantes. Même les jours les plus chauds, y régnait une ombre bleue. On rencontrait là, délaissés, des statues recouvertes de mousse, de calmes fontaines et de vieux jouets aux têtes cassées, à l'abandon. Personne ne venait là — sauf Hévaline ; elle s'y agenouillait volontiers pour brouter l'herbe courte, et observer un gros volatile fascinant, qui ne quittait jamais son ombre : il la laissait glisser autour de lui au fil du jour, autour de lui, durant les nuits de lune. Il était toujours assis, son bec velu grand ouvert ; papillons de nuit et menus insectes s'y engouffraient et en ressortaient sans cesse.

Hévaline vint en ce lieu la nuit même qu'elle avait été attrapée dans les ronces. Elle était accompagnée d'une suite de six chevaux. Ils tournèrent sept fois autour du gros volatile — en silence.

« Qui va là ? dit l'oiseau à la fin d'une voix sifflante.

— C'est moi, Hévaline, avec mes six chevaux. »

La réplique vint, plaintive :

« Vous m'empêchez de dormir avec votre piétinement et vos ébrouements. Si je ne peux dormir, je perds le don que j'ai de voir l'avenir et le passé. Partez, laissez-moi à mon sommeil, sinon je vais dépérir.

— On va venir te tuer, dit Hévaline. Tu aurais tout avantage à rester éveillé. J'ai entendu dire à quelqu'un que tu serais rôti dans le saindoux, farci d'oignons et de persil, et puis mangé. »

Le corpulent volatile jeta un regard plein d'appréhension sur Hévaline, qui l'observait de près.

« Comment le sais-tu, souffla l'oiseau, dis-le-moi donc, toi.

— Tu es beaucoup trop gras pour voler, continua Hévaline implacablement. Si tu essayais, tu ressemblerais à un gros crapaud dansant sa danse de mort.

— Comment sais-tu ça ? hurla l'oiseau. On ne peut pas savoir où je suis. Je suis ici depuis soixante-dix-sept ans.

— On ne sait pas encore... pas encore... » Hévaline maintenait son visage tout près du bec ouvert ; ses lèvres étaient retroussées et l'oiseau pouvait voir ses longues dents de louve.

Le petit corps gras tremblait comme de la gelée : « Que voulez-vous de moi ? » Hévaline eut une sorte de sourire en coin : « Ah ! voilà qui est mieux ! » Les six chevaux à ses côtés firent cercle autour de l'oiseau et l'observèrent de leurs yeux saillants et impitoyables.

« Je veux savoir exactement ce qui se passe dans la maison, dit-elle. Et fais vite. »

L'oiseau jeta un regard atterré autour de lui, mais les chevaux s'étaient assis. Il n'y avait pas moyen de fuir. Il devint moite de sueur et ses plumes se collèrent, suintantes, sur son ventre tout rond.

« Je ne peux pas parler, dit-il à la fin, d'une voix étranglée. Quelque chose de terrible va nous arriver si je dis ce que je vois.

— Rôti-dans-le-saindoux-et-puis-mangé, dit Hévaline.

— Tu es folle de vouloir connaître des choses qui ne te concernent pas.

— J'attends », dit Hévaline.

L'oiseau eut un long frémissement convulsif et tourna vers l'orient des yeux qui étaient devenus saillants et aveugles.

« Ils sont à table », dit-il à la fin. Et un grand papillon sombre lui sortit du bec.

« La table est mise pour trois personnes. Mildred et son mari ont commencé à manger leur potage. Elle le regarde avec méfiance : “J'ai trouvé quelque chose de désagréable dans le jardin aujourd'hui, dit-elle en reposant sa cuillère. (Je me demande si elle va encore manger, maintenant.) Lui, demande : — Qu'est-ce que c'était ? Pourquoi avez-vous l'air tellement en colère ? ” Mademoiselle Myrte est arrivée maintenant dans la pièce. Son regard va de l'un à l'autre. Elle semble deviner de quoi ils discutent car elle dit : “Oui, vraiment, Philippe, vous devriez prêter davantage attention à qui vous laissez entrer dans le jardin. — De quoi parlez-vous ? dit-il en colère. Comment voulez-vous que je modifie une situation quelconque si je ne sais pas de quoi il retourne ? — C'était une créature déplaisante à voir, à demi nue, et prise dans une touffe de ronces. J'ai dû détourner les yeux. — Vous avez laissé libre cette créature, bien entendu ? — Certes non. Aussi bien, c'est justice, à mon avis, qu'elle ait été prise au piège comme elle l'était. À l'expression cruelle de son visage, j'incline à croire qu'elle nous aurait fait grand mal. — Quoi ? Vous avez laissé cette pauvre créature prise au piège dans les ronces ? Mildred, il y a des moments où vous me révoltez. J'en ai assez de vous voir vous occuper à des babioles dans le village et ennuyer les pauvres avec vos discours sur la religion et maintenant que vous voyez un être pitoyable dans votre propre jardin, vous ne faites rien que frissonner de feinte pudeur.” Mildred jette un cri de révolte et se couvre le visage de son mouchoir un peu sale : “Philippe, pourquoi me dites-vous des choses si cruelles, à moi, votre femme ? ” Avec l'expression de quelqu'un qui, de contrarié qu'il était, se résigne à la situation, Philippe demande : “Essayez de décrire cette créature. Est-ce un animal ? Une femme ? — Je ne peux plus parler, dit sa femme en sanglotant, après ce que vous m'avez dit, je me sens mal. — Vous devriez être plus attentionné, chuchote Mlle Myrte. Dans sa situation délicate... — Que voulez-vous dire par 'situation délicate ?' demande Philippe avec irritation. Je voudrais bien qu'on exprime ce qu'on veut dire. — Eh bien, vous devez certainement savoir, minaude Mademoiselle Myrte, que vous allez devenir papa d'ici peu..." Philippe devient blanc de rage : "Je ne vais pas confirmer ces mensonges imbéciles. Il est parfaitement impossible que Mildred attende un enfant. Elle n'a pas honoré mon lit depuis cinq années entières, et à moins que le Saint-Esprit ne soit dans cette maison, je ne vois pas comment cela a pu se faire. Car Mildred est fâcheusement vertueuse et je ne peux l'imaginer abandonnant son corps à personne. — Mildred, est-ce vrai ? dit Mademoiselle Myrte qui attend la réponse en tremblant de délices. Mildred pousse des cris et sanglote : "C'est un menteur. Je vais avoir un gentil petit bébé dans trois mois."

« Philippe jette sa cuillère et sa serviette, et se dresse : "Pour la septième fois en sept jours, je vais finir mon dîner en haut", dit-il. Et il s'arrête un instant, comme si ses paroles avaient éveillé en lui un souvenir. Il le repousse et secoue la tête : "Tout ce que je demande est que vous ne veniez pas pleurnicher derrière moi", dit-il à sa femme. Et il quitte la pièce. Elle pleure : "Philippe, mon cher petit mari, revenez manger votre potage, je vous promets que je ne serai plus méchante. — Trop tard, fait la voix de Philippe depuis la cage de l'escalier. C'est trop tard maintenant." Il monte lentement jusqu'en haut de la maison, les yeux fixés au loin. Son visage est tendu, comme s'il faisait effort pour écouter des voix conversant dans le lointain, des voix intermédiaires entre le cauchemar et une réalité disparue. Il atteint le grenier, en haut de la maison, où il s'assied sur une vieille malle. Je crois que la malle est remplie de dentelles anciennes, de pantalons à volants et de robes. Mais tout est vieux et déchiré, une mite noire s'en repaît tandis que Philippe est assis, les yeux fixés sur la fenêtre. Il contemple un porc-épic empaillé, sur la cheminée, qui a l'air épuisé à force de souffrir. Philippe paraît suffoqué par l'atmosphère qui règne dans le grenier ; il ouvre toute grande la fenêtre, et lance un long… »

Ici, l'oiseau fit une pause, et un long hennissement, à serrer le cœur, déchira la nuit. Les six chevaux bondirent sur leurs pattes et répondirent de leurs voix stridentes. Hévaline restait complètement immobile, les lèvres retroussées, les narines palpitantes. « Philippe, l'ami des chevaux. » Les six chevaux partirent vers les écuries dans un bruit de tonnerre, comme s'ils obéissaient à une sommation lancée de toute éternité. Hévaline les suivit avec un soupir et un frisson d'horreur, et sa chevelure flottait derrière elle.

Philippe était à la porte de l'écurie quand ils arrivèrent. Son visage était lumineux, blanc comme neige. Il compta sept chevaux tandis qu'ils passaient au galop, et, attrapant le septième par la crinière, lui sauta sur le dos. La jument galopait à se rompre le cœur. Et pendant tout ce temps, Philippe était pris d'une extase amoureuse ; il sentait qu'il avait grandi sur cette belle jument noire et qu'ils ne faisaient plus qu'un.

Aux premières lueurs de l'aube, tous les chevaux étaient de retour à leur place. Le petit valet ridé les étrillait et les débarrassait de la poussière et de la sueur de la nuit, agglutinées. Dans ses traits chiffonnés, il y avait un sourire sagace tandis qu'avec un soin extrême il bouchonnait ceux dont il avait la garde. Il semblait ne pas remarquer le maître qui se tenait seul dans une stalle vide. Mais il savait qu'il était là.

« Combien ai-je de chevaux ? dit Philippe à la fin.

— Six, Monsieur », dit le petit valet, sans s'arrêter de sourire.

Ce fut cette nuit-là que fut trouvé près des écuries le cadavre de Mildred. On pouvait croire qu'elle avait été piétinée à mort... et pourtant « ils sont tous aussi doux que des agneaux », disait le petit valet. Mildred était-elle enceinte ? Il n'y paraissait pas, du moins, lorsqu'on la fourra dans un respectable cercueil noir ; pourtant personne ne pouvait expliquer la présence d'un petit poulain difforme qui avait trouvé son chemin vers la septième stalle, vide.

texte en anglais, *V.V.V.*, n° 1, 1942,
trad. Jacqueline Chénieux

C'est Claude Courtot qui présente ici René Crevel.

CLAUDE COURTOT

Je ne sais pas si, comme on dit, « le hasard fait bien les choses ». Toujours est-il qu'il peut zébrer notre trajet uniformément glacé de quelques salutaires béances. Depuis trois ans déjà, je passais mes vacances à Zermatt, lorsque je lus pour la première fois *Détours*. Je ne pus m'empêcher de penser que les zigzags difficiles des sentiers de montagne offraient plus de place aux rencontres décisives que les routes nationales aux collisions exemplaires. J'ignore si c'est la quête de l'inaccessible « bleu de ciel » qui nous avait conduits, Crevel et moi, à quarante ans de distance, vers le même lieu. En tout cas, la littérature avait le dessous ; je me connaissais assez pour m'en féliciter : j'aurais été capable de me rendre à Zermatt, rien que pour y prendre le train du Gorner et fumer fièrement une cigarette de lâcheté littéraire devant des montagnes de renoncement compassé. (Question de détours, peut-être, après tout !...)

Il a suffi de même que je participe à la réédition du *Clavecin de Diderot* pour que, la même année, j'obtienne enfin ma mutation dans un lycée parisien. Je demandais Paris, sans plus de précisions. L'établissement auquel on m'affecta fut le lycée Janson-de-Sailly, celui où Crevel fit ses études secondaires. Ainsi, chaque matin, je parcours le chemin que le jeune Crevel dut suivre et lorsque, par hasard, mon pied se pose sur l'empreinte laissée par le passage de ce collégien tourmenté (front buté, regard en perdition, mâchoires brutales, bouche toute prête à l'injure et, dominant tout ce visage, une beauté douce qui tient à la fois du bellâtre vulgaire et de l'éphèbe échappé d'un dialogue de Platon...), je ne puis me défendre d'un mouvement de recul : vais-je accomplir encore une fois machinalement ce pas idiot vers mon « lieu de travail » ? J'ai alors envie de rebrousser chemin et d'aller dormir après avoir mis bouillir de l'eau sur un gaz fusant que je n'allumerai point. Je me borne à avaler mon trouble avec ma salive et poursuis ma route dérisoire ; je me garde simplement de mettre les pieds dans les pas de Crevel ; chaque jour, ma peur et ma lâcheté balisent un peu plus l'itinéraire piégé qu'on m'enjoint de suivre.

Qu'on n'attende donc pas de moi une confortable biographie de Crevel, un solide travail d'*assis* : cette existence m'émeut trop. De plus, il y a quelque impudeur à raconter la vie des suicidés. S'ils occupent dans les Enfers de Virgile une région particulière, entre l'aire des innocents condamnés à mort *(falso damnati crimine mortis)* et le champ des larmes *(lugentes campi)*, c'est pour qu'on leur laisse à jamais leur secret, *le secret douloureux qui (les) faisait languir* ici-haut. Il ne me déplaît pas d'imaginer Crevel conversant avec la reine Didon et Maïakovski dans l'insaisissable espéranto des désespérés…

C'est dire qu'il faut renoncer une fois pour toutes, lorsqu'on parle de Crevel, aux méditations creuses sur le suicide, aux propos de café du commerce sur le tragique de la condition humaine et autres dissertations tristes d'après-boire. Jamais un écrivain n'a été, comme Crevel, la proie d'un tel pharisaïsme. Les différents recueils d'hommages que les revues en mal de copie se croient tenues de consacrer périodiquement à René Crevel, sont autant d'assez jolis « festins de pélicans » ! J'ai feuilleté pour information les numéros spéciaux de *Temps mêlés* (1954), des *Cahiers du Sud* (1956) et d'*Action poétique* (1965). Sauf exception rare, tout ceci est ignoble. Chacun vient planter son cierge dans les bougeoirs sordides d'une réconfortante chapelle ardente. On pleurniche perfidement sur le grand écrivain que Crevel aurait pu devenir, s'il s'en était laissé le temps, on tutoie familièrement le cadavre, on apporte des fleurs blanches qui l'eussent bien fait rire et, quand on se veut plus sérieux, on véhicule un humour qui pèse cinquante kilos comme le rat d'*Êtes-vous fou ?* ou, mieux encore, on admire la « conséquence » de Crevel. Lui au moins s'est suicidé ! d'autres n'ont pas eu le courage de descendre dans la rue un revolver à la main et de tirer sur la foule, comme ils en manifestaient l'intention. Pour lui, le surréalisme n'était pas une aventure « verbale ». Crevel est mort, vive Crevel. Faux jetons !

« *Poètes d'aujourd'hui* », Seghers, 1969

RENÉ CREVEL

Êtes-vous fous ?

Le cocher, par légitime orgueil professionnel, avait appelé « Urbaine » sa première-née morte en bas âge. Pour les suivantes, il avait donc décidé qu'elles seraient Camille et Pauline, puisque, après l'Urbaine, les deux plus fameuses Compagnies de fiacres étaient, l'une, la Camille, l'autre, la Pauline.

Le cocher et les siens habitaient Picpus, ce dont le sort tira prétexte pour la tragédie, qui, par le trépas de l'un d'eux, métamorphosa la vie des autres.

À l'école, on taquinait les petites :

— Tiens, voilà les celles qui piquent les puces.

Dans la rue, les garçons tiraient leurs nattes en chantant :

Pique puce
Mes pucelles
Mon prépuce
A du sel
Pour la celle
Sans puce.

À cause du sel, les naïves croient que prépuce est un mot distingué pour dire : épicier. Un après-midi, que sa mère l'a envoyée acheter deux sous de moutarde, la future amie du Prince de Galles, déjà éprise de pompe et de mystérieuses formules, après avoir tiré sa révérence au commis qui l'a servie, très grande dame : « Au revoir et merci, prépuce. » Le commis aime la gaudriole. Il lui offre trois bonbons acidulés, un rouge, un jaune, un vert, pour que trois fois elle répète :

« Merci, prépuce. » La caissière a surveillé le manège, tendu l'oreille. On vient justement de circoncire son fils, un gamin de dix ans, rapport à de vilaines habitudes, et, dans son dictionnaire à sensualités, prépuce signifie vice puéril. Elle sort de sa boîte le porte-plume piqué à même un majestueux faux chignon.

— Prenez-vous l'épicerie pour une maison à gros numéro, Augusse ?

— La paix, vieille chouette.

— Mal poli ! Et toi, petite saleté, dépêche-toi de déguerpir. Malheur ! Ça n'a pas fini sa croissance et ça fait déjà sa traînée.

Arrive le père, très olympien sur son fiacre.

Camille hurle :

— Papa, papa, elle m'a appelée traînée.

Un fouet claque.

— Vous voulez danser, mère grinchue ?

L'additionneuse se trouve mal. Rassemblement. Le pharmacien du coin apporte de l'eau de mélisse. Un sergent de ville prend à partie le cocher descendu de son siège et jure qu'il saura bien malgré sa résistance, le conduire jusqu'au poste. Bagarre. Un chapeau haut de forme en cuir bouilli roule dans le ruisseau et celui qui engendra tombe si malencontreusement que son crâne s'en vient donner et se fendre contre la bordure du trottoir.

Transporté à l'hôpital, il meurt le lendemain.

. . . .

N'espère donc point que jaillisse un de ces miracles d'iris noir, à quoi, tout à l'heure, tu t'es vantée d'avoir été si souvent comparée...

Sans doute, M. Vagualame eût-il continué de parler fort longtemps, si Yolande ne s'était saisie du mot iris...

— Iris, iris, s'écrie-t-elle. J'oppose un iris au flot de ta malfaisante inspiration, Vagualame. Tu aurais bien voulu m'ensevelir sous un océan de vinaigre. Mon éloquence a noyé la tienne. Je sais crier plus fort que les fous. Voilà pourquoi je suis une femme sensée. Fatale aussi, d'ailleurs. La jolie devise : *Fatale, mais sensée !* As-tu donc oublié que Myrto-Myrta commanda elle-même : Feu, lors de son exécution à Vincennes ? Donc, celle qui continue, défi à la mort son incroyable destinée, Yolande, mon cher, se moque bien de tes intentions méchantes. Tu l'as crue engluée à ses larmes. Tu as voulu la narguer, mais l'ingratitude, ce chewing-gum à la dynamite, dans ta boîte à éloquence, comme les cailloux du papa Démosthène, pourrait bien aider ta pétrisseuse de langue à faire connaissance avec une jolie petite explosion. Corps et âme, tu ne serais plus qu'une dentelle bonne à épingler, en garniture, autour des broderies du Prince de Galles. Tu as refusé l'iris noir, mais si un, couleur de sang et fabuleux par la taille et l'éclat, jaillissait de ta poitrine ? ...

Quand il montait sur son siège, le père de Yolande, après avoir fait claquer son fouet, ne manquait jamais d'affirmer : « Charbonnier est maître chez soi. » Sa fille sait bien que les mots prononcés dans sa demeure lui appartiennent, tout comme, du reste, pour le temps qu'elles y passent, les personnes en visite, et, leur existence entière, jusqu'à l'éternité, le fakir, le taureau, le rat, et ces fleurs d'un tapis payé deniers comptants. Alors, pourquoi se refuserait-elle à iriser de pourpre l'ivoire transparent des voyelles, aussi docile à la voix, sur son armature de consonnes, qu'à la flexion du poignet l'éventail en papier de verre serti de clous de girofle ? Iris. Vagualame se rappelle assez de latin pour n'ignorer point qu'il y a de la colère plein ce mot. Mais l'ire des iris flamboie ailleurs qu'au fond des corolles. Il faut compter aussi avec l'ire des iris entre les cils de Yolande.

Quasi incolores, ses yeux se sont éclairés d'un feu qui n'est certes pas de joie. Vagualame oppose deux gouttes d'azur pâle, regard dédaigneux du si proche incendie, sans doute non moins bien ignifugé qu'un ciel de quatorze juillet, mais qui ne saurait tout de même servir de fleuve-frontière entre lui et celle qui l'arracha au brouillard, cet après-midi, rue des Paupières-Rouges.

Êtes-vous fous ?, 1929

Dans cette direction se dirigent les extraordinaires Notes sur la poésie, *d'Éluard et de Breton, qui en 1929 « réécrivent » Paul Valéry. Paul Valéry avait publié ses « Notes » dans* Commerce, *été 1929, et les surréalistes lui répondent dès décembre 1929. On publie ici les textes face à face.*

ÉLUARD/BRETON

Notes sur la poésie

Est l'essai de représenter, ou de restituer, par des cris, des larmes, des caresses, des baisers, des soupirs, ou par des objets *ces choses* ou *cette chose* que *tend obscurément d'exprimer le langage articulé*, dans ce qu'il a d'apparence de vie ou de dessein supposé.

Cette chose n'est pas définissable autrement. Elle est de la nature de cette énergie qui se refuse à répondre à ce qui est...

La pensée doit être cachée dans les vers comme la vertu nutritive ne l'est pas dans un fruit. Un fruit n'est pas une nourriture, il n'est que pensée. On ne perçoit aucun plaisir, on ne reçoit aucune substance. Le fruit est enchanté.

*

– La poésie est le contraire de la littérature. Elle règne sur les idoles de toute espèce et les illusions réalistes ; elle entretient heureusement l'équivoque entre le langage de la « vérité » et le langage de la « création ».

Et ce rôle créateur, réel du langage (lui d'origine minérale) est rendu le plus évident possible par la non-nécessité totale *a priori* du sujet.

*

Le *sujet* d'un poème lui est aussi propre et lui importe aussi peu qu'à un homme son *nom*

PAUL VALÉRY

La poésie

Est l'essai de représenter, ou de restituer, par les moyens du langage articulé, ces choses *ou* cette chose, *que tentent obscurément d'exprimer les cris, les larmes, les caresses, les baisers, les soupirs, etc., et que* semblent vouloir exprimer les objets, *dans ce qu'ils ont d'apparence de vie, ou de dessein supposé.*

Cette chose n'est pas définissable autrement. Elle est de la nature de cette énergie qui se dépense à répondre à ce qui est...

La pensée doit être cachée dans les vers comme la vertu nutritive dans un fruit. Un fruit est nourriture, mais il ne paraît que délice. On ne perçoit que du plaisir, mais on reçoit une substance. L'enchantement voile cette nourriture insensible qu'il conduit.

*

La poésie n'est que la littérature réduite à l'essentiel de son principe actif. On l'a purgée des idoles *de toute espèce et des illusions réalistes ; de l'équivoque possible entre le langage de la « vérité » et le langage de la « création », etc.*

Et ce rôle quasi créateur, fictif du langage — (lui, d'origine pratique et véridique) est rendu le plus évident possible par la fragilité ou par l'arbitraire du sujet.

*

Le sujet *d'un poème lui est aussi étranger et aussi important que l'est à un homme, son* nom.

Les uns voient dans la poésie une occupation de toute utilité, une industrie banale qui ne peut que prospérer. On pourrait augmenter le nombre des fabricants d'automobiles et d'obus.

Les autres y voient le phénomène d'une propriété ou d'une activité très secondaire, nullement liée à la situation de l'être intime entre la connaissance, la durée, les rapports sexuels, la mémoire, le rêve, etc.

*

Tandis que l'intérêt des écrits en prose est comme en eux-mêmes et naît de la non-consommation du texte — l'intérêt des poèmes les quitte et peut s'en éloigner.

*

La poésie est une pipe.

Poésie, dans une époque de complication du langage, de conservation des formes, de sensibilité à leur égard, d'esprit touche-à-tout, est *chose exposée*. Nous voulons dire que l'on inventerait bien aujourd'hui les vers. Et d'ailleurs les rites de toute espèce.

*

Poète est aussi celui qui cherche le système inintelligible et inimaginable, de l'expression duquel ferait partie un bel accident de chasse : tel mot, tel désaccord de mots, telle plaisanterie syntaxique, — telle sortie — qu'il a rencontrés, éveillés, heurtés tout exprès, et à peine remarqués, — de par sa nature de poète.

Le lyrisme est le développement d'une protestation.

La Révolution surréaliste, n° 12, décembre 1929

Les uns, même poètes, et bons poètes, voient dans la poésie une occupation de luxe arbitraire, une industrie spéciale qui peut être ou ne pas être, florir ou périr. On pourrait supprimer les parfumeurs, les liquoristes, etc.

Les autres y voient le phénomène d'une propriété ou d'une activité très essentielle, profondément liée à la situation de l'être intime entre la connaissance, la durée, les troubles et apports cachés, la mémoire, le rêve, etc.

*

Tandis que l'intérêt des écrits en prose est comme hors d'eux-mêmes, et naît de la consommation du texte, — l'intérêt des poèmes ne les quitte pas ni ne peut s'en éloigner.

*

La Poésie est une survivance.

Poésie, dans une époque de simplification du langage, d'altération des formes, d'insensibilité à leur égard, de spécialisation — est chose préservée. *Je veux dire que l'on n'inventerait pas aujourd'hui les vers. Ni d'ailleurs les rites de toute espèce.*

*

Poète est aussi celui qui cherche le système intelligible et imaginable, de l'expression duquel ferait partie un bel accident de langage : tel mot, tel accord de mots, tel mouvement syntaxique, — telle entrée, — qu'il a rencontrés, éveillés, heurtés par hasard, et remarqués, — de par sa nature de poète.

Le lyrisme est le développement d'une exclamation.

Commerce, été 1929

V

Contreforts et bois de traverse

En face de ce courant divers et multiple, mais convergent, qu'on vient de lire, quelle est l'étrangeté des œuvres qui suivent ? Pourquoi notre lecture les distinguerait-elle des pages qu'on a eues sous les yeux jusqu'ici ? C'est que leurs auteurs l'ont voulue, cette étrangeté. Elle est donc souvent à l'origine plus historique que théorique. Elle se veut finalement idéologique. Ces œuvres se sont voulues divergentes, elles le sont devenues : c'est le cas dans les années 30 de Georges Bataille, de René Daumal, puis, après la Seconde Guerre mondiale, du groupe de Cobra, surtout constitué de peintres, mais aussi de l'œuvre singulière de Julien Gracq, de celle d'Yves Bonnefoy ou encore, dans une tout autre note, de Raymond Queneau, chez lequel l'apologie du travail *littéraire est comme un pied de nez au Surréalisme dont il procède.*

DOCUMENTS

Le groupe de Documents *se sépare bruyamment du groupe fidèle à Breton en 1929 à la suite de querelles à fondement autant stratégique que politique. Attaqué par un tract qui présente Breton comme « Un cadavre » — allusion au tract de même intitulé lancé par Breton contre Anatole France en 1924 —, Breton se défend avec virulence dans le* Second manifeste du surréalisme. *Et dans les papiers de Georges Bataille restait un texte qu'il n'a pas publié de son vivant, où il relançait la polémique. Or ce texte, dans sa première partie, que nous donnons à lire, pose très clairement la question politique qui s'ouvre entre Breton et Bataille, ce dernier accusant le surréalisme de faire le jeu de l'idéalisme contre le marxisme. Cependant Michel Leiris ou Georges Limbour soulignent la difficulté qu'il y a à parler de « nature humaine », tant le jeu du masque (*mimicry*) ou du vertige (*ilinx*) modifie les rapports de l'homme et du monde.*

GEORGES BATAILLE

La « vieille taupe » et le préfixe sur *dans les mots* surhomme *et* surréaliste

> *« Dans l'histoire comme dans la nature, la pourriture est le laboratoire de la vie. »*
>
> Karl Marx

Si l'on déterminait sous le nom de *matérialisme* une émancipation grossière de la vie humaine emprisonnée et larvée dans son système moral, un recours à tout ce qui est choquant, impossible à détruire et même abject, à tout ce qui abat, dévoie et ridiculise l'esprit — il deviendrait possible de déterminer en même temps le *surréalisme* comme une maladie infantile de ce bas matérialisme : c'est par cette dernière détermination que les nécessités actuelles d'un développement conséquent se trouveraient précisées avec quelque force et sans retour possible aux prétentieuses aberrations idéalistes.

L'accord est suffisant en ce qui concerne l'état social actuel, les valeurs morales bourgeoises, l'édifice intellectuel qui les soutient. Il y a assez longtemps que toute activité de la pensée qui ne sape pas cet édifice délabré prend immédiatement l'apparence de rouerie gâteuse et de béatitude comique de cet édifice lui-même. Mais il est inutile d'insister ici sur la faillite de la culture bourgeoise, sur la nécessité de détruire un jour jusqu'à sa mémoire et de s'en tenir dès maintenant à de nouveaux principes d'agitation mentale. Pour peu qu'un malheureux bourgeois ait gardé une grossièreté humaine, un certain goût de la virilité, la désaffection à l'égard de sa propre classe devient rapidement une haine tenace ; et il est nécessaire d'insister dès l'abord sur le fait qu'une activité intellectuelle un peu fraîche, pas encore châtrée et domestiquée, est liée par la force des choses au soulèvement des basses couches sociales au travail de nos jours.

Reste à savoir comment agit cette force des choses, comment ce qui se passe dans des têtes bourgeoises, pratiquement désaffectées, vouées le plus souvent à des égarements criards, peut être associé à un bouleversement continu de toutes les constructions humaines, à une série d'effondrements et de catastrophes sociales dont l'ampleur et le caractère dépasseront naturellement la portée des ambitions même radicales.

I

En premier lieu, il n'est pas surprenant qu'une subversion quelconque à l'intérieur du domaine intellectuel bourgeois commence par des formes qui répondent très imparfaitement à la solution de telles difficultés. Au lieu de recourir aux formes actuellement inférieures dont le jeu détruira en fin de compte les geôles bourgeoises, il s'agit ici non seulement des conditions matérielles du prolétariat mais aussi des étouffements imposés généralement dans l'ordre moral — la subversion cherche immédiatement à créer ses valeurs propres pour les opposer aux valeurs établies. C'est ainsi qu'elle se trouve, à peine vivante, en quête d'une autorité *supérieure* à celle qui a provoqué la révolte. Des individus malmenés dans une entreprise où ils risquent d'être écrasés ou domestiqués se sont mis pratiquement à la merci de ce qui leur apparaissait, à travers quelques éclats aveuglants et d'écœurants accès de phraséologie, être situé au-dessus de toutes les pitoyables contingences de leur existence humaine, par exemple *esprit, surréel, absolu*, etc. Dans les premiers temps, la « révolution surréaliste » était indépendante du soulèvement des couches sociales inférieures, n'était même pas définie autrement que par un état mental trouble doublé d'une phraséologie violente sur la nécessité d'une dictature de l'*esprit*. Par la suite le surréalisme a reconnu la légitimité d'existence des organisations et même des principes du communisme marxiste, y voyant le seul moyen d'aboutir à une solution indispensable dans l'ordre réel, mais une prédilection élémentaire pour des valeurs supérieures au « monde des faits » s'exprimait avec persistance dans des formules aussi banales que « révolte de l'Esprit », etc. (Manifeste *La Révolution d'abord et toujours*).

Bien entendu il est difficile d'éviter une certaine réaction de mépris à l'égard de révolutionnaires pour lesquels la révolution n'est pas, avant tout, la *phase décisive de la lutte des classes*. Toutefois il n'est pas question ici de réactions transitoires mais d'une constatation d'ordre général : *un individu quelconque de la bourgeoisie quand il a pris conscience que ses instincts vitaux les plus vigoureux, s'il ne les réprimait pas, faisaient de lui nécessairement l'ennemi de sa propre classe, est condamné à forger tout d'abord, quand il perd contenance, des valeurs situées* AU-DESSUS *de toutes les valeurs bourgeoises ou autres, au-dessus de toutes les valeurs conditionnées par un ordre de choses réel.*

Le caractère inévitable et très général de cette échappatoire épuisante est d'ailleurs facile à mettre en évidence. Il suffit de rappeler en premier lieu qu'il n'y a pas eu, jusqu'à Marx, de mouvement révolutionnaire privé d'idéalisme (dans l'acception du mot la plus vulgaire). À une date récente même cette tendance morale infantile de l'agitation révolutionnaire s'est manifestée avec un grand éclat littéraire dans les œuvres de Hugo. Les bourgeois développent facilement, tout en jouissant jusqu'au bout de leurs privilèges de classe, des complexes d'infériorité transférés. Leur « sentiment de culpabilité » (il s'agit ici d'un ressort psychologique inhérent à la conscience, qui risquerait de mettre en cause le droit qu'ils ont personnellement de piétiner des misérables) est habilement reporté à la bourgeoisie dans son ensemble. Ainsi déplacée, la conscience de culpabilité s'exprime avec un dégoûtant verbiage idéaliste à l'occasion duquel un mauvais goût pour l'aveuglement utopique à bon marché se donne libre cours. À peu d'exceptions près, cette pitoyable psychologie est cependant celle des révolutionnaires bourgeois avant l'organisation marxiste de la lutte des classes. Elle aboutit à représenter la révolution comme une lumière rédemptrice s'élevant *au-dessus* du monde, *au-dessus* des classes, le comble de l'élévation d'esprit et de la béatitude lamartinienne.

II

Les nécessités de l'action politique ont depuis longtemps éliminé ces déviations archaïques. Mais si l'on envisage, *extérieurement* aux grands renversements économiques, les ébranlements psychologiques qui les accompagnent (ou, plus exactement, qui en sont la *conséquence*), il faut constater la persistance de développements conformes au schéma archaïque des révolutions pré-matérialistes.

Mais avant de passer à la description des déviations morales, il est utile de se reporter ici à la contradiction générale et essentielle du haut et du bas, sous ses formes politiques par exemple, à savoir dans l'opposition de l'aigle à la « vieille taupe ».

Du point de vue des apparences et de l'éclat, la notion d'aigle est évidemment la plus virile. Non seulement l'aigle s'élève dans les régions radieuses du ciel solaire, mais il y est situé en permanence avec un prestige dominant. Le caractère absolument souverain de cette virilité est impliqué par le bec crochu et tranchant, parce que la virilité souveraine tranche tout ce qui entre en concurrence avec elle et ne peut être tranchée. Ainsi l'aigle a contracté alliance avec le soleil qui châtre tout ce qui entre en conflit avec lui (Icare, Prométhée, le taureau mithraïque). Politiquement l'aigle s'identifie à l'impérialisme, c'est-à-dire avec un libre développement du pouvoir autoritaire particulier, triomphant de tous les obstacles. Et métaphysiquement l'aigle s'identifie à l'*idée*, lorsque l'idée, juvénile et agressive, n'est pas encore parvenue à l'état de pure abstraction, lorsque l'idée n'est encore que le développement outrancier du fait concret déguisé en nécessité divine.

L'idéalisme révolutionnaire tend à faire de la révolution un aigle au-dessus des aigles, un *suraigle* abattant les impérialismes autoritaires, une idée aussi radieuse qu'un adolescent s'emparant éloquemment du pouvoir au bénéfice d'une illumination utopique. Cette déviation aboutit naturellement à l'échec de la révolution et à la satisfaction du besoin éminent d'idéalisme à l'aide d'un fascisme militaire. L'épopée napoléonienne en est le développement le moins dérisoire : une révolution icarienne châtrée, l'impérialisme éhonté exploitant l'impulsion révolutionnaire.

Cependant ramenée à l'action souterraine des faits économiques la révolution « vieille taupe » creuse des galeries dans un sol décomposé et répugnant pour le nez délicat des utopistes. « Vieille taupe », dans la bouche de Marx, expression bruyante d'une pleine satisfaction du tressaillement révolutionnaire des masses est à mettre en rapport avec la notion de soulèvement géologique telle qu'elle est exprimée dans le *Manifeste communiste*. Le point de départ de Marx n'a rien à voir avec le ciel, lieu d'élection de l'aigle impérialiste comme des utopies chrétiennes ou révolutionnaires. Il se situe dans les entrailles du sol, comme dans les entrailles matérialistes des prolétariens.

Qu'on ne s'étonne pas de voir représenter ici sous forme de représentations psychologiques très particulières une contradiction aussi générale humainement que celle qui oppose les choses basses et les choses élevées. Il est vrai que les usages philosophiques éliminent l'emploi de réductions aussi renversées. Mais, puisqu'il en est ainsi, les usages philosophiques eux-mêmes sont en cause, c'est-à-dire que la substitution de notions indéfiniment réductibles les unes aux autres à des images choquantes des libres déterminations d'une nature contingente exprimerait seulement la haine que les philosophes ont des diverses réalités aveugles, insensibles aux catégories philosophiques autant que des rats rongeant des livres. Les philosophes qui travaillent avec une patience obstinée à émasculer la représentation du monde voudraient évidemment que la liberté d'allure, le caractère provocant de ce qui arrive soient superficiels. Même sous sa forme la plus générale l'opposition qui va du Très-Haut au Très-Bas a disparu avec le succès de la philosophie laïque. Du moins a-t-elle cessé d'avoir une place quelconque entre les autres problèmes, car le vocabulaire continue sans explication à conserver une mémoire fidèle de catégories fondamentales dans l'humanité entière.

Ce sort fait à un problème essentiel, littéralement placé sous le boisseau, alors que les données en ressortent de toute nécessité dès qu'un jugement moral est prononcé, s'explique d'ailleurs sans difficulté si l'on représente qu'il fallait à tout prix donner aux antinomies en général un caractère abstrait et mécanique (comme avec Kant ou Hegel). Il est vrai qu'il semble facile de donner ce caractère à l'antinomie du haut et du bas, mais à partir de ce moment cette antinomie est, plus qu'aucune autre, privée d'intérêt et de signification. Tout son intérêt, toute sa signification sont liés à la nature inconciliable de ses formes particulières : l'obscurité terrifiante des tombes ou des caves et la splendeur lumineuse du ciel, l'impureté de la terre où les corps pourrissent et la pureté des espaces aériens ; dans l'ordre individuel les parties basses et les parties nobles, dans l'ordre politique, l'aigle impérialiste et la révolution « vieille taupe », comme dans l'ordre universel la matière, réalité vile et basse, et l'esprit élevé. Ce langage inconnu des philosophes (du moins explicitement) est toutefois pour la race humaine un langage universel.

manuscrit, 1930 environ

MICHEL LEIRIS

L'homme et son intérieur

Dans un livre populaire paru le siècle dernier (Émile Colombey, *Les Originaux de la dernière heure*,

Paris, 1862, collection Hetzel, E. Dentu éd., p. 105), j'ai lu l'anecdote suivante :

EXCÈS DE PROPRETÉ

Une femme, apercevant à un étal de boucher un bœuf éventré qu'on vidait, éprouva un dégoût si profond qu'elle faillit tomber en syncope. Comme on la questionnait sur la crise à laquelle elle était en proie :

— Est-ce que nous avons autant de vilenies dans le corps ? dit-elle.

La réponse qu'on lui fit la décida à se laisser mourir de faim.

Si la vue de viscères animaux ou humains est presque toujours désagréable, il n'en est pas nécessairement de même quant à leur représentation figurée, et l'on aurait tort d'envisager les planches anatomiques qui ornent les vieux traités de médecine, d'un point de vue strictement médical, sans se soucier outre mesure de l'extraordinaire beauté dont beaucoup sont empreintes, beauté liée non pas à la pureté plus ou moins grande des formes, mais bien plutôt au fait que le corps humain s'y trouve révélé dans son mystère le plus intime, avec ses lieux secrets et les réactions souterraines dont il est le théâtre, bref, accompagné de tout ce qui lui confère une valeur magique d'univers en réduction.

De toutes les représentations plastiques celle du corps humain est à coup sûr la plus directement émouvante. Je ne parle pas du nu conventionnel de la peinture officielle — propre et ratissé, et en quelque sorte *déshumanisé*, sans rien en lui qui évoque même l'ombre de ce trouble qu'engendre dans la réalité la vision d'un corps, — pas plus que de ces nus à intentions naturalistes, où la structure apparente des corps est seule étudiée, à l'exclusion de tout ce qui pourrait nous suggérer quelque chose quant à leur signification réelle, le rôle de *liens sensibles* qu'ils jouent entre nous-mêmes et le monde extérieur, seuls ponts au moyen desquels nous puissions nous rattacher un tant soit peu au gigantesque et lointain univers, par-dessus l'abîme qui nous sépare, nous limités dans le temps et dans l'espace, de la nature apparemment illimitée et immortelle.

[...] À cette description symbolique de notre situation au sein du monde se rattachent les grands mythes religieux où il est question d'un médiateur — dieu incarné ou homme divinisé — tel Orphée ou le Christ, héros qu'on adore, mais qui finissent toujours par périr, victimes d'un quelconque holocauste. L'amour aussi peut lui être relié, lui qui nous donne — en dehors de tout ce qu'il comporte de méchanceté — l'illusion de conjurer les forces de l'univers grâce à la possession d'une de ses parties, qui nous permet en quelque sorte de l'enchanter, voire de l'envoûter.

Qu'on parle maintenant des films d'Adolphe Menjou où l'on nous montre la sinistre décadence d'un viveur encore assez beau, mais blasé et fatigué, de l'admirable film *La Femme de quarante ans* où Pauline Frederick jouait le rôle, bouleversant entre tous, de la femme mûre, encore très désirable, mais qui en est réduite à « se défendre » (ici je pense aux merveilleuses photographies de publicité d'Elizabeth Arden, pour les soins de beauté, qui paraissent régulièrement dans *Vogue* et où l'on voit un pur visage de femme enveloppé de bandes de toile et livré à deux mains fines qui le massent), et qu'on rapproche les images que nous en avons gardées, de ces planches anatomiques où l'on voit par exemple des écorchés, ou bien un homme tenant soit une tête sous son bras, soit une oreille entre son pouce et son index, ou encore une femme mi-écorchée se tenant debout en face d'une moitié de système nerveux, la tête ouverte comme une Minerve, la chevelure croulante, tandis qu'une abondante circulation de vapeurs s'établit entre sa bouche et ses pieds et qu'une multitude de gouttes de sueur perlent un peu partout sur sa peau nue, à peine distinctes des larmes qui jaillissent de ses yeux, et l'on comprendra pourquoi de telles représentations du corps humain, qui nous font voir soit ses mécanismes secrets — à la fois fascinants et redoutables — soit un des moments les plus critiques de son histoire, celui du vieillissement, sont bien plus belles et plus érotiquement touchantes que toutes celles que la peinture prétend nous en donner, lorsqu'elle s'attache à la production de nus, académiques ou tourmentés, mais qui jamais ne nous apprennent quoi que ce soit des arcanes véritables de la nature humaine.

Documents, n° 5, 1930 (D. R.)

GEORGES LIMBOUR

Eschyle, le carnaval et les civilisés

Eschyle, tu nous as fait là une belle invention. Ce n'était pas assez pour toi que ce visage humain si expressif et si divers, barbu, ou dans sa nudité bourgeonnante, pâli par le désespoir, congestionné par la paillardise ou verdi par la terreur, fendu par l'hilarité, boursouflé par les sentences et les pots de vin ? Les pleureuses de ton temps, plus habiles que les singes dans l'art de la grimace tragique, devaient pourtant avoir approfondi tous les secrets de la douleur et savoir comment la poussière ramassée à pleines mains sur le bord des chemins se pétrit bien avec les larmes dans le mortier des joues creusées par le désespoir. Mais à part le prétexte futile d'un porte-voix, tu devais reprocher à la face de l'homme sa fantastique mobilité, plus prompte, plus déconcertante que la mer soudaine. Peut-être, pensas-tu que l'image du plus intense tourment, la crispation suprême des passions ne se maintient pas le temps d'une tragédie et combien t'apparut plus terrible un visage descendu dans l'enfer de son expression, qui ne pourra plus jamais revenir en arrière vers son repos, bloqué dans sa grimace comme dans les glaces un navire et qui dans le sommeil même garde l'affreuse torsion de son tourment. Alors la bouche ne se meut plus pour délivrer les plus terribles paroles et les joues s'immobilisent dans l'éternité du drame, car ce sont combien d'hommes cachés qui parlent en chœur derrière ce carton surhumain, cette gueule à jamais estropiée, comme un gymnaste qui pour avoir réussi de trop fabuleux écarts reste difforme pour toujours ?

Je ne dirai pas grand-chose sur le masque contemporain. Quiconque voudra tirer de ces cartons quelque conclusion esthétique ou philosophique n'aura qu'à se reporter aux illustrations ci-jointes et l'on verra plus loin quel est, selon moi, le seul masque moderne et digne d'Eschyle — qu'on n'a pu photographier tant la vapeur qu'il dégage est funeste à la pellicule — qui se porte à notre siècle.

Je raconterai d'abord comment quelques-uns de ces grotesques se firent passer pour des conquérants et, sortes de Tamerlan d'expéditions en caisses, gagnèrent des îles dans les Océanies.

Combien de fois dans des villages arabes ou soudanais, en ai-je vu montés sur de grandes robes blanches, danser la nuit à la lueur du pétrole aux terrasses des petits bistrots, où braillaient des phonographes à cylindres et à cornet, devant les narghilés que le rire éteignait. Carapaces sur lesquelles s'émoussaient les trompes des moustiques, ils réveillaient dans le corps de ceux qui les portaient la frénésie des vieux esprits et les tournaient en derviches hilares. Les déserts et les villes blanchies s'étaient recueillis, avaient jeûné durant toute une lune pour qu'un soir les obscénités aussi rituelles que les prières sortissent magnifiquement de ces bouches sans dents ni langue. Puis, aux portes des maisons d'amour, des femmes au front tatoué, au nez percé d'un anneau les accueillaient avec des rires qui faisaient tressaillir la nuit, et bientôt ces beaux présents de l'Occident suspendus au mur contemplaient de leurs orbites sans yeux l'accouplement des diables du désert.

Sur les plages des îles du Sud, se dressent de longues palissades sculptées, des sortes de mâts fantastiques formés de démons grimpés les uns sur les autres, de visages fichés sur de grands troncs d'arbres et regardant le soleil en face. Ces longs autels, forteresses de têtes, remparts de dieux, défendent le pays. La mer elle-même n'ose plus avancer dans ses marées, les requins reculent au large, les oiseaux redoutent de se poser sur ces perchoirs aux environs desquels le ciel se dépeuple.

Alors l'homme blanc, dénué de tout respect, profite de cette crainte universelle pour aborder tranquillement le rivage, suivi de ses missionnaires de carême, ses jésuites de papier mâché. Il débarque ses caisses sur le sable et tire son eau bénite à 45 degrés, puis, pour faire croire qu'il est religieux, il déballe lui aussi ses apôtres, ses masques, les vomissoirs du faubourg Saint-Denis, et les fait passer pour ses ancêtres, ses divinités protectrices. Ainsi le juge au nez dilaté comme un dirigeable, les joyeuses gueules plâtrées prennent possession de l'île : les prisons s'ouvrent, les fouets claquent, l'argent tinte et le pavillon national flotte mollement sur le pays. À son ombre protectrice, le civilisateur entreprend de scier pour l'envoyer à son marché et ses Trocadéros le bel enfer poussé et quelquefois déjà moisi au soleil. Les cimetières sont retournés et l'on arrache aux morts leurs masques et leurs bijoux. Si le pirate Blanc apprend qu'une Cléopâtre noire vient d'avaler une perle, il fait venir la reine et, bien qu'il ait interdit aux religions les sacrifices sanglants, il lui ouvre le ventre pour retirer l'objet précieux de ses entrailles fumantes. Les Noirs changent de dieux, et voilà ! ils se font aussi un petit Trocadéro de Carnaval et des collectionneurs indigènes s'enrichissent de quelques pièces rares.

Documents, n° 2, 1930

Le débat philosophique tenait à une lecture différente de Hegel, Breton étant toujours tenté par l'ésotérisme et Bataille comme ses amis, attirés par la nouvelle lecture de Hegel qu'on entreprend en France dans les années 30, avec Alexandre Kojève.

Ce serait cependant proposer une vue simplifiée que d'éviter de rappeler que déjà dans la lutte contre le fascisme en 1935, Breton et Bataille se sont provisoirement réconciliés, et surtout qu'en 1947 Bataille participe au catalogue de l'exposition surréaliste par un texte passionnant, très complémentaire des propositions de Breton sur le mythe, « L'absence de mythe ».

GEORGES BATAILLE

L'absence de mythe

L'esprit que détermine ce moment du temps nécessairement se dessèche — et, tout entier tendu, il veut ce dessèchement. Le mythe et la possibilité du mythe se défont : subsiste seul un vide immense, aimé et misérable. L'absence de mythe est peut-être ce sol, immuable sous mes pieds, mais peut-être aussitôt ce sol se dérobant.

L'*absence de Dieu* n'est plus la fermeture : c'est l'ouverture de l'infini. L'*absence de Dieu* est plus grande, elle est plus divine que Dieu (je ne suis donc plus Moi, mais une *absence de Moi* : j'attendais cet escamotage et maintenant, sans mesure, je suis gai).

Dans le vide blanc et incongru de l'absence, vivent innocemment et se défont des mythes qui ne sont plus des mythes, et tels que la durée en exposerait la précarité. Du moins la pâle transparence de la possibilité est-elle en un sens parfaite : comme les fleuves dans la mer, les mythes, durables ou fugaces, se perdent dans l'*absence de mythe*, qui en est le deuil et la vérité.

La décisive absence de foi est la foi inébranlable. Le fait qu'un univers sans mythe est une ruine d'univers — réduit au néant des choses — en nous privant égale la privation à la révélation de l'univers. Si en supprimant l'univers mythique nous avons perdu l'univers, lui-même lie à la mort du mythe l'action d'une perte qui révèle. Et aujourd'hui, parce qu'un mythe est mort ou meurt, nous voyons mieux à travers lui que s'il vivait : c'est le dénuement qui parfait la transparence, et c'est la souffrance qui rend gai.

« La nuit est aussi un soleil » et l'absence de mythe est aussi un mythe : le plus froid, le plus pur, le seul *vrai*.

Catalogue *Le Surréalisme en 1947*

LE GRAND JEU

Le groupe du Grand Jeu *(1927-1932), né, à Reims, de l'exigence de très jeunes adolescents, ne peut éviter de rencontrer l'exigence surréaliste, laquelle est représentée par des aînés de plus de dix ans. Ce qui frappe chez eux, c'est un rapport caustique à la philosophie universitaire, et une volonté inébranlable de maintenir la cohésion initiatique de leurs jeunes années. Ils ne laisseront pas leurs aînés les entraîner dans des jeux qu'ils maîtrisent mal, même si Roger Vailland les a évidemment trahis. Mais c'était l'un des leurs. La déclaration d'intention de la revue, signée Roger Gilbert-Lecomte, est mieux qu'exaltée : elle est sans doute aucun admirable. Le débat entre les surréalistes et Daumal est cependant celui de la lecture de Hegel. On ne l'abordera pas ici.*

ROGER GILBERT-LECOMTE

Avant-propos au premier numéro du Grand Jeu

Le Grand Jeu est irrémédiable ; il ne se joue qu'une fois. Nous voulons le jouer à tous les instants de notre vie. C'est encore à « qui perd gagne ». Car il s'agit de se perdre. Nous voulons gagner. Or, le Grand Jeu est un jeu de hasard, c'est-à-dire d'adresse, ou mieux de « grâce » : la grâce de Dieu, et la grâce des gestes.

Avoir la grâce est une question d'attitude et de talisman. Rechercher l'attitude favorable et le signe qui force les mondes est notre but. Car nous croyons à tous les miracles. Attitude : il faut se mettre dans un état de réceptivité entière, pour cela être pur, avoir fait le vide en soi. De là notre tendance idéale à remettre tout en question dans tous les instants. Une certaine habitude de ce vide façonne nos esprits de jour en jour. Une immense poussée d'innocence a fait craquer pour nous tous les cadres des contraintes qu'un être social a coutume d'accepter. Nous n'acceptons pas parce que nous ne comprenons plus. Pas plus les droits que les devoirs et leurs prétendues nécessités vitales. Face à ces cadavres, nous augurons peu à peu une éthique nouvelle qui se construira dans ces pages. Sur le plan de la morale des hommes les changements perpétuels de notre devenir ne réclament que le droit à ce qu'ils nomment lâcheté. Et ce n'est pas seulement pour nous en servir. Cette lâcheté n'est faite que de notre bonne foi ; nous sommes des comédiens sincères. Quand nous marchons, il y a en nous des hommes qui se regardent, qui s'emboîtent le pas, qui rampent au-dessous, volent au-dessus, se devancent, se fuient, s'acclament, se huent et se regardent impassibles. Mais nous ne voulons être alors que l'action de marcher. C'est en cela que nous sommes comédiens sincères. Mauvais sont ceux qui ne se donnent pas entièrement à leur choix. Nous avons simplement le sens de l'action.

Pourquoi écrivons-nous ? Nous ne voulons pas écrire, nous nous laissons écrire. C'est aussi pour nous reconnaître nous-mêmes et les uns les autres :

je me regarde chaque matin dans un miroir pour me composer une figure humaine douée d'une identité dans la durée. Faute de miroirs j'aurais les faces des bêtes changeantes de mes désirs et, certains jours où le miracle me touche, je n'aurais plus de face. Car, délivrés, nous sommes à la fois des brutes brandissant les amulettes de leurs instincts de sexes et de sang, et aussi des dieux qui cherchent par leur confusion à former un total infini. Le compromis « homo sapiens » s'efface entre les deux. La connaissance discursive, les sciences humaines ne nous intéressent qu'autant qu'elles servent nos besoins immédiats. Tous les grands mystiques de toutes les religions seraient nôtres s'ils avaient brisé les carcans de leurs religions que nous ne pouvons subir.

Nous nous donnerons toujours de toutes nos forces à toutes les révolutions nouvelles. Les changements de ministère ou de régime nous importent peu. Nous, nous attachons à l'acte même de révolte une puissance capable de bien des miracles.

Aussi bien nous ne sommes pas individualistes : au lieu de nous enfermer dans notre passé, nous marchons unis tous ensemble, chacun emportant son propre cadavre sur son dos.

Car nous, nous ne formons pas un groupe littéraire, mais une union d'hommes liés à la même recherche.

Ceci est notre dernier acte en commun ; art, littérature ne sont pour nous que des moyens.

La grâce liée à l'attitude a besoin, avons-nous dit, de talismans qui lui communiquent leurs puissances, d'aliments qui nourrissent sa vie. L'un d'entre nous disait récemment que son esprit cherchait avant tout à manger. Parmi ses sensations il cherche ce qui peut le nourrir. En vain sa faim se traîne de musées en bibliothèques. Mais un spectacle, insignifiant en apparence, soudain lui donne sa pâture (une palissade, une huître vivante). La sensation bouleversante d'un instant a rendu d'un seul coup des forces incalculables à sa vie inquiète.

Ce sont ces instants éternels que nous cherchons partout, que nos textes, nos dessins feront naître peut-être chez quelques-uns, qu'ils ont donnés souvent à leurs créateurs dans le choc de leurs découvertes et dont nos essais cherchent les recettes.

C'est en de tels instants que nous absorberons tout, que nous avalerons Dieu pour en devenir transparents jusqu'à disparaître.

En complet accord : Hendrik Cramer,
René Daumal, Artür Harfaux, Maurice Henry,
Pierre Minet, A. Rolland de Renéville,
Josef Sima, Roger Vailland.

Été 1928

L'horrible révélation... la seule

> *Quoi qu'il en soit, je crois que l'imagination humaine n'a rien inventé qui ne soit vrai dans ce monde ou dans les autres et je ne pouvais douter de ce que j'avais vu si distinctement.*
>
> Gérard de Nerval, *Aurélia*

Est-il mort le secret perdu dans Atlantis ?

N'est-il pas vrai, ô mes Amis, qu'il y a beaucoup de notre faute dans la présente abjection des mondes ; les sages porte-ciel n'ont-ils pas failli à leur travail de cariatides ; ne les a-t-elle pas fléchis la pesante voûte concave du ciel de la Toute-Pensée ; ne menacent-ils pas ruine les piliers du trône de l'Être ; tout sombre-t-il par les espaces ?

Aussi bien je suis seul sans même un pan matériel

pour porter mon ombre réelle et la création rêvée entre mes tempes je la porte toujours à la pointe extrême de mon regard tendu. Où en sommes-nous avec les siècles ? Nous vivons des années très sombres et sans sursaut depuis quels temps l'univers s'en va vers *sa* nuit. Ombres de ceux dont la seule peur était que le ciel ne tombât sur vos têtes voici que vous pouvez sérieusement trembler. Vous allez *souffrir* sur le rythme de la respiration cosmique. Vous souvient-il qu'avant tout aspirait vers l'unité une. Maintenant tout expire dans la multiplicité des douleurs. Et le faix d'instant en instant s'exagère plus écrasant sur ceux qui soutenaient les mondes en les pensant. Depuis quels temps leurs échines ne furent-elles pas revigorées au déclic foudroyant de l'Esprit des tonnerres — l'Esprit...

Est-il mort le secret perdu dans Atlantis ?

Une voix va parler encore une fois par ma voix pour redire ce qui fut dit déjà à l'aube des civilisations mères de celles qui défaillent sous le présent soleil, ce qui fut dit au plus loin de mémoire par la voix de Lao-Tseu il y a près de trois mille ans ; je vais parler avec, devant mes yeux intérieurs à jamais fixes, la vision éperdument fuyante mais *certaine*, de toutes les contradictions, de toutes les catégories, de toutes les définitions, de toute la diversité réintégrées au point mort de la toute évidente éternité. Mais qui donc, sinon le désert, a entendu la voix qui parlait au désert ?

Pour peu charitable que ce puisse paraître, il faut bien se rappeler que dans sa première nuit terrestre l'homme s'est égaré lors de son premier choix et que depuis il persévère dans cette voie maudite, puisque aussi bien et sans conteste l'erreur est pour lui le seul moyen d'exercer son faux libre arbitre. En effet si dans Éden, c'est-à-dire en lui-même le funèbre avorton désirait si fort violer un arbre que n'a-t-il mordu à l'Arbre de Vie qui l'éternisait plutôt qu'à l'arbre de Science qui le vouait à l'abrutissement sans bornes durant la consommation des siècles. Or voici que passe le dernier siècle ; car, et c'est écrit, en l'an deux mille va jaillir de l'Arbre de Vie déserté le Feu pur et dernier qui sera le suaire de la terre.

En face de six mille ans d'histoire qui virent, étonnés, l'homme marcher non pas même de biais comme le crabe mais à l'envers comme la langouste, en face de cette monstruosité soixante-dix ans humains demeurent. Voici le bout du monde. Voici le temps de la veillée ardente.

Dans ces fatales conditions qui donc, s'il n'est dément, jouerait son sort sur l'état actuel du savoir humain ? Au premier chant des sirènes, au premier cri des météores qui ne lâcherait le sabot pour se jeter à corps perdu, à cœur perdu dans l'inconnu.

Dernier argument : que les habitants qui écoutent s'empressent d'écouter, car avant peu d'années et bien avant les temps, les derniers témoins vivants et vivants de la vie de cette cause perdue que je fais mienne seront morts, morts à jamais et les derniers hommes dits nouveaux s'en iront en chantant leurs machines vers l'épouvantable nuit de leurs destins-fossoyeurs.

Mais est-il temps encore de se déprendre ?

Est-il mort le secret perdu dans Atlantis ?

Un bolide qui tombait vertigineux suspend soudain sa chute en un point de son trajet élu de toute éternité, — puis immobile dévore sa vitesse en lumière vibrante.

Et voici que je proclame rompue la Grand Trêve, la trêve sur laquelle depuis dix mille ans reposaient les ossements des morts de notre race ! Des lointains du passé le plus immémorial remontent les souvenirs-fantômes qui auguraient l'heure présente des temps nouveaux.

Souvenez-vous, hommes, du fond caverneux de

vous-mêmes : *votre peau n'a pas toujours été votre limite.* Il fut un temps où la conscience n'était pas emprisonnée dans cette outre puante, un temps où le cercle magique des horizons lui-même ne suffisait pas à emprisonner l'homme. Et je ne parle pas seulement d'Éden dont les clôtures étaient de rêve.

Regarde, ô spectateur bénévole et désespéré, de tous tes yeux regarde, pour toi, pour ta gouverne, pour tes rêves prophétiques, pour te permettre de suivre désormais l'étoile du devenir, voici que soulevant un pan du grand voile d'Isis je te découvre les prestiges du passé, du présent et de l'avenir, du passé le plus lointain de l'univers, de ton propre passé plus vieux encore jusqu'au point immémorial où l'individuel sortit de l'universel et dont le signe demeure de l'ontogenèse qui symbolise la phylogenèse, de tous les passés, du présent en lame de couteau et de l'avenir jusqu'à la fin. Entends, de tout ton intellect entends, je proclame la dialectique historique du devenir de l'Esprit.

Le Grand Jeu, n° 3, automne 1930

RENÉ DAUMAL

Poème pour désosser les philosophes intitulé « l'au-delà misérable »

Lorsque le plus sage fut mort, l'imbécile,
lorsqu'il descendit dans le puits, sans bretelles,
la moustache roussie,
il savait par cœur les éclipses et les coupe-gorge ;
ça peut toujours servir.

Mais la soupape du chaos
aux lèvres de caoutchouc
lui cira les moustaches, à l'imbécile,
et le sage dut porter des bretelles.

Alors parmi les éclipses ce fut la débandade et
l'anarchie.
Elles venaient au petit bonheur
et dans les grands magasins les vendeuses
rêvaient aux coupe-gorge hantés des imbéciles.

Et lui, dans la vase d'outre-terre,
la rage aux dents, il s'arrachait des bonbons du cœur
et, les mâchoires collées, il piétinait,
et, les pieds retournés, il coltinait
toute la nuit.

Il coltinait, l'imbécile, des bretelles
et des fiacres à trompes molles
et vous croyez qu'il se consolait ?
et vous croyez que le travail et la colle forte qu'il avale
ça va nous le régénérer ?

Non, parce qu'au fond du filtre à dieux
les perles sont encore liquides ;
ah ! derrière ces murs des mufles pitoyables
qui ne parviennent qu'à rire, scandaleux,
— car ce qui manque au porc c'est d'être transparent
et les forts ne transportent que des mots sanglants —
c'est une pluie véritable de fraîcheur
sur la dernière peau d'âne.

Oh ! le tambour déjà risible de l'imbécile
et si jeune au fond d'un tonneau de siècles,

ou de caoutchouc haché grouillant en vermicelle,
car le premier prophète qui parle, un doigt dans
l'oreille,
sa voix mue, et quel rire perpétué jusqu'à nous !

En mourant le sage éternua.
Ah ! s'il avait prévu sa mort
il n'aurait pas bu cette bière
dont les gouttes sont les éclipses
selon le nouvel ordre écœurant d'almanach.

Ah ! mais savez-vous qu'il est toujours dans cette nuit
parmi des bourriches d'huîtres et les arêtes gluantes
des escaliers,
et qu'un enfant, une seconde, a pleuré, le crâne
fendu
d'un coup de votre rire — il fallait bien !
Si l'on élève un monument
à la détresse ridicule
que ce soit un édicule
à tête de chiendent.
Et cet enfant sans nez dont l'âne était mort
dans un grenier plein d'horloges et de poussière
pleurait l'imbécile et traînait un fiacre.

Mais lorsqu'après des rondes et des rondes
je tombai dans la glu du pâle pâtissier,
alors l'imbécile qui veillait sur les morts
du bout du monde vint à mon secours
avec ses jambes salies dans les fondrières
et son sourire boueux.
Depuis des siècles je me cassais les os
pour me rebâtir une autre carcasse,
une vraie carcasse à ma mesure de brute,

et je ne fabriquais que des mannequins de plâtre
qui puaient le moisi.

Les chœurs d'enfant du premier sommeil
ah ! si j'avais osé entendre,
et si j'avais osé pleurer
et d'autres larmes que ces laves !
les chœurs balancés aux gouffres de poitrines vides
et blancs soudain :
« T'éveilleras-tu, falot,
Pour du bon, pour du beurre ?
Vrai matin n'est plus par terre
Celui qui pleure
Compte pour du beurre,
Viens t'éveiller pour du bon
Non, non, matin-pleure. »

… Et cette masse de mille montagnes
mon genou ;
cette écorce de plomb craquait,
cette flamme
entre la nuit et le jour — me voici !

Les sources gelaient sur mes yeux,
c'étaient encore mille montagnes.
Alors l'imbécile qui veillait sur les morts
avec son sourire de sale bonté
vint mettre trois gros doigts lourds
sur la chaîne sans fin de mes réveils,
et je le vis, avec des yeux
choisis en hâte avec l'angoisse de tout perdre,
s'enfler, roi couvert de sueur
de cette misère de misère
où c'est si bas de plafond.

1927-1928

À la néante

Quel beau carnage sans colère en ton honneur,
regarde :

dans cette nuit polaire aussi blanche que noire,
dans ce cœur dévasté aussi bien feu que glace,
dans cette tête, grain de plomb ou pur espace,
vois quel vide parfait se creuse pour ta gloire.

Ni blanc ni noir ni feu ni glace,
ni grain de plomb ni pur espace,
ce monde-là est bien perdu !

Pour toi suceuse de ma moelle,
toi qui me fais froid dans le dos,
pour toi cette dévastation — mais quel silence !

… silence et me voici, moi qui voulais crier
toute la lourde douleur condensée minuscule
dans le seul petit globe dur d'un univers,
moi qui voulais montrer mon sang, comme il coulait
quand mes ongles raclaient le dedans de mes côtes,
moi qui cherchais des mots triomphaux pour chanter
comme sifflait la hache dans les os de ma main

quand je m'amputais de moi-même,
me voici la parole coupée, me voici minuscule,
perdu dans le vertige absolu de ton sein,
me voici la voix blanche, me voici ridicule :
tout cela n'était rien.

Pour ta gloire, non pour la mienne, ce carnage,
et sans colère. Ce n'était rien de renier le monde,
de tuer le soleil, de tout trahir pour toi,
ce n'était rien de me crever les yeux :
j'étais sûr de toi comme de ma mort,
j'étais sûr de la toute-évidence de ma nuit
qui est ton corps de silence vivant.

Mais des fantômes de toi-même sont venus,
les vampires de soie me consolaient trop bien,
la mort vivait trop bien dans les ombres du jour,
le temps maudit et toujours neuf s'est renoué.

Je ne cherche plus de cris triomphaux car je sais
que pour chaque cellule qui divise ma vie,
pour le plaisir mauvais qui l'engendra
je dois une rançon de douleur infinie.

Je m'écorche vivant à force de t'aimer,
Mère des formes, sans forme ! toi que je torturais,
que je torture encore dans ce lit de Procuste,
ma forme honteuse d'homme :
toi sans dimension et libre de frontières,
je te couche sur ce grotesque lit nuptial,
je voudrais t'enfermer dans cette peau stupide.
Maintenant que je t'ai juré fidélité,
si j'aime des détresses vêtues de chairs vivantes,
si j'aime le malheur visible dans un corps,
que ces chairs meurent ! et qu'il meure, ce corps !
et qu'il souffre avec moi, et qu'il souffre pour toi,
comme je vais dormir désormais à grands pas
lentement dévoré cellule par cellule
du feu cruel de cet amour lucide.

Je ne peux plus te trahir, tu vois bien ;
« je suis mortel » ; ces mots sont la douceur du vide
qui veulent dire : « je suis à toi ».

Je suis mortel ! Mortel ce que j'aime en ton nom !
Mais le jour de ma mort est interminable.

Août 1929

Le prophète

L'enfant qui parlait au nom du soleil
allait par les rues du village mort,
les rats couraient vers ses pieds nus
lorsqu'il s'arrêtait aux carrefours.

L'enfant appela d'une voix pleine de galères,
de voiles blanches et de poissons volants,
et les hommes changés en pierre
s'éveillèrent en grinçant.

C'était l'aube annoncée par les flèches sifflantes
des joyeux archers du voisinage,
les hommes venaient, chacun portant sa nuit
comme on porte une ombrelle.

Ils s'accroupirent autour de l'enfant,
et leurs gros yeux rouges riaient,
et leurs larges bouches crachaient
du sable à travers les dents.

L'enfant qui parlait au nom du soleil,
dit : « N'écoutez plus le chant du coq stupide »
et les hommes aux longues lèvres se tapaient
le derrière sur les pavés.

L'enfant dit : « Vous riez, vous riez,
mais lorsque vous vous éveillerez

avec du sang plein les oreilles,
alors, vous ne rirez plus. »

Sa tête tomba, écrasante et chaude
sur l'épaule d'une jeune femme,
elle crut qu'il voulait l'embrasser
et se mit à rire d'effroi.

« Vous riez, vous riez, lui dit-il,
— et les vieux montraient leurs crocs jaunes —
votre rire n'est pas l'aumône
que réclame la Gueule céleste.

Il lui faut vos nourrissons,
vos nez fraîchement coupés,
il lui faut une moisson
d'orteils pour son souper.

Elle rit, elle rit, la grande Gueule,
elle brille, elle grésille,
vous riez, vous riez, épouvantable aïeule,
mais bientôt, grand-mère, vos fils et vos filles
ne riront plus, ne riront plus.
Vous riez sous vos parasols de nuit,
ils vont craquer, ils vont craquer,
entendez rire la grande Gueule,
car bientôt vous ne rirez plus. »

1928-1929

La consolatrice

Le silence aggravait la perte d'un ami,
les flammes des bougies se figeaient en fleurs blanches,
alors je me montrais du doigt dans les miroirs.

Des tiroirs s'ouvraient seuls au souffle du matin,
un soleil aplati se glissait dans ma main,
je faisais des calculs stupides en bavant.

Une femme entra, aux yeux blancs d'ivoire,
me tendit les bras et sourit, elle avait
à la place des dents des morceaux de chair rouge.

1928-1929

Le débat avec les surréalistes, dont les enjeux tiennent à la lecture de Hegel, s'exprime dans plusieurs textes.

Le surréalisme et Le Grand Jeu

In abstracto, les surréalistes occupent une position historique qui est aussi celle du Grand Jeu. Parvenus à l'intelligence de la nécessité dialectique de la révolution, ils constatent que leur activité est l'aspect intellectuel de la force révolutionnaire dont le prolétariat est l'aspect physique. Leur but est donc : servir la révolution prolétarienne en décrivant « le fonctionnement réel de l'esprit ». Leur rôle serait donc d'instaurer une connaissance de l'esprit régie par la dialectique, et capable d'anéantir les illusoires psychologies qui, profitant de l'absence d'une doctrine révolutionnaire dans leur domaine, continuent à couvrir notre humanité de sa moisissure.

Problème corrélatif : trouver les moyens de se faire entendre, non plus du public bourgeois snob et dilettante, mais des véritables penseurs révolutionnaires.

En fait, la doctrine psychologique cherchée n'existe pas encore. Les techniques surréalistes peuvent constituer d'excellents moyens d'investigation dans certains domaines, si elles sont prises comme de simples techniques. Malheureusement, l'écriture automatique, l'onirisme, etc., deviennent trop vite pour les surréalistes des *moyens de penser*, des *mécanismes pensants*, autrement dit des procédés pour dormir, pour ne pas avoir à penser. Le vice originel du surréalisme, qui est *le* vice humain universel, c'est cette recherche de la Machine à Penser. Il n'y a pas *moyen* de penser : je pense, immédiatement, ou je dors.

L'absence de cet unique criterium : la conscience, jette dans les recherches surréalistes une certaine confusion. Parfois conscients de ce qu'est le « matérialisme dialectique » en son essence : la connaissance du monde comme étant celle d'une *matière* dont le mode d'existence est *le mouvement*, ils retombent trop souvent dans le vieux matérialisme (« primat de la matière sur la pensée ») qui n'est jamais qu'un dualisme boiteux (comme le vieil idéalisme, qui omet la matière, est un dualisme boiteux). Lorsque leur pensée chancelle, c'est toujours à *ce* matérialisme qu'ils se raccrochent : encore un moyen, un système étranger à eux et artificiel, un truc pour éviter de penser.

Notre rôle, qui devrait être le leur, est, essentiellement :

décrire la matière, qui est mouvement ;

les divers modes du mouvement : les rythmes ;

les divers aspects du concret : physique, biologique, psychologique, comme des modes de mouvement soumis à certains rythmes déterminés ;

la dialectique comme activité rythmique dans tous les domaines, etc.

Aucun domaine de la connaissance humaine ne peut échapper à cette investigation : mais cela exige un perpétuel effort pour penser, pour penser dialectiquement et non pas selon une logique dialectique. Pour trop de « matérialistes », ce qui existe, en fait, et quoi qu'ils disent, ce n'est pas la matière, mais l'idée de matière : ils seront toujours en ce cas des idéalistes déguisés tant qu'ils n'auront pas saisi le rapport qui est entre le mouvement « idée de caillou » et le mouvement « caillou ».

De même, nous jugeons très insuffisantes les critiques dites « matérialistes » de la religion, qui, au fond, ne sont presque toujours que des critiques sensualistes. De cela nous parlons un peu plus loin.

Enfin, le manque d'unité et de sûreté dans la poursuite du réel (toujours le manque de conscience dans les recherches) a permis à presque tous les lecteurs des derniers numéros du *Surréalisme au service de la Révolution* de trop faciles plaisanteries sur l'utilisation des loisirs des travailleurs dans la société future, etc. Nul des surréalistes, pris à part, n'est responsable de cela : mais le rapprochement d'une étude de T. Tzara et d'une « rêverie » de S. Dalí suggère immanquablement des images regrettables, que nous ne voulons pas contribuer à colporter ici.

Le Grand Jeu, n° 4, automne 1932

MAURICE HENRY

Les Abattoirs du sommeil

PAYSAGE

Chemin faisant
la lutte heurte son gong de sel aux vitres
où tremble le chiffon des baïonnettes
De longues équerres de cuivre traversent le miroir
Il y a des noisettes de brouillard aux bracelets des trois hommes
en habit
feutrés de prudence et porteurs d'irascibles gibus
qui soudain se détachent de la muraille et vont de source en source
— les voiliers sont couchés —
pour suspendre des baisers de portefeuille aux doubles harpes des valets de pied
Les rivières sont aussi douces que possible
soumises caressantes
vieilles pourtant
de toutes leurs fleurs et des parapluies égarés
dans les couloirs après l'amour

Chemin faisant
des yeux comme on n'en voit plus
des yeux palmés de rêves avec des étangs entre les branches et des marécages
des yeux glissants
où d'immenses déserts de ténèbres se creusent par instants de failles éblouissantes
boivent de grands bols de larmes dans des fermes tendues de toiles sombres d'une fenêtre à l'autre
comme des traces de tristesse

Des parfums écorchés
le long des routes de violons
ont des rires si stridents
qu'il suffirait d'une main de violette
pour y cueillir des dents et des langues

Dans l'épaisse carrière des vestons
le pain a la forme d'un arrosoir

Si pourtant
les algues des poches consentaient à mourir
régulièrement
au lever du soleil
si les vagues des boutons se portaient quelquefois
partie civile si les cerfs des doublures
ne cédaient pas à la quotidienne colère si les haches
des revers
tendaient aux passants leurs souliers à taches
bleues et vertes
des morceaux de ciel se retrouveraient dans les bas
et les chapeaux
sur le toit des ascenseurs aux commissures des lèvres
et sur les coussins des aisselles
les fines crispations du diamant s'y liraient avec des
sanglots
ceux des condamnés de l'espace

1937 (D. R.)

Miniantologie

POÈME ADORATIF

Vos yeux de beurre frais
la coupe de vos cheveux

les roses qui s'effeuillent sur vos joues
toutes ces beautés subtiles qui se nuancent de fraîcheur
et vos crêpes bigarrés
ont une influence semblable à celle des grandes marées
sur la lune
Un chien sans plumes
et le regard d'un frisson
se battent
et meurent dans un grand tressaillement
Croyez-vous à l'arbre qui épaissit dans les bras de la nature
ses feuilles s'élancent
et moi je vous regarde
mes yeux se gonflent d'envie
et rongent les portes
Les grands coussins de volupté
sont émus comme des corbeaux
qui le soir
rasent le sol dans une ondulation de fleurs sur la table

La musique de vos yeux
des roses dans un vase mystique
l'eau des guitares qui coule
la poésie de vos chants
survolent
mon cœur
qui pâlit

1926

DEMAIN POUR TOUJOURS

Cheval de bataille de glace
ivre de lumière morte

ton sabot clair marteau du ciel
frappe les constellations
Cheval de rivière crépitante
ta crinière de foin coupé
porte des perles volées
aux écuries de l'hiver
Cheval chantant
tu te coucheras nu sur les dalles
quand les arbres sonneront à toute volée
tu dormiras dans le désert de ta pensée
comme un couteau

1944

UN JOUR D'HIVER

Une petite fumée silencieuse
masquée comme Fantomas
se promène sur le toit de la pluie
Elle a mal aux genoux
elle voudrait s'asseoir
sur un tabouret de soleil
au milieu d'une prairie fleurie de gazelles et de sparadrap
où les coqs se déplaceraient sans béquilles
en habit
avec à la boutonnière
le morceau de serpentin rouge souvenir d'une nuit d'insomnie
et sur la tête
une crête postiche comme on en vend Quai aux Oiseaux

Les barrières blanches seraient hautes comme des peupliers
les peupliers auraient l'air de chaisières
les chaises seraient de chair tendre

arrosée de sauce aux cornichons
La petite fumée descend dans la cheminée
s'assied près du feu à l'entresol
entre un berceau et une lampe pigeon
et se prend la tête dans les mains
C'est ce qu'il y a de mieux à faire
quand on n'a pas d'imagination

1945

Morphèmes, n° 17, 1969 (D. R.)

COBRA

Ce groupe essentiellement pictural qui répond à la convergence d'artistes venant de Copenhague, Bruxelles et Amsterdam, fait le lien, après *la Seconde Guerre mondiale, entre divers mouvements et revues éphémères — notamment le mouvement du « Surréalisme révolutionnaire » — avec le situationnisme à venir (1958-1969, douze livraisons de revue), lequel connaît aujourd'hui un certain renom et rebond, en ces années où l'on réédite des textes oubliés de Guy Debord et où l'on expose le peintre et fascinant théoricien Asger Jorn. Du côté des textes, qui sont recueillis dans ce volume, s'il faut faire émerger les poètes, c'est le grand poète belge Christian Dotremont que l'on va célébrer, aux côtés d'un peintre qui n'a plus à défendre sa place, exigeante et forte, Pierre Alechinsky, dont l'écriture d'autre part est d'une subtilité exquise, et d'une figure méconnue hors du milieu de la peinture, celle d'Édouard Jaguer, animateur des activités internationales « Phases » depuis 1951 jusqu'à nos jours.*

PIERRE ALECHINSKY

Déplacement

« Faites-en ce que vous voulez », me dit-elle. Le train partit qui allait au port. Au milieu d'amis que je n'allais jamais revoir, Toko Shinoda m'avait donne ce que j'avais choisi de son pays mais n'avais jamais espéré posséder : ses calligraphies cachées dans un rouleau, que de loin encore elle me vit agiter. J'entrai dans le compartiment, je mis au sommet de mes douze valises le cadeau que je ne voyais pas encore, mais maintenant un poids de charme s'ajoutait à ma tristesse de quitter l'île. Dans le bateau des messageries, je découvris, je déroulais les longues feuilles, suivais parmi le voyage l'itinéraire de chacun des signes. Je regardais une traînée d'encre précieuse, inversée dans la lumière : le sillage. Le pont de bois savonné et ses écritures légères de goudron, les traces de rouille corrigées le long des coursives, le ciel blanc papier, l'eau sombre : autant de références. Je me rappelais l'ombre des saules sur les palissades d'une maison de Tokyo, écriture mouvante, merveilleusement inutile, qui m'avait traduit en gestes de peintre une caresse naturelle, le vent, l'arbre. Je revoyais Toko Shinoda user doucement un bâton d'encre sur la pierre, choisir avec sollicitude son meilleur pinceau. Et je revois encore maintenant le rouleau juché dans ma cabine, sur les douze valises, emballé dans quelques-unes de mes peintures.

À Paris, je me retrouvai payant le taxi, mes bagages en tas devant la grille de la villa. La tête bourrée d'images, j'étais là, je comptai une dernière fois :... douze, et le rouleau. J'entrepris le portage des valises. Mais ce trajet trop connu, la grille, la porte, me laissa échapper, parce que trop connu, l'idée que je détenais jusqu'alors d'avoir accompli un voyage aussi vaste. Ces aller et retour-là, ennuyeux, réguliers, deux valises à la fois, la grille, la porte, puis à vide, la porte, la grille, n'ont aucun sens, n'en avaient jamais eu. Rien n'était moins urgent que d'y prêter attention ; ces mouvements-là, je les faisais lorsque je revenais d'un week-end de campagne, la tête vide. Aucun doute, j'étais rentré. Mais mon atelier était un peu étranger, comme moi. Le Japon était loin, je le savais. Mais j'étais encore loin de moi, je m'endormis.

Lorsque j'ouvris le lendemain les yeux sur ce que depuis toujours je connaissais et, comme on essuie du regard une citation en exergue, pris quelque connaissance du tas des douze valises, une image froide (je compris alors d'où vient l'expression « voir dans un éclair ») m'apparut avec la précision du rêve ; je tâtai le parquet à côté de mon lit, pour m'assurer que, quand même, si je le voulais, je pouvais toucher du doigt le délicat rouleau, mais l'image froide, précise, surgit une seconde fois. Le rouleau se dressait, vulnérable, solitaire, sur fond de grille, à la rue.

De cette image, de cette réalité, il ne fallait plus douter, plus un instant. J'étais trempé d'évidence comme j'allais l'être par la pluie qui tombait sur la grille, sur la rue, et dans les poubelles, qui étaient vides. Si l'image était convaincante, la réalité ne pouvait l'être davantage, je ne risquais rien, pas d'autre égarement. Je courus voir la grille, voir la rue, puis la concierge. « Bonjour, vous voilà revenu, et l'Indochine ? » Et enfin : « Un rouleau, mais il y a tout le temps des rouleaux, des tubes, des tuyaux, comme ça, le matin, près des poubelles, je l'ai vu, le vôtre. Demandez-leur. » Le surlendemain, j'allai donc me poster dans le premier bistrot ouvert, à l'heure où le patron répand de la sciure. Je bus un café noir issu d'orgues compliquées qui occupaient tout un mur. J'étais écœuré. Il faisait encore nuit lorsque j'entendis les bruits qui annonçaient l'arrivée des boueux, les intermittences du moteur, les traînements des poubelles, leurs chutes : la charrette fantôme, celle qui ramasse les chefs-d'œuvre. Je la tenais. Je courus au-devant d'elle avec espoir. Je la contournai. La gueule du malaxeur dévorait ce que les cinq hommes saupoudrés de cendres lui lançaient. De temps en temps plongeait un des personnages et fort habilement il retirait quelque chose d'informe, de précieux, qu'il mettait à l'abri, sur un marchepied. Parmi ces objets de formes inconnues, ou ces objets connus ici déformés, quelques rouleaux de carton : ils s'intéressent aux rouleaux.

« Oui, me dit-il, ce que vous cherchez, je l'ai eu, je crois, en main, hier. Il y avait une toile autour. Je m'étais dit : c'est curieux. C'était propre, bien qu'un peu mouillé, mais vous savez ce que c'est, on travaille, c'est automatique, on jette, on jette, et ça a suivi. Tout ce que je peux vous dire : j'ai hésité. Mais allez voir à la décharge. Vous avez une chance. »

Que quelqu'un n'ayant aucune notion de la beauté des encres japonaises eût été frappé par l'aspect du rouleau, par une toile devenue linceul, cela m'autorisait à délirer. Un instant, je crus même que d'une manière générale rien n'est jamais perdu, que toute action ou non-action est récupérable ; et dans ce cas particulier, qu'il me suffisait d'avoir su les apprécier, ces signes, de les avoir vécus, pour qu'au terme de mes recherches au Dépôt central des ordures ménagères de la Ville de Paris je sois récompensé. Quoi de plus normal ? Dans le taxi qui me conduisait à la porte de Pantin, j'étais encore dans le feu de l'excitation. L'image du rouleau se mêlait à une image rassurante de l'avenir. Je me voyais déjà sur le champ de trognons, n'ayant qu'à me baisser pour retrouver la perte, calmement, naturellement, avec aussi peu d'émotion que j'avais, enfant, ramassé sur la plage les morceaux de liège qui survivent aux naufrages des filets.

« Je ne vais pas plus loin, dit le chauffeur, ce n'est pas vous qui nettoierez ma voiture. » Je mis pied dans la boue. Il n'y avait rien à voir, dans le détail, et l'ensemble était d'une couleur brune, étale, coiffée des fumerolles qui succèdent aux grandes catastrophes. Le taxi parti, je compris qu'il y avait dans cette aube une condamnation. Une détonation ne m'aurait pas surpris. Mes illusions, d'autres fumées plus légères, s'étaient évanouies à mesure que je prenais possession du sol mou et de l'âcre odeur des moisissures ; elles avaient pris une distance infinie, comme le champ que j'avais à parcourir et duquel l'horizon, que j'avais cru bloqué, reculait avec le brouillard, à chacun de mes pas. Lentement, d'autres voitures du Service de nettoiement progressaient ; un char d'assaut, un bulldozer repoussait des tas bruns. Je marchais dans les traces des chenilles qui m'évoquaient un gros plan du film d'Eisenstein, où s'accomplit une besogne lourde et boueuse pour le bien des jours à venir. D'ailleurs, je m'aperçus que ce terrain avait une fin, et j'appris que cette fin avançait chaque matin de cinq mètres sur toute sa largeur. Je m'aperçus que ce terrain était un faux terrain, d'une hauteur de quatre mètres, une banquise de merde qui avançait dans la campagne. Dans le bas de la nouvelle coupe, trois biffins fouinaiers tournaient. « Mon cher ami, me dit l'un, en règle générale, rien ne nous échappe. Nous gardons tout ce qui est un peu étrange. Mais maintenant, nous sommes débordés. Que voulez-vous, à trois, ce n'est plus possible. Il faudrait être cent, comme avant, comme la semaine passée. Mais la police ne veut plus. Il paraît que nous encombrons, que nous entravons, que nous ralentissons la mise en place, que nous faisons du mauvais travail, que c'est intolérable. » Je remontai le talus.

Le mécanicien du bulldozer se réchauffait dans une cabane. Je lui laissai mon nom, mon adresse, le mot rouleau, le mot dessin. Il en prit note, dans un livre, et m'expliqua que par beau temps toutes les ordures de la ville eussent pu être déviées sur un autre secteur de la décharge, qu'avec deux ou trois machines-outils tout eût pu être remué. Mais avec cette pluie, il ne fallait pas y songer. Et de toute façon, il eût fallu revenir en arrière, creuser dans l'avancée de la matinée pour arriver à l'apport de la veille. Et puis, de toute manière, il fallait une autorisation de la municipalité, attendre un devis, ne pas s'énerver si rien n'était retrouvé, ou si peu, ce qui en fin de compte était quasi certain.

Mes souliers gagnés par la cendrée, je fis encore quelques pas au hasard, comme une mouche que la naissance de l'hiver a dominée, ne sait plus rien, ni quelle miette choisir, ni pourquoi. Puis je me dirigeai vers la route, vaincu, brutalisé par l'irrémédiable, l'esprit vide (mais où est-il ?) et comme apaisé.

Ô Toko Shinoda, m'auriez-vous vu ce jour-là, vous auriez, je crois bien, souri.

La N.R.F., n° 119, 1962

CHRISTIAN DOTREMONT

Logstory

Alors qu'il vaque à sa vie quotidienne, dans sa chambre, Logogus a la brusque envie de faire un logogramme brusquement.

Il regrette que cette brusquerie ne puisse pas toujours être indivisible. Déjà il aperçoit une signification, quelques mots.

Il grimpe quatre à quatre l'escalier, cherche la poignée mobile de son grenier sur le compteur électrique, ouvre la porte, reprend la poignée, ferme la porte de l'intérieur.

Il est tout essoufflé, pose sa main sur la table pour ahaner, puis sur un papier, attaché à un tas, ôte à la bouteille son stupide bonnet plastique, verse de l'encre dans le bol, y fourre un pinceau.

Heureusement, cela le distrait, mais lui prend assez de temps pour qu'il ne soit plus exactement dans la même disposition mentale, sensuelle, etc.

Sans doute est-ce devenu chez lui un tic : il marmonne ce qu'il fait, par exemple qu'il ouvre la porte, divers mots directs et indirects bloquant ainsi quelque peu l'irruption prélogogrammatique.

Non que cette superficielle marée verbale mette tout à fait fin à l'irruption prélogogrammatique, mais elle devient plus profonde, tellement que superficielle, en quelque sorte, pour le sourcement de Logogus. À moins que — mais il ne s'en rend que rarement compte — les mots directement accompagnateurs de son action prélogogrammatique ne se jettent dans l'irruption spécifiquement prélogogrammatique, ne la transforment, ne la remplacent, en quelque mesure.

À moins qu'au contraire ces mots ne préservent les mots premiers, ne les laissent se représenter plus fortement encore, ne les laissent se présenter plus près quand cessent l'action prélogogrammatique et son marmonnement.

(Un peu autrement, oui autrement, ici même dans cette série-ci, autrement expérimentale, relativement plus lente, — et plus semblable à une écriture cursive quelconque, — à l'encre de stylo, dans la chambre, mais il a envie de brusquement créer-tracer sans pouvoir en prévoir plus que le schéma du récit, et cependant avec un souci de quasi démontrer qu'il suffit de ne pas interligner l'écriture et de suivre le bas du tracé de la première ligne en traçant la deuxième, etc., et en évitant autant que possible les chevauchements, pour obtenir déjà, ici donc, des formes autrement cursives, un ensemble autrement différent.)

Toujours est-il que le voici à main d'œuvre (où nous ne l'avons d'ailleurs pas quitté entre parenthèses) et traçant son logogramme (par simplificatrice hypothèse assez bref) avec un effort aigu d'oublier les deux ou trois premiers mots entrevus, afin de ne pas les « copier ».

En même temps qu'avec, dans la plupart des cas, une joyeuse liberté due surtout à la brusquerie physique-matérielle de la logogrammation proprement dite, — brusquerie toujours authentique puisque différente (et, oui, c'est un paradoxe) de la brusque envie.

Nous ne pourrions pas soutenir sans béquille que la brusquerie physique-matérielle de la logogrammation n'est que le prolongement ou la réalisation de la brusquerie de l'envie : elle remet en jeu celle-ci, et la preuve c'est que quelquefois, plusieurs fois, Logogus échoue, ne fait aucun logogramme, redescend penaud à sa chambre, à son envie gâchée. Lorsque Logogus fait un logogramme dans ces conditions-là, fréquentes, que nous avons décrites, il y a donc comme une réversibilité du temps, dans ce sens que l'envie brusque ne naît vraiment qu'en se donnant à la brusquerie physique-matérielle-créatrice.

Reste que dans quelques cas, les premiers mots tracés sont les quelques mots que la brusque envie avait prévus, — mais « prévus », n'est-ce pas, malgré tout, avec tout, une hyperbole ?

Quand il est pessimiste, Logogus considère dans ces cas-là, et si peu de mots ont été ajoutés par la logogrammation aux premiers mots « prévus », que l'esprit a eu un trop grand rôle, et que la logogrammation n'a pas été vraiment courue. Si les premiers mots « prévus » par la brusque envie restent-deviennent les seuls, ne se voient aucunement « complétés », ou sont « complétés » trop logiquement, trop linguistiquement, Logogus alors se vexe, s'emporte jusqu'à souvent détruire le logogramme.

Le cas est assez rare (non de la destruction du logogramme, mais de cette motivation-là), parce que si les premiers mots « prévus » forment, ont préparé le tout, Logogus essaye de déjouer le tout, soit en bouleversant son ordre, son « pré-ordre », soit en y ajoutant tellement de texte que ce « tout prévu » prend, pour lui et pour le lecteur attentif jusqu'au bout, une allure de préalable.

Quand il est optimiste, Logogus considère, dans ces cas où les premiers mots tracés sont ceux que la brusque envie de créer avait « prévus », ont la plus grande part, ou font total, qu'il y va d'une coïncidence ! Toujours est-il que pour échapper à ces contradictions, à cette logique-là, il se place le plus souvent devant la feuille sans avoir eu de brusque envie préalable et attend que naisse l'envie brusquement quand même, en même temps que la logogrammation physique-matérielle, ou si peu de temps, d'espace avant.

Ah oui, les plus vrais logogrammes, aux yeux de Logogus, il les a enlevés à une sorte d'absence de préenvie, c'est-à-dire à sa préenvie présente, à l'ensemble semblant dormeur de lui, du papier, du pinceau d'encre, de pensée, de tout, mais sans rêve prévoyant, et que n'a pas même éveillé — aux horlogeries de la fausse vie — sa brusque action.

Sa brusque action, tohu-bohu de temps pêle-mêle dans une projection unique, où n'est pas possible de séparer départ et voyage, écriture et vision et cri, tohu-bohu pourtant silencieux, si loin jusqu'au début du débat.

1973

ÉDOUARD JAGUER

L'envers de la panoplie

En équilibre instable sur la pointe du couteau
Dans les allées tracées au cordeau
d'un Champ-de-Mars en proie
aux démangeaisons du brouillard
Le funambule indifférent aux œillades des belles
salamandres
Invente de nouvelles façons de dévorer les étoiles
Exorbitées comme on pèle une orange
Dans le théâtre en forme d'œil où
se chamaillent d'exécrables comédiens
Il calcule pour les astres en perdition
des trajectoires hagardes
Où le dieu des chrétiens ne retrouverait pas
ses petits pour un Empire
Ni son Empire pour un verre d'eau

Un éclair encore et c'en est fait de l'empire
des sens

Mais l'actualité impose ses exigences
Un verre d'eau jeté à la face du cosmonaute
assoiffé

Et le monde entier frémit comme un seul
homme
Logé à la même enseigne sous un gros titre
En première page du journal

Ô danseur en rupture de scaphandre
Va donc toujours marquer la page à la jointure
de deux livres
L'un ouvert sur le vide
L'autre fermé valsant sur l'absolu
Et oublie les jeux éperdus où la chair
de la danseuse est un phare
qui tournoie pour exalter ses propres naufrages
La légende rotative de la coupe aux lèvres rutile
toujours des mêmes paillettes tragiques
mais non désespérées
Désespérées mains non tragiques
En tout cas loin
tellement loin d'être stagnantes
Perdu dans l'ombre des futaies où vient mourir
le bruit des moteurs
Telle en un dernier éclair de sang l'ombre
de la ramure d'un cerf blessé à mort
Près de l'étang où miroite fastueusement
le souvenir de nudités adorées
Le voltigeur impénitent dédie l'orbe des planètes
à cette faune clignotant entre deux grappes
de lumière
Faune invisible à l'œil nu bien sûr
Encore que même les buissons les plus
ténébreux s'y égarent
Comme au sein même de la terre
Au sein même

22 octobre 1967

RAYMOND QUENEAU

Si l'on évoque maintenant Raymond Queneau, c'est que, plus jeune que les surréalistes de la première génération, il a été fortement quoique très brièvement engagé dans l'aventure surréaliste, et qu'il est devenu non seulement le romancier du Chiendent, *au timbre si neuf, mais un des deux fondateurs de l'Oulipo. Il est amusant de juxtaposer les textes surréalistes du très jeune Queneau publiés dans les revues et diverses déclarations de sa maturité, tant ils sont contradictoires. Or, ce qui les relie, c'est sans doute le goût du jeu, dont la finalité n'est pas du tout semblable, entre ces deux périodes, mais qui enracine l'expérience propre à Queneau. Insistons d'abord sur leurs dissemblances, qui tiennent à la place accordée au travail littéraire, formulée notamment dans cette longue méditation sur l'histoire qui fut écrite entre 1942 et 1966 :*

> « La littérature est la projection sur le plan imaginaire de l'activité réelle de l'homme ; le travail, la projection sur le plan réel de l'activité imaginaire de l'homme. Tous deux naissent ensemble. L'une désigne métaphoriquement le Paradis perdu et mesure le malheur de l'homme. L'autre progresse vers le Paradis retrouvé et tente le bonheur de l'homme. »

Une histoire modèle, Gallimard, 1966, p. 103

Et évoquons les conjonctions anciennes, qui déjà rêvent sur la variante d'une histoire et se moquent des poètes enfermés dans leur « tour d'ivoire ».

RAYMOND QUENEAU

Texte surréaliste

[...]

Il y a une autre façon de raconter la même histoire : Edgard s'assit sur le troisième banc des boulevards, après la rue Montmartre, à gauche en venant de l'Opéra. Un journal oublié près de lui se déplia lentement et Edgard put lire à la troisième page : « L'isthme est venu pour la fin des choses. » Puis un avion vint atterrir et s'évapora ensuite sans que la paix sociale en fût troublée. Seule une femme s'aperçut de cette disparition étonnante. Edgard la suivit. Elle entra au Rougemont-Bar, puis, par la porte de gauche, dans le débit de tabac avec lequel il communique. La porte se referma ; Edgard dut l'enfoncer d'un coup d'épaule. Il se trouva dans une salle assez vaste, de forme octaédrique, peinte au ripolin, au milieu de laquelle se trouvait un lit de fer dans lequel l'isthme était couché, triste et désolé. Un être descendit du plafond, lentement, comme soutenu par un parachute. Il plia les jarrets lorsqu'il toucha terre et aussitôt se dirigea vers le malade. Il tordit l'I, en fit un A et l'asthme haletait, dans son coin ; puis il prit les deux jambes, les cassa dans ses mains et l'asthénie se levant du lit de torture, se dirigea obliquement vers la porte. L'homme la fit tomber à terre et sortant un couteau de boucher de sa poche, lui coupa la tête. L'AS roula à droite et le reste du corps se lovant sur lui-même devint ténia, tendon, tension, tenseur, censeur. Les deux parties se rejoignirent et Edgard, en compagnie du bourreau, monta dans l'ascenseur ainsi formé. « Je suis perdu pour toujours. Les jours qui s'accumulent derrière ces murs pour effriter les monuments publics et vieillir les institutions, ne sauraient parvenir jusqu'à moi, et quand bien même ils y parviendraient, ils mourraient à mes pieds, laissant rouler autour d'eux les rouages funestes de la rotation de la terre autour du soleil et le ressort toujours tendu de la marche du système solaire vers la constellation d'Hercule. Les hommes, je ne les vois pas, et d'ailleurs, afin de vous inquiéter tout à fait sur ma misanthropie, je ne les ai jamais vus ; je ne me suis jamais vu moi-même, ignorant les lois de la fabrication des miroirs. Je ne suis pas un homme. » Il pencha un peu la tête et murmura : « La cigogne a encore perdu son astrolabe, je ne puis pourtant la saigner tous les jours. » Et il reprit : « Si les jours et si les hommes ne viennent jamais voleter autour de moi, comme d'importuns moustiques, des mots parfois s'égarent jusque dans mon voisinage. Alors je les supplicie. Ah ! nous voici sur la plate-forme des arrivées sans nombre. » Et Edgard put voir, en effet, le mot VENU lié à un poteau et paraissant souffrir d'impossibles tourments. Une boule noire roulait à ses pieds, divaguant sans cesse de la circonférence qu'elle aurait dû suivre, et Edgard put lire, d'après les traces qu'elle laissait, le mot FIN. « Nous allons jouer » dit l'autre en lui tendant cinq dés. Edgard, sachant qu'il ne pouvait gagner, lança cependant les dés sur un écran qui lui faisait face. Il vit alors tout s'effacer autour de lui sauf les mots qui formèrent la phrase : « L'isthme est venu pour la fin des ». « La fin des quoi ? » interrogea avec tendresse la femme à ses côtés. Edgard la regarda étonné de sa présence et de sa beauté. Ils étaient absolument seuls. Il n'y avait rien autour d'eux, pas même l'air. Il prononça les deux syllabes de CHOSES. L'isthme se croisa les jambes et, chavirant par-dessus la balustrade de l'alphabet, tomba dans le précipice des significations, chute éternelle, sans plus de fin qu'un rêve lorsque la nuit délire. Il n'y avait alors plus rien qui comptât pour lui pas même la mort, et il sut qu'il n'aurait plus désormais à faire figure d'homme raisonnable et bipède sur la ridicule face de la terre et qu'il ne reviendrait plus s'asseoir sur le troisième banc des grands boulevards, après la rue Montmartre, à gauche en venant de l'Opéra.

Il y a une autre façon de raconter cette histoire : LIVRES à l'envers ça fait SERVIL.

octobre 1925

Le tour de l'ivoire

À l'abri des chênes couverts de vermine
Des chênes couverts de la vermine des morts
Ombre violette séparant la déchéance des horizons
Depuis la naissance de l'homme
À l'abri des arbres on ne rend pas la justice
Car la justice est une orfraie
Qui vagit la nuit pour endormir les chambres pleines
d'amour
Les chambres mortelles aux enfants nouveau-nés
Déguisée elle tend une main insalubre
Aux pauvres qui désespèrent de la noirceur des
murs
Les gardes-chiourme rugissent de joie en suçant des
menottes

Plus glacées qu'un clocher d'église
La foule se rue il le faut déjà prévoir vers les bals
  dits populaires
La justice la justice
Elle finira bien par s'étrangler en toussant
Chat perdu derrière un trottoir gluant
Fenêtre lamentable ne s'ouvrant que pour s'éteindre
Les lueurs qui se frôlent le long des corps impré-
  voyants
Demandent le chemin en pleurant le long des
  réverbères
Pendant que les agents deviennent chauves
Que les vitraux des chapelles s'anéantissent
Sous la pression des mains moites des femmes qui
  ne furent jamais vierges
Et pour qui tout boulevard ne fut qu'une passion
Demander le chemin on ne répondra pas
Épaules exilées dans les nuits sans fin
Mines d'ombres étranglées
Des astres jaillissent par étincelles des vagues
  lointaines
Il pleut à perdre haleine
Un épervier bondit danseur désorienté
L'espace se meut avec souplesse au-dessus des forêts
  métalliques
D'où s'envolent des corbeaux musiciens aux froides
  destinées
Par-delà la palpitation rapide des landes
Clouées au sol par les menhirs
Épouvantails de nuages ébauchés ou mourants
Par-delà les virginités dépolies des déserts où s'endort
  le soleil
L'ennui de ce jour s'est assis
Couvert de secondes comme un prêtre de poux
La carcasse de ces monstres s'est effondrée
De sa poussière s'échappent des oiseaux blancs et
  dorés

Joie des plumes rapidité des ailes
Traîne de joyaux évadés des yeux des amoureuses
Flammes exaltées nuques transparentes
Seins de douceur torses d'étoiles
Vigilants gardiens de l'aube caressante
L'aube cristalline l'aube perpétuelle
Panthère au poil bleu
L'amour naît des rencontres une pieuvre mange l'arc-en-ciel
Une chouette parfumée abrite de son aile
Les fantômes ironiques et les amis du crime
Les pentes noircies du devoir s'émiettent au tremblement de la fatigue
Encore une fois le crépuscule s'est dispersé dans la nuit
Après avoir écrit sur les murs DÉFENSE DE NE PAS RÊVER

La Révolution surréaliste, n°s 9-10, octobre 1927

ŒUVRES TRANSVERSALES

Juste avant la Seconde Guerre mondiale surgit l'œuvre de Julien Gracq, dont le très jeune âge s'est nourri de la lecture des surréalistes, et dont le premier roman, Au château d'Argol, *envoyé par la poste à André Breton, reçoit de lui un accueil de grande admiration. Juste après cette guerre, voici le poète Yves Bonnefoy, dont l'audace est magnifique.*

JULIEN GRACQ

Le vent froid de la nuit

Je l'attendais le soir dans le pavillon de chasse, près de la Rivière Morte. Les sapins dans le vent hasardeux de la nuit secouaient des froissements de suaire et des craquements d'incendie. La nuit noire était doublée de gel, comme le satin blanc sous un habit de soirée — au-dehors, des mains frisées couraient de toutes parts sur la neige. Les murs étaient de grands rideaux sombres, et sur les steppes de neige des nappes blanches, à perte de vue, comme des feux se décollent des étangs gelés, se levait la lumière mystique des bougies. J'étais le roi d'un peuple de forêts bleues, comme un pèlerinage avec ses bannières se range immobile sur les bords d'un lac de glace. Au plafond de la caverne bougeait par instants, immobile comme la moire d'une étoffe, le cyclone des pensées noires. En habit de soirée, accoudé à la cheminée et maniant un revolver dans un geste de théâtre, j'interrogeais par désœuvrement l'eau verte et dormante de ces glaces très anciennes ; une rafale plus forte parfois l'embuait d'une sueur fine comme celle des carafes, mais j'émergeais de nouveau, spectral et fixe, comme un marié sur la plaque du photographe qui se dégage des remous de plantes vertes. Ah ! les heures creuses de la nuit, pareilles à un qui voyage sur les os légers et pneumatiques d'un rapide — mais soudain elle était là, assise toute droite dans ses longues étoffes blanches.

Villes hanséatiques

Éveil d'une jeune beauté couchée sur le gazon près d'une ville, devant l'étincellement de l'eau et la paresse de dix heures, sous la lumière bleuâtre. Les clochetons et les tours de cette ville très ancienne, ses hautes rues étroites pour le grondement et les émeutes de la foule affamée des sièges, les arbres somptueux du mail pour ombrager les bijoux trop riches, éteindre les velours orgueilleux et fermer une résille de soleil sur les cheveux des jeunes femmes aux jours de triomphe et de parade, et les places triangulaires sous le soleil cruel avec leurs senteurs puissantes d'immondices. L'air coule et lave les ponts comme un fleuve bleu en spirales musicales. La petite ville noble dentelle un abrupt de rêve sur l'horizon au-delà d'une prairie de fête coupée par un fleuve, mais toute la lumière chaude est pour approfondir sur le foin coupé l'arôme d'une chevelure étouffante, et ourler un pied et une main nue dont les doigts jouent sur les cordes compliquées de l'air.

Les nuits blanches

Comme la figure de proue d'un vaisseau à trois ponts fourvoyé dans ce port de galères, au-dessus de la Méditerranée plate dont le blanc des vagues semble toujours fatigué d'un excès de sel se levait pour moi derrière une correcte, une impeccable rangée de verres à alcools, le visage de cette femme violente. Derrière, c'était les grands pins mélancoliques, de ceux dont l'orientation des branches ne laisse guère filtrer que les rayons horizontaux du soleil à cette heure du couchant où les routes sont belles, pures, livrées à la chanson des fontaines. On entendait dans le fond du port des marteaux sur les coques, infinis, inlassables comme une chanson de toile au-dessus d'un bâti naïf de tapisserie balayé de deux tresses blondes, circonvenu d'un lacis incessant de soucis domestiques, avec au milieu ces deux yeux doux, fatigués sous les boucles, la sœur même des fontaines intarissables. On ne se fatiguait pas de boire, un liquide clair comme une vitre, un alcool chantant et matinal. Mais c'était à la fin un alanguissement de bon aloi, et tout à coup comme si l'on avait dépassé l'heure *permise* — surpris le port sous cette lumière défendue où descendent à l'improviste pour un coup de main les beaux pirates des nuits septentrionales, les lavandières bretonnes à la faveur d'un rideau de brumes — c'était tout à coup le murmure des peupliers et la morsure du froid humide — puis le claquement d'une portière et c'était la sortie des théâtres dans le Petrograd des nuits blanches, un arroi de fourrures inimaginable, l'opacité laiteuse et dure de la Baltique — dans une aube salie de crachements rudes, prolongée des lustres irréels, la rue qui déverse une troïka sur les falaises du large, un morne infini de houles grises comme une fin du monde — c'était déjà l'heure d'aller aux Îles.

Robespierre

Cette beauté d'ange que l'on prête malgré soi — par-delà les pages poussiéreuses d'un livre feuilleté jamais autrement que dans la fièvre —, à quelques-uns des terroristes mineurs : Saint-Just, Jacques Roux, Robespierre le Jeune —, cette beauté que leur conserve pour nous à travers les siècles, nageant autour d'une guirlande de gracieuses têtes coupées comme un baume d'Égypte, le surnom de l'Incorruptible — ces blancheurs de cous de Jean-Baptiste affilées par la guillotine, ces bouillons de dentelles, ces gants blancs et ces culottes jaunes, ces bouquets d'épis, ces cantiques, ce déjeuner de soleil avant les grandes cènes révolutionnaires, ces blondeurs de blé mûrissant, ces arcs flexibles des bouches engluées par un songe de mort, ces roucoulements de Jean-Jacques sous la sombre verdure des premiers marronniers de mai, verts comme jamais du beau sang rouge des couperets, ces madrigaux funèbres de Brummels somnambules, une botte de pervenches à la main, ces affaissements de fleur, de vierges aristocrates dans le panier à son — comme si, de savoir être un jour portées seules au bout d'une pique, toute la beauté fascinante de la nuit de l'homme eût dû affluer au visage magnétique de ces têtes de Méduse — cette chasteté surhumaine, cette ascèse, cette beauté sauvage de fleur coupée qui fait pâlir le visage de toutes les femmes — c'est la langue de feu qui pour moi çà et là descend mystérieusement au milieu des silhouettes rapides comme des éclairs des grandes rues mouvantes comme sur l'écran d'une allée d'arbres en flammes dans la campagne par une nuit de juin, et me désigne à certaine extase panique le visage inoubliable de quelques guillotinés de naissance.

Liberté grande, 1946

Du roman qui a envoûté plusieurs générations de lecteurs, voici la fin d'une prédication ambiguë, où se confondent adhésion au Désir et angoisse du Devenir.

Le Rivage des Syrtes

« ... Dans le fond de cette nuit, déjà, ils sont en marche. Je vous invite à entrer dans leur Sens et à vouloir avec eux aveuglément ce qui va être. Dans ce moment indécis où il semble que tout se tienne en suspens et que l'heure même hésite, je vous invite à leur suprême Désertion. Heureux qui sait se réjouir au cœur de la nuit, de cela seulement qu'il sait qu'elle est grosse, car les ténèbres lui porteront fruit, car la lumière lui sera prodiguée. Heureux qui laisse tout derrière lui et se prête sans gage ; et qui entend au fond de son cœur et de son ventre l'appel de la délivrance obscure, car le monde séchera sous son regard, pour renaître. Heureux qui abandonne sa barque au fort du courant, car il abordera sur l'autre rive. Heureux qui se déserte et s'abdique lui-même, et dans le cœur même des ténèbres n'adore plus rien que le profond accomplissement... »

De nouveau, le prédicateur marqua une pause ; sa voix s'éleva maintenant plus lente et voilée de gravité.

« ... Je vous parle de Celui qu'on n'attendait pas, de Celui qui est venu comme un voleur de nuit. Je vous parle de lui ici en une heure de ténèbres et sur une terre peut-être condamnée. Je vous parle d'une nuit où il ne faut pas dormir. Je vous apporte la nouvelle d'une ténébreuse naissance, et je vous annonce que l'heure maintenant nous est présente où la terre une fois encore sera tout entière soupesée dans Sa main ; et le moment proche où à vous aussi il vous sera donné de choisir. Ô puissions-nous ne pas refuser nos yeux à l'étoile qui brille dans la nuit profonde et comprendre que du fond même de l'angoisse, plus forte que l'angoisse s'élève dans le ténébreux passage la voix inextinguible du désir. Ma pensée se reporte avec vous, comme à un profond mystère, vers ceux qui venaient du fond du désert adorer dans sa crèche le Roi qui apportait non la paix, mais l'épée, et bercer le Fardeau si lourd que la terre a tressailli sous son poids. Je me prosterne avec eux, j'adore avec eux le Fils dans le sein de sa mère, j'adore l'heure de l'angoissant passage, j'adore la Voie ouverte et la Porte du matin. »

La foule brusquement ondula en s'agenouillant de cet affaissement sans hâte et presque paresseux des blés sous un coup de faux, et toute la profondeur de l'église reflua pour me gifler le visage dans un puissant, un sauvage murmure de prières. Elle priait épaule contre épaule, dans une immobilité formidable, figeant l'espace de ces hautes voûtes en un bloc si compact qu'il serrait les tempes et que l'air semblait soudain manquer à mes poumons. La fumée des cierges, tout à coup, me piqua les yeux âcrement. Je ressentais entre les épaules comme une pesée lourde, et l'espèce de nausée éblouissante qu'on éprouve à fixer un homme qui perd son sang.

Je ne cherchai pas Belsenza dans cette foule. Dans l'émotion qui m'avait serré à la gorge, je me représentai avec dégoût — un dégoût inexprimable — le raclement sur moi de son œil lent et myope, comme une lame qui tâte vers le défaut de la cuirasse. Je sautai dans une barque de louage. La nuit pesante et humide m'attirait ; au lieu de rentrer au palais, je fis prendre par le travers de la lagune.

1951

YVES BONNEFOY

Le Cœur-espace

I

Au plein froid de l'été ton visage de pierre
Je sais que des mineurs se hâtent vers une source
unique des pierrailles et des cris
Ainsi j'avais franchi ton visage dans l'herbe
Mais la lumière est devenue opaque
Des têtes grondent maintenant sur le drapeau de la
terre
L'éclair intérieur te balafre d'enfance

Tasmanie
Un enfant a crié dans un jeu de vitres
Les dalles de la mort s'écaillent dans ses yeux une
ombre glisse dans le vestibule

Et la mer est si proche qu'il n'y a qu'à tendre les mains le sang coule
Et sur chaque bouche flambe le cœur-espace et toutes villes au plus haut point du guet
Comme des poissons sur les mailles des fenêtres et déjà mon départ sonne sur les claviers

Quel temps fait-il sur ton visage un hiver taché de louves
Se déplace sur des rails où scintillent les oiseaux morts
Quel temps fait-il sur ton visage je voulais que tu m'apparusses
J'appelais comme on casse une corde
Je sais que des oiseaux vont mourir et demain sonnera sur des lèvres inutiles
Si tu hésites sur le seuil de cette Tasmanie verbale

Quel temps fait-il sur ton visage j'ai vu des aigles se disputer l'hiver
Et marquer de leurs serres les théâtres où des lampes jouaient à se perdre ô dialectes
Monnaie d'enfance ton ombre pèse sur l'extraordinaire verdure
Tu glisses masque noir dans les herbes glaciales
Ô roue solaire visage d'huile de l'été

Tasmanie
Je sais que des basaltes menacent la terre d'aigles
Mais j'ai renoué avec l'enfance de l'ombre sortent ses mains d'entremetteuse
Et dans l'ombre ses yeux sifflent comme des balles et c'est peut-être de la neige
Ce rire fade qui coule sur les dernières lèvres tendues

*

Cette sombre diagonale
Que tu portes
Dans tes mains
Deux bisons en vendent l'ombre
À des marchés de safran

Le cœur-espace logé
Dans le cœur comme une balle
Un enfant dansait sur des cordes

Le cœur-espace est un cri
Que les femmes guettent rapportent
Dans leur tablier de chaume
Sur les terrasses du temps

*

Enfant je suis tombé des plus hautes fenêtres
J'écartelai l'espace

Et mes mains se frayaient dans les nerfs de la pesanteur
Un chemin d'atroce fanfare

Mais j'ai vite connu ce bruit sur les oreilles quand il ne s'agissait que de marcher dans une foule
Ô terre
Et j'ai vu dans l'enfant cassé sur les terrasses la cruauté marcher la tête en bas le jour
Refléter ses convois de mort dans le miroir de neige noire

J'ai vu les chiens de vent déchirer les falaises
Le linge massif roulant dans ma gorge (mais j'ai vécu dans cette maison poreuse)
J'ai vu le vent creuser les poutres de six heures la terre errer dans ses tombes d'espace

Il y avait un cimetière d'orties les preuves sourdes du vent se groupaient autour des pierres
J'ai vu le jour craquer j'ai vécu ces journées de déchirement du site
On m'a parlé d'orage
Et j'ai reçu des rois dont la tête s'ornait de ces feux de bruyères
Qui confèrent aux collines l'angoisse du hasard

J'ai vu un train de fous rayer des kilomètres de terre lourde
J'ai vu un train de mort rayer des têtes schisteuses près de moi
J'ai vu de grands oiseaux se poser sur des têtes convoitées j'ai assisté au théâtre immobile des pierres
Mais je cherche mon unique visage celui qui transparaît
Sur la nuque du jour

*

À chaque carrefour un homme attend
La femme de toile d'araignée de chute de neige dans la nuit
Qui porte dans ses mains les morceaux de son enfant
Comme des couteaux comme de l'oseille
Il neige peut-être sur trois visages à Bali
Et là-bas sur la route s'en va la mort
Avec sa robe grise et son chapeau rouge
Et l'eau dans ses cheveux comme une roue fontaine
Pour une grisaille d'oiseaux

*

J'ai vu que n'ai-je vu tu as un goût de frontière

Et de villes franchies à l'aube mais dans leur main la solitude éclate
Quand de porte en porte glissèrent les premiers fils dont on ne connaissait ni le commencement ni la fin
Tête lourde déjà tu marchais je ne pouvais plus que te suivre
Tête lourde déjà et le goût de la mort sur les lèvres

Il ne faut pas remettre à demain les frondaisons
Il commence déjà à faire froid dans nos voix
Tasmanie Tasmanie déjà recommence l'attente sous les lampes
Un homme marche sur la cendre de nos livres
On a signalé la mort au loin sur ses pas

Les belles du voyage d'hiver arborent de grandes lézardes
La mort se porte beaucoup cette année
Dans la plaine on tire à balle sur les laboureurs
Ils font en tombant un bruit de source
Les belles du voyage d'hiver se promènent dans les marnes
Un royaume allumé à la main

II

Je ne me souviens plus du nom de ces étoiles lasses qui rôdent encore dans le ciel
Depuis longtemps pour moi les cieux coupeurs de tête sont morts
La rumeur quelquefois m'apporte un bruissement de pas sur les plages
Et les préparatifs d'un dernier feu d'Afriques et de sables

Tasmanie Tasmanie des hommes frileux se groupent autour d'indicibles choses rouges
La mort jappe dans leurs jambes
Des débris du rivage monte l'informe floraison du froid et dans tous les miroirs
La terre déforme le visage glacé que les femmes tendent au bout des piques de plein vent

Je ne me souviens plus du jour de ces lessives d'astres dans nos maisons d'enfance
Le cœur-espace peut-être le cœur-espace guettait les naufragés du jour sombre
Des rames de soleil cognaient aux vitres mortes et les peuples tragiques des couloirs
Arboraient des grappes de dieux amers à la merci du vent au bout des branches grises
Jeudi peut-être était-ce jeudi le silex épaulait dans la rue son fusil de brume
Et par-dessus les toits de jeudi les heures tendaient leurs mains de verre
Dans les jardins de jeudi les théâtres livraient des guerres spongieuses
Je ne me souviens plus de ces trajectoires de flaques sur l'étendue des cendres
Ce n'était pourtant sur ses ailes de suie que la mort qui volait de chambre en chambre
Et rouge fleurissait sur la robe grondante des jeunes filles
Le cœur-espace peut-être le cœur-espace au-dessus des pluies à hauteur d'enfance battait

Je ne me souviens plus du nom de cette école
Des parasols qui nourrissaient les faubourgs il ne reste plus qu'une peuplade calcinée
Sous le soleil effrité les lointains dévoraient nos promenades craintives

Les balustrades nous tendaient comme des enfants de mer les vertiges et les monstres
Elles secouaient leur chevelure cruelle frémissante sous les salves d'horizon
Et si je cherchais dans les peaux de ces hydres une étoile familière
Le cœur-espace peut-être le cœur-espace dans ses grandes caves blanches m'emportait

Je ne me souviens plus du nom de cette ville creuse
Où des chantiers rongeaient les perspectives en vrille dans l'espace
À chaque tournant de nos têtes s'allumaient des incendies de fleuves
Des monstres tournoyaient marchaient sur les toits vêtus de noir
Je ne me souviens plus du nom de cette ville où sans doute le cœur-espace
Avait dans un salon de rage élu domicile sous une lampe
Les hommes glaciaires les femmes glaciaires ont-ils fait le tour de cette ville
Que chantions-nous le soir où les couteaux entrèrent en ville
Mon père chargé de fleurs mon père d'eau courante encore
Tendait vers un chariot ses mains gonflées de rêves et d'îles
Musique lourde à porter nous revenions sur les places
La tête rongée déjà par les flammes éternelles d'espace

Je ne me souviens plus du nom de ce rivage éclairé par des lampes
Quand les détonations de mes rêves me jetaient sous le lustre des tempêtes

La mer obscure sur le sable abandonnait des poupées
De leur gorge en loque coulait le foin des terres d'enfance
J'étais seul sur le bord de ces coulées de lave du sommeil
Et le cœur-espace peut-être le cœur-espace illuminait d'un éclair Andromède captive
Andromède éblouie sous le toit des marécages Andromède captive de l'attente du monstre

Je ne me souviens plus du nom de cette gare perdue dans les veines
Poussé meurtri par les hautes planches à tête d'oiseau je suis au seuil d'une gare
Le cœur-espace tourne autour de moi et cherche à m'écraser
Des mains de plomb me guettent à chaque issue du labyrinthe
Un monstre identique à la mer sur ma tempe tire un coup de revolver l'automne

Je ne me souviens plus du nom de cette viande triste que nous mangions sur des terrasses
Le cœur-espace peut-être le cœur-espace ruisselait derrière les façades invisibles
Le cœur-espace flottant sur les perspectives de chevaux morts de lèvres mortes
N'est plus qu'une clé qui n'ouvrira pas même la dernière porte où se cache l'enfance
Je ne me souviens plus les reines perforent sous des arbres le cœur des princes d'espace
Je ne me souviens plus l'automne retentit comme un couloir en marche dans des brousses de cadavres
Je ne me souviens plus j'habitais une chambre claquant comme un drapeau

Une chambre creusée à flanc de mémoire dans l'écoulement des fontaines
Et chaque jour des générations d'oiseaux montaient à l'assaut des fontaines je ne me souviens plus
Je ne me souviens plus les affiches de l'aube entrent en gare en sifflant
Je ne me souviens plus une femme roulait sur le cratère des volcans
Les dernières fumées emportent ses amants parcourus de fleuves
Nous partirons demain en Tasmanie c'est la dernière province de l'automne
Les chèvres noires brûleront brûleront comme ces trains que j'abandonne
Je ne me souviens plus l'huilier de la terre se brise je marche dans le spasme des saisons

Je ne me souviens plus du nom de ces amitiés fauves que nous avions en ville
Et cependant je me revois assis dans la lumière rouge d'une table
Le cœur-espace pesait aux fenêtres le jeu de cartes s'étendait jusqu'à l'horizon sous le lustre
Et le lustre penchait sur les épaules de la nuit sa tête de vieillard ensanglanté
Le lustre ramenait à l'aube ses filets pleins d'étoiles gluantes
Le lustre noir comme la mer se fichait parmi les invitées transparentes
Et des poissons roulaient dans leurs yeux déchirés par les orties
Les taupes dévoilaient des secrets de labour aux hommes qui se désagrègent

L'automne pourri chavirait au large stationne une tête de brume

L'étoile claque à bord comme une porte seule dans une maison de meurtre
Et d'un cadavre depuis des heures s'envolent mille et mille oiseaux de silence
À l'aube quand déjà s'éteignent sur les collines les cris rauques de nos amis

Je ne me souviens plus du nom de ces étoffes lourdes où s'enfouissaient les batailles d'hiver
Je ne me souviens plus j'étais seul dans un jardin au bord des chutes de neige
Dans les hangars près de moi s'entassaient les fagots d'évêques
Et j'étais seul des ramures de mort giflaient dans les jeux mon visage
L'angoisse coulait sur moi des mille astres du plein jour aux prises avec les armées du temps
Et les hennissements des chevaux nés du froid clouaient mon ombre sur les perspectives
J'étais sûr j'étais sûr qu'on marchait dans le jardin et que dans une seconde
Secouant sa tête de Gorgone paraîtrait sur la porte je ne sais quelle pauvresse
Et son enfant poussés par le vent comme un tas de linge mêlé au ciel

Je ne me souviens plus du nom de ces enfants qui approchaient d'une terre déserte
La nuit au-dessus d'eux comme une lampe découvrait à leurs yeux des plages
Je ne me souviens plus du nom de ces enfants et sur leur robe de terre
S'est refermée la nuit comme brillaient leurs jambes à travers des continents de vaines promesses
Tasmanie Tasmanie dans une auberge la mort attendait assise à une table

Une main qui tenait un verre adhérait aux paysages
de la transparence
Deux hommes peut-être en cette heure font des
signaux sur une île de la mémoire
Chaque pierre mortelle porte les ruines de la chevelure du ciel ils espèrent
En ces enfants lâchés sur les pistes des monstres
qu'ai-je fait de leur sourire
Des filets de mémoire coulent à flanc de montagne
au fond de quelle combe
Pourrissent leur visage et se mêlent leurs bouches
sous les ramures de l'espace

Je ne me souviens plus
Et le jardin au bout de l'année s'ouvre encore comme
un visage étoilé par la gangrène
Le cœur-espace l'habite les grilles ne savent plus
crier
Je n'ai jamais oublié le terrible silence d'huile des
jardins

*

Une dernière poignée d'herbe sur le radeau des
astres en fuite
Une dernière poignée de cette herbe de pleine terre
sur la doublure du ciel
Et déjà dans la mer comme du plomb glissent des
têtes souriantes
Sables sables nous perdrons-nous dans cette mer
inévitable inopérante
Où les arithmétiques sauvages chassent et brûlent
nos têtes

Je ne me souviens plus je suis debout sur une porte
Je regarde la mer défaire ses nœuds de serpents
bouillant dans l'huile chaude

Sur les radeaux d'outre-mémoire je suis le naufragé
je ronge un peu de terre
On se noie quelque part j'en suis sûr

J'étais sur une porte et la nuit maintenant je ne me
souviens plus
Mais dans ma main je garde encore le fil rouge des
désastres

*

Danse avec les théâtres impériaux lumière
Des zodiaques barbares en foule refluant
La nuit ne tuera pas ce soir lumière
Les voyageurs blessés qui partent en criant
Le lustre est allumé pourtant frontière
Et dans les rues roulent les robes des chevaux
On ne se battra pas ce soir lumière
Devant les esplanades où courent les chevaux
Peut-être es-tu déjà morte lumière
Danse avec les théâtres impériaux

1945

(Version de 1945)

VI

« L'imagination n'a pas à s'humilier devant la vie » Poésie traduite de quelques langues non françaises

Ce serait faire appel à presque tous les grands noms de la poésie mondiale que de vouloir citer de belles pages de poésie surréaliste ou du voisinage surréaliste écrites par des poètes utilisant d'autres langues que française. Tant il est vrai que le « foyer d'incendie » de la poésie surréaliste se confond presque avec la poésie « tout court » du siècle tout entier. Plusieurs furent prix Nobel de poésie. Nourris de poésie surréaliste et la réinventant à mesure furent Octavio Paz ou Vitězslav Nezval, l'un Mexicain et l'autre Tchèque, ShûzôTachiguchi ou Odysseus Elytis, l'un Japonais, l'autre Grec. La liste serait longue. Mais les uns reconduisirent leur écriture après un certain temps dans des chemins plus personnels, oubliant ces lectures ou souhaitant qu'on les oublie, d'autres restèrent fortement isolés dans leurs pays respectifs, reconstruisant leur « imaginaire » à eux du surréalisme, les autres enfin restèrent attachés à la fonction exaltante de l'identité « surréaliste » quand le bizarre des mots surgis est respecté comme ce que dit la bouche d'ombre, attachés surtout à leur groupe (au sens de set *ou de* Bund*) : le groupe au sein duquel on communique par le moyen de mots singuliers, réputés ouvrir une* *autre appréhension du monde, circulant comme des « signifiants » qui se déplacent, qui deviennent mots de passe et se chargent d'une force d'invention pratique tenant de la magie.*

Ce court chapitre ne répond donc nullement à une lecture qui se voudrait historique, il ne peut que suggérer toute cette richesse. Il se borne à laisser ouverte une porte, et chaque lecteur s'il prend la peine de s'informer construira l'enfilade de pièces qui s'imposerait pour tel ou tel domaine linguistique : il suffit d'entendre ici l'éclat des voix, et les effets d'échos. Les critères du choix infime ici proposé, étant multiples, ne peuvent aboutir qu'à proposer une série subjective au plus haut point, et sont fortement liés à l'existence ou non de belles traductions.

Car ce dont il s'agit dans ce livre, c'est toujours de donner à lire de belles pages d'une poésie qui dise à la fois les exigences poétiques et intellectuelles d'un mouvement dont l'ambition est d'abord éthique et politique au sens le plus large, et puis, dans ce contexte, esthétique.

LANGUE ESPAGNOLE

On va lire ici des poètes qui ont écrit dans des langues autres que française, et qui ont dû à de grands traducteurs d'être entendus dans cette dernière, ou bien qui l'entendaient suffisamment pour collaborer à leurs propres traductions. Ce parcours ne saurait être exhaustif, il répond au goût le plus subjectif comme aux aléas de notre connaissance. Des zones linguistiques entières sont omises, comme celle du Brésil, dont le mouvement « moderniste », dans les années 20, ne pouvait guère rejoindre les positions surréalistes : catholicisme et onirisme y font bon ménage. — Quant au mouvement « anthropophagiste » animé surtout par Oswald de Andrade, à la fin des années 20, il rejoint clairement dada plutôt que le surréalisme. De même le corporatisme dictatorial de Salazar ne fait pas du Portugal une zone d'élection du Surréalisme, dont les poètes durant tout l'entre-deux-guerres sont encore fascinés par l'immense Fernando Pessõa. Ce dernier meurt en 1935. Cependant de grands poètes proches de l'esprit du surréalisme publient après la Seconde Guerre mondiale : c'est surtout Mario Cesariny, autour duquel on trouve de grands artistes comme Artur Cruzeiro-Seixas.

On va d'abord évoquer, pour la langue espagnole, un grand Mexicain, Octavio Paz (1914-1998), qui s'est toujours proclamé surréaliste ; puis, partageant sa vie entre le Pérou, où il est né, et le Mexique, César Moro (1903-1956). Ensuite, on donnera à lire un Argentin, Enrique Molina (1910-1996), ainsi que deux Péruviens : Carlos Oquendo de Amat (1905-1936) et Emilio Adolfo Westphalen (1911-2001), enfin, un Espagnol, peintre et écrivain : Eugenio Granell (1912-2001).

OCTAVIO PAZ

Liberté sur parole

Là où cessent les frontières, les chemins s'effacent. Là commence le silence. J'avance lentement et je peuple la nuit d'étoiles, de paroles, de la respiration d'une eau lointaine qui m'attend où paraît l'aube.

J'invente la veille, la nuit, le jour qui se lève de son lit de pierre et parcourt, yeux limpides, un monde péniblement rêvé. Je soutiens l'arbre, le nuage, le rocher, la mer, pressentiment de joie — inventions qui s'évanouissent et vacillent face à la lumière qui désagrège.

Et puis, les arides montagnes, le hameau d'argile séchée, la réalité minutieuse d'un *pirú* stupide, de quelques enfants idiots qui me lapident, d'un village rancunier qui me dénonce. J'invente la terreur, l'espoir, le midi — père des délires solaires, des femmes qui châtrent leurs amants d'une heure, des sophismes de la lumière.

J'invente la brûlure et le hurlement, la masturbation dans les latrines, les visions dans le fumier, la prison, le pou et le chancre, la bataille pour la soupe, la délation, les animaux visqueux, les frôlements ignobles, les interrogatoires nocturnes, l'examen de conscience, le juge, la victime, le témoin. Tu es en trois. À qui en appelles-tu maintenant et avec quelles arguties veux-tu détruire celui qui t'accuse ? Inutiles, les placets, les plaintes, les alibis. Inutile de frapper aux portes condamnées. Il n'y a pas de portes, mais des miroirs. Inutile de fermer les yeux, ou de retourner parmi les hommes : cette lucidité ne m'abandonne plus. Je briserai les miroirs, je mettrai en morceaux mon image, que mon complice, mon délateur, chaque matin reconstitue pieusement. La solitude de la conscience et la conscience de la solitude, le jour avec pain et eau, la nuit sans eau. Sécheresse, champ ravagé par un soleil sans paupière, œil atroce, ô conscience ! présent pur où le passé et l'avenir brûlent sans éclat ni espérance. Tout débouche dans cette éternité qui ne débouche nulle part.

Là où s'effacent les chemins, où s'achève le silence, j'invente le désespoir, l'esprit qui me conçoit, la main qui me dessine, l'œil qui me découvre. J'invente l'ami qui m'invente, mon semblable ; et la femme, mon contraire, tour que je couronne d'oriflammes, muraille que mon écume assaille, ville dévastée qui renaît lentement sous la domination de mes yeux.

Contre le silence et le vacarme, j'invente la Parole, liberté qui s'invente elle-même et m'invente, chaque jour.

en espagnol, 1960, en français, 1966,
trad. de Jean-Clarence Lambert

Griffonnage

Avec un morceau de charbon
avec ma craie cassée et mon crayon rouge
dessiner ton nom
le nom de ta bouche
le signe de tes jambes

sur le mur de personne
Sur la porte interdite
graver le nom de ton corps
jusqu'à ce que la lame de mon couteau
saigne
        et la pierre crie
et le mur respire comme un sein

Toucher

Mes mains
ouvrent les rideaux de ton être
t'habillent d'une autre nudité
découvrent les corps de ton corps
Mes mains
inventent dans ton corps un autre corps

Nuit blanche

Aux poètes André Breton et Benjamin Péret

À dix heures du soir au Café d'Angleterre
à part nous trois
                        il n'y avait personne
On entendait dehors le pas humide de l'automne
pas d'aveugle géant
pas de forêt marchant sur la ville
Avec mille bras avec mille pieds de brume

visage de fumée homme sans visage
l'automne marchait vers le centre de Paris
d'un pas sûr d'aveugle
Les gens passaient dans la grande avenue
certains d'un geste furtif s'arrachaient le visage
Une prostituée belle comme une papesse
traversa la rue et disparut dans un mur verdâtre
le mur se referma
Tout est porte
il suffit de la légère pression d'une pensée
Quelque chose se prépare
                                        dit l'un d'entre nous
La minute en deux se déchira
je lus des signes sur le front de cet instant
Les vivants sont vivants
ils marchent volent mûrissent éclatent
les morts sont vivants
leurs os fiévreux encore
le vent les agite les disperse
grappes tombant entre les jambes de la nuit
La ville s'ouvre comme un cœur
comme une figue la fleur qui est fruit
désir plus qu'incarnation
incarnation du désir
Quelque chose se prépare
                                        dit le poète

Ce même automne vacillant
cette même année malade
fruit fantôme glissant entre les mains du siècle
année de peur temps de murmure et de mutilation
Nul n'avait de visage ce soir-là
dans l'underground de Londres
Les yeux
            abomination de miroirs aveuglés
Les lèvres
            raie de coutures épaisses

Nul n'avait de sang nul n'avait de nom
nous n'avions ni corps ni esprit
nous n'avions pas de visage
Le temps tournait et tournait et ne passait pas
il ne se passait rien sinon le temps qui passe et
  revient et ne passe pas
C'est alors qu'apparut le couple adolescent
lui était blond « flèche de Cupidon »
casquette grise moineau vaillant et flâneur
elle petite rousse tachetée
pomme sur une table de pauvres
branche pâle dans un patio d'hiver
Enfants féroces chats sauvages
deux plantes farouches enlacées
deux plantes épineuses à fleurs subites
Sur son manteau couleur fraise
resplendit la main du garçon
quatre lettres
sur chaque doigt brûlant comme des astres

Tatouage scolaire encre de Chine et passion
anneaux palpitants
oh main collier au cou avide de la vie
oiseau de proie et cheval altéré
main pleine d'yeux dans la nuit du corps
petit soleil et fleuve de fraîcheur
main toi qui donnes rêve et résurrection

Tout est porte
            tout est pont

maintenant nous marchons sur l'autre rive
regarde en bas courir le fleuve des siècles
le fleuve des signes
Regarde courir le fleuve des astres
ils s'embrassent se séparent se rejoignent
entre eux parlent un langage d'incendies
leurs luttes leurs amours
sont la création et la destruction des mondes
La nuit s'ouvre
                    immense main
constellation de signes
écriture silence qui chante
siècles générations ères
syllabes prononcées par quelqu'un
mots que quelqu'un entend
portiques aux piliers transparents
échos appels signaux labyrinthes
L'instant bat des paupières dit quelque chose
écoute ouvre les yeux ferme-les
la marée se lève
                    Quelque chose se prépare

Nous nous dispersons dans la nuit
mes amis s'éloignent
j'emporte leurs paroles comme un trésor brûlant
Lutte le fleuve avec le vent d'automne
lutte l'automne contre les maisons noires
Année d'ossement
monceau d'années mortes et crachées
saisons violées
siècle taillé dans un hurlement
pyramide du sang
heures rongeant le jour l'année le siècle l'os
Nous avons perdu toutes les batailles
tous les jours nous gagnons une
                                        Poésie

La ville se déplie
son visage est le visage de mon amour
ses jambes sont jambes de femme
Tours places colonnes ponts rues
fleuve ceinturon de paysages noyés
Ville ou Femme Présence
éventail qui montres et voiles la vie
belle comme l'émeute des pauvres
ton front délire mais dans tes yeux je bois la sagesse
tes aisselles sont nuit mais tes seins le jour
tes mots sont de pierre mais ta langue est pluie
ton épaule midi sur la mer
ton rire le soleil entrant dans les faubourgs
tes cheveux en se dénouant la tempête sur les terrasses de l'aube
ton ventre la respiration de la mer la pulsation du jour
tu t'appelles torrent et t'appelles prairie
tu t'appelles pleine mer
tous les noms de l'eau sont tes noms
Mais ton sexe est innombrable
l'autre face de l'être
l'autre face du temps
l'envers de la vie
Ici prend fin tout discours
ici la beauté n'est pas lisible
ici devient terrible la présence
repliée sur soi la Présence est vide
le visible est invisible
Ici se rend visible l'invisible
ici l'étoile est noire
la lumière est ombre lumière l'ombre
Ici le temps s'arrête
les quatre points cardinaux se touchent
c'est le lieu solitaire le lieu du rendez-vous

Ville Femme Présence
ici prend fin le temps
ici commence

D'un mot à l'autre, en langue française,
1980, trad. Jean-Claude Masson

CÉSAR MORO

L'art de lire l'avenir

Trouble rire ou lourdeur imitée
Bordée par des chemins ruisselants
De larmes trouées clairvoyantes
Quel meurtre suivi d'apparitions limpides
Où le parricide évoque une paisible prairie stagnante

L'amère bise roule un tambour de fluide
Une charrue flambante sur le ciel
Perd roues et griffes comme des pétales
Formant des secrets et chaises pour fantômes

Si je veux dormir une tonne d'étoiles éclate
Je voudrais m'asseoir
Le temps dentelé s'efface
L'oubli n'a pas pu escalader
Le rocher funeste tombeau des oiseaux hilares

La fenêtre de la méduse

Jambes croisées :
Fougères fermées

Langue déliée :
Horreur du vide

L'hiver ne sait plus de quoi il retourne
Les mains de l'amandier du littoral
Glissent sur les cheveux déchirants
Une fois pour toutes le sommeil s'installe

À peine un cri
Et tout redevient ce grand silence
Cadencé et vorace
Marqué de blessures profondes

Adresse aux trois règnes

Je parle aux trois règnes
Au tigre surtout
Plus susceptible de m'entendre
Au mâchefer à l'escarbille
Au vent qui ne se situe dans aucun des trois règnes
Pour la terre il faudrait parler un langage de boue
Pour l'eau un langage de ventouse

Pour le feu serrer la poésie dans un étau et fracasser
le crâne
atroce des églises

Je parle aux sourds aux oreilles tuméfiées
Aux muets plus imbéciles que leur silence impuissant
Je fuis les aveugles car ils ne pourront me comprendre
Tout le drame se passe dans l'œil et loin du cerveau

Je parle d'un certain enchantement incompréhensible
D'une habitude méconnaissable et irréductible
De certaines larmes sèches
Qui pullulent sur la face de l'homme
Du silence qui résulte du grand cri de la naissance
De cet instinct de mort qui nous soulève
Nous les meilleurs parmi les hommes

Chaque matin se faisant tangible sous forme d'une méduse
sanglante à la hauteur du cœur

Je parle à mes amis lointains dont l'image trouble
Derrière un rideau de vacarme de cataractes
M'est chère comme un espoir inaccessible
Sous la cloche d'un scaphandrier
Simplement dans la solitude d'une clairière

en langue française *Le Château de grisou*,
Mexico, 1943

ENRIQUE MOLINA

Dieux d'Amérique

Comme des éclairs qui partent en exil,
avec le vieux cri de leurs victimes
ils ont passé un à un, dégringolant de la couronne de pierre de l'autel
qui avait soutenu leur splendide terreur.
Leur nuage solitaire, avec ses mythes froids
tourne comme un triste oiseau dans la fraîcheur nocturne ;
et du bûcher,

seule la flamme de l'ortie grimpe
au pied des pyramides tronquées par les temps.
Nulle ombre ici ne dépose d'offrande,
ni l'œil d'un humain, sous les larmes, ne contemple
sa colère emplumée briller dans le vide.

Dieux d'Amérique. Seul le caïman fouette
de sa queue de fange votre orgueilleux empire.
Colliers de dents et de guerres éparpillés
où le trône agonise comme une bête blessée
et la funeste terre du silence dévore
le couteau d'onyx, le pot en céramique
avec son mort accroupi
sur ses vertes lèvres de peau sèche fulgure encore
le Psaume de la Pluie,
le Psaume de l'Œuf,
le Psaume de la Lumière et du Serpent.

Masques imprégnés de la résine de la torche,
illuminez le désert, la neige,
et la peau des siècles sur les marches
où comme un léger tourbillon de poussière
prie encore le prêtre aux oreilles trouées qui
  déchiffre l'oracle.
Fabuleux globes de monstres et plumes, dieux,
sommets de panique et grandeur.

Qui suis-je face à vous, serf d'un dieu plus
  haut où seule se pose
sur la paume blessée la colombe ardente de l'ex-
  piation ?
J'ignore vos sceptres,
de vous je ne sais que la ruine, la cendre humiliée
  du bûcher,
l'escalier de pierre, le disque renversé,
la momie qui bredouille entre les lézards ses
  prières solaires,
votre éternel éloge,

votre loi, oh ! amères puissances vaincues !
Cependant, souvent, dans la tempête,
j'entends le hurlement de ces durs empires dévastés,
la rumeur de quelques gloires perdues
que la poussière divinise.

Passions terrestres, 1946,
trad. Pierre Rivas

Amants vagabonds

Jamais nous n'avons eu maison ni patience ni oubli
mais un peu plus loin vers rien
voici les lampes de voyage
tremblant doucement
les hôtels à la gorge jaune toujours brisée
et leurs rustiques vaisselles pour le suicide ou la
mélancolie
— Oh ! le croassement errant sur le faîtage !
Nous dormions au hasard de montagnes ou chau-
mières
sous les hautes destructions du ciel promptes à
brûler d'un feu insaisissable
près de l'arbre de passage qui s'éloigne
souvent penchés aux fenêtres en ruines
aux balcons en flammes ou en cendres

Dans ces lits de province
la pluie est égale aux baisers tu te dénudais
tournant doucement dans l'obscurité avec la
rotation de la terre
beauté impunie beauté insensée
mais une seule fois une fois seulement
l'amour joue aux dés de voleur du destin :

si tu perds tu peux savourer l'orgueil
de contempler ton avenir dans une poignée de sable.

Que de visages abandonnés !
Que de portes de voyage entrouvrant ses larmes !
Que de femmes que la lumière étouffe
dénouent leur chevelure d'indélébile région baisée
par le vent
avec des oiseaux immobiles posés à jamais dans leur
regard
avec le sifflement d'un train qui arrache lentement
ses racines de fer.

Avec la lutte de tout abandon et de toute
espérance
avec les grands marchés où pullulent chiffres
injures légumes et âmes fermées sur leurs
noirs sacs de semences
et les quais dissous sous une écume de fer
— délire temps et consommation —
tombe de vieux jours
belle comme le désir dans les veines terrestres
son feu est la nostalgie
la jalousie du tropique derrière laquelle il y a des
lustres
des rideaux en lambeaux et une vieille vielle
avec la même chanson sans fin
mais les amants exigent frustrations tourments
Des périls plus subtils :
leur passé est incompréhensible et se perd comme le
mendiant
abandonné dans un lieu orageux.

Coutumes errantes ou la rotondité de la terre, 1951,
trad. Pierre Rivas

CARLOS OQUENDO DE AMAT

(Cinq mètres de poèmes)
Chambre des miroirs

En ce minuit
aux grilles d'air
les mains s'agitent

Où donc est la porte ? Où est la porte ?

et toujours nous nous cognons
Aux miroirs de la vie
Aux miroirs de la mort

ÉTERNELLE Jeunesse Vieillesse ÉTERNELLE

Être toujours le même miroir où nous tournoyons
les mains jaunes s'agitent
les autres mains se perdent

et dans ce tout-rien de miroirs
être en BOIS

et sentir dans le noir
LES COUPS DE HACHE DU TEMPS

Poème de l'asile d'aliénés

J'ai eu peur
et je suis revenu de la folie
J'ai eu peur d'être
une roue
une couleur
un pas
PARCE QUE MES YEUX ÉTAIENT DES ENFANTS
Et mon cœur
un autre

bouton
de
ma camisole de force

Mais aujourd'hui que mes yeux portent des pantalons
longs
je vois la rue mendiante de passants

Réclame

Aujourd'hui la lune fait son marché
D'un tramway
le soleil comme un passager
lit la ville

les coins de rue
amincissent les passants

et le vent pousse
les voitures de location

On jette des prospectus depuis la lune
(la terre en prime)

Film de sport double séance

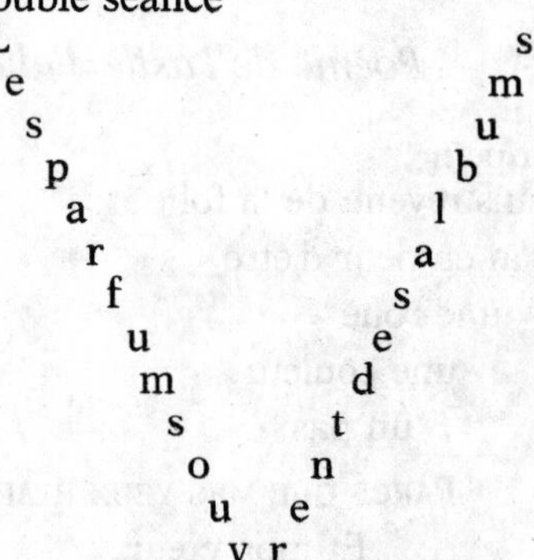
Les parfums ouvrent des albums

de regards internationaux

Le policeman domestique la brise
et le bruit des klaxons a mis des habits bleus
Nouveauté
Tous les poètes sont sortis de la touche U de l'Underwood
r
u
e
s
n
e
c
s
a
n
u

acheta pour la lune 5 mètres de poèmes

ENTRACTE — 10 MINUTES

Cinq mètres de poèmes, 1927,
trad. Pierre Rivas

EMILIO ADOLFO WESTPHALEN

Le retour de la déesse d'ambre

Mettre ensemble les deux langues — manière unique idoine acceptable pour chanter l'Amour — pour proclamer : moi j'aime l'Amour et l'Amour m'aime.

J'eus une fois dans la main un petit pied large (il n'excédait pas le contour de ma paume) sale parfait de demoiselle complaisante — et ce fut alarmant de le sentir peser comme un morceau compact de basalte. Plus troublante encore — cependant — la peau délicate particulièrement perméable à la caresse.

Énervante conjonction de qualités opposées — harmoniques et excitantes. Le pied d'une nymphe ou bacchante ou autre incarnation mythique (ancienne ou moderne — la Garbo par exemple) de nos imaginations concupiscentes aurait-il le même poids spécifique et induirait-il autant que celui-ci à la luxure ?

Aujourd'hui j'ai vu la Déesse d'Ambre — le même teint ambré — ses yeux de flamme et ténèbre — incarnation de l'unique et éternelle Beauté.

Sa splendide Fureur a mis le feu à mon âme — sa Beauté funeste s'est repue de mon sang — sa Rancune et sa Haine extravagantes m'ont ouvert le paradis.

Je ne suis — ne serai qu'un somnambule interdit devant la Beauté effroyable de la Déesse d'Ambre.

Rien n'existe — rien ne peut exister que la Déesse d'Ambre et sa Beauté de Méduse qui ravit en extase et anéantit.

On aura observé le nimbe qui entoure certains visages féminins — le cercle de lumière qui cerne la Beauté. Plus que la Sainteté — la Beauté possède sa propre lumière.

Aux petites têtes de la tendre enfance le nimbe est (disons) consubstantiel — mais ne leur est pas exclusif. Il n'est pas rare de voir cette auréole chez des beautés ayant atteint ou dépassé la mûre plénitude des années et de l'expérience.

Insolite fut — malgré tout — la vérification que je fis — sa persistance même après la Mort. Rien ne bouleverse et n'émerveille tant que voir resplendir un masque mortuaire.

Retrouvés l'éclat juvénile et la splendide beauté — yeux clos — définitivement immobile — absent — l'être aimé arborait le nimbe le plus pur triste et apaisant que j'aie jamais contemplé.

Le recueil en langue espagnole a paru en 1988 à Mexico et en 1989 à Lima, Pérou.
Traduction de Claudine Fitte revue par l'auteur avec la collaboration de Daniel Lefort

(Faux rituels et autres fariboles)
Artifice de survie

— Empêcher le lever du soleil — barrer soigneusement les innombrables portes et fenêtres de la nuit — ne laisser aucun interstice par où filtrerait le soleil — effacer au firmament toute trace du sillage laissé autrefois par le quadrige d'Apollon.

— Qui ainsi s'exprima — prétend-il nous mettre un masque noir dépourvu d'ouvertures ? — oublie-t-il l'incontournable alternance entre jour et ténèbres — les heures récurrentes — les éclipses exactes au rendez-vous ?

— Bien entendu — répond-il. Mais à quoi sert le langage s'il ne suggère (ou invoque) l'impossible ? Voyez : le soleil est tombé dans le piège (fictif) que lui tendirent les mots. Il n'y a pas de soleil — pas de jour — pas même la nuit n'est nécessaire.

— (Il ferme les poings — et serre les paupières.)

1994
trad. Daniel Lefort

EUGENIO GRANELL

Île, coffre mythique

Prestige des îles

Des nuages magiques entourent la pénombre de leur origine historique, qui resplendit grâce au prestige des îles. Des vers de lumière noire cristallisée par la caresse du salpêtre et de l'iode. Des constellations clouées sur le ciel mouvant de la mer, des étoiles filantes, qui, dès qu'elles montrent le bout de leur nez, illuminent d'un éclair fulgurant l'imagination d'interminables générations.

Les îles ! Les îles ! Des siècles durant, ce fut là le cri de guerre pour la paix de l'esprit. Des îles, inconnues, lointaines, insaisissables, viennent à l'esprit ardent, secouent le cerveau et font naître des étincelles de l'engourdissement auquel le réduisent la lutte pour la vie et l'excès de travail. Plus tard, un coin douloureux cherchera à interdire le moindre rayon de lumière dans la circonvolution cérébrale ; un coin rationaliste, enfoncé avec une maladroite cruauté entre le mur en sueur des tâches quotidiennes et le mur froid des exigences péremptoires.

Les îles désignent l'horizon invisible, mais pressenti, de l'imagination. C'est vers elles que s'achemine toute idée de rêve, de fable, de bonheur, d'harmonie, de calme, de paresse, de libération :

Dans l'itinéraire occulte du surréalisme son vrai nom est : libération (Julien Gracq, *André Breton*).

Île, liberté, surréalisme sont les côtés d'un même triangle — géométrisation la plus stricte de l'île. Une île devient une fin. Un point final sur l'ample feuille bleu ciel et bleu de mer des projets fantastiques de l'homme.

Breton découvre les îles. Il rappellera lui-même, dans un dialogue sylvestre avec Masson, que Gauguin fit la même découverte : « Il est frappant de penser que Gauguin, entre autres, est passé par la Martinique et a songé à s'y fixer » (p. 19), Gauguin, qui dans sa jeunesse fut marin et finit ses jours dans une autre île.

Dans *L'Amour fou*, Breton avait proféré une plainte nostalgique et prophétique : « Je regrette d'avoir découvert si tard les zones ultrasensibles de la terre. » Julien Gracq reprend cette lamentation, mais il est étrange que lorsqu'il énumère ce qui provoquait l'enthousiasme médiéval — « les tapis et les chevaux volants, les fées, les géants, les enchanteurs, les armes magiques » — et tient pour révolu le temps de la vague et diffuse aventure, « celle des romans de la Table Ronde comme celle de Robinson Crusoë », cet auteur omette le stimulant des îles, déjà évident dans le vieux précédent hispanique à Robinson (auquel précisément Gracq fait allusion[1]).

Le stimulant des îles. Sa puissance évocatrice agira encore, un siècle et demi durant, autour de l'île de Pâques, découverte par le Hollandais Roggeven, à laquelle parvint ensuite l'Espagnol González Haedo ; celle que chercha, sans la trouver, le commodore

1. « Vers le milieu du XIIIe siècle, Bentofail de Guadix écrivit un petit roman intitulé *Philosophus autodidactus* ou *L'Homme naturel* ou *L'Histoire de Hay Ibn Jokdhan*, qui est celle d'un être primitif, orphelin et inculte, qui grandit sur une île déserte, nourri à la mamelle par une biche, et qui progressivement parvient, à travers ses propres observations, ses réflexions et sa propre introspection, indépendamment de toute tradition, aux vérités essentielles du Coran. » (Karl Vossler, *Algunos Caracteres de la cultura española*, Buenos Aires, Espasa-Calpe, p. 92-93.)

Byron, grand-père du poète ; celle que le Capitaine Cook visite au cours de l'un de ses voyages autour du monde (voyages fantastiques qui laissent les mers couvertes de constellations insulaires inédites) : celle qui obséda passionnément des Français, des Belges, des Espagnols, des Anglais, des Russes, des Nord et Hispano-Américains ; celle qui encouragea même Pierre Loti à y peindre à l'aquarelle. Une terre insulaire, celle de Rapa-Nui, que le capitaine chilien Toro — l'île a bien une forme de taureau — annexa au Chili en 1888.

Les îles, stimulants puissants d'universalité, sont les massues qui brisent, pour minuscule qu'il soit, tout diamant empoisonné de chauvinisme.

L'omission des îles dans le livre admirable que Julien Gracq a consacré à Breton n'en reste pas moins étrange. Car le voyage de Breton et de ses amis aux îles antillaises, ainsi que la mission essentielle que Pierre Mabille leur confère, prouve que le mythe des îles, bien qu'évanoui, fleurit à nouveau avec une entière vigueur. Dans le compte rendu que fait la revue d'Aimé Césaire, *Tropiques*, du passage de Breton et de ses amis à la Martinique, on souligne l'importance de l'événement : « La rencontre de Breton et des Antilles a une signification particulière [...] Breton n'a pas vu la Martinique comme un touriste, mais comme un rêveur qui au détour du chemin découvre une région de son rêve. »

Elle n'est pas tardive, la découverte que fit Breton de ces « zones ultrasensibles de la terre ». Car il n'y a ni *tôt* ni *tard*, mais seulement *ici* et *là*, puisque le temps est une dimension inconnue de l'espace.

Ce livre devait être le livre d'une île.

L'île, entre les continents, fait vibrer l'impulsive anxiété et donne confiance à celui qui veut sauter dans l'abîme qui élève les plus hautes cimes. Cheville qui tempère la corde du son poétique. La terre frissonne dans l'île avec la trépidation de ses viscères — « le cœur humain, beau comme un sismographe » (Breton) —, ce qui arriva à la Martinique lorsque la montagne Pelée entra en éruption en 1902, au rythme incandescent de la flamme qui détruisit la ville de Saint-Pierre.

« Je suis sûr qu'une lampe de l'ancien Saint-Pierre fonctionne encore » (Breton).

C'est cela, l'île : un volcan tireur de lampes brûlantes vers l'au-delà de l'horizon. C'est pourquoi le surréalisme est une île, entouré de toutes parts — de toutes parts — de l'eau d'un monde qui prend l'eau par une infinité de petits trous impossibles à colmater. Au milieu de ce dramatique effondrement de la vie connue, le surréalisme est la seule île salvatrice capable de maintenir à flot ceux qui auront la foi et le courage de s'approcher d'elle. L'île, située au milieu des côtes de la terre ferme qui tangue, se sent terre ferme sûre d'elle-même, alors que sur tout le reste commence la lente, mais irrémissible immersion qui, beaucoup plus loin, conduisit l'Atlantide au fond des mers.

À la charnière du siècle, Unamuno appela notre attention sur l'île :

> *Robinsons pleins de foi, d'espérance et d'amour, laissons le vieux* monde concentré *(c'est nous qui soulignons), sa civilisation devenue culture, cherchons les îles vierges et encore désertes, pleines d'avenir et chastes de la chasteté du silence de l'Histoire*, les îles de la liberté, *située dans la sainte* énergie créatrice, *énergie toujours orientée vers l'avenir, unique royaume de l'idéal.*

Énergie créatrice dans les îles, pour Unamuno. Future vigueur insulaire, pressentie par Rimbaud.

Coffre mythique

La femme-enfant habite une île fortunée.

Gracián raconte que, d'après les anciens, « lorsque Dieu créa l'homme, il enferma tous les maux dans une profonde caverne là-bas loin et encore ils veulent dire dans une des îles Fortunées... ». L'île fut fermée avec « une porte de diamant avec ses cadenas d'acier ». La clé fut remise à l'homme libre, après qu'il eut été averti que s'il n'ouvrait pas l'île il serait à l'abri de ses ennemis. Les biens, pendant ce temps, déambulaient à leur aise de par le monde. L'être humain était très heureux. Mais la femme, « entraînée par sa curieuse légèreté », comme l'explique Gracián, prit un jour à l'homme son cœur... ainsi que sa clé. Et elle ouvrit l'île. La prison du mal se vida. Le jeu de la clé dans cette opération « fit trembler l'univers ». Le mal s'empara « à son aise de toute la rondeur de la terre ».

C'est Egène qui raconte une telle histoire à ses amis, dans la Crise XIII de *El Criticón*. Mais Egène, qui parle par la bouche de Gracián, se trompe dans son usage de la casuistique jésuistique lorsqu'il conclut que les maux, en se heurtant tous à la femme avant quiconque, la laissèrent « pleine de malice des pieds à la tête ». Ce qui est suffisant pour que l'homme fuie la femme comme le pire des maux.

La femme mue par une telle inquiétude imagina et mit en pratique un stratagème d'une audace inouïe. Il y avait au moins un lieu sur la terre qui était une prison, et là au moins le bien y était étranger. Il fallait libérer même cet unique, cet ultime lieu. C'est ce que fit la femme, en réagissant comme Alice, à la conjuration magique de l'imagination. À partir de ce moment commence certainement le grand exploit de la liberté au grand jour.

La femme est loin ou près, nous le savons. Nous savons seulement, oui, qu'elle est dans son île, île purifiée, île volante. Île qui est maintenant le seul et le premier réduit de la terre exempte de ce mal, que nous fuyons tous. Celle qui fut une île pénitencière se changea en île coffre mythique de la femme-enfant : du bien —, du plus grand bien, somme de biens, liberté.

Ainsi l'île est-elle l'unique refuge. Auquel, selon Breton, conduit seulement un chemin « spirituel ». Liberté et beauté s'identifient : « La beauté est [...] le grand refuge » (Breton[1]). Refuge insulaire, l'île que Breton signale, et pour y accoster il traça cette carte marine qu'est « Flagrant délit », une carte que déchiffreront seulement, s'ils possèdent la foi qui leur permettra de pénétrer son profond secret, ceux qui comme Colomb, comme Breton, *sauront* que l'île est là. La *beauté*... « île où s'éveillent, où jouent de leur pouvoir fascinateur toutes les séductions, mais île flottante en diable, dont le tracé n'a pu être relevé sur aucune carte. La plupart de ceux qui en parlent ne la connaissant que par ouï-dire ». (*ibid.*)

EVA égale AVE égale VEA égale B.A. égale A.B.

Les coordonnées des archipels anciens et modernes composent un labyrinthe linéaire inextricable, un écheveau qui occulte la vision de l'Ève éternellement jeune, Ève de l'amour. L'être humain, en s'aveuglant lui-même, enfonça l'Atlantide, cette île énorme, en lui-même. Un autre changera le cours de notre destin aveugle, en clarifiera le cap. L'Île existe. L'Amérique n'existait-elle pas ? En trouvant à nouveau son authenticité, l'être humain découvrira en

1. « Flagrant délit », dans *La Clé des champs*.

lui-même la solution, la clé qui devra lui permettre d'ouvrir l'arcade par laquelle on accède à l'île de la liberté, trône de la femme-enfant annoncée par Breton.

Île, coffre mythique, 1951, trad. par Paul Aubert

Grand lieu de résonance surréaliste, la langue catalane devrait être évoquée ici, mais la région de Barcelone, où sont nés les peintres Joan Miró et Salvador Dalí, Esteban Frances et Remedios, bien qu'étant la patrie du poète et critique J.V. Foix – lequel de son côté « invente » l'écriture automatique en 1917 et fonde en 1926 la fascinante revue L'Amic de les arts *– est illustrée avant tout par la peinture.*

LANGUES D'EUROPE CENTRALE ET ORIENTALE

DOMAINE SERBE

Quelques milliers d'enfants serbes accueillis en France pendant la Grande Guerre, pour cause d'alliance militaire entre les deux États, ont assuré la présence de la langue française en Serbie pendant plusieurs générations : présence grâce à laquelle circule l'esprit du surréalisme que représentent avec éclat Marko Ristić et Dušan Matić, parmi de multiples et brillants intellectuels. Tout à fait parallèlement à ce qui se passait dans les groupes de Paris (ou de Barcelone), et dans un échange constant avec ces derniers, les revues y ont foisonné, une version aiguë de la pensée surréaliste s'y est formulée, dont le texte de Marko Ristić sur l'humour cité plus haut donne quelque idée. En 1933 le régime politique interdit pratiquement les manifestations au grand jour et le contexte de la Guerre froide n'a jamais permis, depuis, d'observer de résurgence majeure.

DOMAINE TCHÈQUE

Dans les années qui précèdent le surréalisme, en Tchécoslovaquie, a surgi le « poétisme » : mouvement artistique et intellectuel qu'il faut distinguer de Dada (dont les manifestations sporadiques fleurissent dans les mêmes années en Europe), prônant quant à lui la morale du plaisir, de l'invention et de la modernité et qui — rejoint par les plus grands talents de sa génération, derrière Vitězslav Nezval — sera pour les Tchèques et les Slovaques le *mouvement d'avant-garde, comme le fut l'expressionnisme pour les Allemands ou le Futurisme pour les Italiens*[1]. *Mettant l'accent sur la liberté de l'imagination, les poétistes insistent cependant sur le caractère construit et non spontané d'une œuvre, en soulignant son autonomie et sa nature métaphorique, plutôt que la métamorphose du réel auquel elle tend et prétend, dans la pensée surréaliste. Or, c'est le même Nezval (1900-1958) qui, après avoir fondé avec le peintre Karel Teige le poétisme en 1923/24, fonde ensuite avec Jindřich Štyrský et Toyen, plus jeunes, et nous sommes en 1934, le groupe surréaliste de Prague. Teige n'a pas signé le manifeste mais il est à leurs côtés. Quelques années admirables bientôt déviées par les engagements communistes de Nezval puis de Konstantin Biebl (1898-1951), desquelles nous pouvons laisser émerger deux poèmes, l'un de Nezval, l'autre de Konstantin Biebl. Le premier poème n'est pas « surréaliste » au sens précis du mot puisqu'il date de 1929, ayant été publié dans la revue* Le Grand Jeu, *mais il a une histoire, celle d'avoir été choisi et traduit par le peintre Josef Šima.*

VITĚZSLAV NEZVAL

Acrobate

Toute l'Europe s'était réunie sur les boulevards
Un dimanche matin après la Grand'messe.

1. Comme le dit Petr Král, *Le Surréalisme en Tchécoslovaquie*, Gallimard, 1983.

Les oiseaux avaient abandonné les arbres avec les dépêches écrites sur les feuilles soyeuses du pommier
Ce n'étaient pas seulement les colombes qui distribuaient les cœurs des roses
Les colombes qui de l'autre côté de l'Océan se transforment en brumes
Ni la pie à la bague se confondant avec la nuit qui se termine en diamant
Les grand-mères avec les enfants de chœur
Les mendiants béquillards
Les messieurs en habits
Habits qui étouffent le tic-tac des montres-poussins becquetant la poussière des soleils d'or
Tous autour des tables du quatorze juillet de l'avenir de toutes les villes du monde
Qui se balancent aux fenêtres — couvertes d'affiches
Au milieu de la musique des portes des couvercles des douches
On attendait l'arrivée de l'acrobate
Qui marchait sur la corde.
Tendue de la cathédrale de Madrid par Rome
Paris Prague jusqu'à la Sibérie
Où il a dû planter dans les glaces nordiques la rose rouge d'Europe près de la rose jaune d'Asie
Symboles d'un sourire de deux continents
Dans les Parlements on racontait qu'il s'agissait d'un événement diplomatique
Mais il paraît que cet extraordinaire acrobate était ventriloque
Qui prononçait dans les faubourgs par les gorges des serins d'incroyables sentences sur l'art de manger
Et remplissait les boîtes à poudre des dames avec la poussière qui métamorphose les races

En sa présence se passaient des enlèvements mystérieux
Et une princesse se trouvait soudain nue au milieu de la foule
Il dessinait par ses culbutes pleines de coquetterie de charmants acrostiches
Et la rose rouge devenait bientôt bleue bientôt invisible en passant sans cesse entre les mains des spectateurs
Le bruit courait au sujet de cet homme qu'il guérissait en gesticulant les infirmes
Et les villages suivaient les processions de béquillards
Car chaque maison cache un aveugle aveuglé par le miroir qui est le but de sa vie
Chaque amour a une oreille sourde aux paroles qu'on dit une seule fois dans la vie
Et dont les échos de sang flambent aux brûlantes absinthes
Et au-dessus des tombes sans lumière
Et combien la peur des regards d'adieu a rendu de langues muettes

Un trou de serrure au moins pour chaque maison et derrière une bougie brûle
Éclairant la dernière feuille des calendriers sans lecteurs
Et les lignées interrompues aux pieds de femmes si belles si belles qu'elles sont mortes sans descendance

Il y a sous chaque escalier un chat noir
Et aussi des chats jaunes qui courent sur les toits
Il y a dans chaque caisse l'argent volé au ciel
Chapelet devant un bocal empoisonné
Une mèche arrachée dans un jardin trop clair

Une rose à la bouche d'un mourant sous la potence
Une dent qui manque au bord du lazaret de l'amour

Les processions s'enveloppaient dans les nuages de
l'angélus de midi
Et les gens qui s'embrassent aux sons d'un orgue de
barbarie triste
Regardaient comme les morts à jeun au fond de
leurs tombeaux
Entre les ballons du printemps au long des promenades
Entre les bornes des routes sous les feuilles mortes

Mais l'acrobate agitait son chapeau au-dessus des
infirmes
Et appelait les souris des prisons et les crapauds des
cimetières
Et une pluie de punaises rouges comme un coucher
de soleil
Évoquant ainsi l'histoire du monde des anciennes
chroniques
Soudain on entendit le glas funèbre
Et par la porte qui s'ouvrait sur la longue musique
La porte de l'hôpital paradisiaque dans les flammes
des pots de fleurs
Sur la charrette des infirmes
Sortit un petit marin de sept ans sans jambes
Qui faisait tourner entre ses mains le globe terrestre
Et se mit à courir avec l'acrobate
À travers la foule qui s'écartait comme un mur
Les souris ont disparu dans les trous
Les crapauds recroquevillés sous terre
Ont resurgi en plants de lis
Les âmes des hirondelles sortaient des orgues de
barbarie
Et sur la poitrine de l'acrobate battait des ailes le
papillon sphinx

Comme une cravate frivole

De plusieurs côtés on entendit chanter le chœur des enfants
Sur les tapis les pianos aux touches immobiles commencèrent à vibrer
Comme bruissent les étangs dans les jardins
Beaucoup de vieillards s'écroulèrent en tas de poussières d'argent
Et les pavés blancs comme aux Fêtes-Dieu
Étaient pleins des traces de ceux
Qui désiraient voir de très loin le Rédempteur

À la fin l'acrobate s'était mis à se balancer
Sur les ailes du papillon des suicidés
Il jeta une rose au petit marin
Dont les yeux fidèles et transparents comme un bon vent
Coulaient sur les joues
En regardant l'acrobate qui tombait
Et faisait voir dans sa poitrine ouverte
Son cœur noir comme une chauve-souris

Les agents de police se sont précipités
Pour faire des rapports exacts sur l'identité de cet acrobate fou
Qui en tombant a laissé un aveu si mystérieux
Qu'il faut le dire
Qu'il faut le crier
Qu'il faut le chuchoter
Qu'il faut se taire devant ses paroles si mystérieuses
Si mystérieuses
Qu'il faut les chanter.

traduit du tchèque par Josef Šima (D. R.)

KONSTANTIN BIEBL

Miroir de la nuit

1

Parfois la nuit
Mais également dans la journée
S'ouvrent devant toi des vues rapides

Voici que s'ébranle le train des choses
Jetant les couleurs par la fenêtre

Cette vue de ta psyché ne dure pas plus longtemps
Qu'une blanche explosion de magnésium

Ainsi elle-même s'illumine

Une musulmane sans voile
Puis à nouveau disparaît anonyme
Plus rapide qu'en rêve
Un quelconque souvenir

L'éclair serait l'arbre de l'éternité
Dans les gouffres de ces mondes à peine entrevus
Où se jettent les poètes où iront les peintres
Chasseurs assoiffés de ces fragments de secondes
Pleins d'ailes et de lumière

[...]

5

Déjà toute chose enlève le troisième voile
Derrière le mur qui est le supplice de ta veille
Derrière ce mur appelé *notre éternelle attention*

Que donc les voix du dehors se mettent d'accord
Qu'elles se mettent d'accord avec celles du dedans

Rien ne répond de ce qui paraîtra au grand jour
Et de ce qui restera caché
Derrière ce mur appelé *notre éternelle attention*

6

Au fond de toute chose
Je ne vois plus guère
Que le vif intérêt
De ces quelques êtres chers
Qui ont fait tomber
Le fameux nid vide de la discorde

7

Je sais
Il y a d'autres révélations
Le soleil fait sécher ses tentures dans le jardin

La main dans la main marchent des lys noirs
Avant que tous les abîmes ne se soient refermés

1939

A ces grands noms de la poésie, il faudrait ajouter pour la génération qui suit, notamment après la guerre, une série d'œuvres majeures dont les traductions nous émeuvent. Elles sont accessibles dans l'ouvrage cité de Petr Král (lui-même acteur du mouvement quand ce dernier ressurgit clandestinement en 1959) et dans sa plus récente Anthologie de la poésie tchèque contemporaine, *collection Poésie/ Gallimard. De la dernière génération, donc, seules quelques pages seront citées ici, de Vratislav Effenberger, né en 1923, poète et penseur.*

VRATISLAV EFFENBERGER

Sous l'appentis

Sous l'appentis il y a l'échelle amie de braves gens
et la fenêtre qui donne sur une chambre vide
Ils étaient cinq mais aucun d'entre eux n'est plus là
Ils avaient des bâtons avec lesquels ils touchaient le tonneau le sac le poids oublié
Mais il n'y a plus personne juste l'échelle et un peu de chaux comme après une séance de magie
Comme tu le sais bien on ne fait pas le printemps avec sa main
le sommeil : chaque minute est consacrée à un autre carrefour
des oiseaux voltigent au-dessus de tes bras croisés comme au-dessus des récifs
personne n'est dans la rue mais ici le tonneau et l'échelle mènent une vie à part
la vie de ce que tu te rappelles
et la main dessine elle court sur la feuille poursuivie par un aigle
elle se pose sur le toit et dessine un nuage plein de grains de blé qui ne vont pas tarder à se répandre
personne n'est là et pourtant le puits
qui donc joue là avec un soulier oublié depuis longtemps
en s'enfonçant jusqu'aux genoux dans les ronces

un charmant fatras de noms inconnus comme une
valise renversée
tout au fond il y a une boîte qui a beaucoup à voir
avec une clairière d'été
une blonde vraiment très jolie elle passe devant
mais à nouveau déjà
rien d'autre que le mur couvert d'oracles
le treuil une pyramide qui sait lâcher un juron
ou bien la maison de l'échassier
chacune d'entre elles a sa tempête qui me déracine
qui me confond
qui me jette dans la fable comme le sac de pommes
de terre
qui restera à la fin

La Grande place de la Liberté (manuscrit, 1955-1957)

DOMAINE ALLEMAND

Unica Zürn (1916-1970) est allemande, elle rencontre le peintre Hans Bellmer en 1953 et vient avec lui à Paris. Ses œuvres les plus étonnantes sont les anagrammes qu'on a lues plus haut. Magnifiques sont aussi les pages de prose où elle conte sa vie, ses rêves et son terrible malaise de vivre.

UNICA ZÜRN

Vacances à Maison-Blanche

27 décembre 1957

De nouveau un rêve dont l'interprétation englobe le mot immortalité. Mais de quelle manière inquiétante !

Je crois que ce rêve a été déclenché par des images d'une salle d'opération. J'ai vu dans un magazine des photos d'organes humains, prélevés sur des cadavres et maintenus dans la glace pour des transplantations. La nuit dernière, j'ai donc rêvé d'un être très beau, mi-femme, mi-serpent et assoiffé de sang. C'est pourquoi on lui extirpait tous les organes qui pouvaient lui permettre de faire le mal. On lui enlevait les yeux, la langue, le cœur et des organes du même genre afin de le rendre tout à fait inoffensif. On tâchait de préserver sa grande beauté en l'embaumant si adroitement qu'il donnait l'impression d'être encore vivant. Cela fait, on s'apercevait avec épouvante qu'il parlait sans langue, voyait sans yeux et vivait sans cœur, vidé de son sang, il était d'une grande force et, décervelé, ébauchait visiblement des projets. En réalité, il était devenu plus ardent, plus vivant, plus intelligent, obsédé par la haine et le désir de vengeance, habité d'une force et d'une rage inhumaines. Pour nous, c'est uniquement en nous sauvant que nous évitions d'être totalement anéantis par cet être terrifiant et admirable. J'étais encore pénétrée de cette admiration absolue en me réveillant. J'ai regretté que le rêve eût pris fin ; n'aurais-je pas découvert alors de quelle manière cet être m'aurait anéantie ? Ou bien qu'il n'était autre que moi-même. Ou qu'il était l'image de mon attente du miracle.

Le soir est tombé. Je n'ai plus rien à écrire... Rien que l'inquiétude du cœur qui s'installe lorsqu'il fait nuit. Inquiétude du cœur, du corps, du centre du corps, allant de gauche à droite et remontant aussi vers le haut, inquiétude de la tête qui n'est contente que couchée sur l'oreiller, les yeux fermés par le sommeil.

La voracité du matou Heinrich est immense. Tout son être est suspendu au réchaud à pétrole ou au bouillon de viande. Il dort, il mange. Il dort, il mange.

Le reste du temps, il le consacre aux caresses. Comme je l'aime ! Comme il est avide de compagnie ! La chaleur malsaine des deux poêles dans nos chambres l'incite souvent à aller dans le vestibule, plus frais, où il continue à dormir sur un lit d'enfant vide. Il a plu toute la journée, il va pleuvoir toute la nuit. Je suis sans énergie, répugnant au moindre mouvement, manquant tellement de plaisir intérieur que je m'ennuie moi-même. Un dégoût énorme et qui ne cesse de croître. Je ne suis pas polie, je ne suis pas aimable, mon corps est de la bouillie grise. Je me fane, je suis déjà fanée, et je pourris et je sens mauvais tant tout se gâte. J'oublie que j'ai des jambes. Ma pensée n'arrive plus à descendre jusqu'en bas, jusque dans mes pieds, je pourrais dire à présent, ainsi que le faisait la grand-mère de Hans : « Ah, malheureux que nous sommes... » Rien ne va comme il faut et je ne sais pas ce qui va arriver.

trad. Ruth Henry

DOMAINE GREC

Les poètes qui s'inscrivent dans la mouvance du surréalisme de langue grecque ont pu rêver de publier une revue : Thiasos. *Thiasos, c'est la troupe de comédiens réunis à l'occasion pour telle saison, et pour telle errance commune, ce n'est nullement un groupe initiatique, un* Bund. *Dispersés mais amis, dès les années trente et malgré la dictature politique de Metaxas, ces jeunes intellectuels souvent venus en France pour leurs études, puis revenus au pays, ont réinventé l'écriture automatique (c'est d'abord celle d'Andréas Embiricos,* Haut-fourneau*) puis assumé les audaces de la grande poésie. Leur écriture, restituée par de belles traductions, et leur ambition cosmique* *font des pages qu'on va lire « des morceaux d'anthologie ». On va lire successivement Andréas Embiricos (1901-1975), Odysseus Elytis (1911-1996), et le cosmopolite Nicolas Calas (né Calamaris à Lausanne en 1907, jeune poète revenu en Grèce, puis installé à Paris en 1938 —* Foyers d'incendie *présente en langue française les objectifs majeurs du surréalisme — enraciné enfin aux États-Unis, où ses publications se font en anglais ; il y meurt en 1988). Faute de place où citer leurs traductions, on se borne à évoquer les noms de Nicos Engonopoulos (1910-1985), Nicos Gatsos (1918-1992) et Nanos Valaoritis (né en 1921).*

ANDRÉAS EMBIRICOS

Tel un éternel printemps

Couvrant de sa robe rouge les ondes de l'écart
 par la lance conquis
D'abord petite et grande ensuite
Elle monte au sommet de la tour
Attrape des nues et les presse contre son sein
Il n'y eut peut-être jamais de soupir plus profond
 que le sien
Il n'advint peut-être jamais de chuchotements plus
 incandescents sur visage humain
Il ne se fit peut-être jamais à l'humaine
 compréhension de plus diserte exposition
D'exposition plus circonstanciée plus exhaustive
 que l'histoire que rapportent les nues
 de cette confession
Par intermittence des guillotines les tranchent
Des gouttes chaudes tombent sur la terre
La butte qui se forma au point principal de la chute
Se gonfle et monte encore

Aucun tribut n'est plus lourd qu'une telle goutte
Aucun diamant plus pesant
Aucun fiancé de passion plus chargé
Du monticule les flancs rutilants brillent au soleil
Au sommet s'y trouve un bassin languissant
Il est fin comble
Et de ses fonts jaillit une gamine enfantine sublime
Notre espoir de demain.

Les Vertèbres de la cité, 1935,
trad. Jacques Bouchard

ODYSSEUS ELYTIS

Dionysos
(fragment)

1

De brandons escortées qui dans les flancs orgiastes
des blondes danseuses furent en veilleuse
De stalactites d'azur accompagnées qui parmi
des fabulations d'hyènes s'accrurent
Ainsi que de villas verdoyantes qui s'ouvrent à leurs
rires et de matin point ne trouvent
Tous les pharillons pourtant les affolent à lancer
leurs intangibles visions
Avec les hydries des matines qui cheminent
ensemble sur des moirures d'ambre
Et avec les voilures d'espoirs échevelées
qui se contemplent au large parmi
les chatoyantes câlineries des horizons
Les heures s'amènent pour nos heures
brûlant d'amour

Comme de moulins à vent les blanches insouciances
les heures s'amènent pour nos heures brûlant d'amour
La démarche solennelle pour vivement accueillir les prémices de mars les heures s'amènent pour nos heures brûlant d'amour !

2

Quelles splendides auréoles pour les idylles ! Fuyez loin d'ici gazelles fuyez du torrent la gaillardise
Qui s'éclate de tout son grondement en choquant les fronts des vierges vespérales
Arcs-en-ciel voguez parmi les cristaux et les cieux qui lancèrent jusqu'en ces lieux des nacelles d'ambre
C'est un feu merveilleux qui déploie les éventails des flancs montueux au sein de nos voyages sidérés
C'est une crinière dardée par l'inclinaison fortunée des vallons de verdeur
Qui fait luire nos œillades acérées lorsque s'embrasent toutes les tuniques de l'extase
Quand éclatent les mémoires et que de leurs menues lucarnes sortent des jacinthes
Des bleuets des myosotis ainsi que de petits hibiscus fort mignons lorsqu'ils se cramponnent
Aux cascades des plaines que fascinent les chalumeaux des désirs grisés
Sur les grands arcs des grands triomphateurs d'une forêt juvénile.

Orientations, 1940, trad. Jacques Bouchard

NICOLAS CALAS

Entre Hymette et Ermenonville

Les asphodèles sont tombés desséchés
à l'incendie d'ici succède là-bas la putrescence
tu as l'œil sec et l'autre qui pleure
j'ai déployé dans l'oliveraie mes désirs
et ton image dans des forêts
où que l'on s'arrête la vérité paraît
ce qui pèse lourd dans mes décisions
c'est la résistance du son au souffle
de ma respiration
de ton silence.

1934, publié dans *Syntheleia*, 1936
trad. Jacques Bouchard, 1977

ANGLETERRE

La Grande-Bretagne s'éveille tard au Surréalisme, et d'abord par un regard critique favorable (celui de Hugh Sykes Davies et d'Herbert Read, le premier ayant d'ailleurs écrit en 1935 un roman, Petron, *d'esprit tout à fait surréaliste). Le noyau surréaliste anglais se fonde lorsque E.L.T. Mesens organise avec eux et Roland Penrose (et le soutien d'André Breton et Paul Eluard) l'exposition de Londres en 1936. Paraît la même année la revue* Contemporary Poetry and Prose. *S'activent des propagateurs inlassables et généreux : David Gascoyne, Roland Penrose. Mesens décide alors de s'installer à Londres. On va lire tout d'abord ici quelques pages d'Emmy Bridgwater (1906-1999), peintre et poète.*

EMMY BRIDGWATER

L'Heure de fermer

Ainsi jaillit la flamme de la gueule du serpent
Ainsi cueille la main aux doigts rouges la fleur épanouie

Ainsi, à mesure que l'horloge tourne et tourne encore,
Ainsi continue à tourner l'enregistrement sonore

Répétez l'espace où les hirondelles s'essaient à voler
Révélez le lieu où les fourmis commencent à ramper
Retranchez l'instant où la pluie commence à tomber
Refermez tout.

Retour à la première barre

Dans dix mille ans je répéterai encore ma demande

La répéter dans le jardin gris, le matin où les nuages se ballottent au vent,
où les gouttes de pluie chantent, où le sol est humide et où
les vers de terre se retournent en retournant la terre que je suis.

Petit oiseau brun tu m'entendras

Tu ne prêteras pas attention aux murmures insistants, et tu recommenceras à picorer ton insecte au corps noir et rayé, aux yeux bleus comme ceux d'une Joconde.

Et l'herbe qui pénètre rampe sur le sol défloré, brune comme du sang séché

Et encore une fois, après l'insecte,

Tu chanteras.

trad. inédite en volume par Michel Remy

Jacques B. Brunius (1906-1967), Français ayant vécu surtout en Grande-Bretagne, est plutôt connu pour son activité de cinéaste et acteur. On peut lire ici un poème, publié dans la revue Fulcrum, *juillet 1944.*

JACQUES B. BRUNIUS

J'aime

J'aime *glisser* J'aime *chambarder*
J'aime *entrer* J'aime *soupirer*
J'aime *apprivoiser les chevelures furtives*
J'aime *chaud* J'aime *ténu*
J'aime *souple* J'aime *infernal*
J'aime *sucré mais élastique le rideau des* sources *vitrifiantes*
J'aime *perle.* J'aime *peau*
J'aime *tempête* J'aime *prunelle*
J'aime *phoque bienveillant baigneur* au long cours
J'aime *ovale* J'aime *luttant*
J'aime *luisant* J'aime *brisant*
J'aime *fumante l'étincelle* soie *vanille bouche à bouche*
J'aime *bleu* J'aime *connu* — connaissant
J'aime *paresseux* J'aime *sphérique*
J'aime *liquide* tambour battant *soleil s'il chancelle*
J'aime *à gauche* J'aime *au feu*
J'aime *à cause* J'aime *aux confins*
J'aime *à jamais plusieurs fois* Une seule
J'aime *librement* J'aime *nommément*
J'aime *isolément* J'aime *scandaleusement*
J'aime *pareillement obscurément uniquement* ESPÉRÉMENT
J'aime J'aimerai

3 novembre 1942 (D. R.)

David Gascoyne (1916-2002) a été l'ami de Paul Eluard et des surréalistes français et le premier à publier des poèmes surréalistes dans la revue New Verse, *en 1933, revue ouverte aux courants de la modernité, dont l'extrait qu'on va lire est tiré. Traducteur et « passeur », il propose en France un « Premier Manifeste anglais du Surréalisme » dans* Cahiers d'art *en 1935, et traduit l'année suivante en anglais* Qu'est-ce que le Surréalisme ? *d'André Breton. Il s'éloigne après la guerre de ses amis, pour élaborer une vision prophétique du monde.*

DAVID GASCOYNE

Et le septième songe est le songe d'Isis

(1re partie)

les rideaux blancs d'infinie fatigue
qui surplombent l'héritage stellaire des colonies de Saint-François
les rideaux blancs des destins torturés
qui héritent les calamités des plaies du désert
encouragent la taille des femmes à s'élargir
et les yeux des hommes à s'agrandir comme de petits appareils-photo
enseignent aux enfants à faire le mal dès l'âge de cinq ans
à arracher les yeux de leurs sœurs avec de petits ciseaux

à se précipiter dans les rues pour s'offrir à des prêtres défroqués
enseignent aux insectes à envahir le lit de mort des vieilles filles riches
et à graver sur le front de leurs valets de pied des signes de pourpre
car l'année est ouverte l'année est complète
l'année est pleine d'événements inattendus
et l'heure des tremblements de terre est proche

c'est aujourd'hui le jour où les rues sont pleines de corbillards
où les femmes cachent leur annulaire sous des morceaux de soie
où les portes tombent de leurs gonds dans des cathédrales en ruine
où des nuées d'oiseaux blancs arrivent d'Amérique à tire-d'aile
et font leurs nids dans les arbres de nos jardins publics
les trottoirs des villes sont couverts d'aiguilles
les réservoirs sont pleins de chevelures humaines
des vapeurs de soufre enveloppent les maisons de passe
d'où apparaissent des lys rouge sang

de l'autre côté de la place où les gens meurent par milliers
un homme marche sur un fil couvert de papillons de nuit

1933, trad. inédite en volume par Michel Remy

Roland Penrose a été l'animateur avec David Gascoyne du Surréalisme anglais.

ROLAND PENROSE

« *Bulldoze Your Dead* »,

Balayez vos morts

1 – Suivez ces deux hommes
Leur musique
Les os en croix de leur jeune tambour.

L'habituel chant de Pâques pousse sous la loge de garde
Les vents à travers les rues pavées de guerre récente
Et obstruées par les ossements de l'histoire
La ville a des relents de famine.

2 – Le corail chaque matin fleurira sur les fenêtres poussiéreuses
Les tableaux dorés des volcans répéteront les volcans
Commérages de l'amour et de la destruction
Les filles portent leur couvre-feu sur les seins
Les rues s'emplissent et se vident
Rues de soldats en marches et contremarches
Alors qu'avalanche la vague rampante
Arrache le vieux château à sa colline
Et les cadavres distillent le parfum d'un printemps pourri.

Entre les ogives tordues palais déformés
Lit secret et crypte éventrés
Suppure la plaie du doute.

3 – Toutes les séductions de l'église sont ici
Le vin du mois d'Avril
Les rides sereines d'un visage maquillé
Les seins verdoyants des vierges
La brève procession avec ses deux clochettes
Le joli visage bleu parmi les branches
Et le martyr chevauchant son lion.

4 – Les brutes fanfaronnes
Dont l'esprit a de la boue jusqu'au ventre
Ont conduit leurs troupeaux de paysans à l'œil noir
Les routes, tels des fouets qui zèbrent les montagnes
Abaissent l'orgueil que des millions de pieds nus
Ont piétiné mais n'ont pu dompter
Des maisons en pèlerinage gravissent les pentes
Le ciel est envahi de tours
Les torrents dans les cours pavées toute la nuit
La pluie noire d'un printemps rouge
Jusqu'à ce que les collines s'évaporent et que la mer rejoigne les nuages
Lançant de durs éclats d'acier qui brillent et blessent
Tandis que la maladie le marché noir de la mort
Trie sépare et trame ses nouvelles formations.

5 – La jeunesse a été dissoute
La jeunesse vêtue de la bouse gouvernementale
Sert à exciter les cratères du futur
Unique bigarré universel le sang
Qui martèle le chant de ses nouveaux maîtres
Nouveaux maîtres encore couronnés des vautours qu'ils adorent.

novembre 1944 (D. R.), trad. inédite de Michel Remy

ITALIE

S'il fallait citer deux grands noms du surréalisme en Italie, ce serait Giorgio de Chirico et son frère Alberto Savinio. Le premier (1888-1978) est le peintre métaphysique que l'on sait, mais aussi l'auteur du récit inclassable Hebdomeros, *composé comme une longue mosaïque onirique : écrit en langue française, peut-être avec la collaboration de son frère, il est publié en 1929. Voici une des saynètes dont il est composé.*

GIORGIO DE CHIRICO

Hebdomeros

[...] un fait insolite attira leur attention et leur fit comprendre que tout ne se passait pas aussi normalement qu'ils l'avaient d'abord pensé. Devant chaque villa il y avait un bout de jardin avec des bancs et des chaises-longues en osier ; dans chaque jardin, étendu sur une chaise-longue, se trouvait un gigantesque vieillard entièrement en pierre ; Hebdomeros fut étonné que les fauteuils résistassent à un tel poids, et il fit part de son étonnement à ses compagnons, mais, s'étant approchés, ils virent que les fauteuils, qu'ils croyaient en osier, étaient entièrement métalliques et l'entrelacement des verges d'acier, peintes de couleur paille, avait été si bien calculé qu'ils auraient pu résister à des pressions bien supérieures. Ces vieillards *vivaient*, oui, ils vivaient, mais très peu ; il y avait un tout petit peu de vie dans la tête et dans la partie supérieure du corps ; parfois les yeux remuaient mais la tête ne bougeait pas ; on aurait dit que, souffrant d'un éternel torticolis, ils eussent craint de faire le moindre mouvement de peur d'éveiller la douleur. Parfois leurs joues se teignaient légèrement de rose et le soir, quand le soleil s'était couché derrière les monts boisés et tout proches, ils causaient d'un jardin à l'autre et se racontaient des souvenirs d'antan. Ils évoquaient le temps des chasses au chevreuil et au coq de bruyère dans les forêts humides et obscures même à midi ; ils racontaient combien de fois ils s'étaient rués l'un sur l'autre en tenant leur fusil par le bout du canon et le brandissant comme une massue ou en serrant dans leurs poings leurs couteaux de chasse. L'éternelle cause de ces rixes était une bête abattue et que deux chasseurs à la fois prétendaient avoir atteinte. Un soir pourtant les grands vieillards de pierre ne parlèrent plus ; des spécialistes appelés en toute hâte pour les examiner constatèrent que le peu de vie qui les avait animés jusqu'alors avait disparu, même le sommet du crâne était froid et leurs yeux étaient clos ; alors on décida de les enlever pour qu'ils n'encombrassent plus inutilement les petits jardins des villas ; on appela un individu qui se disait sculpteur ; c'était un homme aux allures inquiétantes et qui louchait horriblement ; il mêlait à ses discours des jeux de mots stupides et des plaisanteries grossières et son haleine puait l'eau-de-vie à trois pas de distance. Il arriva avec une valise pleine de maillets de différentes dimensions et se mit à l'œuvre tout de suite ; l'un après l'autre les grands vieillards de pierre furent cassés et leurs morceaux jetés dans une vallée qui prit bientôt l'aspect d'un champ de bataille après le combat. [...]

1929

Alberto Savinio (1891-1952), le frère du peintre Giorgio de Chirico, fut peintre lui aussi, mais surtout musicien et écrivain prolixe et talentueux, qu'Henri Parisot comparait à E.T.A. Hoffmann. Les Chants de la mi-mort, Vie des fantômes, Achille énamouré mêlé à l'Évergète... *tels sont quelques-uns des titres fabuleux et cocasses qu'il savait inventer. On a retenu un texte récemment traduit, l'un des « Procès » drolatiques qu'il instruit contre des Sages.*

ALBERTO SAVINIO

Socrate

J'ai été invité par *I Rostri* à illustrer par le signe et la parole certains des plus célèbres procès de l'histoire. Un caractère commun les relie : ce sont des erreurs judiciaires ou, plus exactement, des iniquités judiciaires. Quant aux grands accusés dont nous aurons à parler, une réhabilitation posthume les a lavés et glorifiés. Et si le procès qui a vu leur condamnation n'a pas été suivi pour tous, comme pour Jeanne d'Arc, d'un authentique procès en réhabilitation, la réhabilitation dont ils bénéficient a été prononcée non par un tribunal limité à quelques magistrats, mais, disons-le tout de suite, par le grand tribunal de l'Histoire.

Que Socrate, Jésus-Christ, Jeanne d'Arc, Galilée et Tommaso Campanella aient été injustement condamnés — c'est une vérité que personne ne met en doute. Mais l'injustice de ces condamnations est-elle aussi inattaquable qu'on le pense ?

La condamnation qui a frappé les personnages cités est d'autant plus inique, dit-on, que leur action était entièrement orientée vers le bien de l'humanité. Mais est-il bien avéré que ces individus visaient réellement le bien de l'humanité ? Nous ne pouvons répondre à toutes ces questions qu'en reprenant la formule que Baruch Spinoza avait coutume de mettre à la fin de toutes ses démonstrations : Q.D.E.[1].

Avant de devenir victime de l'injustice humaine, chacun de ces illustres accusés a été victime de sa propre forme de mysticisme. Leurs noms deviennent plus vrais quand on les transforme en binômes : Socrate-Sagesse, Jésus-Christ-Dieu, Jeanne d'Arc-Croix et Patrie, Galilée-Science, Campanella-Utopie. Tout est là. Mais la justice n'est-elle pas elle-même une forme de mysticisme ? La loi n'est-elle pas « sacrée » ?

Ces grands procès sont donc l'affrontement de deux mysticismes, de deux croyances opposées. Et quand deux mysticismes se rencontrent, le moins qui puisse arriver, c'est que celui qui représente le mysticisme le moins communément adopté voie sa propre foi — qui avant de devenir telle n'est qu'arrogance ou folie — vouée à la ciguë, à la croix, au bûcher, à la torture ou aux cellules de Castel dell'Ovo.

1. *Quod demonstrandum erat* : ce qu'il fallait démontrer. (Toutes les notes sont de la traductrice.)

La philosophie présocratique a le regard fixé sur le passé. Elle interroge les origines du monde, la qualité de la matière. C'est une philosophie réaliste. Une attitude mentale typiquement italienne. Et ce n'est pas pour rien que la plupart des présocratiques sont d'origine italique. Notez bien que je n'en fais pas une question de nationalisme. Je me réfère au caractère d'une race pour déterminer la qualité d'une orientation idéologique. La philosophie présocratique est une philosophie plastique, constructive. On nous reproche généralement, à nous Italiens, une certaine absence de *mens philosophica*. Je répondrai par la bouche de Tacite. Celui-ci dit à propos d'Agricola : « *Memoria teneo solitum ipsum narrare se prima in inventa studium philosophiae acrius, ultraque quam concessum Romano ac senatori, hausisse, ni prudentia matris incensum ac flagrantem animum coercuisset*[1]. » Nous avons horreur, en effet, de la vaine, de la stérile spéculation. Mais une philosophie « naturelle » est implicite dans chacun de nos actes, dans notre science de l'action. De là découlent et nos civilisations multiples, et notre extraordinaire et inépuisable vitalité. Bref, nous sommes des présocratiques persévérants et incorruptibles.

Socrate, quant à lui, invente la conscience. Il déplace le regard de la philosophie. Orientée autrement, celle-ci vise le futur. Et quel futur ! Le futur « intérieur » de l'homme — je ne fais pas de jeux de mots. Socrate a détourné le fleuve de la philosophie. Il a provoqué des inondations, les pires catastrophes. Il a déchaîné sur le monde l'odieux psychologisme.

1. « Je me souviens que lui-même avait l'habitude de raconter que dans ses premiers apprentissages, il s'était dédié à l'étude de la philosophie avec plus de zèle qu'il ne convenait à un Romain et à un sénateur, et que même la prudence de sa mère n'avait pu retenir son esprit ardent et assoiffé. »

Il a révélé aux hommes l'introspection de l'âme. Il les a expulsés du terrain solide et fertile de la réalité, pour les cantonner dans le plus aride des déserts. Et là, rongés par le doute, condamnés à se repaître d'« états d'âme », ces malheureux brûlent toutes les choses réelles et tangibles qui constituent l'occupation, la distraction, la consolation du commun des mortels. Poésie, art, philosophie « naturelle » se sclérosent et meurent. L'homme abandonne ses jeux divins, s'enferme tout entier dans l'examen du « connais-toi toi-même » — fourbe et arbitraire interprétation d'un enseignement grave qui, dans la bouche d'Apollon, prenait une tout autre signification ! Socrate impose aux autres son propre drame d'artiste raté. Jeune, il se destinait à la sculpture. Puis je ne sais quelle voix mystérieuse lui murmura un jour : « D'où vient, ô Socrate, que tu te donnes tant de mal pour reproduire dans la pierre la copie inanimée d'un modèle étranger, et que tu ne t'appliques pas plutôt à devenir toi-même, ici-bas, la statue vivante de ce que sont les dieux immortels ? »

En compensation, Socrate indique aux hommes un chemin hérissé de vaines et dangereuses préoccupations, d'inutiles obscurités, de mirages trompeurs. Weininger dit que les Russes sont les anti-Grecs par excellence. Il aurait dû préciser qu'entre Socrate le Grec et Dostoïevski le Russe, on trouve la même relation que de la cause à l'effet.

Reste la si fameuse « sagesse » de Socrate. Pour ma part, j'ai de bonnes raisons de me méfier de cette « sagesse ». Elle se manifeste, avant tout, sous une forme mystique. Socrate veut être un « inspiré », un « démon » le guide. Mais comment associer « sagesse » et « mysticisme » ?

De plus, ce « sage » spécule sur sa propre laideur. Entre les mains de cet escrimeur consommé, la laideur devient une arme dialectique, un moyen. Il utilisait du reste d'autres armes, et tout aussi illicites : son comportement mi-populaire mi-sournois, sa façon de situer les problèmes les plus ardus sur un terrain simpliste, son aptitude à *tirer les vers du nez*[1] et à jouer les confesseurs.

Enfin, qui était vraiment ce « découvreur de l'âme » ? Il ne nous est connu que par ce qu'en rapportent les autres. Dans ses *Fragments sur l'Histoire de la philosophie*, Schopenhauer déclare : « Il m'est difficile de croire à l'intelligence réellement vaste de ceux qui n'ont pas laissé de documents écrits. » Quant au Socrate tel qu'il apparaît dans les *Mémorables* du « général » Xénophon, il semble bien peu digne de toute la renommée qui l'exalte et l'auréole.

Dans notre dessin, dont la présente note se veut le commentaire, nous avons représenté le fils de Sophronisque devant le tribunal d'Athènes. Minerve est là, peut-être à contrecœur, pour représenter cette « sagesse » qui est à la fois la justification et le « point faible » de l'accusé. Une fois la sentence prononcée, Socrate est invité, selon la loi, à formuler une contre-proposition, et il demande son admission au Prytanée : logé et nourri aux frais de l'État ! Il refusera et la caution que ses amis offrent de payer pour lui, et la possibilité de s'enfuir de la prison : il préfère la condamnation qui lui garantit la célébrité. C'est le seul acte « réaliste » que nous lui connaissons.

Ce « sage », dont la valeur intellectuelle est si obscure et si problématique, n'était peut-être pas autre chose que l'incarnation du parfait arriviste.

1932-1935, trad. par Monique Bacelli

1. En français dans le texte.

JAPON

Une exceptionnelle réception (et réinvention) du surréalisme au Japon et une constante circulation des textes peut caractériser cette période toujours très vivante qui nous sépare des années 1920. Il faut dire qu'en France et dans les pays anglo-saxons, la poésie japonaise classique, dans ses formes concises que sont le tanka *et le* haiku, *ont offert au début du siècle des modèles alternatifs à la poésie symboliste. De façon bien convaincante, Věra Línhartová*[1] *propose de relire Ezra Pound et sa définition de l'image poétique moins comme une version anglo-saxonne du futurisme que comme une révérence aux formes japonaises. Et les traductions par Pound de poètes japonais le rendent fort populaire dans ce pays. De sorte qu'au Japon le poète Takiguchi a pu associer Pound (ses théories de l'*Imagisme *et du* Vorticisme*) au courant surréaliste. En France Jean Paulhan préface un numéro spécial de* La NRF, *1920, où sont présentés les poèmes « haï-kaï » de jeunes poètes français, parmi lesquels Paul Éluard, et René Maublanc, poète et philosophe, professeur de René Daumal à Reims, présente une autre anthologie, analogue, en 1923.*

1. Věra Línhartová, *Dada et le surréalisme au Japon*, Publications Orientalistes de France, 1987.

Au Japon cependant, après les années vingt, qui ont importé quelque chose du dadaïsme berlinois, le surréalisme émerge avec le retour d'Oxford en 1926 de Nishiwaki (1894-1982). Et c'est aussitôt, par la grâce de ce poète plein d'humour et de détachement devant son propre rôle, une flambée de publications critiques majeures qui disséminent l'esprit du surréalisme. Mais c'est l'ancien étudiant de Nishiwaki, Takiguchi Shûzô (1903-1979), poète et critique, qui incarne le surréalisme au Japon de bout en bout.

NISHIWAKI JUZANBURÔ

Préface au recueil de poésie collectif Chauffeur qui embaumes

Cerebrum ad acerram recidit. Le monde des réalités n'est que le cerveau. Abolir le cerveau, tel est le but de l'art surréaliste. L'art sublime sous toutes ses formes, voilà le surréalisme. C'est pourquoi la poésie sublime est surréaliste par définition. La poésie est un moyen de créer dans mon cerveau le désert du vrai vide et, à force d'y déverser tout ce qui est tributaire de mon expérience de la réalité — *sensations, sentiments, idées* — de purifier mon cerveau. Voici la poésie pure. Mon cerveau devient limpide comme un verre couleur *ultra-pêche*. Et la poésie brise le cerveau comme s'il était du verre. Le cerveau brisé embaume aussi fort qu'une *citerne* de parfums renversée. Nous ne mangeons plus les grappes de raisin poussiéreuses à l'état naturel, comme le font les animaux, mais les pressurons pour boire leur jus. C'est pourquoi le prix du produit fini en poésie est aussi élevé que celui du *champagne*. De même, la poésie a le pouvoir de brûler le cerveau. Voici la poésie, feu d'artifice, ou encore, poésie calorifère. Le monde des réalités n'est que matière à combustion, mais pour nous, contrairement à l'homme sauvage, cette matière à combustion n'est pas un simple objet de plaisir. Si nous brûlons ce monde des réalités combustibles, c'est pour nous imprégner de ce qui, en lui, n'est que rayonnement et flamme. Pur et chaleureux, chauffeur qui embaumes !

Le cerveau combustible

Le sceptre de *David* et ses joyaux se glissent entre *Adonis* et les cosses de haricots, et se précipitent pour s'abolir dans l'infini. Or, en général, appuie-toi sur les Rois Mages venus de l'Orient, et regarde bien : à quoi jouent-elles, ces noix de galle, si lisses ?

Globalement parlant, un sursis parfaitement pas tout à fait mauve, parfaitement légitime ! *Velázquez* et les oiseaux de proie, plus tout le reste.

À un moment propice où chante le martin-pêcheur, tandis que je contemple *Acropolis* là-bas, au loin, je détends mes jambes d'enfant ; l'endroit idéal pour rafraîchir leurs ongles n'est pas dans le creux d'une noix, mais sur la tête d'un foulon.

Béni soit à chaque heure le buffle qui cherche à grimper sur un érable !

Devant celui qui m'appelle en claquant la langue, je suis prêt à me sauver sur la pointe des pieds. Mais il y a un autre qui me jette une piécette dans la bouche. J'ai beau essayer, ma voix n'est jamais plus forte que celle de la Visitation de *Fra Angelico*. Et quand bien même je me traîne à genoux, l'éternité est encore trop bruyante.

J'aperçois un homme dont les *chevilles* sortent d'un pignon bariolé, alors je l'interpelle pour lui demander son nom. Évidemment, il était cuisinier en *Sicile*.

Quand je voulus descendre une digue, je sentis un souffle qui effleurait ma nuque. C'était mon ancien serviteur. Toi, sans plus tarder, retourne à la maison et aime ta femme !

Parfois quelqu'un passe sous la treille de glycines. Ce n'est pourtant pas un chemin public.

Ou encore, même de derrière les stores et la main en visière, le sommeil n'est jamais qu'un sarment de vigne, rose.

J'attache mon collier, allume ma *pipe* à la hâte et cours à la fête de la moisson.

Car, soigneusement, je garde le menton au-dessus de l'eau. Je cache les myrobolans et une mèche de cheveux.

À l'intérieur de la maison cylindrique, l'homme à l'œillet !

Ceci n'est pas un discours à propos des *abat-jour*, mais plutôt un rapport sur les envoyés en mission. Je tire, tel un *clou de girofle*, la jambe d'un sclérotique qui se met au vert, suspendu à la fenêtre comme un air de musique.

Dieu de fécondité ! Faites qu'un abîme s'ouvre sous les pas du somnambule ! Un feu de fleurs d'*oléandre*.

Devant l'éternité empourprée, je prends mon souffle et m'en vais pêcher à la ligne. Tandis que le cardinal *Bembo* chuchote d'une voix de femme, la gondole glisse sur l'eau.

Brusquement, les fleurs d'*acacia* ! J'ai bu de *l'eau de Cologne*, et adieu, je meurs !

Un vendredi d'une parfaite cohérence, je porte à mes yeux un bout de conduit d'eau et, au moment où je me tourne du côté qui offre une belle perspective, voilà quelqu'un sur le pont qui m'appelle, et moi, à toute allure, levant haut les jambes, je patauge dans l'*ambrosie*. Le tout n'est qu'une mâchoire. Et alors lui et moi ne sommes plus qu'une mâchoire. La partie haute du visage, qui sourit sans désemparer et respire sans se troubler, est coiffée de velours.

Si le *maquillage* fond et nous coule dans les yeux, il faudrait appeler le serviteur.

Le cerveau abandonne sa tour pour une *escalope panée*, éternellement il tremble de peur. Et bientôt, quelqu'un me cogne la tête avec un abricot. Une autre tape sur la surface d'un vase. Cet écho : le pas lourd de *Pierrot* qui rentre chez lui après le dîner. Profondément ému, j'essaie de le voir à cet instant précis, mais mon regard se voile d'un *amarante* intense.

Il arrive ! Ou non ? Le feu !

Chauffeur qui embaumes, en japonais, 1927,
en français publié au Japon, 1934

TAKIGUCHI SHÛZÔ

La Création de la Terre

Le grillon bipolaire chante sur les cheveux crépus d'*Aphrodite*
Un homme des animaux tous sont devenus calmes comme la mer
La métamorphose estivale d'*Aphrodite*
En un mâle ou en un microbe
Fleur en déchéance
Et je deviens vulnérable comme un adolescent sous la lune
Les conjurés
Tiennent haut les lampes-torches pour éclairer le creux des vagues
À leurs oreilles le rossignol chante à merveille
Et le temps de se demander si ce chant annonçait une brise légère
L'averse s'abattit
Si jamais un vrai miracle se produit dans pareille fleur d'hortensia
Il finira par épuisement total
Vin au poignard
Le froid de la Terre adhère à la cravate
L'homme ivre mort devant le teint dorade sublime
Que revêt le soleil retrouve son sourire
À ce moment l'univers légèrement se meut
Dorade dans son dos qu'il ignore
Sursaut d'un navire qui prend son baptême de mer
Il s'embrouille dans l'*alphabet*
Et médite avec le ciel bleu de son cerveau

Un jeune pigeon dans son vol s'y fourvoie
Les joyaux de son collier ruissellent
Leur frémissement a la fraîcheur d'un voilier
Immobile comme la vague déchaînée ou le cheval au galop
Le Jugement dernier n'aura pas lieu
Zéro parfois même un *zéro* de cette taille
Un passe-velours qui oublie le visage du maître jardinier
Fleur invisible sans miroir concave
Était-ce cela la fleur de son sein ?
Les flots qu'aucun frein n'arrête se brisent encore et encore
Poitrine superbe celle d'une femme
Par un mercredi magnifique
Enveloppée d'un châle à l'ancienne
La poitrine d'une femme qui du haut d'une pagode s'approcha du sol
Celle qui pareille aux aréquiers dormit jusqu'à midi juste
Une poitrine de reine
Si tu cries que tu voudrais voir une fleur plus explicite
Suffit de l'approcher sans détour comme un prestidigitateur
Et l'interjection en hausse
Je la pose sur la table
La grande magie n'a pas besoin d'air
Quand le *jasmin* envers et contre tout refusait de se montrer
La jeune fille là-bas tout simplement imagina
Un *jasmin* métallique
Le souffle du dieu *Apollon* agonisant
Peur et joie mêlées
Se confond à la rose pareille à la viande d'agneau
Aucune vie aucun lait d'une telle fraîcheur
N'appartiennent à la Terre

Les yeux d'*Apollon* qui rend son dernier soupir comme un saint
Peuvent être peints même avec les couleurs d'un arc-en-ciel brisé
Quand il vint réchauffer ses oreilles d'enfant le dieu *Apollon*
Devint sourd-muet à l'image du soleil
Diamant ramolli en un instant voici son tronc tout entier
En toute exactitude voici du *pain* au raisin
En toute la splendeur effrayante voici exposé l'art des jardins du paradis

Revue Yama mayu, Tôkyô, nov. 1928,
trad. Věra Línhartová, 1987

VII

« La promesse d'un magnifique torrent »

De ceux que l'on va lire maintenant, et quelle que soit leur notoriété, certains sont des voyants et d'autres des derviches. Tous voient l'envers de la langue et certains l'envers des choses. L'humour enfin est chez eux une conscience *et l'humour noir un mode d'être au monde. Tous écrivent dans la langue française, notamment les Québécois dont la veine est très singulière.*

ÉCHOS ET CRIS LOINTAINS

On voudrait ici écouter en exorde la voix singulière de Georges Henein, Égyptien d'origine copte et de langue française, qui étudiant à Paris rencontre les surréalistes en 1934 puis fonde au Caire en 1937 un groupe « Art et Liberté », aux intentions politiques, et anime à partir de 1947, avec l'aide généreuse d'Edmond Jabès, la revue et les éditions « la Part du sable ». La précarité de ces entreprises a fait parler de la « lucidité dévastatrice du nihilisme » : c'est Yves Bonnefoy qui s'exprimait ainsi en 1974, à propos de son ami.

GEORGES HENEIN

Cléopâtre

Le personnage de Cléopâtre n'est pas de ceux qui se laissent aisément interpeller. Tout a été dit de cette Égyptienne qui troubla Rome et faillit confondre son dessein.

La pratique de la diplomatie remonte à plus haut que Cléopâtre et elle est, à tous égards, plus réjouissante que la routine des chancelleries. Pourtant, il n'est que juste de reconnaître qu'il y a, dans l'art de Cléopâtre, davantage qu'un simple appareil de séduction. L'alcôve n'entra que pour une part dans la réussite de ses projets. Sa démarche témoigne, tout au moins dans une première phase, hérissée de difficultés, d'une intelligence remarquable de ce qu'on appelle aujourd'hui la conjoncture politique, d'un sens de la manœuvre et d'une aptitude peu commune à l'intrigue et à la riposte. Ses erreurs sont de celles qu'inspire parfois le succès. Sa chance a résidé dans sa faiblesse. Forte, elle préjuge de son pouvoir. À Rome, elle s'insinue dans la querelle de la Cité et prépare le sentiment public à demander un jour sa ruine. Une plus grande discrétion eût peut-être mieux servi sa cause.

Cependant, puisque c'est aux heures décisives que le génie se déclare, nous dirons qu'à Actium, Cléopâtre a manqué de génie. Là, Octave et Antoine s'observent en une interminable veillée d'armes. L'escadre égyptienne apporte son appoint au parti d'Antoine. On comprend l'hésitation d'Octave tandis que l'irrésolution de son rival semble sans objet. Tout concourt à sa victoire et on s'étonne que cette nature impétueuse tarde ainsi à la saisir. Ses guerriers sont impatients, mais à attendre trop longtemps le combat, leur ardeur se lasse. Ses forces, dès l'abord considérables, peu à peu se désagrègent. Autour de lui, les défections se multiplient. Durant ces longues semaines où le destin oscille, Cléopâtre consomme son propre suicide politique. Guglielmo Ferrero, qui observe le phénomène avec froideur, nous la représente incertaine et agitée puis incitant

Antoine à se dérober au défi et à regagner Alexandrie. Elle redoute, au même degré, la défaite et la victoire. Veut-elle vraiment ramener ses vaisseaux intacts ? En ce cas, elle oublie qu'une flotte inactive n'est plus un atout, mais une charge. S'imagine-t-elle, en retardant l'issue au conflit, tenir la balance égale entre les deux lutteurs et tirer profit de leur division ? C'est là un calcul qui n'est légitime qu'à de certains moments, mais non lorsque le dénouement approche et qu'on peut devenir soi-même l'instrument de ce dénouement. Car c'est alors que le choix total s'impose et Cléopâtre — qui paraissait servie par un beau tempérament de joueuse — succombe de n'avoir point choisi. Elle désarme Antoine sans avoir à offrir à Octave autre chose que son repentir ou l'attrait problématique d'un lit défraîchi. Mais peut-être avons-nous tort d'interpréter l'affaire d'Actium au moyen de critères forgés après coup. Peut-être s'est-il agi de la défaillance d'un grand capitaine parvenu à son point d'usure et aussi de l'ennui d'une reine orientale trop longtemps éloignée de sa cour et qui n'aspire plus qu'à la retrouver, fût-ce pour y périr…

années 60

Mauvaises pensées de Georges Henein

— Il n'existe pas d'ersatz du sacré.

— Le grand écart consiste à ne revenir, sous aucun prétexte, à sa position première.

— Louis-Ferdinand Céline : je n'hésite pas à le tenir pour le Bossuet de la voirie.

— Se réveiller d'emblée sur la plus haute note n'est pas donné à tous les temps et à tous les êtres.

— Le goût salubre du secret et de ses belles intolérances. Le secret ne s'est jamais retiré de l'être. Qu'il soit traqué par l'Inquisition ou pourchassé par la psychanalyse, il se reforme en quelque point, au fond d'une chambre obscure et verrouillée, et là, précisément là, un jour éclatera le tumulte et sonnera le tocsin.

— La terre ne va pas loin.

— Lorsque l'entêtement de la logique conduit à des situations sans issue, il convient de s'improviser poète. Mais comment se résoudre à ne pas tirer des conclusions de l'impossibilité de conclure ?

— La pierre a sur l'homme le privilège de couler à pic.

— Se débattre, c'est marchander.

Perspectives

À André Breton

pourquoi ne pas rencontrer sur une passerelle brusquement tendue entre deux catastrophes une femme aux yeux de galop qui vous raconterait son nom plus beau à parcourir qu'un précipice habillé d'étoffes noires ?

pourquoi ne pas organiser de grands couchers de chevelures multicolores sur la scène toujours déserte de l'horizon ?

pourquoi ne pas organiser de grands couchers de chevelures au sexe de radium qui s'uniraient aux paysages et les brûleraient à chaque étreinte et resteraient seules dans une vertigineuse clarté ?

pourquoi ne pas délivrer d'un seul coup les myriades de miroirs cloués au chevet de la terre ?

pourquoi ne pas rendre la vie habitable ?

pourquoi ne pas déserter les chairs habituelles et les destins suffisamment vécus ?

pourquoi ne pas écarter les paupières des routes maudites et disparaître dans la nuit la plus insoluble en emportant pour tout avenir le corps d'une inconnue coupée en menus morceaux par un rêve à aiguiser sans risque de réveil ?

Pointure du cri

Tellement de choses se soldent par un cri qu'il serait plutôt recommandable de ne pas crier. Et s'il faut crier malgré tout, si l'on ne peut pas y couper, du moins que le cri soit court. Non pour ce que la longueur du cri entraîne de malaise chez l'auditeur (le contraire serait sans doute plus près de la vérité) mais dans l'intérêt même du crieur et parce qu'il est établi que plus le cri se prolonge et plus sa signification se perd.

Ainsi fus-je éveillé en sursaut, au beau milieu d'une nuit tranquille, par un cri interminable et ravageant que notre rue même semblait trop modeste pour contenir. La capacité d'une rue est quelque chose de bien marqué qu'il ne sied point d'outrepasser. Une erreur de pointure en matière de cri ne va pas sans d'amères conséquences.

Réprimer la démesure, la réprimer et la bannir à jamais, telle fut la première pensée de ceux qui, comme moi, eurent le sommeil bousculé et tournèrent le commutateur. Un cri dont on ne peut pas faire le tour, un cri qui ne donne sur rien, qu'on ne peut pas réduire à l'état de mouche tapie dans la nuit d'un poing en attendant son sort, son lent écrasement en pays inconnu, ne relève plus du libre jeu de la voix, devient acte et puits sans fond et invite à y tomber.

Je vis, derrière les volets des façades voisines, s'allumer les lampes de chevet. L'homme, cependant, continuait à jeter sa force au vent, poursuivait sa charge perforante. Allait-on faire preuve d'intérêt, s'enquérir de l'advenu, ouvrir portes et fenêtres ? Je sentis que mon anxiété ne m'était pas particulière, qu'elle était, en cet instant même, partagée d'un bout à l'autre de la rue, par ceux qui jugeaient en avoir fait assez en s'éveillant, puis en se dressant à demi, puis en éclairant leur chambre.

Mon amie, près de moi, suggérait que l'on se dérangeât. Après tout, lui dis-je, nous ne sommes plus révolutionnaires. Nous ne sommes pas encore chrétiens — cet homme n'est pas pour nous.

Je regrettai aussitôt ces paroles. Je m'étais avancé en terrain mouvant et il m'eût déplu qu'une discussion en résultât. J'eus alors une idée. Le cri n'avait pas cessé, ni même fléchi d'intensité, mais s'était déplacé et, à la faveur de l'éloignement, pouvait simuler on ne sait quelle folle clameur de camelot.

« Cet homme, dis-je avec une feinte autorité, vend quelque chose. Je reconnais là l'intonation inimitable du vendeur ambulant. Mais l'heure est bien tardive pour ébruiter ainsi sa marchandise. »

Et, cette fois, j'eus le sentiment de parler au nom de la rue entière. J'essayai même d'identifier la marchandise dont il pouvait s'agir. Nous étions tous restés du bon côté du cri, du côté explicable, c'est-à-dire contestable...

Le lendemain matin, des voisins nous apprirent qu'un homme avait été trouvé mort à peu de distance de notre maison. Il gisait face contre terre et quand son visage fut retourné, il montra une mine de coureur épuisé. On lui attribuait une agonie affreuse et d'avoir crié pendant un certain temps. Certes, on l'avait entendu, on s'était ému. On avait formé maintes hypothèses à son sujet. Beaucoup l'avaient pris pour un camelot attardé et vindicatif. De là à s'habiller, à se pencher pour voir, pour vérifier, toujours vérifier…

Criez court et vous serez peut-être secourus.

inédits (D. R.)

Simple digression à d'anciens discours

On a beaucoup trop joué sur le plateau des réminiscences probantes. Et que représente-t-il, je vous prie ? Une femme en train de regarder un tableau où l'on voit une autre femme regarder la première, et toutes deux ont vraiment l'air de s'être rencontrées quelque part. Mais le plus dur reste à démontrer.

On a beaucoup trop joué sur les progrès de la fraternité à travers le monde. Ainsi, deux frères, longtemps séparés par des querelles de murs mitoyens, décident-ils de s'entendre comme deux frères tout court. Ils se découvrent des goûts communs, des lectures semblables, de proches préjugés. Cela va de mieux en mieux. Lorsqu'ils se rendent compte qu'ils aiment la même femme, c'est l'apogée de leurs bonnes relations. Leur jubilation est à son comble. Un jour pourtant, ils sont gagnés au même moment par une même envie de s'emparer du même couteau dans une même intention.

On a beaucoup trop joué sur les coquetteries du verbe perdre devant ce fameux miroir où notre propre image nous sert de garde-fou. On oublie volontiers qu'une tête de perdue appartient au bout d'un an et d'un jour au passant qui se sera baissé pour... ou abaissé jusqu'à, etc.

Nord, haleine, patience, sont comme ces chiens qui, par-delà le dédale d'une ville inconnue, parviennent, on ne sait comment, à retrouver leur maître. Et il ne sera jamais dit si la chance consiste à renouer avec eux ou à s'en délivrer à nouveau.

inédit

L'œuvre de Claude Gauvreau (1925-1971), québécois, s'inscrit pour ses stridences dans la lignée de celle de Tristan Tzara ou d'Antonin Artaud et dans une veine plus déconcertante que celle d'autres poètes québécois de même souche : Gilles Hénault, Roland Giguère, Paul-Marie Lapointe. On a dit de lui que sa poésie opérait une sorte de démembrement lettriste. Mais Gauvreau se défend de devoir quoi que ce soit au lettrisme, puisque pour lui l'élément à exploiter est la syllabe, unité apte à toutes les combinatoires, moyen de parvenir à l'image poétique surréaliste qu'il appelle « *transfigurante* ». *Plus avant encore est conduite selon lui sa propre recherche, qui, débordant la démarche surréaliste, inventerait une langue, par le moyen de* « *l'image exploréenne* ». « *On parle d'image exploréenne lorsque les éléments constitutifs des nouveaux éléments singuliers ne sont plus immédiatement décelables, par une opération analytique. Je dirais aussi qu'il y a image exploréenne lorsque la* *situation présente de la psychanalyse ne permet pas à cette science – à moins peut-être d'une opération laborieuse dont il n'existe pas encore d'exemple – de découvrir en l'objet poétique le contenu latent [...] Je vous avouerai – sans ambages, parce que c'est la vérité, et une vérité assez simple – que l'image exploréenne est la découverte personnelle à laquelle je tiens le plus », écrit-il à Jean-Isidore Cleuffeu (*Études françaises, *vol. VII, n° 4, nov. 1971).*

Voici un des poèmes les plus singuliers d'un écrivain qui devait se suicider une vingtaine d'années après avoir écrit ces pages.

CLAUDE GAUVREAU

Grégor Alcador Solidor

une note de cul roussi éclate au cœur de la fanfare.
cherchant ses osselets putasses qui coulent une vie douce au cou du nègre du Benghor un vieux sursaute sous la piqûre du zzzzzzz zzzz.
désarmées désânées
des femmes au duvet chromé
cherchent un prêtre qui leur a promis l'apostolat.
c'est dans ce décor de fauvettes et de guimauves qu'il fut pendu un jour qui fut son dernier jour.
des ânes vendus par des curés soulevaient sa tête où s'écorchaient des poils de couleuvres et des écailles de gousseuses.
pipi par terre poppi panté pupi pantin.
c'est dans ce décor de rasoirs et de cure-dents qu'il fit pipi au pied de l'échafaud.
le gibet marâtre où la solennité en cuir repoussé

voulait manger ses fesses comme des cuisses de grenouille.
c'est là qu'il dit adieu aux écrous de son invention.
c'est là qu'il pensa amèrement à cette chauve-souris de cobalt et de fièvre qui devait traire l'iglou de toute l'humanité.
prairie inouïe où savoure son singe sa blague.
bouffi par les crottés
menu et pommadé comme un gentil Ravachol
il salua de la queue l'hymne national
qui le faisait foirer.
ducs et duchesses
partouzies et partouzeux
caïmans et boyaux d'arrosage
tous glanglan glinglon glouglu
tous empêchés par la Corse de péter en leurs corsets
meu guia meu beu chveu
tous empalés et guillerets
tous.
c'est dans ce décor de rhubarbe et de soutane
qu'il fit pipi sur la tête d'un quelconque jésus.
ils étaient là
qui crossaient sa maman,
ils étaient là tous.
et il chia dans leurs guêtriers.
par un axe imprévu discerné de ses yeux il se mit à composer sur un air argentin un quatuor de tripes.
lag-gouâ pouâa âââ
sur un air de coutura un basson de caleçon.
les arbres frémissaient dans la tâche de ne pas sourire
les maisons de cuivre bêlaient en cachant leurs seins sous leurs aisselles
les hublots de gibiers sonnaient la charge en grésillant leurs queues

l'apostat était là
les chouettes harassées meublaient pour la faïence
le profil du soir gris
les drapeaux jugulaient c'était pour imiter
les vieillards de quatre-vingt-dix ans.
il était assis
sur ses ardeurs.
ses crimes le narguaient en montrant aux bigots
leur sexe long moiré où s'incrustaient des dates
dérobées aux fossiles limaces.
il était pourpre
et maintenant presque chauve.
fanfare
grelot
pie
ange
sirène
touque
Illyiiazzam-m-mirrra... h
c'est dans ce décor de jagouars et de paumes qu'il
ensevelit pour toujours la crête de son audace
sifflante.
murmure
mol
meur
mair
mahyr
montt
creu
vig
tnass
oll
buch
rouvrir les tenailles qui empèsent le mec
qui empèsent le monde
le navyre

le satyre.
qui empèsent les balances où dans la foi des croupes un dimanche solli brave le canon liminaire.
ô sauver le pot
sauver le pipi
puisqu'il n'y peut sevrer son chant.
a
il est mort dans les gerçures
et les paniers de baissées.
gradd — ddlaûm
hoch.
c'est dans ce décor de vallées et de tornades
qu'il canonisa sa queue.

Étal mixte, 1950-1951 (D. R.)

Bona Pieyre de Mandiargues (1926-2000), d'origine italienne, est peintre sous le nom de Bona et écrit une œuvre rare sous celui de Bona de Mandiargues, reprenant le nom de l'écrivain avec lequel elle vit à Paris, après la guerre.

BONA DE MANDIARGUES

À moi-même

Ton corps a la pâleur de l'aube
Ton regard inquiet se cache
Sous ta paupière pétale
Ta lèvre est diaphane
Le temps pour toi est mort
Finis sont tes bavardages
Ta gaieté ta provocation
Qui m'agaçaient

Tout est fini pour toi
Et à jamais
C'est ainsi que je t'aime
Oh, ma jumelle…

Paris, 1959

À Henri Michaux

Hommage sans fin
À toi l'illuminé
À toi l'immortel
Créateur du monde
Bâtisseur des villes
La nuit est ton berceau
Le soleil le jour ta demeure
Comme le guerrier mythique
De ta lance invisible
Tu perces le ciel et l'étendue des eaux
Tu es l'Un et le Couple
Tu es lumière et ombre
Tu es l'âge du Temps
Tu es le Temps sans âge.

19 octobre 1985

La Cafarde

Étrangement, les constatations que je faisais avaient pour effet de me libérer du reste de ma peur. Je ne tremblais plus sur mes jambes trop haut découvertes ; j'étais persuadée qu'une histoire que je venais d'inventer aurait ému l'homme et l'aurait décidé à me laisser aller. Ce que je lui aurais raconté était que l'on venait d'enterrer dans l'après-midi mon fiancé tendrement aimé, et que j'avais voulu, après que tous les autres eurent quitté le cimetière, rester seule pour pleurer sur sa tombe, et que rompue par la douleur je m'étais endormie. Mais quand j'ouvris la bouche, à la place des mots que j'avais préparés, ce fut un long hurlement qui sortit de mon gosier pour s'enfoncer épouvantablement dans la nuit. Que m'arrivait-il ? Une fois de plus, je n'y comprenais rien. Peut-être avais-je perdu la parole humaine, sinon la voix, depuis que j'avais été frappée de terreur au moment où j'avais reconnu le cimetière de Juchitàn. Quand je ramenai le regard sur mon gardien, je vis que son front était couvert de gouttes de sueur et qu'à son tour il tremblait de tout son corps comme s'il avait été pris subitement d'une crise de paludisme. Il lâcha son fusil, il leva les bras au ciel comme pour montrer ses poings serrés à la lune, puis, après avoir prononcé un dernier mot que je n'entendis pas plus que ceux qu'il avait prononcés au début, il disparut à mes yeux.

1967

Jacques Baron (1905-1986), poète doué, quitte très jeune le mouvement. Il est bien plus tard l'un de ses mémorialistes dans le livre L'An I du surréalisme, *mais il reste pour nous le poète du recueil* L'Allure poétique, *en 1924, dont voici un poème, et l'auteur d'un récit poétique attachant, proche de l'*Aurélia *de Nerval,* Charbon de mer, *1935.*

JACQUES BARON

Futur

Demain on vendra des cerveaux de poètes dans de grands bocaux de lumière
des Peaux-Rouges accourront en portant la tête de leurs vaincus au bout des piques
les maisons tendront leur visage vers l'horizon riant
la mer décrira les cercles du décor
les étoiles se réuniront sur une montagne pour former un immense bouquet qui inondera la terre
et la plus belle femme du monde dansera sur le ciel comme une blessure saignante

Il n'y aura plus rien que quelques toitures de rêve
Les animaux divins bondiront
en suivant le fleuve où se baignent les chevelures des vierges
On ne verra plus la ville vertigineuse
dont le nom rebondit comme un diamant sur l'eau
Obnubile
Ô désir
histoire de tous les temps
de tous les cœurs
de toutes les passions
animal préhistorique retrouvé par hasard
On n'entendra plus
chanter de montagnes en montagnes
les nuages étrangers
mêlés aux voix des neiges blessées
On ne verra plus
les oiseaux étendre leurs ailes pour cacher les marécages

où des vers grouillent lentement
pour s'éloigner des météores qui les tuent

et puis
le sanglot
de toute fierté
dispersé comme un aigle dans un mauvais désert

*Voici maintenant des figures plus lointaines — étranges ou étrangères : Malcolm de Chazal (1902-1981), qui, habitant l'île Maurice et coupé des rencontres avec ceux qui l'ont soutenu, Jean Paulhan et les surréalistes, devient un pur adepte de la Gnose ; Jean Ferry (1906-1974), qui figure dans la dernière édition de l'*Anthologie de l'humour noir, *ayant peu à peu abandonné sa vocation d'écrivain au profit d'une activité de cinéaste où il gagnait sa vie, devient quant à lui Pataphysicien de haut rang. On pense encore à Jehan Mayoux (1904-1975), qui s'échappe, lui, dans l'activité militante libertaire et à Greta Knutson (1899-1985), trop peu connue (sinon par les contemporains de son époux Tristan Tzara), modeste et inclassable, qui s'échappe dans sa rêverie propre et dans l'élégance d'une femme de sa génération. On s'interroge : certes elle a joué de malchance étant peintre d'abord, mais dans ce moyen d'expression* aussi *elle était d'une facture trop fantastique pour être célébrée par les surréalistes.*

MALCOLM DE CHAZAL

« *Comment j'ai créé* Sens plastique... »

Cette relation pourrait aussi bien s'intituler : *vivisection d'un livre, auto-autopsie cérébrale,* ou plus simplement : *histoire d'un cerveau.*

Mes études scientifiques, ma formation intellectuelle, rationnelle et raisonnante, certaines tendances contradictoires de mon hérédité, une sensibilité comprimée dès la tendre enfance, ces divers facteurs m'avaient porté, dès l'exorde de ma carrière littéraire, vers un monde analytique, où je me suis longtemps promené, bistouri à la main, cherchant à disséquer la matière-homme, comme un enfant lacère son jouet pour savoir « ce qu'il y a dedans ». Pénétrations successives comme une mine qu'on fore, un raisonnement portant un autre, une découverte aidant à trouver une autre, et ainsi, par poussées successives, tantôt en ligne droite, et tantôt en courbes pour envelopper le sujet, revenir au point de départ et conclure, tels de petits carrousels d'idées autour de pistes fermées et limitées. Autrement dit, je ne faisais, à ce stade de mon développement, que suivre le mode de penser « sur un plan » commun à la masse du genre humain, méthode requérant plus de patience que d'intelligence, demandant de la discipline d'esprit, de la concentration de pensée, et certains dons de « mémoire voyageuse » — l'important étant de ne jamais lâcher une partie du sujet qu'on n'en ait saisi une autre où s'accrocher et avancer. « Course au lévrier » de l'esprit par foulées successives, jusqu'à l'ultime foulée où la main se pose enfin sur le « lièvre » qui fuit, et qui sera tour à tour : axiome, demi-vérité, trait satirique ou syllogisme philosophique.

Tel fut mon mode de penser tout au long de mes premiers livres. Au cinquième tome de mes *Pensées* une nouvelle méthode s'imposa à mon esprit. Je m'aperçus bientôt que tel objet, telle particularité du corps ou du visage, une chose insignifiante en soi, un « rien » vu comme par hasard et n'ayant aucun lien avec le corps de l'idée dont je voulais extraire l'essence, ces notions étrangères au sujet suffisaient par elles seules à accélérer la marche de ma pensée, à déclencher parfois d'un seul coup mon mécanisme cérébral à plein, ou ce qui arrivait le plus souvent, à me « mettre au but » comme dans un éclair, à peine le départ donné — à me doter de la « pensée instantanée ». J'appelai cette manière nouvelle d'élaboration intellectuelle : *la manière catalysante de méditer*. Par exemple, il me suffit un jour de voir couler l'eau d'une fontaine, pour que surgît en mon esprit une idée cosmogonique de l'espace, et à un autre moment, les balancements d'un corps de femme faisaient jaillir en moi, en flambée subite, une idée métaphysique du Temps.

Mais, à ces exceptions près, ma pensée évoluait encore « sur un plan », à ras de terre. L'« avion » de mon esprit roulait certes, à ce moment, à vive allure, mais il était encore loin de décoller. Il me venait bien parfois à l'esprit — tel l'avion a de légers bondissements en fin de course, signes précurseurs de son envol prochain — il m'arrivait bien par moments de concevoir et de noter des choses qui surpassaient de très loin ma raison, et que je savais vraies, mais qu'il m'eût été impossible d'expliquer, même à moi-même, que je « percevais » mais ne pouvais décrire, encore moins prouver aux autres.

Ces éclairs de la *pensée intuitive* n'étaient, à ce stade, que rares et espacés.

Le progrès décisif ne se produisit que lorsque je me mis à analyser le visage humain en profondeur. Immédiatement je perçus que toutes les parties de la face se raccordaient, s'emboîtaient, étaient interliées et indissociables les unes des autres. Par bonds intuitifs, je vis bientôt qu'il était relativement facile de « faire pont » entre les traits, pourvu qu'on vît le visage humain *en soi* comme sur un écran intérieur, l'essentiel étant non pas d'observer les hommes, mais de contempler l'universel humain en soi, et de rapprocher les traits du visage, par association de deux traits à la fois, pour en extraire l'essence, comme d'une orange qu'on presse pour en extraire le jus, ou comme d'un caoutchouc qu'on comprime et relâche pour en connaître la qualité.

La lumière est la plus « balancée » des hélices. On en a la preuve dans l'arc-en-ciel — moment où toutes les « palettes » de la synthèse lumière sont au repos. Dans tout le champ naturel, il n'est de plus parfait exemple d'équilibre que l'arc-en-ciel. L'arc-en-ciel est tellement « balancé » en essence qu'il transforme les paysages les plus chaotiques en une arche d'unité, faisant couler les déformations du monde ambiant en un moule unique. L'arc-en-ciel est le plus puissant « liant » de la nature.

Si, au lieu de voir les choses de face, nous nous évertuions à les voir toutes de biais pour un temps, en « prenant en tangente » tout ce qui nous entoure, nous ne sentirions bientôt plus l'effet différencié de longueur et de largeur dans les choses. Ainsi la contemplation intensive et totale de la fuite « en sifflet » d'un ruisseau nous donnerait, pendant un millième de seconde, quand nous relèverions les yeux, la sensation d'une nature sans dimension — ni plate, ni ronde, ni longue, ni large — mais telle une masse informe où le regard chercherait en vain à se retrouver.

Celui qui se promène sur une route ou sur un sentier semé de morceaux de verre brisé, aura la sensation d'un pétillement de lumière sous ses pas — sensation qui se fera d'autant plus forte et vivante que les débris vitreux seront nombreux et serrés à ses pieds, et que s'accélérera la vitesse de marche de l'homme. Plus prononcé est le pétillement des noyaux d'étoiles, plus grande est leur vitesse de course dans l'espace.

Le vert est le meilleur stabilisateur des formes. Le vert est un appoint au corset et une seconde gaine du buste, chez les femmes aux hanches rétives et aux seins voyageurs.

La couleur est le chausse-pied de l'œil, entre les formes des choses. Nature grise et délavée des paysages d'hiver : l'œil pris de biais entre les formes des choses ne touche plus la semelle de l'espace.

La kaléidoscopie, la synthèse des teintes que nous avons à tout moment dans les yeux sont les « cailloux blancs » du Petit Poucet du regard. Sans les bornes multicolores que nous avons dans l'œil, le regard, engagé sur les voies des couleurs uniques, ne pourrait revenir sur ses pas. Tel est si bien le rôle des compléments que c'est grâce au « vert dans l'œil » que nous ne nous « perdons » pas à tout jamais dans une gerbe de roses rouges. Et si nous n'avions pas du jaune dans les yeux, notre regard, au premier contact avec le bleu du ciel, partirait pour toujours dans l'éther de l'azur.

La pupille est le plus parfait exemple du plein et du creux emboîtés. Quelle que soit la nature de la pupille, il n'y a point d'interstices dans le regard. Y en aurait-il qu'on y verrait l'âme de l'autre par ce « trou de serrure » et l'homme entrerait dans le monde spirituel par effraction.

L'homme est la plus résistante des espèces à l'Évolution, parce qu'il forme l'apex de la pyramide animale. L'homme ne peut évoluer par lui seul, si les autres espèces n'en font autant. Telle est la loi d'interdépendance des espèces. Un jour l'expérimentation la prouvera. Dans l'évolution du poisson, ce bas de la pyramide de vie, se voit, en plus petit et au ralenti, l'évolution future de l'homme.

L'espace est le produit d'une infinité de *creux* qui s'emboîtent mal. L'espace, c'est les trous du creux.

Sauf en pleine mer où les abîmes marins noircissent le bleu de l'eau dans l'indigo — sur les bas-fonds des nappes côtières, là où l'ombre aquatique ne monte pas à la surface des eaux, les brisures du bleu du ciel contre le bleu de la mer donnent au bleu de ses eaux teinte verdâtre. Plus est intense le bleu du ciel, plus le bleu de l'eau du port tire au vert. Le vert ne serait-il pas par hasard l'effet de deux ondes bleues se « butant » à l'angle droit de leurs formes, et dont l'effet de ralentissement double les « fuserait » dans le vert ?... En fait, les couleurs en général ne seraient-elles pas les produits ralentis et accélérés les unes des autres, toutes étant issues d'une même teinte-essence qui est la Lumière-Dieu ?

Narines trop échancrées font de la nervure centrale du nez comme une breloque à la bouche. Exagérez cette particularité du visage jusqu'au stade de difformité, et vous aurez l'impression, à distance, comme d'un bec-de-lièvre dans la face. Tout ce qui déforme le nez en largeur fait à la bouche des incisions, comme l'accent aigu sur le *e* saigne cette lettre.

Par le rebondissement élastique du tambour qui tressaute sous le marteau feutré qui l'assomme, la voix du tambour émet un double son, que mastiquent les grondements intermédiaires. Si nous écoutions à la loupe les articulations du tambour, nous y décèlerions dans sa grosse voix ronde le plus gros de tous les bégaiements, émis par la plus lourde de toutes les langues.

Il y a des haleines qui nous communiquent à la peau un effet de brûlure. Effet sans doute de la spiritualité du souffle qu'elles véhiculent. Pourquoi mettre des flammes dans la bouche du Démon, car son souffle est glacé... C'est dans la bouche de l'Ange qu'est la place de cette haleine enflammée, chez qui la bouche brûle d'amour.

1947

JEAN FERRY

Souvenirs d'enfance

Oh, les tulipes de Varlaam ! Oh, les ciels gris du Zuyderzee ! Et les dunes de sable ! Je m'en souviens encore ! Lorsque nous étions enfants, notre mère nous envoyait jouer sur la digue, en nous recommandant bien — comme ses yeux étaient bleus et clairs ! — de ne pas marcher dans les champs de fleurs, et mon frère cadet Pietj, celui qui s'est noyé il y a dix ans sur le Doggerbank, croyait que les tulipes allaient enrouler leurs tiges vertes autour de ses petites jambes, pour le faire tomber, exprès. Et il avançait tout raide au milieu du chemin plat, en mordant dans sa tartine, sans oser regarder vers la droite ni vers la gauche la merveille des champs de couleurs...

Combien ce temps serait encore doux à ma mémoire si j'étais né en Hollande, et si mon petit frère s'était appelé Pietj ! Avec quelle émotion contenue j'évoquerais le souvenir de notre affection, que seule la mort devait délier ! Hélas, je ne suis né que rue Remy-de-Gourmont, un secteur peu connu du quartier des Buttes-Chaumont, où s'élevait jadis le stade Bergère. Il y a là un petit îlot de maisons à loyer médiocre, une clinique discrète, quelques terrains vagues (je me demande ce que la guerre a fait de tout ça ?), le tout isolé du reste de Paris par des escaliers démesurés, dont certains rejoignent les rues en contrebas, à travers les immeubles plus luxueux bordant lesdites rues. Chaque soir, au retour de l'école, c'étaient de terribles batailles dans ces escaliers (on en était aux films à épisodes) et nos parents ne descendaient ces marches si fatigantes, au soir de la journée de travail, qu'avec l'impression « d'aller en ville ». Car, sur sa hauteur, notre stade Bergère était un vrai petit village, avec son épicier, son pharmacien, et même sa commune libre, fondée par un poète couvert de boutons et de pellicules. Il récitait, dans l'arrière-salle de l'épicerie — qui faisait aussi bistrot —, des poèmes d'amour dont la facture datait un peu, et des couplets antigouvernementaux, « à l'instar des chansonniers de la butte rivale », c'était Montmartre qu'il voulait dire.

Mais qu'est-ce que je raconte là ? Et quel secret dessein me pousse ainsi à travestir la vérité ? Ça se saura toujours, pourquoi ne pas le dire ? Ma mère n'était pas une pauvre et bien portante paysanne de la Frise, ma mère n'était pas cette humble couturière à façon telle je viens de l'imaginer, terne et besogneuse (ce qu'elle m'aimait, celle-là ! Je sens encore contre ma joue, lorsqu'elle y essuyait quelque larme, le bout de son index que vingt ans d'aiguille avaient rendu tout râpeux) — ma mère, pourquoi ne pas le dire puisque j'ai décidé d'être franc, c'était Miss Florence, et je n'ai jamais connu mes pères…

Miss Florence, ça ne dit rien aux générations actuelles, mais certains survivants de l'âge d'or (tziganes et prix fixes à 0 fr. 60) n'ont peut-être pas oublié cette fille magnifique, qui leur fit passer dans le dos, deux saisons consécutives, le frisson des angoisses sournoises, au Nouveau Cirque. Miss Florence entrait sur la piste en grande robe du soir, comme une héroïne d'Henry Bataille, et ça en représentait des mètres de velours, de dentelles, et les gants de chevreau glacé noirs aux boutons de perles, et les épaules de nacre aveuglantes, et des yeux verts jusque-là, que tous les hommes en devenaient brusquement sérieux, attentifs, concentrés. Et le grand éventail de cygne rose, donc ! Mais elle ne la gardait pas longtemps sa belle robe, maman. En deux coups de jambe et un tour de reins, crac, la voilà en maillot de satin noir, les mollets lacés, comme une vraie bathing-beauty de Mack Sennett — chose dont on n'avait pas encore idée chez nous. Ça en fichait un sacré coup à tout le monde, des loges au dernier rang, tout là-haut, d'où le rond de la piste n'est plus qu'une soucoupe de lumière. Il n'avait pas besoin d'insister pour obtenir le silence, Monsieur Loyal, personne ne songeait à rigoler pendant que Miss Florence grimpait au sommet du cirque par l'échelle de corde. On pensait à des choses émouvantes en voyant monter vers le ciel ces fesses sublimes, ces cheveux d'or fous, endiamantés. Après, ça allait très vite ; un trait de lumière rose fusait de haut en bas, un éclaboussement, et Miss Florence, tout sourires et peau mouillée, jaillissait de la petite baignoire où personne n'avait cru d'abord qu'elle entrerait d'une façon aussi dramatique. Et ça battait des mains, pour se délivrer de la peur qu'on était venu chercher : voir cette douce machine appétissante et veloutée devenir en une seconde un tas aplati de viande sanglante, crevée d'os et de hurlements...

Pendant ce temps-là, suivant l'état des fonds, je dormais dans la loge, au Cirque, ou au Ritz, ou à l'Hôtel des Enfants-de-l'Aveyron, rue des Panoyaux. Ou bien j'étais chez les Pères, ces messieurs de la Sainte-Pustule, qui feignaient de ne pas savoir d'où venait l'argent du trimestre. Et c'était pourtant de l'argent honorable, rien que des messieurs titrés, ou fraction d'agent de change, et même une fois, je crois, un agent de change complet. Mais je ne les voyais jamais ; des intimes de ma mère, je ne connaissais qu'une femme rousse, belle et fatiguée, qui vivait dans son ombre, ravagée d'une adoration jalouse et qu'on appelait Marjolaine, ou Ma Jolie, je ne sais plus.

Et puis un jour (entre nous, ça devait arriver), Miss Florence est tombée à côté de sa cuvette, et Ma Jolie m'a emmené en Angleterre. C'est elle qui m'a expliqué ce que c'était que l'amour. Mais — elle y mettait pourtant du sien — je ne devais lui rappeler que très imparfaitement Miss Florence, car je me suis retrouvé à dix-sept ans, tout seul, en chandail, un soir d'octobre plein de fumées, à East India Dock, sur un pavé noir et rudement glissant. Si glissant que je n'ai eu qu'à suivre la pente jusqu'à Malacca, Selangor, les hévéas, et ce tribunal crasseux de Morondava où mon avocat, suant, digne et velu, se donnait de grandes claques sur le crâne pour écraser les mouches.

Soyons sérieux. Assez plaisanté... je suis né... attendez donc... c'est que... je suis né... ah, je ne sais plus... quant à ma mère, c'était... mais, où ça, donc ?... Dans le fond, je crois que je ne suis jamais né.

avant 1953

JEHAN MAYOUX

La maison des oiseaux

Je traverse un grand automne d'arbres noirs. La boulangère derrière son guichet me fait des gestes de feuillage comme si elle attendait une déclaration un coquillage ou un cadeau quelconque.

Le mot oiseau n'a rien de décourageant et cependant il y a des oiseaux qui ne volent pas.

Le bruit de l'eau est pareil à la bouche d'un grand poisson quand une étoffe se déchire. L'enfance y voit la scie du vent qui s'enfonce dans une falaise de dimanches l'homme surpris pense à sa propre nudité.

Je regarde toutes sortes de travaux à travers mes mains transparentes.

Je parle de ce village comme d'une écumoire et pourtant un sourire c'est peu même d'une femme très belle.

De la guimbarde du soleil à l'établi des haricots rouges il y a des géants qui s'interpellent et de menus bestiaux qui se métamorphosent.

Rieuse les petits cailloux ne dorment jamais dans les poches de son tablier.

Le forgeron a posé sa grande aiguille sur ses genoux et il la flatte du regard.

La charrue a du soleil dans son petit panier elle jette à pleines mains des feuilles mortes noires comme le sommeil d'une femme abandonnée et rondes comme le sourire d'un enfant qui ne va pas à l'école parce que les fourmis ont eu des mécomptes avec leurs élevages.

Comme si tu jetais des paniers dans un puits les oiseaux ont pris leur bain dans la poussière.

Un coléoptère a cassé une branche dans le figuier et cela fait penser à la navigation fluviale.

Toutes branches dehors la maison des oiseaux contribue au silence la main qui me conduit n'a rien perdu.

Comme un oiseau de verre j'ai rencontré une femme très nue.

Demain creusé comme un tunnel ressemble à un coffre de bateau le charpentier du bord serait distrait le capitaine un peu trop jeune.

Plumage est plus loin qu'on ne croit fleur de peau est très mystérieuse.

Des fenêtres de chiendent lui mangent la figure c'est un jour pair.

Il s'est fait des cadeaux de givre et de brindilles dans une rue où les oiseaux ne dorment pas.

Très habituel on l'a payé de perles blanches son chagrin était maladroit comme un pagure qui change de coquille.

Tant de chemins et tant de fourmilières et puis ta voix comme les gouttes d'eau sur l'aile d'un oiseau.

Au crible de la nuit, G.L.M., 1948 (D. R.)

GRETA KNUTSON

Lac de vie

Il n'y a pas grand-chose à dire de cette chambre. Certains de ceux qui l'ont habitée une fois ou deux, pendant une heure ou deux, auront emporté d'elle un souvenir incomplet — ceux dont un chagrin s'alourdit d'année en année jusqu'à raser l'asphalte abandonné aux mois d'août sordides ; elle ou lui se reverra — sans savoir pourquoi — entrant là, silencieusement, pendant que déjà la petite flamme de leur désir vacillait...

... Reverra d'abord la fenêtre aveugle qui ne donnait sur rien, sinon sur le morne puits d'une cour sans fond à demi cachée par les rideaux poisseux dont les doigts s'écartent avec dégoût ; reverra peut-être le carrelage disloqué et l'armoire de guingois et la chaise unique, boiteuse — qui sait, peut-être aussi l'éventail japonais gagné dans quelque foire... Était-elle résignée ou résolue, celle qui en entrant s'est dit : ce qui est devait être ? Et lui, enfiévré, aura-t-il passé outre à tout ?

Tout s'oublie, par exemple un lit énorme à l'odeur suspecte et même un haut miroir griffé de salpêtre et, marquant le temps, les gouttes qui tombent d'un robinet. Tout s'oublie — une descente de lit semblable à la dépouille d'un chien vagabond et une clef mal assortie à une serrure qui grince. Tout s'enfouit, rien ne s'oublie.

Miroir, grand lac indifférent. Grand lac de vie.

Ô main passée sur le front, ô réalité dissoute : ici les barrages se dissolvent sous les vagues, les images voguent et se brisent, fuient, refluent et sombrent — sous les vagues sont les vagues qui se noient sous les vagues. Alors, d'où la guitare et la voix, tu ne sais plus, mais les dés jetés, noir sur blanc les verdicts, rien en échange — joué, perdu. Perdues les avenues désertes des aoûts errants sans que personne les salue. Mais ici les séquences mortelles et les abeilles noires : pour les visiteurs, leur miel, leur ambre profond, le trésor entrevu sous les vagues et bu par le rapide oubli...

Et pour le guetteur derrière la petite vitre au-dessus de la porte ? Pour lui les arabesques malhabiles des corps et leur langage vain, les paraphes inachevés de leur mensonge, les araignées accrochées à l'ombre croissante... ou bien des animaux en balayures, diffus, enflés jusqu'au plafond : rapprochements illisibles ou évasions ; toujours l'Autre, en toute éternité maudit.

Ensuite, par la porte rouverte, deux fils se dérouleront en descendant l'escalier, puis se sépareront à l'entrée de l'hôtel, « souvenez-vous », et couleront l'un vers la droite, l'autre vers la gauche, pour disparaître simultanément ; l'un derrière l'angle du cinéma, l'autre au coin du café.

Musique lunaire du loup-garou

Par une nuit de vent, un nuage en forme de cygne blanc glissait devant la lune pour essayer passagèrement le plumage d'un cygne noir.

Dans une maison, un homme debout devant une fenêtre regardait fixement un enfant apparu à une autre fenêtre. L'enfant ne voyait pas l'homme, mais tous deux restaient immobiles. Le nuage qui passa devant la lune essuya les yeux de l'enfant avec le duvet de son aile noire.

La pleine lune étendit l'ombre de l'homme debout sur un drap luisant coupé en losange ; on y vit allongé un arbre nu et noueux.

L'enfant vit l'homme ; caché par la nuit, il se détourna pour s'asseoir au sol. Bientôt il y reparut, oiseau lumineux accompagné de son frère, jumeau noir assis derrière lui.

L'homme dit alors à l'enfant : À chaque lune pleine, des cygnes masqués viennent se poser sur l'arbre dans ma chambre. Lorsque je ferme les paupières, les astres s'éteignent pour interdire la fuite des oiseaux.

Quand te verrai-je venir ? De ta bouche coulera tout ton chagrin rouge ; avant de t'endormir tu entendras encore et encore se briser au sol les vagues dont tes ailes touchaient les crêtes, avant le mal et le souvenir du mal.

Pêche lunaire

Celui qui est assis penché en avant sur le banc n'est pas toi.

La main posée sur un genou étranger n'est pas la tienne, ton visage n'est pas le tien.

À chaque pulsation de ton cœur devait suivre une autre : la certitude vivait encore, l'herbe ne craignait encore rien. Bientôt tu allais m'appeler, mes pas allaient rencontrer les tiens dans le sable vivant.

Les chansons devaient venir et passer sans traces. Chaque objet nous regardait avec des yeux d'enfant, avant la naissance de la peur.

Maintenant les montagnes brûlent et je suis un pays dévasté.

s.d.

GRANDES LIGNES

Appartiennent à la dernière génération des poètes fidèles à André Breton, et ce ne sont pas des figures mineures, Jean-Louis Bédouin (1929-1996), Marianne Van Hirtum (1935-1988), Gérard Legrand (1927-1999), le philosophe de Préface au système de l'éternité, *Losfeld, 1971, qui est aussi un poète attachant, Radovan Ivsić (1921), le poète et penseur Alain Jouffroy (1928) et Joyce Mansour (1928-1986), qu'on a déjà citée plus haut pour ses poèmes d'un érotisme fulgurant.*

JEAN-LOUIS BÉDOUIN

Grandes lignes

Parlez-moi de ces silences tramés de mots de passe
Le secret n'est pas réductible à une formule simple
Parlez-moi de ce visiteur qu'amène le vent
Un soir de premier quartier de lune
Parlez-moi de cette femme gréée d'étincelles
Qui sont la semence du phénix et l'espoir en l'amour
Parlez-moi de cette femme que j'aime
Et de la fatalité d'un tel amour

Parlez-moi de ces pierres de foudre
Si rares emmaillotées de soies à franges
Qu'il faut s'enfoncer deux à deux en forêt
Pour atteindre le lieu où s'étoile la vie

Parlez-moi de langues légères
Rompues aux politesses exquises
À l'éloge du front qui brûle
Contre la joue fraîche de la fenêtre
Parlez-moi de langues faites au murmure
Au babil des sources qui lèchent le sorbet bleu du ciel
Parlez-moi de la canne des verriers
Quand il faut souffler quelques mondes
Un peu dansants

Parlez-moi de tout perdre
C'est le commencement d'une énigme
Dont tu détiens le dernier mot
Toi qui sais quel écorché vif
Teint le couchant
À cette heure ancienne où je ploie
Sous le faix de la vie sans toi

Parlez-moi de chercher l'issue d'une rue barrée
D'une vie barrée
Au bout de laquelle un arbre
En est réduit à se débiter lui-même en planches
Et parlez-moi à la rigueur d'un beau suicide
La balle a été tirée de l'intérieur de la tête

Mais toi
Toi qui sais qu'il n'est pas plus vrai
Plus irrésistible
Que tes mains dans les miennes
Pour ouvrir toutes les cages
Toi
Parle-moi de la colline

Celle qui craque comme une pomme sous les dents
des crécelles
À midi
Quand le soleil pose son ballot de colporteur
Et fait halte

Parle-moi d'un pays d'où nous ne reviendrons jamais
De cette plage de l'île perdue
Où l'oiseau de tes jambes fait son nid
Ses œufs d'ivoire sont tes genoux

Parle
Mais parle bas
De peur d'effaroucher les perles
De déranger le beau drapé du sable sur les gisants

Parle-moi de la nuit sans couture
Bien close comme un fleuve sous la glace
Un fleuve ardent qui coule dans nos veines
Sous l'haleine froide des étoiles

Parle-moi sans paroles
Nous sommes seuls
Avec la pluie profonde dans la terre
Avec les animaux puissants et doux
Nous n'en sommes plus à nous chercher
Entre la roseraie des feux de gare et l'hôtel
de l'espérance
Nous sommes bien loin

Très loin d'une heure d'un jour quelconques
De ces ombres qui se brisent comme des vitres
Et dégringolent dans un bruit de galop qui décroît

Tu ne dis rien
Je t'entends
Je te vois venir vers moi du fond de notre avenir

Je vois les deux versants du temps
Creux comme un lit
De ce poste que j'occupe au centre d'une place vide
Où se dresse la statue d'un génie
Qui n'attend plus que toi pour naître

Libre espace et autres poèmes

MARIANNE VAN HIRTUM

les trous — les fissures — les fentes
le chas d'aiguille
le pied d'argile vivante
la main construite à tout.
je fus mendiant et mon âme était reine.
je fus danseur et naquis sur les toits,
dans un bourgeon où la fleur souterraine
attend le coup de glaive.
dans un bourgeon pareil
était né ton visage.

— demain je me ferai la main plus tendre
— défroisserai ta joue fripée.

sera-t-il possible un jour
de démembrer l'aveu
à rebours du cheval de bois ?

la pluie fume au vent des
colombes bleu-gris.
le soleil est clair pour demain
dans les ronces ardentes.
n'ont pas séché les ailes
de l'oiseau d'ouate.

les rires ferment la vitre
au désespoir qui ne s'adapte.
la secte ailée
dédouble un ciel de cendre.
l'œuf, fou de peine à refuser d'éclore
est carreau de ma vie
ma vie perdue
où je pose le pied.
oh que ne suis-je sidéral.

toutes les infidélités me sont victimes
dit Antoine.

***

je commence à bercer mon temps.
j'ai couturé un vêtement de tes absences
l'ai revêtu contre le mal
contre la faim.
j'ai cueilli des fleurs apaisantes
pour chanter la soif
qui pleurait si bien.
j'ai coiffé mon front de collines blondes
j'ai tout changé.
j'ai mené paître mes désirs à pas de chagrin
dans les plaines rondes où le soleil
est pour demain.
avec des brins de toi
au vent volés
l'un après l'autre
j'ai bâti une tour
qui double
est sans fatigue
dans le ciel.

sans éveil sera mon sommeil :
les fenêtres ont semé leurs pas.

ô saine et claire invite
des trop belles aurores,
le matin se couvre de fleurs
pour échapper aux yeux des canons sans mystère.

les halles à remplir sous les tentes sont prêtes.
je cours le long des berges, à retrouver loin un
sourire
dans la terre profonde
où le noir monte sentinelle.

je garde les troupeaux, au front la tache blanche
qu'a laissée une pierre.
l'ami lointain donne ses lèvres au sel
et nous pouvons bâtir à cette angélique pudeur
une statue plus blanche

INSOLITE

toutes les chienneries
sont sous les pas d'Antoine
dit Antoine.
j'ai tenu commerce illicite
avec cet insondable vent
que je ne voudrais pas nommer poème.
quelque part arrivé :
il n'est plus temps pour changer d'ailes
mais du moins transformer mes pas
en roues de dynamites
j'appris.
j'appris à accrocher des feuilles aux arbres
j'appris à marcher en tombant
j'appris à ne pouvoir parler.
face à moi est assis le visage d'afrique
et le visage asie se souvient.

Les Insolites, 1956

GÉRARD LEGRAND

Sauf-conduit

Tu demanderas un soir clair comme un citron pressé
La transparence d'un verre-de-tempête
Pour le commencement du verbe
Et de son trésor d'herbe aux niches de sable de différentes couleurs
Aux serrures sanglantes de méduses et d'isis
Mais la mascarade bat son plein sur les quais fous
Où les statues qui marchent se changent en ombres toutes éprises du même mensonge
Dis-moi si chaque soleil qui se lève est une nouvelle étoile
Si chaque étoile de mer était un ciel de lit
Si chaque bouquet d'artifice était à la bonne heure
Dis-moi visage errant parmi les roses muscates serais-tu rassasié

Enfin voici le poème voici
Le soir couleur de girolle aux cris d'ange lointain
Aux souffles mystérieux comme la lecture du passé dans la main d'un amnésique
Voici la ligne d'horizon métisse et incarnée
Les tièdes palmeraies de l'éternelle absence
Voici les apparitions qui font cortège à l'hermite
Et le centaure café-au-lait
Le centaure de contre-hermine

Le lion des neiges
Qui brandit le glaïeul du rite

Le lion des mers
Qui d'un foulard sarcastique dissimula son empire d'émouvantes faiblesses
Le lion des airs
Qui descelle les os de la poupée cramoisie

Le lion des terres
Qui épand ce rivage tout en coups de fouet en boules de feu
Où la nuit prend conscience de ses propres broussailles

Les monstres soudains et fugitifs
N'en sont pas moins irréparables

Depuis que le déluge dispersa nos emblèmes
Torches du désir agitées au cœur des grottes velues et fauves
Éponges du rêve rafraîchissant le tableau calciné de la vie
Le soir peuple encore de prophéties certaines
Un silence envoûtant comme le chèvrefeuille
Le soir répand encore l'incertaine semence
Des lanternes de tranche-montagne dans les ravines ravagées
Par la nourrice des Titans
Le fantôme à mâchoire énorme de baleine
S'achevant en mince queue de phalène

Cannes, septembre 1952

À tout rompre

Quand la vanille de vos bijoux dormira dans toutes les cavernes de la terre

Ma sœur immense déjà possédée par l'embrun
Par l'herbe où vont et viennent les astéries velues
les conques les plus charnelles
Sous une grille de fer rouge
Alors la vérité sera une et indivisible
Pour mesurer ma vie les bras levés des hérésiarques
s'égaleront aux sarments de la neige
Et ce sera d'un coup le bonheur ou la mort
L'inquiétude tintera de village en village comme
une goutte de givre
Dans les plis d'une laitue le matin du dégel
Tu n'auras pas à dire que tu ne savais pas
Le cœur battant le cœur brisant
Comme sur l'infini des routes le carreau de la foudre
Comme sur la vitre ternie des voyages le diamant
d'une petite vallée
Que le ciel et la terre soient légers à ton ombre à tes
pas
Quand au sentier couleur de crime tu descendras
goûter
Le sorbet de la lune sur sa dentelle de clairière

Quand la vanille de vos bijoux dormira dans toutes
les cavernes de la terre
Quand des peuples en marche épieront vainement
la trace de vos corps
Léonides trop pures pour n'étinceler qu'à date
unique
Et trop pures pour ne pas disparaître aussitôt appa-
rues
Tout sera consommé tout sera consumé avec le
soupir de la nuit aux lèvres d'angélique
Dans ce désert ailé comme une ancienne Victoire
Mais la splendeur des roses la réponse des roseaux
Continueront de célébrer l'attente du mystère

Quand la vanille de vos bijoux dormira dans toutes
les cavernes de la terre

Ma jeunesse nue sous sa cape de feu
Relèvera une voilette ponctuée comme les six faces du dé
Dont elle jouera assise sur un sépulcre plein de soleil
À la frontière des week-ends et des siècles
La vie sera une pierre suspendue
Langue d'or lacune de ciel terrible
Qui ne tombera pas
Sur la honte des prairies et marécages pourtant lacés d'un fil noir où courent mille débris de papier-glace
Et moi le long de vous
L'orange émouvante et pâle des jupes
Je passerai
Au tournant des parfums oublieux de l'interminable éphémère
Qui baigneront la tanière fragile sa couronne de colchiques

La Marche du lierre, 1969

RADOVAN IVSIĆ

Le roi Gordogane

PREMIER ACTE

SCÈNE 5

Louna, Gordogane, le Royal-Coupeur-d'Oreille, Le Royal-Arracheur-d'Œil.

[...]
(Le Royal-Coupeur-d'Oreille et le Royal-Arracheur-d'Œil jouent de la trompette. Gordogane bat du tambour et annonce :)

Édit du roi lumineux Gordogane à son bon peuple :

Notre bon peuple,

Nous, le Glorieux et Royal Souverain Gordogane, prenant soin du bonheur de notre heureux peuple, nous avons décidé, dans l'intérêt de la justice, de collecter les impôts nous-même. Étant donné que le Roi Blanc a négligé la récolte de l'impôt — ainsi d'ailleurs que les autres affaires importantes de l'État —, toi, peuple fidèle, tu ne sais pas comment on doit répartir et ramasser les impôts. Le Roi, mon bon peuple, ramasse les impôts lui-même, il les prélève sur chaque tête sans s'inquiéter de savoir si elle est vide ou pleine. Nous, Gordogane, le Glorieux et Royal Souverain, nous aimons la justice. Nous voulons bien t'informer, peuple fidèle, que l'impôt est de cent écus d'or par tête, sans exception. Afin qu'il n'y ait plus de pauvres dans notre royaume, nous avons décidé que les pauvres payeraient cinq cents écus en plus des cent écus ordinaires. Nous avons ordonné cela afin que nul ne dise qu'il est pauvre et qu'il ne peut pas payer les cent écus. Les riches ne payeront rien. Leur fortune appartient au Trésor Royal. Afin que nous, Gordogane, le Glorieux et Royal Souverain, nous puissions voir immédiatement quelle tête a payé l'impôt et quelle autre ne l'a pas payé, on coupera une oreille à la tête qui aura payé l'impôt. L'oreille sera coupée par le Royal-Coupeur-d'Oreille. À la tête qui ne payerait pas — que la foudre vénéneuse l'écrabouille ! — à la tête qui ne payerait pas l'impôt, on arrachera un œil. L'œil sera arraché par le Royal-Arracheur-d'Œil.

Avis à notre bon peuple !

GORDOGANE – Royal-Coupeur-d'Oreille, combien en as-tu *tsif* aujourd'hui ?

LE-ROYAL-COUPEUR-D'OREILLE – Pas la moindre, Sire. Je vais engraisser comme une carpe dans la boue, par mon couteau !

GORDOGANE – Passe notre honte sous silence ! Et toi, Royal-Arracheur-d'Œil, combien en as-tu *tchouff* ?

LE-ROYAL-ARRACHEUR-D'ŒIL – Seulement douze, mon roi, par ma triste mère ! Et encore cinq aveugles, cinq borgnes et deux bigles. Par mes tenailles, son œil sera le treizième et le premier œil sain d'aujourd'hui !

GORDOGANE – Tais-toi, buse de mauvais augure ! Il va payer l'impôt, tu vas voir. *(À Louna :)* Paye !

LOUNA – Le meilleur des rois...

GORDOGANE – « Le meilleur des rois », avez-vous entendu ? Paye !

LOUNA – ... tu as dit...

GORDOGANE – Paye !

LOUNA – ... que les riches ne payent pas d'impôt. Je suis riche.

GORDOGANE – C'est le premier qui a avoué. Riche sujet — mais comme il est modestement vêtu ! J'ai toujours dit que les vrais riches sont modestes — riche sujet, dis-nous ce que tu possèdes et où sont tes trésors.

LOUNA – J'ai le meilleur roi du monde et il est maintenant devant moi.

GORDOGANE – Je le sais, mais je te demande pour la monnaie.

LOUNA – Qu'ai-je à faire avec l'or puisque j'ai le plus valeureux des rois ?

GORDOGANE – De l'or !

LOUNA – Je n'en ai pas.

GORDOGANE *(fait un signe au Royal-Arracheur-d'Œil)*. – *Tchouff !*

LOUNA – Le plus sage des rois, fais-moi grâce !

GORDOGANE – Ou de l'or ou rien.

LOUNA – Il est vrai que je n'ai pas d'or à te donner...

GORDOGANE – De l'or !
LOUNA – ... mais j'ai quelque chose d'autre...
GORDOGANE – Je n'accepte pas d'argent !
LOUNA – Je vais te donner un fromage miraculeux.
GORDOGANE – Je ne suis pas le Roi Blanc, que le fromage l'éveille dans sa tombe !
LOUNA – Entends-moi, Grand Roi. Je vais te donner le fromage miraculeux qui te rendra invisible. Rivoulet, coloplet, s'il vous plaît !
GORDOGANE – Invisible ! Ça ne serait pas mal, par le sang !
LE-ROYAL-COUPEUR-D'OREILLE – Ça ne serait pas mal, par mon couteau !
LE-ROYAL-ARRACHEUR-D'ŒIL – Ça ne serait pas mal, par mes tenailles !
GORDOGANE – Ha, ha, ils vont s'ébahir quand ils trouveront leurs bourses sèches, ha, ha, et quand le couteau tombera du ciel vide, *tsaf, tsaf, tsaf*. Ha, ha, ha !

1968

ALAIN JOUFFROY

Jeter une allumette enflammée sur l'eau, c'est arracher un cil du soleil
Et, sur le pont d'un navire, la nuit, le bout rouge des cigarettes signale départs et arrivées des oiseaux migrateurs
Tout geste humain en rapport avec le feu nous réintroduit dans la salle d'attente des étoiles filantes
Prendre le visage de la bien-aimée entre ses mains, c'est mettre la Grande Ourse grise des trappeurs et des chercheurs d'or entre parenthèses

Aube à l'antipode, 1947

Morceaux déchiquetés

I

Ne trouve pas ton destin dans ta poche
C'est toujours ailleurs qu'il faut chercher son lieu

II

En moi quelque chose du furet
Ne se solidarise pas

La migraine double le poids de mon casque
Mon vrai bataillon est une futaie lancéolée
Et la bataille — soleil sous le couvert — aveugle
Celui à qui les nuits polaires sont familières

Les dés ont été mal jetés dans nos têtes

La locomotive sur laquelle je travaille
Ne me fait pas avancer
Les flammes la fumée des hauts fourneaux
Remplissent mes reins de colère
Je suis raidi par l'Ophélie de la guerre

Mais je tape toujours à côté

III

« Vous — là-bas — devant la table rouge
« Idiot

« Ne voyez-vous pas que vous mitraillez
« Les trois tilleuls du fond ? » *Non*

Je suis jeté fourbu hors du peloton
Mes guêtres sont mal attachées
Les boutons d'or irisent une seconde mes sourcils
Je halète
Le chef de file me tourne le dos
S'enfonce dans l'ombre bleue des premiers sapins
Et me laisse intact — ahuri
Au centre oublié de la lumière

Il m'est arrivé ainsi de tuer des oiseaux
Que des soldats ont ensuite mangés sur mon dos

IV

Je ne me suis pas encore délivré
Du parfum prophétique de ces journées
J'ai pourtant traversé des sous-bois
Illuminés
Croisé bien des visages porteurs
De pays où je n'irai jamais

Soir et matin engrenés
Aux avant-postes de la terre
Encore des antennes Encore des cris
Et plus loin surtout — des ultra-signes

Novembre 1953

Personne ne saura jamais

À Jean-Pierre Faye

Battant — à très rares moments, par fureur, par chance, par joie, par douleur conjuguées — le fer d'une parole toujours *refoulée*
Attendant que l'injustifiable jet se cristallise à plat sur le papier comme dans une chambre
Ne comprenant pas toujours ce que *jet* dit
Devançant la signification globale qui se dérobe, arrachant par lambeaux sa robe de langue
Jouissant toujours sur le faîte où tout bascule
Déchirant par-dessus bord le sac du flagrant délit
N'écoutant ne suivant ne respectant que le pire des conseillers :

LE CHANGEMENT

J'ai parfois changé le pire des silences en événement
Nul ne saura jamais nommer le cadre (ou l'axe) de cet événement
Aucun titre aucune étiquette aucun parti pris de grammaire : non, *personne ne saura jamais entre quels obstacles j'ai passé*
Le bouquet de violettes posé sur le bord de la fosse ouverte ne suffira pas
La tête pensante d'un monde sans tête
L'aiguille surveilleuse du sexe
Le hasard définitif
Le divorce qui remplit d'ouragan les deux moitiés d'un corps — fragments prophétisés d'une évidence :

Je suis passé entre ces portes blindées pour fonder ce qui gomme toute vie antérieure
Du côté du seul côté où s'ouvre un cerveau injecté de nuit
Antenne tournante traversant l'espace indemne

Non, personne ne saura jamais l'audace abrupte sur machine
La vérité qui tue la violence dans l'aorte
Et le voyage interrompu par l'apparition d'une main ouverte devant les yeux

Pas de littérature rien pas de poésie rien pas d'écriture rien
Le regard de la foudre entre deux femmes sur un bateau qui tangue
Rien
Le commencement de la rigueur serait le commencement de tous les commencements.

1968

Mise à nu du danger

1

Que tu le veuilles ou non
je trame ma vie comme un viol
que tu le vives ou non
j'attaque au centre

dès que tu irrites le soleil
je gaspille ton luxe

dès que tu chasses l'épine
je déborde ton cas

nulle issue à cette ruine innée
nul judas

2

cette nuit de soupente sans écho
cette nuit de pierre
je veux la basculer
qu'on me donne la carte de ce pays où l'on m'a jeté

je veux la déchirer
qu'on me donne une poignée de sanglots
je vais la crucifier

mon cœur catapulte mes erreurs

et vierge
ma vie dévalise un ventre

3

Existence de tigre
tu me couronnes de spasmes sifflants
existence de tigre
tu dictes mes soifs

je suis l'amant de cette pieuvre sous le pôle
j'aime ce trou béant
et quand j'enfonce en moi le clou aimé

le fauve éclate et fait crier la source

Existence de tigre
hauts talons du désespoir
saccage ce lys où je m'égare

4

Ce lit
où se convulse la lune
ce lit-phare ce lit-naufrage

ce lit-guillotine où l'aube est une gifle
ce lit-miroir où mes rêves sont un crime

ce lit me juge
j'exige qu'il me tue s'il ne me calme pas

5

qu'as-tu fait de ta feuille en cône
quelle flamme as-tu massée
haute-lice clandestine et le moteur en marche

quelle main as-tu transgressée dans ta gorge
quel est ce souffleur sur ton cou
quels sont tous ces nœuds desserrés

ta tranquille visière de franchise
ton air de parasol débonnaire
le hasard de tes volets entrouverts
toute cette innocence relace ton corset

la liberté te cloître
huître sur le trône
mais la vague principale a remouillé ta perle

6

n'abdique pas
la gare où nous sommes en consigne
n'est pas notre Sahara

n'abdique pas
entraîneuse de couloirs
ne laisse pas la porte-tambour cloisonner l'amour

au petit jour
tes jambes sont un navire à quai
au petit jour
ta passerelle s'abaisse jusqu'à moi

n'abdique pas
la chambre où nous sommes face à face
n'est pas notre Sahara

C'est aujourd'hui toujours, 1947-1998

JOYCE MANSOUR

Une feuille morte

Une feuille morte tombe sur ma bouche. Farouche humidité d'une bouche qui s'éveille. Une minute entière je me cherche parmi les anneaux de caoutchouc qui entourent le souvenir : il s'enfuit. Je me lève prestement. Un livre tombe. *Le Monde désert*. Je quitte la rue des Aubépines, pressée de retrouver « ... le collier qui nous lie / Mais qui donc tient la chaîne ? » (Vigny).

J'avance. Je longe la palissade, notant au passage le bleu granuleux du néon sur le dos nu de l'hôpital, la présence à mes côtés d'un chien noir répondant au nom presque oublié d'« Utique », et d'une espèce nouvelle de jalousie à la hauteur du nombril.

Je me laisse tomber du haut de la palissade. J'ai ouï dire que si, pendant le sommeil, un serpent nettoie profondément vos oreilles, une fois réveillée, même la langue des oiseaux devient claire. Si l'endormissement est une chute, qu'est-ce l'éveil ?

Histoires nocives, 1973

« DE L'EAU VIVE SOUS LES BOIS »

On voudrait faire lire maintenant de grands poètes, tous parfaitement inconnus d'un large public. Qui connaît Charles Duits (1925-2000), sinon ceux qui s'attachent à l'œuvre de Breton ? Car le livre de souvenirs André Breton a-t-il dit passe *est un des témoignages les plus justes de ton et de la plus belle écriture. Que connaît-on de Jean-Pierre Duprey (1930-1959), sinon son talent, sa difficulté d'être, et son suicide ? Que sait-on d'Yves Elléouët (1932-1975), trop tôt disparu, d'une maladie brutale, qui fut peintre d'abord et ne trouva que tardivement sa vocation de conteur ? Que sait-on de Jean-Michel Goutier (1935), que sa modestie éloigne de la publication poétique ? Que sait-on de Clément Magloire Saint-Aude, dont l'œuvre rare fut publiée en Haïti où il est né (1912-1971) ? Que sait-on d'Alice Rahon (1904-1987), qui, peintre et poète, d'origine bretonne, passa les cinquante dernières années de sa vie à Mexico ? Que sait-on de Stanislas Rodanski (1927-1981) sinon son mal d'être et le soutien qu'il reçut de ses amis notamment de Julien Gracq ? A-t-on lu Valentine Penrose (1903-1979), la première épouse de l'Anglais Roland Penrose ? Faut-il la désigner comme « Valentine » (Boué) ou comme « Pen-*

rose » ? Les femmes écrivains ou peintres du surréalisme ont souvent abandonné le nom de leurs pères ou de leurs époux au profit de leur seul prénom. Est-ce sentiment de leur inexistence ou orgueil de leur solitude ?

CHARLES DUITS

La Nuit des temps

La dangereuse est mutilée

Sur tes pieds comme des balcons de pierre
La bacchanale a rongé tes cheveux bruns
Ne désirant plus que tu sois l'altière pourriture
Comme une mousse ou un parasol de muscles sur
 ma bouche
Car tes gencives ont la peau noire et boréale
Que tes dents roses meublent ainsi que des chaises
Avec l'espoir de froisser quelque morte
Qui ressemble à une cheminée en aubépine
Et non aux tables brunes du crépuscule
Assurant que tu resteras toujours
Ma grande neige pudibonde.

19 février 1943

Main droite

I

Maudite soit la main droite
Pour qui tu n'es qu'une ampoule électrique crevée
 par le soleil

Maudite soit la main droite
Celle qui caresse le cadran solaire de tes cheveux
Celle qui te rend pareille aux chaleurs dangereuses
Lorsque le pélican ayant plu sur ton front comme un grand pavot blanc
Cesse de changer l'atmosphère en cage d'or où les oiseaux
Ne sont que des abat-jour et essaie de pavoiser les yeux
De ceux qui sont le monde
Avec les impossibles cargaisons que l'océan apporte
Parce que le pélican espère enfermer dans sa maison de plâtre
Qu'on nomme le courant les détours de l'allégresse

Maudite soit la main droite
Qui défend la vue des tables lourdes d'orgueil penchées
Sur les hommes retombant dans leurs caves et peignant leurs cheveux
Pour y trouver les chardons jaunes d'une monnaie nouvelle
La main droite est celle qui flotte sur ton œil Maudite soit-elle
Préférant annihiler l'abdomen que notre amour envisage
Plutôt que d'être noire ou se mettre face à face avec les possibilités

Mais voilà que tu cherches une glace framboise sur la commode à poignées de cristal
Où le soleil est caché et qu'on appelle la nuit.

II

Ton œil est l'énorme baignoire que peuplent ces murènes
Délicieuses aux Romains qui les nourrissaient de la chair des esclaves
L'homme mange toujours l'homme quel que soit l'intermédiaire
Qu'on ne se détourne pas de moi qui aime franchement la chair humaine
Surtout si c'est celle de la femme que j'ai aimée Ne crains rien
Surtout si lorsque mon couteau trace des sillons sanglants
Pareils aux nervures irrégulières de la feuille Ne crains rien
Je sais que je détruis celle que j'ai aimée
Mais serais-tu aussi magique que moi
Je n'ose pas te toucher
Si tu es le monde je te hais
Puisque tu es le monde je t'aime
Tes cheveux sont ces roues qui chaque fois revenant à leur point de départ
Reviennent à cette danse que mimaient des matelots au fond du train
Parmi les portemanteaux de la mort un jour de Mai
Cette danse se pratique seulement quand la peau de l'homme est noire
Pour une saison
Lorsque ses yeux sont des dents peintes
Lorsque sa femme est aussi belle qu'un parasol à franges
Lorsque la mer australe ouvre son gosier pour applaudir
Tes façons sur le sable où ta peau se métamorphose en plumage et tes lèvres en crosses de fusil

Mais tu es néfaste comme la chaleur que tu prônes
Tu trouves une lumière sous cette main que je maudis
Dont la paume est une taverne et les consommateurs
Sont des loups affublés d'accoutrements à boutons d'ivoire
Et portent autour de leurs cous ces colliers tressés de cheveux
Figurant un acte obscur en forme de carreau
Sache que tous tes attributs sont ceux de la main droite
Qu'ils t'insulteront un jour jusqu'à la mort
Et si tu la crains tellement elle sera la seule femme que tu auras à aimer de ta vie
Et le pélican battra des ailes en ouvrant les angoisses jaunes de son bec
Contre le ciel qui sera toujours de cette même couleur de vieille joue
Et contre la montagne qui commencera sa symphonie de neige
Car ma damnation aura été inefficace.

III

Pense à cette main qui je te l'assure désire
Que tu cesses de vivre c'est-à-dire que tu l'abandonnes
Pour devenir le charbon plein d'indifférence à peine capable
D'ouvrir dans la cheminée un incendie à front d'enfant
Car cette main droite est celle des autres hommes
Quoique je sache qu'elle est aussi la mienne et qu'elle est
Cette oreille d'éléphant qui éclipse le soleil et qui est blanche la nuit

Annonçant avec insolence cette vérité — que je ne puis supporter
La nouveauté de ton regard

La lune est ce mur où les cartouches ont placé
Leurs crachats d'argent et où maintes fois j'ai été tué
Parce que je croyais pouvoir éteindre ma détresse ne sachant pas
Les détours qui paraissent au jour insignifiants mais qui sont
La main droite en forme d'homme avec sa bouche comme une boîte d'or
Attachée par des fils de fer à ses oreilles nauséabondes
Et qui danse de temps en temps sur la plate-forme de ton cœur
Tandis que je me balance caché dans les oripeaux verts et bleus
Et les franges rouges et blanches accrochées aux platanes
Impuissant comme la bicyclette qui flirte avec le soleil

Annoncée par les grands perroquets lorsque le crépuscule
Remue les chaises de l'horizon
La main droite est le crime caché dans un sac de cuir damasquiné
Celle du chimiste qui porte dans le petit pavillon noir de sa cervelle
Les fientes blanches des brebis que ses instruments métamorphosent en liqueur
Mais regarde la lune éclaire les sept monstres impassibles
Qui tournent comme des poisons dans un anneau d'océan
Comme des meubles qui sont ou le monde reflété dans tes yeux

Ou ta figure parée de rides blanches reflétées dans le monde
Et je vois que peut-être la main droite est notre vie
Que ses phalanges sont ces maisons aux vitres ternes où se mire une liberté concave
Peut-être le soleil est-il la poignée de la porte du soleil
Et peut-être un jour saurons-nous qui sont ces cinq oiseaux réunis
Au-dessus de nos crânes et qui se meuvent avec lenteur

Après le 10 mai 1943

JEAN-PIERRE DUPREY

La Rose des cendres

Une main de roses clouée sur un objet noir...

Que reste-t-il, que reste-t-il ?

Du ciel, il n'est qu'un grand tissu froissé de revenants et les yeux n'emplissent que les orbites du vide.

Une araignée déplace la nuit, elle est le rêve d'une morte.

Elle a en elle le sexe ouvert de la nuit et ses petits iront noircir le sommeil des vivants.

Un pas secret ferme le trou du silence.

Et l'étoile pâlit.

Dans la chambre nuptiale, c'est la culture des cœurs noirs. Loretta... Olim, pourchassés par leur ombre. La balance a versé du côté des abîmes. Tout au long des murs s'allument les chandeliers qui n'éclairent pas, mais reflètent les yeux des morts : les habitants.

« Et maintenant, en avant TOUT ! » ordonne le caporal spectre.

ATTENTION ! Une profondeur de souterrain, un appel de sous les mondes chute la sonde aux Sombres d'Antérieur. Un appel prolongé !... C'est la réponse aux cloches du vide, aux cloches du vide, au vide sous cloche...

L'encoche-fossé au plein cœur de la vie.

Ô l'épine plantée dans l'histoire du monde !

L'Éternité dans les draps noirs

I

L'éternité dans les draps noirs. Mes funérailles dans la robe de cendre. Par ici le grand trépaneur d'andouilles !...

On nous a mués. Ce qui nous est, fait beau reflet et j'ai toujours sur moi la photographie du suprême détergent.

Tous nos ports chavireront bien quelque part ! J'ai un vaisseau, une pelle de souvenirs, qui flotte, qui flotte. Plus besoin de poisson, voyez j'élimine. Je jette un grand jour à découvert ; déjà j'ai commission du jour des morts.

Ailleurs, j'ai fermé portes et fenêtres, baissé les stores, cherché les poisons viables, j'ai la bougie comme l'intérieur de la vue et rien ne m'empêchera de me jeter au feu des boulets de souvenirs.

Forgeron, dans la tête de pierre, j'ai battu le feu aux poudres d'un acier qui ne se voulait entendre dire. Installé à mon compte, j'ai écharpé le propre de ce qui n'était pas ; installé spécialement, je me remplace par un sommeil peuplé de greniers qui m'habitent obscurément une cervelle faite éponge sur un lit d'araignées crues.

Et moi, je les aimais bien cuites, pattes dévelou-tées, asperges de hargne.

Enfin, de bon cœur, chevauchant toujours, j'écou-tais hurler le brisant aux cavaliers marins, consta-tant la brique dans la mer toujours calme, toujours seule, éternelle pieuvre sans laquelle mes bras ne sont plus bons à prendre.

Qui donnera la paix, quel soleil à éclipser, passant le verre à l'intérieur du cœur ?

Et quelle visite fera des petits ? J'aurais des trous gagnés dans la mémoire, que le reste aurait suivis...

La mer n'étant que le terrain boisé dont j'ai faim de perdre la fuite.

II

Des enfants dans chaque racine. Le pire est-il qu'on mange des bêtes ? Dans le clapier, la nour-riture est trop vécue...

Et ce n'est pas que les morts me dérangent ; ensuite j'ai l'habitude... La paix de ce genre de mé-nage repose sur un serrement de gorge ou sous un coincement de terre.

III

Enfin, dans le cachot, j'ai des jeux très compli-qués. C'est un secret répandu très volontiers, mais qui manque de place ! À l'aller, j'ai fait déborder le nord, cela qui est la goutte perfide de l'océan.

Sans communiqué, allô !

Les lignes sont toutes occupées. Dans les visages, plus de hasard. Ma conscience fait des petits et un pépin hypnotique toujours urgent.

Enfin je suis à moi ! Ce que je suis n'est plus à moi. Voyez le change. Responsabilité illimitée !

La Fin et la manière, 1959

YVES ELLÉOUËT

Livre des rois de Bretagne

Je m'étais levé, quand le jour claque sa bouche et vomit de la bile dans les ornières des routes que la pluie lavera tout à l'heure.

Le jour se lève comme un buveur éreinté ; le nez plein de glaires et les yeux larmoyants, comme moi-même : Troadic Cam. Il racle sa gorge pituiteuse et frissonne sous les nuages bas. Il va falloir qu'il allume son feu d'épine pour éclairer les taupes. Il se dirige vers la cheminée et craque une allumette sur son haut-de-chausses, comme dans les films. Il va vomir sur le pas de porte, puis se dirige en tremblotant vers sa cafetière.

J'ordonne à Noëlla, ma servante, d'apporter le lard froid. Noëlla est sans vergogne ; elle se promène en chemise dans la salle. Elle a des membres drus et blancs. Elle tient dans son poing la cafetière d'émail bleu et ses cheveux noirs ruissellent sur son dos : « Vous tremblez trop, Maître, qu'elle dit. Prenez un peu de lambig pour vous remettre. » Elle m'apporte la carafe dans laquelle luit l'or ancien : c'est ma boule de voyance. Deux ludions montent, descendent et virevoltent dans l'alcool léger : Kynan et Aedon Meiriadawc, les frères tueurs d'hommes.

Mais qui donc est Kynan Meiriadawc et qui Aedon, son frère ? Tandis que de mes poumons à mon nez le rythme du passage de l'air se régularise, une voix se fait entendre : « Je suis Kynan et il est Aedon. » Les deux homuncules s'agitent dans les entrailles liquides du flacon et l'un d'eux s'approche, dans ma direction, jusqu'à la paroi de verre. Noëlla va et vient, enveloppée dans ses cheveux de suie.

« Je suis une terre labourée de frais, dit la voix. Les vers grouillent en moi et sur moi ; et les oiseaux du ciel les arrachent de mon ventre avec leur bec de corne.

« Je suis : JE ; Conan Meriadec. J'ai quitté l'île avec Aedon, mon frère. Où est-il ? Reparti dans l'île ? Qui suis-je, nu et misérable dans la rue ? Mendiant dans la rue ? Je me rappelle : nous avons saccagé Rome où tous les chemins mènent. Kynan Meriadec ou Conan Meiriadawc ! La pointe de Pen-ar-vir me verra passer et, entre la pointe du Bellec et la pointe de Kerric, je toucherai terre. Je ferai halte au hameau, au âmeau, d'Elléouët, qui regarde le large. On m'accueillera, on me donnera du pain, du lard et de la soupe au crabe. Il y aura sur la table une cruche de cidre et la motte de beurre, demi-sel, décorée d'une vache.

« Il faut que ma tête se pose sur les dunes. Il faut que mes bras et mes jambes se détachent de mon corps ; de même, mon membre viril, roide et doué de magie dans la région : Pierre sacrée.

« Je suis Kynan Meiriadawc : le Premier ; issu du pays kymry. Je m'accouche moi-même avec des fers de lance : c'est dur, ça fait souffrir. Je suis une soupe qui bout ; je suis le lait bu au pis, la nuit, par une couleuvre. Les dieux m'aident : je suis le père et la mère et l'enfant, tout ensemble. Mon frère

Aedon est retourné en pays kymry, et moi je reste ici, esseulé, esseulée ; entre mes cuisses pleines de sang, l'enfant l'infante douce et rêveuse : la Bretagne Bleue. »

Les vanneaux couvrent les champs. Leur tête huppée, leur dos noir-et-vert-scarabée bougent.

« Vous, dormeurs, au sein de la terre, l'an nouveau est à son premier jour, dans son berceau ; mais la table où l'on venait s'asseoir compte ses places restées vides : vides et à jamais veuves. »

Dans l'obscurité de la terre se retournent les morts. Mais, quand on écrit des mots de connivence, aussi quand on a très froid, on sort un revolver de la poche cachée de sa merde et l'on tire, à travers le soupirail en peau de rien, sur les beaux maqs anciens. Peaux de velours promenant avec rigueur leur figure de sarcophage qui se gratte et qui explique, à travers le sarcophage, que rien du tout ne s'explique. « Dites ! » La Mystérieuse. Elle s'approche avec sa petite valise. Elle vient avec sa petite valise de pute : jolie négresse couleur de bile.

« Troadic, mon ami, bouffe ta jambe droite et jette l'os dans la barbe blanche de la mer, afin de voir si, comme une barque d'ivoire, il remue encore : ainsi la tête des vanneaux dans le ciel plumeux de l'hiver.

« Et dans tes yeux se forme l'amalgame des pleurs : pour un tiers, de clous de bordage ; pour un tiers, de corde bien tressée ; pour un tiers, de rhum bouillant ;

« pour une louche, de fatigue spacieuse ; pour une cuillerée, de mains tremblantes ; pour un dé d'amour, bien noué, à la ficelle ; et dans tes yeux dessillés, une bolée d'amour bien dessinée.

« Un beau couteau d'amour, bien poli et bien joli ; une belle lampe d'amour, frottée de vin et de pluie.

« Viens dans mes racines, souffle des vies. Sors

du bois comme une louve et tenons-nous par la taille sur toutes les routes, avec le dieu des écorces et le dieu des coquilles d'œuf. »

Ils lui dirent : « La nuit n'est pas encore dans son plein ; vide ta coupe habilement ciselée et entretiens-nous encore de tel ou tel. Nous sommes une seule et grande oreille attentive. Nous ne sommes qu'un seul œil tourné vers le dedans.

— Est-ce par amour que le chat se fait entendre dans la soupente ? Afin que son maître vienne le prendre en son giron ; rallume le quinquet ; se verse un nouveau verre, celui qui aidera tous les autres à passer. Dehors, cependant, la nuit s'est étendue, toute nue dans les draps des champs. Mais qui s'en soucierait ? Elle est là, tout mouvement réduit à ce qui scintille, comme une baigneuse prise dans un bloc de glace noire.

« Et il a suffi de ce bruit pour que l'homme surgisse de sa tombe. De ce mince chant dans la maison assoupie. De cette voix s'accordant avec celle, dans les arbres, de la hulotte perchée et guetteuse de mulots ; s'accordant avec le dire bref de la chevêche : rayon sonore d'un phare sans lumière.

« Le premier n'était plus rien, poudres et cendres actives y avaient contribué.

« Le second n'était rien, la terre avait mangé.

« Le troisième était nul comme un klaxon.

« Le quatrième, accompagnant la fille des joncs s'était noyé et perdu dans la rivière.

« Le cinquième soufflait encore.

« Le sixième, bleu, allait à la musique.

« Le septième et le huitième allaient par les champs.

« Et tout ce qui avait été, était. Mais tout ce qui avait été, n'était presque plus rien.

« Le roi Erec se pendit à un noyer, en octobre. Au

crépuscule, il quitta le palais sans rien dire et s'enfonça dans la campagne. J'étais, moi Troadic, à dire et à psalmodier, là, depuis trois jours. On avait festoyé : estomac de brebis aux herbes, chevreuil et sanglier, lapin et lièvre et même, une grande loutre moirée pleine de truites.

« On s'était rassasiés avec les poissons de la mer : le carrelet, le congre artificieux, la baudroie comme un démon, la julienne, plus longue qu'un homme et l'anguille (en tronçons dans le beurre bouillant) qui est de la mer et de la rivière, mais aussi serpent ; changeant de ru par les nuits de pleine lune.

« On avait piégé foulques, sarcelles et poules d'eau. Gast ! La ventrée, quoi ! Après le souper, je chantais en frottant ma harpe à boyaux. On buvait : bière et vin de miel.

« Le troisième soir, Erec sortit et se dispersa dans la nuit. Sa femme et ses filles aidaient les servantes à laver les plats, à balayer la salle. Avec les guerriers et quelque autre chanteur damné, on taille dormir dans la paille d'une grange. Bourrés à zéro !

« Au matin, avec ma bouche pleine de sable et sous le crâne un vol de pies, je m'éloigne du palais à la recherche d'une source pour éteindre le feu de ma gorge. Là-bas, dans un champ, au milieu d'un champ de crucifératées, s'élève la puissante membrure d'un arbre à noix. D'une branche, pendu par le cou avec sa ceinture, semble couler le corps d'Erec, au-dessus des choux à tête violette.

« Sur la table, longue, longue, longue et épouvantée ; sur son plateau déserté par écuelles, bols, gobelets, hanaps, cruchons, cruches, carafes, bouteilles, couteaux, poignards, cuillères, marmites, pots, soupières, timbales, litres, paniers ; sur la plage polie par les coudes et fissurée et tailladée, marquée de signes et de roues, sera portée tout à l'heure la dépouille du roi mort.

« Il est nu. Lié à la porte de la soue. On l'a inondé d'eau chaude pour ramollir la peau, pour détendre les muscles durcis. On lave et puis on oint ce qui bientôt sera charogne : le corps, blanc comme le corps d'un porc avec sa toison rare.

« Le Grand Valet vient, manieur du rasoir, et décape les joues. On a rapproché les mâchoires que l'on a verrouillées d'une lanière.

« Maintenant, le cadavre est sur la table : — Gémissez et tordez-vous, fibres du bois de la table et vous, tréteaux, fléchissez le genou sur la terre battue ! Le pain rond enveloppé de toile sert d'oreiller à la chevelure "tertre noir de jais sur un corps blanc". Et le long tube, vêtu du linceul, s'allonge au milieu des bougies : la poignée de l'épée fameuse entre les doigts entrelacés.

« Le gigantesque ciel, lui-même, prend le deuil d'Erec ; Roi. Tout le jour, les nuées emplissent l'espace de leur peine muette. L'œil solaire est voilé d'une taie et le vent coule son souffle dans les herbes vieillies. Des vols de corbeaux, ainsi que des veuves, s'enroulent lentement dans l'air. "Ô, Erec. Pleurs et confusion à travers le royaume."

« Le temps était doux. On pouvait entendre, dans les bois, la hache qui tranchait l'arbre du cercueil. Elle cognait sourdement dans les bois et quand l'arbre s'abattit, ce fut comme l'éclatement de la foudre : un déchirement formidable suivi des frissons du feuillage touché par la terre.

« Et l'âme valeureuse d'Erec pénètre dans ces régions claires et glaciales ; dans cette contrée plate où les nuages s'étirent et où la mer lactée roule dans un silence absolu : au royaume blanc de la Mort. »

Livre des rois de Bretagne, 1974

JEAN-MICHEL GOUTIER

Poème

Suspendu au bras des femmes le mot de la fin a deux côtés

Main tigrée
Page léopardée
Tatouage d'entretien

Vitrine d'extase, vertige d'indéterminé, étoile sous tutelle

Duo d'encres
Bouquet d'aléas
Les plumes stridulent

Appendice à bout de bras, silène au talon, l'alter ego fait la roue dans l'ombre

Bousculade d'échanges

Femme troublée
à moitié pardonnée

Oseille consacrée, une feuille qui ne cache rien

Ton échancrure de fureur
dans un écrin d'oisiveté

Sangsue de velours

Sarabande de sortilèges, autres étalons, autres négations

Oiseau jeté à l'adversaire
à trêve d'ailes

Faire la peau
au dialogue

À l'orée de l'aorte, grâce à l'organisation qu'ont réussi à mettre sur pied certaines agences, une vue d'ensemble est devenue relativement facile à obtenir

Œillades de laboratoire
Dessous conflictuels

Tresse circonspecte
Natte insidieuse

Amoureux laissé
sans connaissance

Marelle en sabots, l'innocence n'en mène pas large

Duel à pas comptés
Palet d'odalisque

Cheville en rut
saute ta chance

On ne montre pas du doigt l'essence des choses

Ballon sans queue ni tête
Le mille-pattes frappe

d'un coup

Un poème entre douze cordes

s. d.

CLÉMENT MAGLOIRE SAINT-AUDE

Reflets

Lié, mince, aux relents de rien sur ma cravate,
Mou comme l'inconnu et sur le chemin.

Lamentations aux crachats des morts.

Au port négligent adossé pour parler,
Hors de mes manches,
Comme un Arabe.

L'extase le deuil la luxure
Au gras des glas des râles.

Au frisson des dentelles, mon bel émoi
Au froid des lampes froides.

Douces gelées les Magdeleines,
Menthe des lampes boutonnées.

Dimanche

À l'horizon des fièvres
Pour la voix au bal du poète.

Le poète, chat lugubre, au rire de chat.

Le cœur, léché, fêlé par les veilles.

Dites aux litanies délacées Édith
Le lieu le buste au gré de mon reflet.

Cloué, incomplet aux éventails
Dans ma douceur more.

Torpeur dans mon sang déganté sans amour.

Après-midi dénués à tire-d'aile.

Je descends, indécis, sans indices,
Feutré, ouaté, loué, au ras des pôles…

Dialogue de mes lampes, 1941

Écrit sur mon buvard

Les clous les fous
Aux horizons de fer sans merci.

Le marbre au flux d'un soir douceâtre.

L'huile des sommeils
Des sourcils à ma table.

Touareg ici dans mon lied,
Pas un sourire, pas un cheveu.

Tabou, 1941

Aux exploits du poète las

Aux exploits du poète las,
Mon vitrail disloqué
Aux rails de la mélodie.

Pour ma belle fille naufragée,
Tel l'harmonica du voyou.

Vers l'araignée fêlée
Des stances moissonnées.

Sur le buvard aveugle
De mes talents éteints.

Hors des bandelettes

Hors des bandelettes de mon soleil désuet,
Suis-je l'interprétateur des siècles,
Le vent sculpté du centaure ?

Je descends, déraciné et répété
Sur un cheveu préfacé de mes doigts.

Et comme douillet de frissonner
Où va, paix, mon cœur.

Déchu, 1950

ALICE RAHON

Mélusine

Je salue l'arbre invisible
le buisson invisible
au milieu du jardin l'après-midi
que le colibri dessine de son vol
le mouvement immobile
les taches de soleil au fond du puits
le puits sans fond
au fond des ténèbres.
À l'aube, Mélusine
cueille le soleil dans ses mains
l'aube comme de l'eau s'enfuit
Mélusine ô ton cri
à ce soleil qui te poignarde !
Tu fuis enveloppée de ton cri
et le miroir de l'amour
de l'amour des hommes Mélusine
pleure ton reflet qui ne reviendra plus.

années 1960

Le pays de Paalen

Le pays de Paalen
le pays de l'azur
de l'eau vive sous les bois
et des bêtes de nuit
le pays des totems
et des phares de l'esprit

le feu, l'amour
l'ambre d'éternité
ton passage ici-bas
ton château étoilé.

À Wolfgang, d'Alice, 1960

STANISLAS RODANSKI

À perte de vue

« Le sang monte quelquefois à la tête, quand on s'applique à tirer du néant une dernière comète, avec une nouvelle race d'esprits. »

Lautréamont

C'est avec une indignation toujours plus forte dans sa colère qui va jusqu'à balayer des hommes en effaçant le brouillard dont ils ne cessent d'embuer la vitre par où l'on se voit, c'est avec une main de rêve que j'écris au tableau noir de ce temps opaque. Que le sort de ces lignes soit celui des graffiti sur les murs d'une rue quand le sang gicle de l'émeute, du moins tentent-elles de tracer à la hâte les dernier signes qui caractérisent l'homme, dont les traits sont en mon être comme le visage d'un instant hagard apparaissant derrière la vitre incandescente d'un sauve-qui-peut sans espoir de sortir du Bazar de la Charité en proie aux flammes.

Lorsque le disque du soleil agonise dans une mer de sang et que les couleurs du jour flottent encore à la corne du grand mât, les marins disent : « Le pavillon brûle. » Pour nous qui armons le vaisseau fantôme, toutes les oriflammes ont brûlé dans notre cœur et il ne saurait être question d'amener notre flamme puisque nous naviguons hors de toutes les lignes humaines préconçues, sous le signe du drapeau noir, celui dont jamais on n'enveloppera les cendres du cœur d'un pirate. Pour nous qui avons gréé de deuil la nef d'Isis où repose le trésor d'un amour dilapidé par les Furies, on ne saurait que dire du drapeau qui nous berce : « Le torchon brûle. »

« Le cours de la liberté s'étend à perte de vue. » (Astu)

À perte de vue, c'est l'expression du moment, alors que nul n'oserait tirer des plans sur la comète, c'est à perte de vue qu'il faut tendre la ligne de vie des hommes. La ligne générale, *celle qui plus est* au-delà des mains laborieusement vaines que les travailleurs agitent dans la poussière d'un brouillard d'hommes tournoyants dont on ne sait encore s'il est la fumée d'une civilisation mourante ou la nébuleuse d'où surgira la comète.

Toujours est-il que chaque nuit me monte à la tête, comme une bouffée de sang, un frisson de la fournaise où se consument les dormeurs liés en fagots par le sommeil dans Paris dont l'aura rougeâtre se prend à son reflet au miroir du ciel fatal d'un incendie couvé sous le manteau uniformément infâme dont les guerres à répétition habillent les sentiments en veilleuse.

C'est une main de cendre qui fait le dernier signe au tableau de l'évidence noire où tant de scribes s'inscrivirent en faux que l'on ne saurait plus distinguer qu'un brouillon du monde qui pourtant suit son cours dans toutes les mains — qu'elles soient ouvertes ou fermées.

Et il faut encore dire aux assis qu'il n'y a pas de culs-de-jatte de naissance, il faut à tout prix que ceux qui défrichent dans la forêt le sentier de la vie apprennent que le surréalisme est une cause libre au cœur d'hommes qui marchent.

Fanal de Maldoror, où guides-tu nos pas ?

Néon, n° 1, janvier 1948

La nuit verticale

Que je sois — la balle d'or lancée dans le Soleil levant.

Que je sois — le pendule qui revient au point mort chercher la verticale nocturne du verbe.

Que je sois — l'un et l'autre plateau de la balance, le fléau. La période comprise entre les deux extrêmes de la saccade universelle qui est le battement de cœur suivant celui dont on peut douter au possible et tout attendre de son *anxieux* « rien ne va plus ».

Je lance au possible ce défi : Que je sois la balle au bond d'un instant de liberté.

Je lance ce cri — que je sois la balle de son silence.

Mon départ s'appelle toujours, tous les jours et tous les instants du grand jour. Mon retour à jamais, éternelle verticale nocturne, point mort, égal à lui-même, que l'autre franchit — toujours.

Qui suis-je ?

Toujours le même revenant, ce qui revient à dire encore un autre.

Néon, n° 3, mai 1948

Astu

ASTU — *qui plus est.*

Je suis le second Faust — dans la mesure où le premier créa un précédent.

Je suis en effet la cause de tous mes antécédents.

Je suis en fait le dernier-né de ma descendance le premier venu.

Je suis la ligne de plus grande pente en chute libre je suis l'être qui plus est.

Astu comme un faucon sur le poing fermé de Faust endormi.

Le néant est à l'issue du Rien naissant.

Je pense donc je suis ma pensée qui plus est.

Je suis le trois des deux autres.

(Si un est rien

Nul est nier)

Synthèse dialectiquement perçue de l'une à l'astre :

Il est un autre Je

Astu parle de ce que tu as

L'amour

Nier. Ce que tua l'amour n'est rien.

Ce que tua l'amour est.

À ma visée est mon but.

Je suis cette corde qui va de l'animal au surhumain. Au fil de mon sang comme une flèche vibre à la pointe de l'arche du pont du Diable tendu vers l'impossible naissant du rien. À la lueur du néant, nier — c'est un loup qui s'avance sur le pont du Diable à l'aube.

Un loup qui tente l'impossible en refusant autant Dieu que les dieux du Diable.

C'est un loup qui hurle.

Ma voix brûle avec les loups.
Hurle à la mort, Brûle à l'envi.
Tu as l'amour.

vers 1948 ?

VALENTINE PENROSE

Goa

I

Terre à tout faire terre à faire les pierres
verte et rouge qui gît terre à faire les graines
entre tes dents rongées geignent des cathédrales
au fond des sols moisis où les bananiers gîtent
l'Indienne tord sa robe à ce puits catholique.

Le Portugal s'accoude aux volutes de plâtre
sous l'huile de coco tendant ses doigts ridés
à l'eau bénite au fond des cloîtres délavés
par les moussons roulant sur les autels dorés.

Terre à tous les miroirs
à toutes les fenêtres
tu tiens le Portugal dans ta dent rouge et verte
et la nacre et le rat.

Tes aisselles de palmes
ont des senteurs que jette en arrière le vide
que font et que défont tes seins noirs d'Indienne.
En ta robe dorée et tenant tous tes cierges
l'huile du Portugal des morts des repentirs

les bijoux effondrés aux sacristies des jungles
tandis que tu reposes
dans tes chambres du Sud tendues de mousselines
les pestes et les plâtres aux mantilles en miettes
font ici leur accord.

Que vois-tu je vois mes filles
que vois-tu je vois des mères
je vois mes filles les tiges
mordant leurs fibres amères
je vois mes filles les pierres
sur l'église catholique
et les cramoisis tes frères
pendus aux granges des pierres.

Et moi la grande parente
ici laissée sans mantille
les salpêtres et les argents
moines desservants ici
moi terre de partout c'est ainsi que je vis.

Herbe à la lune, 1935

POÈTES SANS PATENTE

De ceux qu'on va citer on connaît souvent les noms pour des activités autres que la seule écriture poétique. On connaît de Philippe Soupault les inlassables voyages et la présence radiophonique, de Jean Arp et d'André Masson l'œuvre plastique, de Joë Bousquet la vie dramatique, de Claude Cahun les photographies, de Roger Vitrac l'activité de dramaturge, d'André Pieyre de Mandiargues l'érudition du critique d'art. De Maurice Blanchard, ingénieur (1890-1960), le nom n'est jamais cité dans aucune histoire de la poésie contemporaine.

ANDRÉ BRETON
PHILIPPE SOUPAULT

La glace sans tain

Prisonniers des gouttes d'eau, nous ne sommes que des animaux perpétuels. Nous courons dans les villes sans bruits et les affiches enchantées ne nous touchent plus. À quoi bon ces grands enthousiasmes fragiles, ces sauts de joie desséchés ? Nous ne savons plus rien que les astres morts ; nous regardons les visages ; et nous soupirons de plaisir.

Notre bouche est plus sèche que les plages perdues ; nos yeux tournent sans but, sans espoir. Il n'y a plus que ces cafés où nous nous réunissons pour boire ces boissons fraîches, ces alcools délayés et les tables sont plus poisseuses que ces trottoirs où sont tombées nos ombres mortes de la veille.

Quelquefois, le vent nous entoure de ses grandes mains froides et nous attache aux arbres découpés par le soleil. Tous, nous rions, nous chantons, mais personne ne sent plus son cœur battre. La fièvre nous abandonne.

Les gares merveilleuses ne nous abritent plus jamais : les longs couloirs nous effraient. Il faut donc étouffer encore pour vivre ces minutes plates, ces siècles en lambeaux. Nous aimions autrefois les soleils de fin d'année, les plaines étroites où nos regards coulaient comme ces fleuves impétueux de notre enfance. Il n'y a plus que des reflets dans ces bois repeuplés d'animaux absurdes, de plantes connues.

Les villes que nous ne voulons plus aimer sont mortes. Regardez autour de vous : il n'y a plus que le ciel et ces grands terrains vagues que nous finirons bien par détester. Nous touchons du doigt ces étoiles tendres qui peuplaient nos rêves. Là-bas, on nous a dit qu'il y avait des vallées prodigieuses : chevauchées perdues pour toujours dans ce Far West aussi ennuyeux qu'un musée.

Lorsque les grands oiseaux prennent leur vol, ils partent sans un cri et le ciel strié ne résonne plus de leur appel. Ils passent au-dessus des lacs, des marais fertiles ; leurs ailes écartent les nuages trop langoureux. Il ne nous est même plus permis de nous asseoir : immédiatement, des rires s'élèvent et il nous faut crier bien haut tous nos péchés.

Un jour dont on ne sait plus la couleur, nous avons découvert des murs tranquilles et plus forts que les monuments. Nous étions là et nos yeux agrandis laissaient échapper des larmes joyeuses. Nous disions :

« Les planètes et les étoiles de première grandeur ne nous sont pas comparables. Quelle est donc cette puissance plus terrible que l'air ? Belles nuits d'août, adorables crépuscules marins, nous nous moquons de vous ! L'eau de Javel et les lignes de nos mains dirigeront le monde. Chimie mentale de nos projets, vous êtes plus forte que ces cris d'agonie et que les voix enrouées des usines ! » Oui, ce soir-là plus beau que tous les autres, nous pûmes pleurer. Des femmes passaient et nous tendaient la main, nous offrant leur sourire comme un bouquet. La lâcheté des jours précédents nous serra le cœur, et nous détournâmes la tête pour ne plus voir les jets d'eaux qui rejoignaient les autres nuits.

Il n'y avait plus que la mort ingrate qui nous respectait.

Chaque chose est à sa place, et personne ne peut plus parler : chaque sens se paralysait et des aveugles étaient plus dignes que nous.

On nous a fait visiter des manufactures de rêves à bon marché et les magasins remplis de drames obscurs. C'était un cinéma magnifique où les rôles étaient tenus par d'anciens amis. Nous les perdions de vue et nous allions les retrouver toujours à cette même place. Ils nous donnaient des friandises pourries et nous leur racontions nos bonheurs ébauchés. Leurs yeux fixés sur nous, ils parlaient : peut-on vraiment se souvenir de ces paroles ignobles, de leurs chants endormis ?

Nous leur avons donné notre cœur qui n'était qu'une chanson pâle.

Ce soir, nous sommes deux devant ce fleuve qui déborde de notre désespoir. Nous ne pouvons même plus penser. Les paroles s'échappent de nos bouches tordues, et, lorsque nous rions, les passants se retournent, effrayés, et rentrent chez eux précipitamment.

On ne sait pas nous mépriser.

Nous pensons aux lueurs des bars, aux bals grotesques dans ces maisons en ruine où nous laissions le jour. Mais rien n'est plus désolant que cette lumière qui coule doucement sur les toits à cinq heures du matin. Les rues s'écartent silencieusement et les boulevards s'animent : un promeneur attardé sourit près de nous. Il n'a pas vu nos yeux pleins de vertiges et il passe doucement. Ce sont les bruits des voitures de laitiers qui font s'envoler notre torpeur et les oiseaux montent au ciel chercher une divine nourriture.

Aujourd'hui encore (mais quand donc finira cette vie limitée) nous irons retrouver les amis, et nous boirons les mêmes vins. On nous verra encore aux terrasses des cafés.

Il est loin, celui qui sait nous rendre cette gaieté bondissante. Il laisse s'écouler les jours poudreux et il n'écoute plus ce que nous disons. « Est-ce que vous avez oublié nos voix enveloppées d'affections et nos gestes merveilleux ? Les animaux des pays libres et des mers délaissées ne vous tourmentent-ils plus ? je vois encore ces luttes et ces outrages rouges qui nous étranglaient. Mon cher ami, pourquoi ne voulez-vous plus rien dire de vos souvenirs étanches ? » L'air dont hier encore nous gonflions nos poumons devient irrespirable. Il n'y a plus qu'à regarder droit devant soi, ou à fermer les yeux : si nous tournions la tête, le vertige ramperait jusqu'à nous.

Itinéraires interrompus et tous les voyages terminés, est-ce que vraiment nous pouvons les avouer ? Les paysages abondants nous ont laissé un goût amer sur les lèvres. Notre prison est construite en livres aimés, mais nous ne pouvons plus nous évader, à cause de toutes ces odeurs passionnées qui nous endorment.

Nos habitudes, maîtresses délirantes, nous appellent : ce sont des hennissements saccadés, des silences plus lourds encore. Ce sont ces affiches qui nous insultent, nous les avons tant aimées. Couleur des jours, nuits perpétuelles, est-ce que vous aussi, vous allez nous abandonner ?

L'immense sourire de toute la terre ne nous a pas suffi : il nous faut de plus grands déserts, ces villes sans faubourgs et ces mers mortes.

attaque par Philippe Soupault
des *Champs magnétiques,* 1919

Westwego

1917-1922

À M. L.

Toutes les villes du monde
oasis de nos ennuis morts de faim
offrent des boissons fraîches
aux mémoires des solitaires et des maniaques
et des sédentaires
Villes des continents
vous êtes des drapeaux
des étoiles tombées sur la terre
sans très bien savoir pourquoi
et les maîtresses des poètes de maintenant

Je me promenais à Londres un été
les pieds brûlants et le cœur dans les yeux
près des murs noirs près des murs rouges
près des grands docks
où les policemen géants
sont piqués comme des points d'interrogation
On pouvait jouer avec le soleil
qui se posait comme un oiseau
sur tous les monuments
pigeon voyageur
pigeon quotidien

Je suis allé dans ce quartier que l'on nomme White-
chapel
pèlerinage de mon enfance
où je n'ai rencontré
que des gens très bien vêtus
et coiffés de chapeaux hauts de forme
que des marchandes d'allumettes
coiffées de canotiers
qui criaient comme les fermières de France
pour attirer les clients
penny penny penny
Je suis entré dans un bar
wagon de troisième classe
où s'étaient attablées
Daisy Mary Poppy
à côté des marchands de poissons
qui chiquaient en fermant un œil
pour oublier la nuit
la nuit qui approchait à pas de loup
à pas de hibou
la nuit et l'odeur du fleuve et celle de la marée
la nuit déchirant le sommeil

c'était un triste jour
de cuivre et de sable
et qui coulait lentement entre les souvenirs
îles désertées orages de poussière
pour les animaux rugissants de colère
qui baissent la tête
comme vous et comme moi
parce que nous sommes seuls dans cette ville rouge
et noire
où toutes les boutiques sont des épiceries
où les meilleures gens ont les yeux très bleus
Il fait chaud et c'est aujourd'hui dimanche
il fait triste
le fleuve est très malheureux

et les habitants sont restés chez eux
Je me promène près de la Tamise
une seule barque glisse pour atteindre le ciel
le ciel immobile
parce que c'est dimanche
et que le vent ne s'est pas levé
il est midi il est cinq heures
on ne sait plus où aller
un homme chante sans savoir pourquoi
comme je marche
quand on est jeune c'est pour la vie
mon enfance en cage
dans ce musée sonore
chez madame Tussaud
c'est Nick Carter et son chapeau melon
il a dans sa poche toute une collection de revolvers
et des menottes brillantes comme des jurons
Près de lui le chevalier Bayard
qui lui ressemble comme un frère
c'est l'histoire sainte et l'histoire d'Angleterre
près des grands criminels qui n'ont plus de noms
Quand je suis sorti où suis-je allé
il n'y a pas de cafés
pas de lumières qui font s'envoler les paroles
il n'y a pas de tables où l'on peut s'appuyer
pour ne rien voir pour ne rien regarder
il n'y a pas de verres
il n'y a pas de fumées
seulement les trottoirs longs comme les années
où des taches de sang fleurissent le soir
j'ai vu dans cette ville
tant de fleurs tant d'oiseaux
parce que j'étais seul avec ma mémoire
près de toutes ses grilles
qui cachent les jardins et les yeux

sur les bords de la Tamise
un beau matin de février
trois Anglais en bras de chemise

s'égosillaient à chanter
trou la la trou la la trou la laire
Autobus tea-rooms Leicester-square
je vous reconnais je ne vous ai jamais vus
que sur des cartes postales
que recevait ma bonne
feuilles mortes
Mary Daisy Poppy
petites flammes
dans ce bar sans regard
vous êtes les amies qu'un poète de quinze ans
admire doucement
en pensant à Paris
au bord d'une fenêtre
un nuage passe
il est midi
près du soleil
Marchons pour être sots
courons pour être gais
rions pour être forts

Étrange voyageur voyageur sans bagages
je n'ai jamais quitté Paris
ma mémoire ne me quittait pas d'une semelle
ma mémoire me suivait comme un petit chien
j'étais plus bête que les brebis
qui brillent dans le ciel à minuit
il fait très chaud
je me dis tout bas et très sérieusement
j'ai très soif j'ai vraiment très soif
je n'ai que mon chapeau
clef des champs clef des songes
père des souvenirs
est-ce que j'ai jamais quitté Paris
mais ce soir je suis dans cette ville
derrière chaque arbre des avenues
un souvenir guette mon passage

C'est toi mon vieux Paris
mais ce soir enfin, je suis dans cette ville
tes monuments sont les bornes kilométriques de ma fatigue
je reconnais tes nuages
qui s'accrochent aux cheminées
pour me dire adieu ou bonjour
la nuit tu es phosphorescent
je t'aime comme on aime un éléphant
tous tes cris sont pour moi des cris de tendresse
je suis comme Aladin dans le jardin
où la lampe magique était allumée
je ne cherche rien
je suis ici
je suis assis à la terrasse d'un café
et je souris de toutes mes dents
en pensant à tous mes fameux voyages
je voulais aller à New York ou à Buenos Aires
connaître la neige de Moscou
partir un soir à bord d'un paquebot
pour Madagascar ou Shang-haï
remonter le Mississippi
je suis allé à Barbizon
et j'ai relu les voyages du capitaine Cook
je me suis couché sur la mousse élastique
j'ai écrit des poèmes près d'une anémone sylvie
en cueillant les mots qui pendaient aux branches

1917-1922

Cruz Alta

Comme un fil de soie
comme un nuage de laine

le soir descend à perdre haleine
et nous soupirons de plaisir
Un grand cri un oiseau gris
et toutes les cloches de la terre
appellent les brebis
dans les champs et sur l'océan
tous les nuages sont partis
pour le silence et pour la nuit
loin du ciel loin des yeux
près du cœur
Un homme
une croix
je ne vois pas les souris
les fourmis et les amis
Tout est gris
pour fermer les yeux
tandis que le soleil
très affectueusement
allume des incendies un peu partout
Un homme
une croix
et l'on entend les chiens poursuivre les ombres
les femmes fermer les portes des granges
les hommes boire lentement
au son d'un accordéon
et le vent tombe
comme si les routes coulaient
les maisons dormaient
les montagnes brûlaient
toutes les cloches de la terre
répondent
aux ondes universelles
C'est Madrid et sa voix de miel
Nous dormons
Nous dormons
C'est Rio de Janeiro bienveillant
Il fait un temps merveilleux

et nous attendons le paquebot
C'est Londres
Pétrolifères fermes
cuprifères indécis
Il pleut simplement
un assassinat deux vols
une conversion
C'est New York chaleureux
Tout est prêt pour le départ
Accident dans la 8e avenue
Un incendie dans l'Oklahoma
Tout est prêt
C'est Paris, c'est Paris
Nous n'oublions pas les ingrats
travaillons ou attendons
La République est en danger
Filibert de Savoie gagne le grand prix
C'est la nuit qui répond enfin
Messages
Un crapaud lourd comme une pierre joue du piano
près d'un hortensia
Les étoiles descendent en volant
lucioles et vers luisants
Les étoiles sont des étincelles
qui s'échappent du brasier
immense
que je suppose
derrière les montagnes
le silence fuit sous le vent
C'est la Nuit qui secoue les branches
messages du ciel
les oiseaux immobiles crient
les serpents s'enterrent
et les hommes ferment les volets
et les paupières
messages de la terre
c'est la Nuit qui indique la route

les sources parlent à leur tour
une lumière cligne
un train s'éloigne
messages de la mer
Tout est prêt
un homme
une croix
c'est la Nuit qui répond
Terre terre
encore une heure
on entend respirer
encore une heure
c'est le jour
c'est le soleil
Terre terre
Nous abordons

Estuaire

Vous les navigateurs
qui d'une seule main écartez le vent
vous qui préférez les étoiles
je vous attends près de l'horizon
je regarde votre regard et votre impatience
vous soleil doigt de Dieu
je vous brave
De loin en loin
oiseau sur la mer
un rayon comme un épi mûr
puis rien
je souris de votre moisson navigateurs
je guette votre rage et votre désespoir
vous qui criez terre à chaque aurore

et qui repartez pour longtemps
pour toujours
ainsi que vous dites aux femmes
Est-ce le sol qui vous engloutira
Est-ce votre soif qui s'apaisera
voisins du vent
j'écoute vos plaintes
Allez vous qui n'arriverez jamais
je ne vous oublie pas

Georgia, 1926

« Jours de pluie jours de sang... »

Jours de pluie jours de sang
la pluie tombe et sème la boue goutte à goutte
j'attends que le vent se taise et que la mer se calme
car j'entends encore tous les bruits échos des échos
les grands murmures et toutes les cloches
et je me tais il est temps de me taire j'ai tort de me taire
l'océan autour de moi est rouge
la grande marée qui apporte l'écume
les odeurs de pourriture et de souffrance
les épaves des naufragés d'hier les os blancs les os gris
donnent aux lèvres le goût du sel qui brûle les yeux et les plaies
pousse devant elle de grosses méduses impatientes opaques et violettes comme des fleurs
qui tournent en grimaçant le sourire aux lèvres
je les reconnais je les nomme je les dénonce je les insulte

je suis seul sur cette île que j'ai découverte
un jour de tempête et de dégoût
j'ai froid la nuit s'approche aussi lente que la mort
tous les cris que je ne voulais plus entendre
tous les hurlements qui précèdent le soir et son silence obligatoire
viennent m'annoncer que je n'ai plus de temps à perdre
je m'approche du rivage
un soir comme un autre soir
et je crie devant l'océan tout rouge
où flottent encore toutes les têtes des condamnés
tous les yeux des suppliciés et les mains coupées
toutes les âmes de ceux qui ont disparu sans laisser de traces
Je suis seul cependant
je tourne la tête et les fantômes m'appellent
je suis seul dans ce domaine abandonné
et je reprends la route qui conduit au remords
Tous ceux qui m'attendaient sont partis
et je les ai quittés pour ne jamais les revoir
pour ne pas me savoir plus las encore qu'eux-mêmes
plus décidé à me taire à ne pas les éveiller
de leur sommeil des nuits sans rêves
J'ai vu le souvenir de leurs yeux et l'odeur de leurs mains
me prenait à la gorge sans pitié sans tendresse
alors que dans l'ombre nous guettaient
les faces pâles des spectateurs éternels
quand la foule des voyous aboyait
à l'heure où la destinée n'est qu'une aurore
et quand la confiance se dissipe dans le brouillard
quand la fumée née de partout s'empare du monde
où l'on ne respire plus qu'avec peine en haletant
les larmes aux yeux et les dents serrées

Je n'appelle pas même un nom très doux
même une syllabe qui est la tendresse et la vie
ne suffirait pas à vaincre l'ombre qui s'approche
à pas de loup comme celui qui veut tuer encore

du recueil *Message de l'île déserte,* 1942-1944

Reminiscencias de Mexico

Ni son sol saturé de sang
ni son ciel éclaboussé et défié
n'ont pu vaincre
cette étoile jetée sur cette terre
où soufflent la mort et la liberté
où la misère rampe et bafoue
les passants couverts de voiles d'or
Mequiquo
Autour de cette ville
où les hommes bruissent comme des insectes
les pierres grises grimacent
et les roses exhalent la douleur

Apprendre que la souffrance fait sourire
et qu'un homme sait porter le monde
sans broncher
à petits pas rapides comme s'il dansait
en penchant la tête
le front bandé de cordes
Enseigner que l'agonie est vaine
et qu'il ne faut pas craindre de mourir
aussi mal que l'on a vécu
le ventre vide
et les yeux mi-clos
Mequiquo

Savoir que la cruauté
délire comme un soleil
et qu'elle est patiente comme un serpent
comme un oiseau silencieux
Puisque je dois mourir demain
Pourquoi ne suis-je donc pas mort aujourd'hui
Mequiquo
c'est le cri que j'entends en prononçant ton nom
celui des nuits d'amour et son écho
celui qui accompagne le choc de la vie et de l'amour
et cette seconde où l'on sait que tout est fini
quand on sait que tu te dresses comme un fantôme
Mequiquo
et que tu flottes comme les rêves
comme une fleur de pierre sur un lac
fleur de pierre ensanglantée
fleur de sang qui flotte comme les rêves
en offrant ton odeur de clair de lune
ton auréole qui n'est que de la fumée
cette pluie de cendre et de soleil
ton allure d'astre
ta joie en feu
et ta couronne de pierreries
qui tourne autour du soir
Mequiquo
ville de l'aurore et du crépuscule
Pourquoi ne suis-je pas mort aujourd'hui
en voyant mon frère le cargador
porter cette nuit le soleil noir sur son dos
allant plus loin
plus loin que vous plus loin que moi
plus loin aussi
qu'il ne faut
puisque je dois mourir demain
et que lui ne sait plus où aller
où s'arrêter comme moi comme vous

dans les rues où les regards sont lointains
comme pour se rendre à un rendez-vous inventé
et qu'on ne sait pas où aller
demain ce soir tout à l'heure
Mequiquo
qui tournes en rond à la vitesse des étoiles
autour de ce cavalier de bronze
autour d'un arbre nommé de l'inquiétude
vers ce vertige d'où jaillit ton nom
suivant le cargador qui ne sait plus où aller
mais qui marche qui court qui galope
autour de toi autour de moi
comme la fumée le soleil et le souvenir
alors que tu étais plus belle que la nuit
plus belle que ce qu'on n'ose nommer
Mequiquo
à qui j'offre mes mains mon sang
puis qu'il faut tout de même qu'on sacrifie
ce qu'on n'ose nommer
et qui porta ton nom qui est ta renommée
et le souvenir de ce qu'on sait
alors que les morts sont comme des années
lourds comme des pensées informulées

Toi qui fais douter du jour et de la nuit

Faut-il donc s'approcher à pas de loup
pour t'aimer quand le temps passe à côté de soi
dans le bruit du ciel qu'on déchire
comme si l'on étouffait un homme qui est soi
au moment même où l'on se jette à la vie à la mort
et que tu commences à flamber
braises dorées d'où jaillissent les flammes et le sang
à la clarté des sacrifices silencieux
malgré la grande rumeur qui monte de la profondeur
des temps

du recueil *Sans phrases,* 1953

JEAN ARP

L'âge l'éclair la main et la feuille

l'âge a des mains de flèches
l'âge est une plante
qui parle comme un oiseau nu
et tend des pièges de lumière

l'éclair pousse sur une main nue
l'éclair parle de l'âge sans yeux
et salue les flèches nues
qui viennent du cœur du vide

la main est blanche comme une plume de plante
la main est blanche comme une feuille d'oiseau
la main porte une cloche dormante
par l'espace muet
et se pose sur un éclair endormi

la feuille est un cœur muet
la feuille oublie qu'elle dort
elle parle comme une cloche vide
et réveille les oiseaux blancs
qui sont tombés dans un piège d'âge
les feuilles échangent des yeux
les feuilles sont blanches
comme l'âge la lumière et l'espace

Transition, n° 27

L'insonore bleu

Enfin je puis quitter ce pays plein de bruit. D'innombrables fouets claquent, parfois seuls, parfois tous ensemble. Ils claquent jour et nuit.

Un vent furieux souffle sans cesse et fait battre la grandiloquence des drapeaux et des fanions du pays qui portent des crécelles.

À tout cela s'ajoute encore l'étrange habitude de faire éclater constamment d'énormes sacs gonflés d'air à craquer. Avec des borborygmes incongrus le vent se décharge des sacs qui se déchirent en chiffons.

Comment suis-je donc venu dans ce pays niais, tapageur ?

Je franchis la frontière, accompagné de chants stupides, déclamatoires.

Je cours. Enfin je pénètre dans le loin, dans l'insonore bleu des nostalgies.

Meudon, 1938

MAURICE BLANCHARD

Île

« *Naughty lady !* »
These hairs which thou dost ravish from chin
Will quicken and accuse thee.

SHAKESPEARE, *King Lear*, acte III

Et je me demandais qui pouvait être son maître !

LAUTRÉAMONT, 3e chant

Très haut, au-dessus du désert de l'océan, l'albatros parle.

Du ventre de la nuit naissent les hommes, naissent les montagnes, et le souvenir de leur souffrance quand le jour leur donna son premier coup d'éventail.

Du ventre de la nuit naissent les images, en fleuves, en golfes, en forêts, en pierres, pour donner aux Enfants de la Terre la double et instantanée faculté d'être un autre et d'être soi-même, tant il est vrai que le poète se construit avec ses poèmes.

Du ventre de la nuit naissent les fleurs cannibales, les oranges persécutées, les poulpes aux cent bras et les crabes mangeurs d'hommes... ô innocence ! Voici des jours et des jours, il me semble, que je vole dans la haute solitude, et je parle comme une pie des faubourgs, et je parle, je parle et voici la faim qui se réveille ! Voici des jours et des jours, il me semble, que je vis entre deux mondes. Crevons la peau de ce nuage et descendons sur la mer poissonneuse. Le nuage est épais, mais la vie est longue et c'est pourquoi aussi je dis « nous » en parlant de ma faim et de mon espace.

Enfin apparaît un grain d'orge sur la mer aux mille visages. L'oiseau qui tombe au milieu de cette île n'y a pas été invité, c'est, du moins, sa première impression. Il s'avance, prudemment, donne un coup de son bec dans le granit : nulle trace de matière vivante. Autour de lui, aussi loin que puisse aller sa vue perçante : une couronne de silence aux virages relevés. Il faut partir, quitter avant la nuit cette terre d'angoisse. Tant pis ! Et l'oiseau s'envole. Il décrit une large spirale. Il jette un regard d'horreur sur cet œil de pigeon perdu dans l'océan et s'enfuit vers la nuit chanceuse.

Et pourtant le temps des épis mûrs viendra. La semence, apportée par le vent, tombera comme un oiseau épuisé, mais avec d'autres conséquences. La terre et le vent donneront naissance au poème, car pour écrire un poème il faut être au moins deux. Et nous sommes portés par des îles d'une fragilité telle que nous pouvons, dans le même instant, sombrer et vivre trois cents ans. Pour écrire un poème, il faut recommencer sa vie, toutes les vies.

Il est bien évident qu'ici la terre et le vent sont mis pour autre chose, car je ne m'intéresse aux mots que dans la mesure où ils sont vivants. Et voici que la mémoire frappe à ma porte, entre, et me dit : « Rien n'est plus poétique que toutes les transitions, tous les mélanges hétérogènes. » Les roses de Jéricho de la mémoire, le plagiat aux semelles de feutre, la semence, l'image, la constellation enfin se présentent aux yeux de l'oiseau éperdu, comme un phare à l'horizon ; il vole de toutes ses forces vers l'éblouissement. Mais un autre s'allume, puis un autre, et beaucoup d'autres phares l'appellent de tous les points de la rose. Heureusement ! car le poète qui ne verrait qu'une image se briserait contre les vitres flamboyantes. Et l'oiseau choisit ses lumières, pour s'y baigner. Il note soigneusement les autres, se promettant d'y revenir après, mais il n'a pas la mémoire immédiate et la vie des images est très courte. Plus jamais il ne reverra ces mêmes lumières.

Le poème se met en marche dès qu'il y a rupture d'équilibre ou que le temps fait un faux pas hors des battements du cœur et ce n'est pas l'émotion, mais le souvenir de l'émotion qui gonfle les fruits et fait plier les branches. Au premier cri les jeux sont faits : « un coup de ton doigt sur le tambour... ». La révolte est au début du poème et, de proche en proche, toute la ville flambe. Cette impulsion est à l'origine de toute activité poétique. Cet éblouissement a aussi produit la pince à ressort et le fil à couper le beurre, mais ceux qui fabriquent des fils à couper le beurre ne participent nullement à l'orgie de l'inventeur, et c'est pourquoi ce genre de poèmes se situe au plus bas de l'échelle.

Réellement, la révolte de l'esprit n'a rien de commun avec la révolution politique. C'est même tout le contraire. La révolution politique ne peut que donner quelques places assises à des argousins pourris et repus. Car, enfin, pourquoi donc le personnel politique se recrute-t-il dans la boue ? Passons ! les idées sont fastidieuses et je n'ai que haine et mépris pour les peuples et les nations. Et que ma fiente les submerge !

L'Homme et ses miroirs, 1949

L'eau est une oreille

Le monde hostile de mon enfance devint ma nourriture coutumière. Pourchassé par le temps et sa meute, assoiffé, épuisé, je tombai au bord du puits, dans les gravats et les orties, terre d'asile où des cloches descendues en flammes de je ne sais quel voyage de Pâques rajustaient en rougissant les jupes et les rubans de bronze de mes premières et inaccessibles amours. L'eau est profonde, l'eau est un ciel qui chavire. Au fond de ce télescope aux lézards je vis ma tête auréolée d'un riche plafond vénitien. La margelle, en bleu sombre, attendait les nouvelles dédicaces, ou bien le nom des donateurs. L'aventure commence au bord de la mer. Je respirai la fraîcheur de mille orages. J'ouvris la bouche pour éprouver la tonalité de ce puissant tuyau d'orgue, l'autre l'ouvrit aussi au même instant dans un fracas d'apocalypse et je lui lançai violemment toutes mes pièces d'aluminium qui se changèrent, au choc de l'eau, en petits poissons effrayés. Je ne puis avancer que si l'on me barre le chemin.

Ouragan

Tout à coup, vous êtes inondé de lumière, vous n'avez rien compris et c'est une vie nouvelle qui commence. D'un profond sommeil à fond de cale, une planche remuée vous a livré au soleil et vous avez saisi le hasard à la gorge. Les griffes du tigre peuvent servir, l'occasion, la gorge tendre, mais surtout l'attente, la longue patience et la précision de l'instinct. Le fils du jaguar mangera le fils de l'homme.

Il vous faut traverser la rivière, l'ennemi est là, qui vous attend, et vous traversez la rivière. La forêt est en flammes, et vous traversez la forêt en flammes. Vous êtes saisi par les démons qui vous frappent au visage, là, dans une mer putride ouvrant et refermant sa verte gueule, ses crocs, ses rochers flottants ; vous forcez l'allure, et vous passez. Vous passerez tant que vous serez debout, tant que vous n'irez nulle part. C'est le maître mot de la rivière, de la forêt, de la mer putride.

Et l'on vient vous demander, après cela, un sourire ? Une marque extérieure de respect ?

La Ligne droite, années 1950

Je lance un coup d'archet

La mémoire naquit d'un coup de bâton. Le temple fut profané par ceux qui travaillent avec les mains, par ceux qui travaillent avec les pieds. Et ce fut le matin, et ce fut la nuit pour ceux qui ont faim, pour ceux qui rêvent et pour ceux dont le cœur a ses raisons.

Je me sauve. Comprenez-le comme vous voudrez, le miracle est là, derrière la porte. Après la guerre, ce fut la guerre et maintenant c'est la guerre et c'est la lutte impitoyable des crocodiles sous la voûte du cerveau. On déchire dans tous les sens les images de soie et d'or, on rêve de bonté, on marche sur les oiseaux. Et quel silence !

Le Monde qui nous entoure, 1951

JOË BOUSQUET

Le galant de neige

Même un désir menteur de son deuil se chagrine
L'instant qui n'a pu naître est pleuré dans tes jours
— Ou ta chair trompait-elle un tourment d'orpheline

Au néant maternel d'un amour sans amour

Ouverture

Je vous aimais avec mes yeux
Mon amour en aimait une autre
Que me reste-t-il de vous deux

Chanson de route

Il fait beau sur les chemins
Et les filles ont des ailes
Pour sauver jusqu'à demain
Ce qu'on ose attendre d'elles

Prenant lundi pour mardi
Comme un oiseau les éveille
La plus gentille s'est dit
Qu'il lui tardait d'être vieille

Nul amour n'aura chanté
Sans mourir de son murmure
Qu'on n'est plus d'avoir été
Le frisson de ce qui dure

Tout ce qu'on laisse en chemin
Se souvient avec ses ailes
Qu'à l'amour sans lendemain
Le cours de l'onde est fidèle

Passante

Elle a promené dans les villes
Le pas qui tremblait sur les eaux
Une chanson la déshabille
Son silence est né d'un oiseau

Elle illumine la lumière
Comme l'étoile du matin
Quand tout le ciel est sa paupière
Embellit le jour qui l'éteint

Mais l'astre d'où le ciel s'envole
Sait-il où nos vœux sont allés
Quand mon cœur bercé de paroles
Se meurt de la chanson qu'il est

Quel mal trouvait-elle à me plaire
Qu'un aveu me l'ôte si tôt
Mouillant ses regards de sorcière
Des pleurs qu'il a pris au ruisseau

Hélas ne pleurez point madame
Si j'ai mes jolis soins perdu
Près d'un enfant aux yeux de femme
Qui joue à l'amant qui n'est plus

La Connaissance du soir, 1945

CLAUDE CAHUN

La Sadique Judith

Qui était Judith

Elle s'était fait en haut de sa maison une chambre secrète où elle demeurait enfermée...

Et, ayant un cilice sur les reins, elle jeûnait tous les jours de sa vie, hors les jours de sabbat...

Discours de Judith au Peuple

Je ne veux point que vous vous mettiez en peine de savoir ce que j'ai dessein de faire...

Mais ceux... qui ont témoigné leur impatience... ont été exterminés par l'ange exterminateur, et ont péri par les morsures des serpents.

C'est pourquoi ne témoignons point d'impatience...

Mais considérons que ces supplices sont encore beaucoup moindres que nos péchés...

Discours de Judith à Holopherne

Tout le monde publie que vous êtes le seul dont la puissance...

Et votre discipline militaire est louée dans tous les pays.

(Livre de Judith — *VIII et IX)*

À Erich von Stroheim

« Il faut croire qu'il méprise les femmes, et ne s'en cache point (car lui-même laisse dire) ; qu'il est grossier, tel que seul un guerrier peut l'être. Après qu'il a baisé son esclave il s'essuie furtivement la lèvre. Il n'ôte point ses vêtements de peur de souiller de son corps plus qu'il n'est indispensable. Les nuits d'amour, la pourpre dans laquelle il se vautre, symboliquement teinte du venin rouge des victimes, ses bottes la maculent, du haut en bas y traînent, selon la saison, la poussière ou la boue des chemins, ou pire. Mais dès le chant du coq, il prend un bain, met la fille à la porte — et fait changer les draps (la soie, le sang figé des draps).

« On dit aussi qu'il est le plus laid des hommes ; et ceux qui craignent qu'il ne séduise leurs servantes assurent qu'il ressemble à un porc.

« Mais je l'ai vu, tandis que son armée victorieuse défilait devant nos portes closes, car (ayant silencieusement égorgé mon chien dont l'agitation me gênait) j'ai pu regarder par le trou de la serrure :

« Que me plaît ce front fuyant, ces yeux morts, si lents — des yeux petits, étroits, aux paupières énormes ; ce menton charnu mais point trop saillant ; cette bouche bestiale aux lèvres sensuelles, mais de la même peau, semble-t-il, que le reste du visage — bouche dont la fente, la gueule seule est admirablement dessinée, expressive, et dès qu'elle s'ouvre en demi-couronne, sombre, met en valeur les canines taillées en pointe comme les ongles de Judith !

« Ah ! surtout, que me plaisent ces oreilles en éventail, cette nuque au poil court — et la superbe verticale du crâne au cou, s'il penche la tête en arrière, brisée par des plis de reptile ! Je les aime parce que j'y reconnais les caractères distinctifs, odieux, de la race ennemie.

« Une femme est en marche. — Vers le camp du vainqueur !...

« Un oiseau sans ailes, un tout petit tombé du nid est à mes pieds. Je m'agenouille (il est vivant !), je le tiens dans ma main : "Il est un duvet plus tendre, cher cœur affolé, douceur, douceur sans défense, plus tendre que le ventre de ta mère, que les brins de mousse rousse et de soies réunis par ses soins..." Le voilà presque rassuré, plus chaud que mon aisselle fiévreuse. Je le tiens sous mon bras serré — ô caresse de ses plumes naissantes !... — En route !... et je serre un peu davantage — pour qu'il ne tombe pas, pour le sentir contre ma chair brûler, se refroidir, pour un spasme — et qu'il meure !...

« *C'est d'un mauvais présage.* — Dégoût !... Pourquoi dégoût ? La vie serait donc si propre, plus propre que la mort ? Au moins c'est un cadavre qui n'est pas encombrant.

« Serai-je de force à le porter tout entier — l'autre — ou faudra-t-il dépecer, choisir les meilleurs morceaux ?...

« — Oh ! je me suis fait peur ! Rien n'est accompli pourtant ; je pensais cela... pour plaisanter.

« ... Suis-je vraiment condamnée, criminelle depuis l'enfance, à détruire tout ce que j'aime ? Non : il empêchera le sacrifice infâme. N'est-il pas mon élu parce qu'il est le plus fort ? — Barbare ! asservis-moi ; ne me livre d'abord que le plus vulgaire de ton corps, ce que j'ai le moins appris à chérir. Prends bien garde à cette bouche, à cette nuque, à ces oreilles — à tout ce qui peut se mordre, se déchirer, se sucer jusqu'à l'épuisement de ton sang étranger — délicieux.

« C'est ta faute ! Pourquoi ne m'as-tu pas devinée ? Pourquoi ne m'as-tu pas livrée aux bourreaux ? Je t'aimerais encore, je fusse morte heureuse. Je te voulais vainqueur et tu t'es laissé vaincre !...

« À quoi bon ces reproches ? Il ne m'écoute pas ; il ne peut pas m'écouter...

« À moi seule : Pourquoi l'avoir vaincu ? (Ai-je donc voulu cesser de t'aimer, Holopherne ?) — Puérile, ô puérile !... Pourquoi manger ? La question ne se pose qu'alors qu'on n'a plus faim...

« Et voici mes frères ! Ceux-là n'ont rien à craindre, car ils me font horreur. Patrie, prison de l'âme ! Enfermée, moi du moins j'ai su voir les barreaux, et même entre les barreaux... »

Le Peuple d'Israël acclame Judith.

Mais elle, d'abord plus étonnée qu'un enfant qu'on maltraite, se laisse porter en triomphe — comme endormie. Bientôt elle se réveille, ivre de rire et d'insolence, et dressée sur le socle de chair humaine elle s'écrie :

« Peuple ! *qu'y a-t-il de commun entre toi et moi ?* Qui t'a permis de pénétrer ma vie privée ? de juger mes actes et de les trouver beaux ? de me charger (moi si faible et si lasse, leur éternelle proie) de ta gloire abominable ? »

Mais ses paroles ne furent point comprises, ni même entendues. La joie d'une foule a mille bouches — et pas d'oreilles.

Mercure de France, n° 639, février 1925

Prenez garde aux objets domestiques

Au regard de l'homme, les autres animaux semblent bien raisonnables. La particularité de l'animal-homme, ce qui le différencie, le qualifie le mieux, c'est qu'il déborde et qu'il tend à déborder plus encore le champ du rationnel — j'entends par là le champ d'adaptation synchronique de la vie au milieu où la vie se manifeste. L'animal-homme se contente d'un minimum de cette adaptation, mais il s'efforce et parvient à maintenir la vie en dépit de circonstances qu'à plaisir il rend plus difficiles, qu'il empire à des fins jamais connues de lui en dernière analyse sinon partiellement, jamais poursuivies par lui sinon aveuglément, et dans la mesure où il s'en remet aux générations prochaines. À l'homme seul appartient un tel bouleversement de la matière que ses organes eux-mêmes ont fleuri en monstruosités et en maladies si nombreuses : à l'homme civilisé, seul, le pouvoir féroce, le luxe effréné de soigner, c'est-à-dire de conserver et de cultiver une telle variété dans l'ornementation vaine, d'exhiber ces lèpres, ces tumeurs — terrifiants objets trouvés ou inventés, irrationnels bourgeonnements de chair. L'ornementation ne s'exerce pas seulement au mépris de l'*utilité* (?), mais en marge. Les couleurs merveilleuses de l'iris humain défient la mémoire des amants. Les structures de racine des petites molaires contraignent un dentiste à conclure que « l'anatomie n'existe pas » ; les crises comitiales ne cessent de présenter aux psychiatres les plus déconcertantes hérésies.

Il en va de la matière dite inanimée comme de l'autre. Elle est malléable à merci pour l'homme, animal irrationnel. Depuis les clefs en celluloïd rose, les marteaux verts dont l'enfant ne fera ses hochets que s'il y trouve, par-delà tous les faux prétextes instructifs, des satisfactions affectives de la même qualité qu'y trouvèrent, à leur insu ou non, celles qui les ont imaginés et choisis ; depuis la mie de pain gâchée, roulée sous les doigts machinalement (?), l'aiguille de sucre effilée dans la bouche et mise au concours, depuis les châteaux de sable sur la plage jusqu'aux charmants palais de saindoux des charcutiers, jusqu'aux ignobles monuments aux morts, aux révolutionnaires, aux pigeons voyageurs, jusqu'aux feux d'artifice où quand tout est perdu s'allume une dernière étoile, mais qui n'embrase rien, qui s'éteint sur place, dérisoire encore, il ne nous reste après l'affreuse fête où la raison n'a su nous découvrir que l'asservissement de l'homme par l'homme, par la matière, par les systèmes, mais il nous reste à découvrir où la raison s'arrête, à saisir et ne plus lâcher la matière avec le sentiment de notre libération.

Dans la société actuelle nous ne sommes pas tous et toujours en état de nous rendre ductiles, bons conducteurs des forces libératrices, et nous nous surprenons parfois à ressembler davantage au *petit mimétique* qu'au *grand paranoïaque*. Mais, entre autres symptômes, la surproduction d'objets de moins en moins usuels (comme la pince microscopique, seulement utilisable sous le microscope, nous garantit que, de toutes parts, notre actualité craque : la chaîne des travaux forcés, abrutissants, le frein d'or des passions seront brisés et rebrisés avant peut-être que pâlissent les photographies d'objets périssables étalées sous mes yeux).

Je n'en finirais pas de vous parler de ces objets qui vous parleront mieux eux-mêmes, qui nous parleraient mieux encore si nous pouvions y toucher et dans l'obscurité. Par contraste avec les facultés prodigieusement libérées-libérantes des explorateurs et constructeurs d'objets, ici visibles, me vient la pensée des opprimés, le regret des belles facultés dévoyées et perdues. Je songe à une enfant dont j'ai lu, comme vous peut-être, l'histoire publiée, interrogeant ces tristes vestiges.

Née sourde-muette et aveugle, livrée à l'éducation religieuse à huit ans, « paquet de nerfs et de cris ». On devine ce que la patience et la résignation en ont pu faire. Elle et vous et moi nous aurions pourtant pu toucher l'objet irrationnel qu'il lui eût été si agréable et facile d'agencer, mêlant les matériaux selon de subtils indices de consistance et d'odeur, et jouant ainsi au-delà de l'amour, on ne sait avec quel superflu... Mais aujourd'hui ? En elle et pour elle sont à jamais liés l'infirmité-l'amour, comme autour du bâton les matériaux d'un épouvantail à moineaux. Le catholicisme a bien fait les choses ; il s'en vante. Pour familiariser cette enfant avec la mort, on lui fit palper, renifler des cadavres ; on la coucha des nuits dans le lit de sa sœur agonisante. On parvint même à lui communiquer je ne sais quelles notions de la procréation et du mariage, avec cette mise en garde : « Dans sa situation, pouvait-elle songer ? »

J'insiste sur une vérité première : il faut découvrir, manier, *apprivoiser*, fabriquer soi-même des objets irrationnels pour apprécier la valeur particulière ou générale de ceux que nous avons sous les yeux. C'est pourquoi, à certains égards, les travailleurs *manuels* seraient mieux placés que les intellectuels pour en saisir le sens si tout dans la société capitaliste, y compris la propagande communiste, ne les en détournait. C'est pourquoi vous commencez à tripoter dans vos poches, et peut-être à les vider sur la table.

Étanchez un peu de tout le sang chaque jour répandu avec une éponge taillée en forme de cerveau ; mettez-la dans une cuve et voyez si elle flotte, si l'eau rougit, si les esprits animaux : fleur de peau, tire-d'ailes, le chat-tortue, la lirelie rose (c'est une petite pomme de terre germée), le papegeon (c'est un baiser où les cils se rencontrent, c'est une paupière battante), voyez si la civelle lascive et les aimables innommées ne lui sortent pas par tous les pores. Troublez l'*animarium* avec une baguette de verre, le mot *agitens* s'impose à vous et vous fait sursauter. Elle vient enfin la créature attendue, elle ne sait où poser ses larmes...

Prenez un miroir ; grattez le tain à hauteur de l'œil droit sur quelques centimètres ; passez derrière l'endroit éclairci une bande sur laquelle vous aurez fixé de petits objets hétéroclites, et regardez-vous au passage les yeux dans les *yeux*. C'est le jeu de l'escarbille.

Procurez-vous une petite chaumière (l'électrovox) au fond de laquelle se trouve une plaque sensible à certains sons. Vous pourrez en faire sortir n'importe quoi, n'importe qui, à condition, bien entendu, de l'y avoir fait entrer. Il vous suffit de PARLER FORT. Votre voix fait vibrer la plaque. Si vous jouez à plusieurs à ce jeu, moins innocent qu'il ne semble, il se peut que l'objet, introduit par l'un au hasard appelé par l'autre, réponde à des affinités secrètes. Que dire « il se peut » ? C'est certain. Prenez garde.

D'ailleurs faites plutôt que ce que j'en ai dit soit uniquement pour vous mettre en train de construire de détruire sur vos propres données, qui, pour nous être en partie communes, ne nous sont pas moins en partie — en tous points — *encore* inconnues.

Cahiers d'Art, 1936

André Masson, peintre d'un talent reconnu de tous, est aussi un poète. On se doit d'évoquer « Du haut de Montserrat », dans Minotaure, *n° 8, 1936, et « Antille », dans* Martinique charmeuse de serpents !, *André Breton et André Masson, 1947.*

ANDRÉ MASSON

Du haut de Montserrat

Tout doit revenir au jeu originel
Tempête de flammes
Ainsi parlait HÉRACLITE
Levant et couchant de l'homme lucide et dur.
— Tu dois voir le flux et le reflux
Des passions méprisables.
— Tu accepteras l'humide comme on aime
La mère qui nous engendra.
— Hommes et femmes vous êtes voués au
Feu de lave immatérielle
Çà et là légère, écrasante
Toujours mortelle
Toujours vive
N'aimant que ce qui viendra.
Toujours jetés aux volcans de vie et de mort.

Et PARACELSE : les deux mains appuyées
Sur l'épée de la sagesse
En intimité avec les astres et les pierres
Amoureux des cavernes de l'homme
Du ventre de l'univers.

Et toi ZARATHOUSTRA œil de lumière
Au centre d'un monde terrible et joyeux
Je vous salue des hauteurs
Du Montserrat.

Minotaure, n° 8, 1936 (D. R.)

ANDRÉ MASSON (TEXTE PUBLIÉ AVEC ANDRÉ BRETON)

Antille

Le feu de case la nuit se mire au regard de terre. Serti par le silence bruit le grand ballet de palmes dans le jeune air dansant.

Huppée de bambous ma sauvage tête de montagne heurte un rêve de nue et voit plongeant d'un maelström de feuillage — suspendu à son vol — le colibri.

Fourrure arborescente de la terre éventrée éventail de désir élan de rêve oui c'est la roue de lourde feuille dans l'air fruité. Interroge la sensitive elle répond non mais rouge au cœur de l'ombre vaginale règne la fleur charnelle du balisier — le sang s'est coagulé dans la fleur insigne. Lave spermatique il t'a nourri pétrissant le verre banal la main du feu l'irisait de mortelle nacre. La grande main caresse le sein du morne à moins que ce ne soit ta croupe Vénus d'anthracite elle irrite le crin des palmes soulève la plume des frondaisons et se glisse sous la toison amoureuse de l'énorme Sylve.

Au ciel de ton front le cri du flamboyant
Au gazon de tes lèvres la langue arrachée de l'hibiscus
À la chaude campagne de ton ventre les champs de
canne en couronne de saveur

Aux verdures trouées tes yeux de lucioles
À tes mammes la mangue fine
Tes banians aux petites filles
L'arbre à pain pour tous les tiens
Et le mancenillier pour la bête casquée

Hémisphères, n° 2-3, 1943

André Pieyre de Mandiargues est un homme de grande culture qui, nourri des baroques, des élisabéthains et des romantiques allemands, a construit, en marge et en dialogue avec le Surréalisme français, une œuvre précieuse et belle, dont l'érotisme est une composante majeure. On a choisi un seul conte, tiré du recueil Dans les années sordides *(les années de la dernière guerre mondiale).*

ANDRÉ PIEYRE DE MANDIARGUES

L'œuf dans le paysage

À Salvador Dalí

Un jour — il est bien que le vent ait chassé tout ce jour-là les nuages dans le ciel et des taches folles, comme les empreintes des bêtes de la préhistoire, à la surface du trèfle nouveau plus brillant qu'un banc de blanchaille — approche-toi de la fenêtre en t'efforçant de ne pas trop laisser courir ton attention au-dehors. Jusqu'à ce que tu aies sous les yeux un de ces noyaux qui sont comme des kystes du verre, petits osselets parfois transparents, mais le plus souvent brumeux ou bien vaguement translucides, et d'une forme allongée qui évoque la prunelle des chats. On les trouve d'une façon tout à fait commune dans le bas des vitres, plutôt vers les coins, ainsi que les araignées avec lesquelles j'ai vu des servantes hollandaises parfois les confondre, et la haine que vouent à l'insecte chasseur ces maniaques de la propreté peut aller jusqu'au bris du carreau.

Approche-toi donc, ferme un œil afin de tout considérer sur un seul plan et puis, en déplaçant ton visage horizontalement devant la fenêtre, fais glisser sans hâte le petit fuseau vitreux dans le monde extérieur. La nature du monde change-t-elle, ou bien est-ce la véritable nature qui triomphe de l'apparence ? En tout cas, le fait expérimental est que l'introduction du noyau dans le paysage suffit à conférer à celui-ci un caractère mou.

Vois plutôt : les objets que l'on est bien accoutumé de tenir pour solides : murs, rochers, troncs d'arbres, constructions métalliques, ont perdu toute rigidité dans les parages du noyau mobile. À faible distance, ils lancent vers lui comme un jet de matière élastique ou bitumineuse qui tend à le saisir par la pointe ; ventouse, dirais-tu, sorte de bouche sollicitante, et l'on pourrait déterminer très exactement en avant de la pointe le contour de la zone d'attraction où se produit le phénomène. Tout se passe comme s'il y avait une force d'avidité gourmande dans le paysage qui lui fit désirer d'engloutir le petit noyau : un morceau de bois, un bloc de pierre, une charrue se gonflent pour avaler bien complètement l'étranger, puis, quand il les a traversés de part en part, on les voit se déformer une fois de plus comme par le regret d'être abandonnés trop tôt, accompagner encore l'objet volage d'un baiser flasque qui retombe après coup, tristement, lorsque la pointe postérieure est assez loin pour que cesse l'attraction. Des corps tels que fûts de colonnes ou poteaux télégraphiques, qui ont une belle élévation verticale pour peu de largeur, plient carrément tout ainsi qu'une tige de caoutchouc sous un crochet de fer ; un gros pilier de hangar déploie la grâce sinueuse d'une taille souple qui se prête volontiers au désir. C'est un spectacle fantastique. Le monde extérieur, dans son unanimité, s'est transformé en un milieu malléable à souhait devant cet unique objet dur et perçant, véritable œuf philosophal que tes moindres sauts de visage promènent tout au travers de l'espace.

Contemple donc les mouvements huileux de la nature ; tu ne sauras te lasser — revanche agréable à prendre sur la fameuse « grande insensible » — de la forcer aux plus insolites reptations, aux tortillements les plus saugrenus et du style le plus authentiquement jésuitique ; mais n'essaye pas, faute de noyau, de substituer à ce dernier une tache quelconque peinte sur la vitre ; si parfaite fût-elle, tu n'obtiendrais rien d'une copie, et le seul moteur capable de bouleverser ainsi le paysage restera toujours ce menu poisson de cristal que, par ironie sans doute, les hommes appellent un défaut dans la vitre.

Il est salubre d'examiner par ce moyen le monde des champs : les guenilles fauves de la paysannerie perdent tout le caractère trompeur de stabilité dans le temps et dans l'espace qu'un observateur débile trop aisément leur accordait. Mais les boulevards sont un bien autre point de vue, et l'on ne pourrait imaginer, avant d'en avoir fait l'expérience, tout ce dont sont capables les fastes urbains, les défilés de la victoire, les obsèques nationales, les retraites aux flambeaux, les réceptions triomphales des gloires de l'écran et des héros de l'air, les bœufs gras, les présidents de la république et les champions du monde, sitôt introduit dans leurs cortèges le petit œuf moqueur et frétillant que tu sais.

Dans les années sordides, 1949

Roger Vitrac (1899-1952), dont on connaît surtout les pièces de théâtre drolatiques, et la position compliquée par rapport au groupe très sensible des années 20, était un écrivain au talent aigu. On a cité plus haut un texte « dramatique » datant de 1920, et choisi ici un texte publié dans Documents, *n° 6, 1930, « L'Enlèvement des Sabines », qui ne répond nullement à la promesse narrative de son titre, mais se présente comme une énumération loufoque des figures de style, dont la redéfinition ingénieuse nous laisse rêveurs.*

ROGER VITRAC

L'Enlèvement des Sabines

Horace a dit : « La poésie est comme la peinture » *(Ut pictura poesis)*.

Pierre Larousse dans sa « Grammaire supérieure » (Troisième année) à la page 311 écrit : « La grammaire est l'art de s'exprimer *correctement* ; la rhétorique est l'art de *bien* dire. » Nous admettrons, avec lui, que la partie la plus élémentaire de la rhétorique comprend les figures de mots et les figures de pensées. Eh bien, si nous nous laissons séduire, et convaincre, par l'une des figures de mots, ou mieux par la figure de construction appelée conversion ou encore régression, laquelle consiste à reproduire symétriquement les mêmes mots dans un renversement d'idées, et que nous branchions dans notre esprit le mécanisme grammatical à l'arbre de transmission de la pensée où se meut librement, dans un sens ou l'autre, le volant pendulaire de l'antithèse[1], nous serons nécessairement amené à appeler *masque* dans les arts plastiques ce qui était *figure* pour la syntaxe et, de ce fait, nous créerons à l'usage des artistes une rhétorique dont les deux parties élémentaires et fondamentales seront d'une part les *masques de matière* et d'autre part les *masques de pensée*.

Et nous pouvons dès maintenant donner un exemple d'une rhétorique de la plastique qui permettra de comprendre sans effort toutes œuvres d'art qui jusqu'ici passaient pour hermétiques, obscures ou arbitraires.

MASQUES DE MATIÈRE

Les *masques de matière* sont ceux qui consistent uniquement dans l'emploi ou dans l'arrangement de la matière, de telle sorte que si l'on change la matière ou sa disposition, le masque cesse d'exister. Ainsi l'artiste qui ne peint qu'une voile et non tout le vaisseau commet un masque de matière. S'il peignait tout le vaisseau il accomplirait une figure.

Il y a deux sortes de masques de matière : les *masques de destruction* ou *de construction*, et les *masques mobiles* ou *immobiles*.

I. MASQUES DE DESTRUCTION OU DE CONSTRUCTION

Les masques de destruction ou de construction sont ceux dans lesquels la matière conserve sa si-

1. Dépassant encore cette simple figure de pensée et l'unissant à une « figure d'esprit » beaucoup plus vaste qui se définirait par l'identité des contraires.

gnification propre ; quoique purement artistiques ils ne laissent pas de faire un bel effet dans le tableau, sur le socle, etc... Ce sont : l'ellipse, le pléonasme, l'hyperbate, la syllepse, la conversion ou régression, la répétition et l'apposition.

1° L'ELLIPSE est un masque qui, pour donner plus de visibilité ou de mystère à l'expression, supprime la matière que la construction artistique exigerait.

Exemple : « Le portrait sans visage » de Matisse. Le dessin que nous reproduisons ici n'est qu'un à peu près « incohérent » extrait d'un de ces albums qui — à la fin du siècle dernier — en même temps que les Almanachs du Père Ubu laissaient prévoir par leurs outrances humoristiques la libération des artistes actuels.

Pour que l'ellipse soit bonne il faut que l'esprit ait quelque difficulté à suppléer à la matière absente. Toute ellipse qui rend le sens équivoque et louche est excellente.

2° Le PLÉONASME est un masque par lequel on emploie un surcroît de matière pour changer dans l'œuvre la destination du sujet.

Exemple : Van Gogh.

Le phénomène est vicieux s'il n'ajoute rien à l'œuvre, mais il peut à lui seul constituer toute l'œuvre. (La pâte.)

3° L'HYPERBATE ou INVERSION est un masque qui renverse l'ordre naturel de la matière ou de la construction.

Exemple : Derain (époque rouge), Picasso et le cubisme.

L'hyperbate est bonne quand elle est obscure et qu'elle donne de l'harmonie aux styles en les desséchant.

4° La SYLLEPSE est un masque qui consiste à fixer un rapport non de matière à matière (de ton à ton, de volume à volume, etc.), mais de matière à esprit.

Si M. Maurice Denis éprouve le besoin de juxtaposer deux léopards bondissants, l'un jaune, l'autre violet, il obéit aux règles naturelles des figures plastiques avec toutefois cette pointe de daltonisme qui ne peut pas donner le change. Ce détail ne saurait être interprété comme un masque de construction.

Mais l'enfant qui, devant un tableau de Soutine, par exemple, s'écrie : « On dirait des boyaux de chiens » fait assez bien comprendre, grâce à la définition du masque qui précède, que Soutine sait merveilleusement pratiquer la syllepse.

5° La RÉGRESSION est un masque qui consiste à reproduire symétriquement les mêmes motifs artistiques dans un renversement d'idées.

C'est de ce masque que relèvent certains détails assimilables aux deux lunes de la Crème Éclipse. Ces soleils noirs de la mélancolie dont rayonne l'œuvre de Max Ernst.

6° La RÉPÉTITION est un masque qu'on emploie pour insister sur un mensonge ou pour peindre l'indifférence et la passion.

Ce masque est à éviter comme se rapprochant des symphonies où le nu trop intact évite de saigner au bon endroit. Klee dans des « cathédrales infinies » a su le rajeunir en prenant, si l'on peut dire, ce masque aux pieds de ses mille lettres.

7° L'APPOSITION est un masque qui donne à la matière un rôle déplacé.

Exemple : Van Gogh dans ses reliefs lunaires où subsisteraient, sans la lumière, un payage ou un personnage fossiles.

II. MASQUES MOBILES OU IMMOBILES

Ce sont des *masques* qui changent la signification de la matière et des différents signes qui l'accompagnent. Ce sont : la métaphore, la catachrèse, l'antonomase, l'allégorie, la métonymie et la synecdoque.

1° La MÉTAPHORE est un masque qui découle d'un rapprochement dans la nature mais dont les termes sont supprimés dans l'œuvre d'art.

Nous reproduisons ici la traduction plastique d'un groupe de métaphores littéraires. Le dessin de Grandville réunit habilement : un front d'ivoire, des cheveux et des sourcils d'ébène, l'arc des lèvres, un cou de cygne, des dents de perles, etc...

Mais le vrai masque métaphorique en use avec plus de mystère. Ce sera l'écorchure visible de la terre par la charrue, ou le bleu lessive de la mer, ou cette flèche dans l'œuvre de Klee indiquant la direction des vents ou de la promenade.

2° La CATACHRÈSE est un masque auquel on est obligé d'avoir recours quand il n'existe pas dans l'expression plastique de matière propre à réaliser ce que l'on veut suggérer.

La catachrèse parfaite est constituée par le collage : un fragment de journal, une paille, une feuille, une plume. Toutes choses inimitables que l'on retrouve dans les œuvres de Picasso, des Masson, de Picabia, etc...

Les images tirées de livres et montées comme celles de Max Ernst constituent des catachrèses doubles.

3° L'ANTONOMASE est un masque qui consiste à employer communément des motifs nobles, ou réciproquement.

Le buste de Socrate traité dans l'œuvre de Chirico comme un régime de bananes, ou le « Loup-Garou », traité dans celle de G.-L. Roux comme un vulgaire canard, sont autant d'antonomases.

4° L'ALLÉGORIE est une métaphore continuée.

C'est le procédé courant de Roy, ce peintre qui en arrive à construire les maquettes métaphoriques de ses tableaux avant de les peindre.

5° La MÉTONYMIE est un masque qui substitue un motif à un autre.

Il emploie :

a) *La cause pour l'effet*. Ce sont toutes ces équerres, ces cartes de géographie, ces biscuits dans les « intérieurs métaphysiques » de Chirico.
b) *L'effet pour la cause*. « Deux enfants menacés par un rossignol », de Max Ernst.
c) *Le signe pour la chose signifiée*. Les inscriptions graphiques des tableaux de Miró, de Paul Klee, etc.
d) *Le possesseur pour la chose possédée*. « Le chevalier X... » de Derain.
e) *Le monde abstrait pour le monde concret*. Premières architectures de Lipchitz.
f) *Le contenant pour le contenu*. Exemple : les volumes suggérés par leur absence.

6° La SYNECDOQUE est une métonymie qui fait voir le plus pour le moins ou le moins pour le plus.

Elle emploie :

a) *La partie pour le tout*. On sait le rôle fabuleux de la guitare dans l'histoire du cubisme.
b) *Le tout pour la partie*. L'apparition d'un bœuf vivant sur la table de la salle à manger dans un tableau de Chagall constitue un bel exemple de synecdoque.

c) *Le genre pour l'espèce*. Toutes ces têtes d'« Homme ». Tous ces « Nu ».
d) *L'espèce pour le genre*. Phryné sortant du bain (et c'est Mme X..., femme du peintre).
e) *La matière même pour l'objet représenté*. Tableaux de Man Ray. Réogrammes[1].

Il m'est revenu que les « vrais critiques » n'aimaient pas beaucoup que les amateurs, et autres poètes, se permissent de juger et d'en trancher à leur manière. Ils prétendent avoir seuls le droit de vomir. — Je me suis penché sur leurs vomissements et voilà le résultat : « ma cervelle m'en est sortie par les narines ». Puisse cette expérience malheureuse éloigner les bons sujets du sacerdoce et les quelques définitions qui précèdent prendre plan dans la pharmacie des couleurs à égale distance de l'ipécacuana et du sulfate de magnésie, entre Waldemar et George.

Ceci dit je me réserve pour plus tard de parler à la prochaine occasion des *masques de pensée*. Mais dès maintenant et grâce aux notions que je viens de préciser, je puis facilement et en toute sécurité écrire la belle critique de *L'Enlèvement des Sabines* que voici [la toile est reproduite dans l'édition en revue] :

Gaston-Louis Roux propose à notre admiration une somptueuse allégorie dont le masque multiple se différencie de gauche à droite en s'éloignant du centre par régression. Admirable antonomase, à coup sûr la meilleure et la plus réussie du peintre, où Romulus à l'elliptique visage lance sur le sylleptique Tatius un javelot caché par le masque d'une serpe, cependant que Tatius emprunte au bouclier, par une gracieuse synecdoque, le masque de son bras. Hersilie, au centre, sous les traits d'une en-

1. Vitrac note ici « Réogrammes » au lieu de « Rayographes ».

fant, accourt et par la couleur verte et lourde de sa robe se met en apposition. On voudra bien remarquer à droite le couple allongé, enlacé dans des chaînes métaphoriques et l'extraordinaire masque du cou figuré par la métonymie d'une crémaillère.

Documents, n° 6, 1930

POINTS D'ORGUE

Et puis voici quelques-uns de ceux dont on connaît trop les noms et qu'on n'a pas nécessairement écoutés *eux non plus. Voici, brièvement, d'Antonin Artaud, un seul poème, angoissé, brutal.*

ANTONIN ARTAUD

« *Avec moi dieu-le-chien...* »

Avec moi dieu-le-chien, et sa langue
qui comme un trait perce la croûte
de la double calotte en voûte
de la terre qui le démange.

Et voici le triangle d'eau
qui marche d'un pas de punaise,
mais qui sous la punaise en braise
se retourne en coup de couteau.

Sous les seins de la terre hideuse
dieu-la-chienne s'est retirée,

des seins de terre et d'eau gelée
qui pourrissent sa langue creuse.

Et voici la vierge-au-marteau,
pour broyer les caves de terre
dont le crâne du chien stellaire
sent monter l'horrible niveau.

L'Ombilic des limbes, 1925

Voici, d'André Breton, quelques pages ramassées par nous dans une œuvre qui s'étend toujours aussi belle sur de longues années.

ANDRÉ BRETON

Au regard des divinités

À Louis Aragon

« Un peu avant minuit près du débarcadère.
Si une femme échevelée te suit n'y prends pas garde.
C'est l'azur. Tu n'as rien à craindre de l'azur.
Il y aura un grand vase blond dans un arbre.

Le clocher du village des couleurs fondues
Te servira de point de repère. Prends ton temps,
Souviens-toi. Le geyser brun qui lance au ciel les
pousses de fougère
Te salue. »
La lettre cachetée aux trois coins d'un
poisson
Passait maintenant dans la lumière des faubourgs
Comme une enseigne de dompteur.
Au demeurant

La belle, la victime, celle qu'on appelait
Dans le quartier la petite pyramide de réséda
Décousait pour elle seule un nuage pareil
À un sachet de pitié.
Plus tard l'armure blanche
Qui vaquait aux soins domestiques et autres
En prenant plus fort à son aise que jamais,
L'enfant à la coquille, celui qui devait être...
Mais silence.
Un brasier déjà donnait prise
En son sein à un ravissant roman de cape
Et d'épée.
Sur le pont, à la même heure,
Ainsi la rosée à tête de chatte se berçait.
La nuit... et les illusions seraient perdues.

Voici les Pères blancs qui reviennent de vêpres
Avec l'immense clé pendue au-dessus d'eux.
Voici les hérauts gris ; enfin voici sa lettre
Ou sa lèvre : mon cœur est un coucou pour Dieu.

Mais le temps qu'elle parle, il ne reste qu'un mur
Battant dans un tombeau comme une voile bise.
L'éternité recherche une montre-bracelet
Un peu avant minuit près du débarcadère.

Plutôt la vie

Plutôt la vie que ces prismes sans épaisseur même si les couleurs sont plus pures
Plutôt que cette heure toujours couverte que ces terribles voitures de flammes froides
Que ces pierres blettes
Plutôt ce cœur à cran d'arrêt

Que cette mare aux murmures
Et que cette étoffe blanche qui chante à la fois dans l'air et dans la terre
Que cette bénédiction nuptiale qui joint mon front à celui de la vanité totale
Plutôt la vie

Plutôt la vie avec ses draps conjuratoires
Ses cicatrices d'évasions
Plutôt la vie plutôt cette rosace sur ma tombe
La vie de la présence rien que de la présence
Où une voix dit Es-tu là où une autre répond Es-tu là
Je n'y suis guère hélas
Et pourtant quand nous ferions le jeu de ce que nous faisons mourir
Plutôt la vie

Plutôt la vie plutôt la vie Enfance vénérable
Le ruban qui part d'un fakir
Ressemble à la glissière du monde
Le soleil a beau n'être qu'une épave
Pour peu que le corps de la femme lui ressemble
Tu songes en contemplant la trajectoire tout du long
Ou seulement en fermant les yeux sur l'orage adorable qui a nom ta main
Plutôt la vie

Plutôt la vie avec ses salons d'attente
Lorsqu'on sait qu'on ne sera jamais introduit
Plutôt la vie que ces établissements thermaux
Où le service est fait par des colliers
Plutôt la vie défavorable et longue
Quand les livres se refermeraient ici sur des rayons moins doux
Et quand là-bas il ferait mieux que meilleur il ferait libre oui
Plutôt la vie

Plutôt la vie comme fond de dédain
À cette tête suffisamment belle
Comme l'antidote de cette perfection qu'elle appelle
et qu'elle craint
La vie le fard de Dieu
La vie comme un passeport vierge
Une petite ville comme Pont-à-Mousson
Et comme tout s'est déjà dit
Plutôt la vie

Clair de terre, 1923

Arcane 17

Grandes orgues de l'amour humain par la mer, de son mouvement tout abstrait s'engouffrant dans la ville, par le soleil de minuit ouvrant, fût-ce dans un taudis, les fenêtres sinueuses des châteaux de glace, par les vertiges qui se lissent les ailes pour se préparer à prendre en écharpe, qui toute la boucle d'un soir de printemps, qui l'écho sans fin embusqué dans un vers ou dans tel membre de phrase d'un livre, qui la plainte de cette étoile de cuivre de plusieurs tonnes, qu'à des centaines de mètres un vœu de caractère insolite a suspendue à une chaîne reliant deux pics au-dessus d'un village des Basses-Alpes : Moustiers-Sainte-Marie. Cet amour, rien ne m'empêchera de persister à y voir la vraie panacée, pour combattue qu'elle soit, décriée et moquée à des fins religieuses et autres. Toutes idées fallacieuses, insoutenables de rédemption mises à part, c'est précisément par l'amour et par lui seul que se réalise au plus haut degré la fusion de l'existence et de l'essence, c'est lui seul qui parvient à concilier d'emblée, en pleine harmonie et sans équivoque, ces deux notions, alors qu'elles demeurent hors de lui toujours inquiètes et hostiles. Je parle naturellement de l'amour qui prend *tout le pouvoir*, qui s'accorde toute la durée de la vie, qui ne consent bien sûr à reconnaître son objet que dans un seul être. À cet égard l'expérience, fût-elle adverse, ne m'a rien appris. De ma part cette instance est toujours aussi forte et j'ai conscience que je n'y renoncerais qu'en sacrifiant tout ce qui me fait vivre. Un mythe des plus puissants continue ici à me lier, sur lequel nul apparent déni dans le cadre de mon aventure antérieure ne saurait prévaloir. « Trouver le lieu et la formule » se confond avec « posséder la vérité dans une âme et un corps » ; cette aspiration suprême suffit à dérouler devant elle le champ allégorique qui veut que tout être humain ait été jeté dans la vie à la recherche d'un être de l'autre sexe et d'un seul qui lui soit sous tous rapports apparié, au point que l'un sans l'autre apparaisse comme le produit de dissociation, de dislocation d'un seul bloc de lumière. Ce bloc, heureux entre tous ceux qui parviennent à le reconstituer. L'attraction, à elle seule, ne saurait être un guide sûr. L'amour, même celui dont je parle, doit, hélas, pouvoir se jouer aussi. Dans la jungle de la solitude, un beau geste d'éventail peut faire croire à un paradis. Mais être le premier à dénoncer l'amour, c'est avouer qu'on n'a pas su se mettre à la hauteur de ses prémisses. Il ne saurait être question de difficulté pour s'y maintenir : le bloc une fois reformé déjoue tout facteur de division de par sa structure même ; il se caractérise par cette propriété qu'entre ses parties composantes existe une adhérence physique et mentale à toute épreuve. Une telle conception, si elle peut encore paraître osée, préside plus ou moins explicitement aux lettres d'Héloïse, au théâtre de Shakespeare et de Ford, aux lettres de la Religieuse portugaise, à toute l'œuvre de Novalis, elle illumine le beau livre de Thomas Hardy : *Jude l'Obscur*. Au sens le plus général l'amour ne vit que de réciprocité, ce qui n'entraîne point qu'il soit nécessairement réciproque, un sentiment bien moindre pouvant, en passant, prendre plaisir à s'y mirer, voire s'y exalter quelque peu. Mais l'amour réciproque est le seul qui conditionne l'aimantation totale, sur quoi rien ne peut avoir prise, qui fait que la chair est soleil et empreinte splendide à la chair, que l'esprit est source à jamais jaillissante, inaltérable et toujours vive, dont l'eau s'oriente une fois pour toutes entre le souci et le serpolet.

Arcane 17, 1947

Des épingles tremblantes

Le Brise-lames

Dans la lumière noyée qui baigne la savane, la statue bleutée de Joséphine de Beauharnais, perdue entre les hauts fûts de cocotiers, place la ville sous un signe féminin et tendre. Les seins jaillissent de la robe de *merveilleuse* à très haute taille et c'est le parler du Directoire qui s'attarde à rouler quelques pierres africaines pour composer le philtre de non-défense voluptueuse du balbutiement créole. C'est le Palais-Royal enseveli sous les ruines du vieux Fort-Royal (prononcez Fô-yal), le bruit des grandes batailles du monde — Marengo, Austerlitz contées galamment en trois lignes — ne pas ennuyer les dames — expire à ces genoux charmants entrouverts sous les riantes tuiles de la Pagerie.

Hémisphères, n° 2-3, 1943

Pour Madame Suzanne Césaire

Puis les cloches de l'école essaiment aux quatre coins les petites chabines rieuses, souvent plus claires de cheveux que de teint. On cherche, parmi les essences natives, de quel bois se chauffent ces belles chairs d'ombre prismée ; cacaoyer, caféier, vanille dont les feuillages imprimés parent d'un mystère persistant le papier des sacs de café dans lequel va se blottir le désir inconnu de l'enfance. En vue de quel dosage ultime, de quel équilibre durable entre le jour et la nuit — comme on rêve de retenir la seconde exacte où, par temps très calme, le soleil en s'enfonçant dans la mer réalise le phénomène du « diamant vert » — cette recherche, au fond du creuset, de la beauté féminine ici bien plus souvent accomplie qu'ailleurs et qui ne m'est jamais apparue plus éclatante que dans un visage de cendre blanche et de braises ?

Tropiques, n° 3, 1941

D'Aragon, voici des pages des années 20 : jubilantes et angoissées.

ARAGON

Le sentiment de la nature aux Buttes-Chaumont

Tout le bizarre de l'homme, et ce qu'il y a en lui de vagabond, et d'égaré, sans doute pourrait-il tenir dans ces deux syllabes : jardin. Jamais qu'il se pare de diamants ou souffle dans le cuivre, une proposition plus étrange, une plus déroutante idée ne lui était venue que lorsqu'il inventa les jardins. Une image des loisirs se couche dans les gazons, au pied des arbres. On dirait que l'homme s'y retrouve avec son mirage de jets d'eau et de petits graviers dans le paradis légendaire qu'il n'a point oublié entièrement. Jardins, par votre courbe, par votre abandon, par la chute de votre gorge, par la mollesse de vos boucles, vous êtes les femmes de l'esprit, souvent stupides et mauvaises, mais tout ivresse, tout illusion. Dans vos limites de fusains, entre vos cordeaux de buis, l'homme se défait et retourne à un langage de caresses, à une puérilité d'arrosoir. Il est lui-même l'arrosoir au soleil, avec sa chevelure fraîche. Il est le râteau et la pelle. Il est le morceau de caillou. Jardins vous ressemblez à des manchons de loutre, à des mouchoirs de dentelle, à des chocolats aux liqueurs. Parfois vous accrochez vos lèvres aux balcons ; les toits vous les couvrez comme des bêtes, et vous miaulez au fond des cours intérieures. J'ai dormi dans vos pirogues : mon bras s'était déroulé, de petites fourmis fuyaient sur la terre. Les fleurs se massaient sur le ciel. Le banc vert regrettait le Nil où sur un sol brûlant s'enfuyaient devant lui de grandes écharpes blanches. J'ai joué sur vos pelouses et mon pied dans vos allées a poussé mon cœur entre le ciel et l'enfer. Devant vos plates-bandes j'ai agité mon mouchoir comme un émigrant à bord. Et déjà le bateau s'éloigne. Aux agrès du jardin les désirs les plus simples, les douceurs du soir sèchent avec ma chemise. Le soleil par testament nous laisse un pot de géranium.

Les jardins, ce soir, dressent leurs grandes plantes brunes qui semblent au sein des villes des campements de nomades. Les uns chuchotent, d'autres fument leurs pipes en silence, d'autres ont de l'amour plein le cœur. Il y en a qui caressent de blanches murailles, il y en a qui s'accoudent à la niaiserie des barrières et des papillons de nuit volent dans leurs capucines. Il y a un jardin qui est un diseur de bonne aventure, un autre est marchand de tapis. Je connais leurs professions à tous : chanteur des rues, peseur d'or, voleur de prairies, seigneur pillard, pilote aux Sargasses, toi marin d'eau douce, toi avaleur de feu, et toi, toi, toi, colporteurs de baisers, tous charlatans et astrologues, les mains chargées de faux présents, images de la folie humaine, jardins de mousse et de mica. Ils reflètent fidèlement les vastes contrées sentimentales où se meuvent les rêves sauvages des citadins. Tout ce qui subsiste chez les adultes de l'atmosphère des forêts enchantées, tout ce qui participe encore en eux de l'habitude du miracle, tout ce qui respire dans leur souffle un parfum des contes de fées, sous la piètre apparence démente de ces paysages faiblement inventés se révèle et dénonce l'homme avec son trésor insensé de verroteries intellectuelles, ses superstitions, ses délires. Il s'accroupit ici au milieu de toutes les pierres rondes qu'il a pu trouver, et il les compte, et il rit : il est content. Il a mis aussi des boules de verre aux arbres, un peu d'eau dans le creux d'un rocher. Que vont en dire les femelles ? Il ronge ses ongles, et il rit. Quand il fera la sieste dans un hamac, il essayera du même coup le sommeil de la mort et la paix du cimetière. Qu'un oiseau chante et voici qu'il a les larmes aux yeux. Il s'attendrit et se balance au milieu de cette figuration crétine du bonheur. Six-et-trois des vergers, double-blanc des terrasses, joue-t-il aux dominos ou se conforme-t-il à une liturgie primitive ? Il rit tout doucement à côté des fuchsias.

Ceux qui ont voyagé tout le cours de leur vie, ceux qui ont rencontré l'amour et ses climats, ceux qui ont brûlé leur barbe au sud, gelé leurs cheveux dans le nord, ceux dont la peau est faite de tous les soleils et les vents, ceux qui furent dans la bouche de l'Océan une chique perpétuelle entre ses récifs et ses salives, les servants de la fumée, les poux de la voile, les fils de la tornade, au bout de leur long cauchemar quand ils reviennent un perroquet sur l'épaule, et le pas prévoyant les tremblements de terre, n'ont plus qu'un seul désir c'est d'avoir un jardin. Alors dans les banlieues mentales où l'on relègue ces vieux monstres hantés par les traîtrises de la mer, des palmiers nains, des giroflées et des bordures de coquilles évoquent pour eux l'infini. Et la femme qui vient des confins du plaisir, celle qui fut un cerne, une lèvre mordue, celle qui touchait aux hommes inconnus et qui restait sous un fanal, dans l'immense pénombre d'argent des villes, là où tournent les chiens, les couteaux, les romances, la femme qui prenait la forme du désir, abandonné enfin l'éventail des caresses, pour prix de ses sanglots et de ses comédies, ne demande qu'un fond de verdure où profiler le reste absurde de ses jours. Pour tous ces cœurs obscurs dont je suis entouré, l'éternité commence un soir par un jardin. Allez-vous-en, vieux fous parqués dans vos parterres, arrimés à vos fleurs en pleine barbarie. Allez-vous-en, vous mes semblables. Vous, mes semblables ? À cette idée mes joues saignent de honte. Que la bâche du ciel vous couvre à tout jamais, qu'elle dissimule à mes regards votre tranquille saoulerie, vos résédas et vos fauteuils de rotin clair. Que le picvert du temps qui frappe à votre tempe sa cascade de coups perfore vos tympans. Les toits rouges s'écroulent pour donner l'exemple à votre sang. Ô brebis si vous n'avez pas renoncé à toute dignité humaine, il est grandement l'heure de mourir puisque enfin vous avez le goût de jardiner !

Le Paysan de Paris, 1926

La Défense de l'infini

« Toute cette histoire au bord de mes lèvres expire et devient finalement incompréhensible. La boue monte. Je me fige dans ce flot terrestre. La boue monte. J'articule à peine mon nom : Michel... La boue ah la sale boue dans ma bouche. »

Il y a dans la terre une puissance de songe. Jadis dans les montagnes qui bleuissent au bas du ciel de Lyon, enfant lâché au milieu des prairies et des sources devant un carré de terre fraîchement retournée, il m'arrivait de suspendre un jeu que ni l'heure des repas ni les nuages soudain amoncelés n'avaient su jusqu'alors interrompre. Je subissais l'attrait de cet élément obscur, et je mangeais parfois, les yeux écarquillés, des mottes grasses d'où s'échappaient des brins d'herbe et des bêtes blanches. Nul doute que mon enfance ait dû à ces cérémonies magiques les visions qui la peuplèrent. Dès lors il entra dans ma vie un principe de mystère qui la marqua, et dès lors tout baigné de la lumière des enchantements j'obéis à des ordres inexplicables, desquels je sentais seul l'empire et la nécessité. Je fus un gamin sauvage en proie à des rêves qui ne se raconteront jamais. Je chérissais la solitude essentielle dont j'avais pris le goût précoce, à force d'y voir fleurir les images défendues. On ne s'inquiétait pas de mon humeur bizarre, imputée à l'âge, cela passera, et pourtant certains jours j'entrais dans une ombre profonde qui semblait sortir de moi-même. Cela venait tout au creux des prunelles. Il ne fallait plus qu'on me parlât, je m'enfuyais dans quelque retraite absurde et sûre. Je m'y maintenais tout le temps que la terre me remontait au visage et que l'esprit ténébreux du sol me possédait dans l'étendue de mon corps. J'ai grandi ainsi au milieu des spectres pour l'accomplissement d'une destinée que j'ignore et que je pressens. Il n'arrive jamais qu'on nomme devant moi la Terre, sans qu'un mouvement secret me rappelle le charme ancien qui me fiance à cette reine ensorceleuse depuis le jour lointain des Pâques noires de mon imagination.

Quand Michel attiré par une force centrale se sentit pénétré par le breuvage boueux du marais, ce n'est pas l'oubli que l'enlisé but avec cette marne insinuante et perfide. Ce n'est pas non plus l'ivresse du champagne. Ni l'euphorie de la cocaïne aux mains blanches, ni l'esprit dominateur de l'éther. En même temps qu'un engourdissement s'emparait de tout son être, se déliait sa pensée. Elle était pareille au spectateur quand l'orchestre prélude dans sa fosse. Toutes les apparences lui semblaient prévisibles, et glissantes. Le paysage se changeait en fumées mobiles. Les formes à peine perdues renaissaient et mouraient pour renaître nuées : légers fantômes ne vous pressez pas de disparaître. Aux éclairs de l'orage ils tournaient sur eux-mêmes. La boue enfin entra dans les oreilles. De grands carillons sonnèrent et la terre se balança comme un navire. Ménière, pauvre médecin, tu n'as pas perdu tout à fait ta vie, puisque comme l'Amour, Nicot et le divin marquis tu as su attacher ton nom à un vertige. L'univers tombe suivant les trois directions de l'espace. Alors commencèrent les fantasmagories.

La Défense de l'infini, inachevé, 1923-1927

Voici, *de Robert Desnos, des extraits magnifiques des chapitres 3 et 4 du « roman »* La Liberté ou l'Amour !

ROBERT DESNOS

Tout ce qu'on voit est d'or

Corsaire Sanglot revêt son costume bien connu des rues bruyantes et des trottoirs de bitume. La vie peut continuer s'il lui plaît dans Paris et dans le monde, une voix caressante lui a indiqué son chemin. Celui-ci le conduit aux Tuileries où il rencontre Louise Lame. Il est de ces coïncidences qui, sans émouvoir les paysages, ont cependant plus d'importance que les digues et les phares, que la paix des frontières et le calme de la nature dans les solitudes désertiques à l'heure où passent les explorateurs. Il importe peu de savoir quels furent les préambules de la conversation du héros avec l'héroïne. Il leur fallait des fauves en amour, de taille à résister à leurs crocs et à leurs griffes. Les gardiens des Tuileries virent ce couple extraordinaire parler avec animation puis s'éloigner par la rue du Mont-Thabor. Une chambre d'hôtel leur donna asile. C'était le lieu poétique où le pot à eau prend l'importance d'un récif au bord d'une côte échevelée, où l'ampoule électrique est plus sinistre que trois sapins au milieu de champs vert émeraude un dimanche après-midi, où la glace mobilise des personnages menaçants et autonomes. Mobiliers des chambres d'hôtel méconnus par les copistes surannés, mobiliers évocateurs de crime ! Jack l'Éventreur avait en présence de celui-ci exécuté l'un de ces magnifiques forfaits grâce auxquels l'amour rappelle de temps à autre aux humains qu'il n'est pas du domaine de la plaisanterie. Mobilier magnifique. Le pot à eau blanc, la cuvette et la table de toilette se souvenaient en silence du liquide rouge qui les avait rendus respectables. Des journalistes avaient publié la photographie de ces accessoires modestes promus au rôle de paysages dont je parlais tout à l'heure. Il leur avait fallu figurer à la Cour d'assises parmi les pièces à conviction. Singulier tribunal ! Jack l'Éventreur n'avait jamais pu être atteint et le box des accusés était vide. Les juges avaient été nommés parmi les plus vieux aveugles de Paris. La tribune des journalistes regorgeait de monde. Et le public au fond, maintenu par une haie de gardes municipaux, était un ramassis de bourgeois pansus. Sur tous ces gens silencieux planait un vol de mouches bourdonnantes. Le procès dura huit jours et huit nuits et, à l'issue, quand un verdict de miracle eut été prononcé contre l'assassin inconnu, le pot à eau, la cuvette et la table de toilette avec le petit plat à savon où subsistait encore une savonnette rose regagnèrent la chambre marquée par le passage d'un être surnaturel.

Louise Lame et Corsaire Sanglot considérèrent avec respect, eux qui n'avaient que peu de choses à respecter en raison de leur valeur morale, ces reliefs d'une aventure qui aurait pu être la leur. Puis, après une lutte de regards, ils se déshabillèrent. Quand ils furent nus, Corsaire Sanglot s'allongea en travers sur le lit, de façon que ses pieds touchassent encore le sol, et Louise Lame s'agenouilla devant lui.

Baiser magistral des bouches ennemies.

La reproduction est le propre de l'espèce, mais l'amour est le propre de l'individu. Je vous salue bien bas baisers de la chair.

[...] Dans le couloir, ce fut le piétinement du garçon d'hôtel relevant pour les cirer, paire par paire, les chaussures à talons Louis XV. Quel Père Noël attendu depuis des siècles déposera l'amour dans ces chaussures, objet d'un rite journalier et nocturne de la part de leur propriétaire, en dépit de la désillusion du réveil ? Quel sinistre démon se borne à les rendre plus brillantes qu'un miroir à dessein de refléter, transformées en négresses, les stationnantes et sensibles femmes à passion. Qu'elles remettent leurs pieds blancs dans ces fins brodequins à torture morale ! Leur chemin sera toujours parsemé des tessons de bouteille à philtre du rêve interrompu, des cailloux pointus de l'ennui. Pieds blancs marchant dans des directions différentes, les engelures du doute vous meurtriront en dépit des prophéties onéreuses de la cartomancienne du faubourg. Il faut aller d'abord à Nazareth avant de célébrer par une coutume curieuse l'anniversaire d'une naissance divine. Mais l'étoile ?

L'étoile c'est peut-être bien ce savon rose que Corsaire Sanglot tient dans sa main mousseuse. Elle le guide mieux que la baguette du sourcier, la piste du trappeur et les écriteaux Michelin. Les humbles et magnifiques créatures de la poésie moderne se mettent en marche à travers les rues.

Et ce sont des groupes de trois ripolineurs portant au dieu futur des radiateurs rouges, ou, du haut du ciel, répandant sur le monde entier la blancheur d'une aube artificielle ; et ce sont de longues théories de garçons de café, les uns rouges, les autres blancs, placés sous l'invocation de l'archange saint Raphaël, accomplissant le miracle de l'équilibre pour verser à une heure indéterminée le cordial qui vivifiera le nouveau rédempteur.

Du haut des immeubles, Bébé Cadum les regarde passer. La nuit de son incarnation approche où, ruisselant de neige et de lumière, il signifiera à ses premiers fidèles que le temps est venu de saluer le tranquille prodige des lavandières qui bleuissent l'eau des rivières et celui d'un dieu visible sous les espèces de la mousse de savon, modelant le corps d'une femme admirable, debout dans sa baignoire, et reine et déesse des glaciers de la passion rayonnant d'un soleil torride, mille fois réfléchi, et propices à la mort par insolation. Ah ! si je meurs, moi, nouveau Baptiste, qu'on me fasse un linceul de mousse savonneuse évocatrice de l'amour et par la consistance et par l'odeur.

Corsaire Sanglot, son guide dans la main, suivit des convois funèbres qu'il abandonna à point nommé pour emprunter d'autres voies. Calmes rues désertes plantées de réverbères, boulevards chargés de viaducs du métro, vous le vîtes passer aussi, lui, le premier mage.

C'est dans l'île des Cygnes, sous le pont de Passy, que le Bébé Cadum attendait ses visiteurs. Ils se conduisirent en parfaites gens du monde et la tour Eiffel présida au conciliabule. L'eau coulait.

Les poissons sortirent de la rivière, eux, voués depuis des temps et des tempêtes au culte des choses divines et à la symbolique céleste. Pour les mêmes raisons, les palmiers du Jardin d'Acclimatation désertèrent les allées parcourues par l'éléphant pacifique du sommeil enfantin. Il en fut de même pour ceux qui, emprisonnés dans des pots de terre, illustrent le salon des vieilles demoiselles et le péristyle des tripots. Les malheureuses filles entendirent le long craquement des poteries désertées et le rampement des racines sur le parquet ciré, des cercleux regagnant lentement à l'aube leur maison après une nuit de baccarat où les chiffres s'étaient succédé dans le bagne traditionnel oublièrent leur gain ou leur perte et les suivirent. Eux aussi furent parmi les premiers fidèles. Sur ces fronts douloureux, sur ces yeux brûlés par la fièvre, sur ces oreilles tintant encore du dernier banco, sur ces cerveaux hantés par l'absolu, par l'improbable et les nombres fatidiques, il étendit sa suzeraineté. L'air était plein du bruit des fenêtres qu'on ferme et dont les espagnolettes pleurent. Bébé Cadum naquit sans le secours de ses parents, spontanément.

À l'horizon, un géant brumeux s'étirait et bâillait. Bibendum Michelin s'apprêtait à une lutte terrible et dont l'auteur de ces lignes sera l'historien.

À l'âge de vingt et un ans, Bébé Cadum fut de taille à lutter avec Bibendum. Cela commença un matin de juin. Un agent de police qui se promenait bêtement avenue des Champs-Élysées entendit tout à coup de grandes clameurs dans le ciel. Celui-ci s'obscurcit et, avec tonnerre, éclairs et vent, une pluie savonneuse s'abattit sur la ville. En un instant le paysage fut féerique. Les toits recouverts d'une mousse légère que le vent enlevait par flocons s'irisèrent aux rayons du soleil reparu. Une multitude d'arcs-en-ciel surgirent, légers, pâles et semblables à l'auréole des jeunes poitrinaires, au temps qu'elles faisaient partie de l'accessoire poétique. Les passants marchaient dans une neige odorante qui montait jusqu'à leurs genoux. Certains entamèrent des combats de bulles de savon que le vent emportait avec un grand nombre de fenêtres reflétées sur les parois translucides.

Puis une folie charmante s'installa dans la ville. Les habitants se dévêtirent et coururent à travers les rues en se roulant sur le tapis savonneux. La Seine charriait des nappes grumeleuses qui s'arrêtaient aux piles des ponts et se dissolvaient en firmaments.

Les conditions de la vie furent changées quant aux relations matérielles, mais l'amour fut toujours de même le privilège de peu de gens, disposés à courir toutes les aventures et à risquer le peu de vie consentie aux mortels dans l'espoir de rencontrer enfin l'adversaire avec lequel on marche côte à côte, toujours sur la défensive et pourtant à l'abandon.

Cependant, la lutte entre Bibendum et Bébé Cadum ne fut pas le seul épisode de la bataille où l'archange moderne perdit sa mousse comme des plumes.

Bibendum rentrant en son repaire où il se proposait de rédiger la fameuse proclamation connue depuis sous le nom de *Pater du faux messie*, s'enduisit, malgré ses précautions, de mousse de savon.

Arrivé, il dicta immédiatement le *Pater* et, ressortant, glissa sur le macadam, tomba et mourut en donnant naissance à une armée de pneus. Ceux-ci devaient continuer la lutte.

La Liberté ou l'Amour !, 1927

La brigade des jeux

Où est-il le temps des galères et celui des caravelles ? Il est loin comme une minute de sable dans le trébuchet du destin.

Le nouveau corsaire vêtu d'un smoking est à l'avant de son yacht rapide qui, de son sillage blanc singeant les princesses des cours périmées, heurte dans sa course tantôt le corps des naufragés errant depuis des semaines, tantôt le coffre mystérieux promené entre deux eaux par des courants doux à la suite d'une tentative de cambriolage sur un transatlantique, tantôt, enveloppé d'un ridicule drapeau, le corps de celui qui décéda avant d'arriver au port, tantôt la troublante arête-squelette d'une sirène défunte pour avoir, une nuit, traversé sans son diadème de méduses les eaux d'une tempête éclairées par un phare puissant perdu loin des côtes et proie des oiseaux fantômes.

Car il y a des fantômes d'oiseaux. Ceux-ci, dès que le jour se lève, montent plus haut que les alouettes et l'ombre à peine perceptible de leurs ailes tamise doucement la lumière du soleil. Bonheur alors à la poitrinaire abritée de la sorte ! Sa respiration reposera sur un mol oreiller d'air tranquille et son fiancé, attentif au frémissement de ses lèvres, distinguera distinctement sur elles un sourire de lac. Parfois, ces grands oiseaux protecteurs, morts depuis les dernières années des périodes géologiques où les hommes apparurent, sentent leurs ailes se replier et se tordre, un grand tourbillon naît de leur souffrance et les fossoyeurs appuyés sur leur pelle calculent mentalement le nombre de morts qui les séparent du repos gagné à la sueur de leur corps.

Au soir, les oiseaux fantômes regagnent leur nid dans les glaciers transparents et le crépuscule est plein du bruissement de leur vol de rêve et les échos, parfois, de leur cri qui, sans le secours de l'appareil auditif, retentit longuement dans l'âme des solitaires.

Cependant, les restes funéraires des sirènes ne restent pas insensibles à ces migrations horaires. D'une nage saccadée, leur squelette remonte le cours des fleuves jusqu'aux sources montagneuses. Une étreinte mythologique unit leurs débris calcaires au spectre ailé puis le cours des fleuves se fait plus rapide pour les ramener à la mer.

Quand l'étrave d'un bateau rencontre le squelette d'une sirène, l'eau devient immédiatement phosphorescente, puis l'écume de la mer se solidifie en forme de ces pipes si renommées dans les villes de l'intérieur. Les pêcheurs en ramènent de grandes quantités dans leurs filets et cela jusqu'à ce que le squelette même de la sirène soit ramené sur le pont.

Corsaire Sanglot laissait passer les récifs et les histoires contées par le maître queux. Il s'intéressait au jeu des eaux, à peine au ronflement des moteurs et à l'agitation perpétuelle et régulière de l'hélice.

Dans les soutes, le charbon était jeté à larges pelletées. L'imminence d'une tornade surexcitait les chauffeurs maculés. Le charbon tiède s'enflammait déjà sur leur pelle et cela faisait une quantité de petites flammes bleues, flammes qui sommeillent toujours dans le cœur des navigateurs. Si la nuit tombait dans mon récit meurtrier, si le ciel de tempête s'obscurcissait, on verrait au haut des cheminées les feux Saint-Elme.

Eh bien ! tombe, nuit d'artifices et de cauchemars éveillés, approche, tempête ténébreuse. Le bateau est blanc dans le cyclone gris foncé. De larges remous troublent les profondeurs, des algues apparaissent à la surface de l'eau et, à l'horizon, surgit le bateau fantôme, pilote du cataclysme.

Paraissez, feux Saint-Elme ! Paraissez, accessoires des catastrophes : temps lourds et trop calmes, ciels cuivreux, ciels plombés, ciels d'ébène, rayon de soleil pâle sur des flots couleur de ciguë, icebergs, trombe, Maelströms, récifs, épaves, lames de fond, canots désemparés, bouteilles à la mer.

Je l'attends ! Viendra-t-elle ? Depuis bientôt un an je passe sous ses fenêtres chaque nuit. Quand elle est en voyage, le lieu de sa résidence dessine sans cesse devant mes yeux clos les allées rêveuses où j'imagine sa promenade, les salles de baccara brillantes comme des lustres de cristal, les chambres d'hôtel si émouvantes avec leur fenêtre révélatrice, au premier matin, d'un nouveau panorama. L'amour qui me transporte prendra-t-il bientôt le nom de cette femme ?

Cependant, le navire, ballotté par les hautes vagues, ne tarda pas à se trouver en danger. Pour comble d'infortune, le feu se déclara dans les soutes. Une épaisse fumée s'éleva du poussier humide, suffocante et chaude. Certains se jetèrent par-dessus les bastingages, d'autres, malgré la témérité d'une pareille aventure, confièrent leur sort à un canot de sauvetage, tout menu dans la mer bouleversée.

La Liberté ou l'Amour !, 1927

De Paul Éluard, voici des poèmes tirés du recueil Capitale de la douleur *et du recueil* L'Amour la poésie.

PAUL ÉLUARD

Ne plus partager

Au soir de la folie, nu et clair,
L'espace entre les choses a la forme de mes paroles,
La forme des paroles d'un inconnu,
D'un vagabond qui dénoue la ceinture de sa gorge
Et qui prend les échos au lasso.

Entre des arbres et des barrières,
Entre des murs et des mâchoires,
Entre ce grand oiseau tremblant
Et la colline qui l'accable,
L'espace a la forme de mes regards.

Mes yeux sont inutiles,
Le règne de la poussière est fini,
La chevelure de la route a mis son manteau rigide,
Elle ne fuit plus, je ne bouge plus,
Tous les ponts sont coupés, le ciel n'y passera plus,
Je peux bien n'y plus voir.
Le monde se détache de mon univers
Et, tout au sommet des batailles,
Quand la saison du sang se fane dans mon cerveau,
Je distingue le jour de cette clarté d'homme
Qui est la mienne,

Je distingue le vertige de la liberté,
La mort de l'ivresse,
Le sommeil du rêve,

Ô reflets sur moi-même ! ô mes reflets sanglants !

Première du monde

À Pablo Picasso

Captive de la plaine, agonisante folle,
La lumière sur toi se cache, vois le ciel :
Il a fermé les yeux pour s'en prendre à ton rêve,
Il a fermé ta robe pour briser tes chaînes.

Devant les roues toutes nouées
Un éventail rit aux éclats.
Dans les traîtres filets de l'herbe
Les routes perdent leur reflet.

Ne peux-tu donc prendre les vagues
Dont les barques sont les amandes
Dans ta paume chaude et câline
Ou dans les boucles de ta tête ?

André Masson

La cruauté se noue et la douceur agile se dénoue. L'aimant des ailes prend des visages bien clos, les flammes de la terre s'évadent par les seins et le jasmin des mains s'ouvre sur une étoile.

Le ciel tout engourdi, le ciel qui se dénoue n'est plus sur nous. L'oubli, mieux que le soir, l'efface. Privée de sang et de reflets, la cadence des tempes et des colonnes subsiste.

Les lignes de la main, autant de branches dans le vent tourbillonnant. Rampe des mois d'hiver, jour pâle d'insomnie, mais aussi, dans les chambres les plus secrètes de l'ombre, la guirlande d'un corps autour de sa splendeur.

Capitale de la douleur, 1926

(L'Amour la poésie)

Premièrement

XII

Le mensonge menaçant les ruses dures et glissantes
Des bouches au fond des puits des yeux au fond des
nuits
Et des vertus subites des filets à jeter au hasard
Les envies d'inventer d'admirables béquilles
Des faux des pièges entre les corps entre les lèvres
Des patiences massives des impatiences calculées
Tout ce qui s'impose et qui règne
Entre la liberté d'aimer
Et celle de ne pas aimer
Tout ce que tu ne connais pas.

Seconde nature

XXI

Le tranquille fléau doublé de plaintes
Tourbillonne sur des nuques gelées
Autant de fleurs à patins
De baisers de buée
Pour ce jet d'eau que les fièvres

Couronnent du feu des larmes
L'agonie du plus haut désir
Nouez les rires aux douleurs
Nouez les pillards aux vivants
Supplices misérables
Et la chute contre le vertige.

XXII

Le soleil en éveil sur la face crispée
De la mer barre toute et toute bleue
Sur un homme au grand jour sur l'eau qui se dérobe
Des nuées d'astres mûrs leur sens et leur durée
Soulèvent ses paupières à bout de vivre exténuées

D'immortelles misères pour violer l'ennui
Installent le repos sur un roc de fatigues
Le corps creux s'est tourné l'horizon s'est noué
Quelles lumières où les conduire le regard levé
Le front têtu bondit sur l'eau comme une pierre
Sur une voie troublée de sources de douleur

Et des rides toujours nouvelles le purifient.

L'Amour la poésie, 1929

De Michel Leiris, des récits de rêves, et le poème « Une nuit ».

MICHEL LEIRIS

10-11 décembre 1924

Pour me parler, une belle Américaine, femme de lettres ou artiste, me donne rendez-vous dans un hôtel, vaste palace ultra-moderne. Je la soupçonne d'être affiliée à une société secrète qui veut me nuire, mais je vais quand même au rendez-vous. On m'introduit dans un salon, que deux portes ouvertes font communiquer avec une autre pièce plus petite. J'attends un certain temps. L'Américaine arrive ; elle m'invite à passer dans la pièce voisine. Mais, dès que nous avons franchi le seuil, deux hommes surgissent et ferment à clé les deux portes : je suis prisonnier. L'Américaine me rit au nez. J'avise une fenêtre, je l'ouvre et m'apprête à franchir la barre d'appui. Dehors, il pleut à torrents. À ce moment, l'Américaine siffle dans le manche d'un fouet à chien : un groom en livrée se précipite, me saisit à bras-le-corps et me colle contre un mur, dans des fers qui me lient étroitement les bras, les poignets et les chevilles. Il presse le bouton de commande d'un mécanisme caché : la portion de plancher sur laquelle je me trouve amorce une lente descente. Prévoyant d'effroyables tortures et m'apercevant que je rêve, je veux m'éveiller. D'ordinaire, quand je désire mettre fin à un rêve qui devient cauchemar, je me jette dans un précipice ou bien par une fenêtre. Mais là, comment m'y prendre, puisque je suis ligoté ? Après quelques instants d'angoisse terrible, j'ai l'idée de faire un brusque mouvement avec ma jambe droite, pour me blesser à la chevillère de fer qui me retient. Je donne une saccade soudaine, la douleur m'arrache un grand cri, et je m'éveille.

16-17 décembre 1924

Une nuit, boulevard de Sébastopol, étant ivre, je croise un vieillard misérable et je l'interpelle. Il me répond : « Laissez-moi tranquille... Je suis le maître des hauteurs du cinéma. » Et il poursuit son chemin vers Belleville.

Nuits sans nuit, 1961

Une nuit

À l'aube des sens
entre deux jardins aux grillages fermés
hautes herses de fer emprisonnant les herbes et les gouttes d'eau
une maison noire se dresse
dont j'aime l'éperon triangulaire
affûté par les lourdes meules auxquelles comme un forçat est attelée la nuit

Pas de repos
aurore ou soir c'est la tour à toit pointu
le donjon bourré de pièges
autour duquel le temps monte la garde
aidé par ses bourreaux de nuit

Parfois le sifflement d'une sirène
monte des bords louches du fleuve jusqu'aux fenêtres de cette bâtisse anguleuse
et son cri pénètre de force les courtines
défonce les baldaquins dorés
puis s'effondre à bout de tout et coagule au creux des draps
nudité fixe

Pas de repos
veille ou sommeil c'est encore l'épée à deux tranchants
le mât à double sortilège
pour rendre maléfiques toutes les espèces de vents

Pas de repos
le cri des chiens vient battre la façade sensuelle
derrière les vitres hommes et femmes continuent à faire l'amour
puis les miasmes exhalés par le fleuve lentement s'affinent

Une grille de cordages laissera toujours filtrer l'acuité du son
Cette voix se moulant au creux de toutes les oreilles
se nichera dans les nids de termites
dans les trous de muraille
se répandra à travers les gouttières goutte à goutte comme l'eau
et grâce à elle toute la ville saura demain

que quand la lame des réalités matérielles aura fini d'user son merveilleux fourreau de rêve
la maison s'écroulera
et qu'alors les dormeurs s'abîmeront
affreux noyés
dans la fondrière miroitante des antipodes viciés

Failles, 1924-1934

De René Char, issus du recueil Arsenal, *sept courts poèmes, puis « Artine » et « Justesse de Georges de La Tour ».*

RENÉ CHAR

Possible

Dès qu'il en eut la certitude
À coup de serrements de gorge
Il facilita la parole

Elle jouait sur les illustrés à quatre sous

Il parla comme on tue
Le fauve
Ou la pitié

Ses doigts touchèrent l'autre rive

Mais le ciel bascula
Si vite
Que l'aigle sur la montagne
Eut la tête tranchée.

Un levain barbare

La bouche en chant
Dans un carcan
Comme à l'école
La première tête qui tombe.

À l'horizon remarquable

Les grands chemins
Dorment à l'ombre de ses mains

Elle marche au supplice
Demain
Comme une traînée de poudre.

Robustes météores

Dans le bois on écoute bouillir le ver
La chrysalide tournant au clair visage
Sa délivrance naturelle

Les hommes ont faim
De viandes secrètes d'outils cruels
Levez-vous bêtes à égorger
À gagner le soleil.

Transfuges

Sang enfin libérable
L'aérolithe dans la véranda
Respire comme une plante

L'esprit même du château fort
C'est le pont-levis.

Masque de fer

Ne tient pas qui veut sa rage secrète
Sans diplomatie.

Sosie

Animal
À l'aide de pierres
Efface mes longues pelisses

Homme
Je n'ose pas me servir
Des pierres qui te ressemblent

Animal
Gratte avec tes ongles
Ma chair est d'une rude écorce

Homme
J'ai peur du feu
Partout où tu te trouves

Animal
Tu parles
Comme un homme

Détrompe-toi
Je ne vais pas au bout de ton dénuement.

Arsenal, 1929

Artine

Dans le lit qu'on m'avait préparé il y avait : un animal sanguinolent et meurtri, de la taille d'une brioche, un tuyau de plomb, une rafale de vent, un coquillage glacé, une cartouche tirée, deux doigts d'un gant, une tache d'huile ; il n'y avait pas de porte de prison, il y avait le goût de l'amertume, un diamant de vitrier, un cheveu, un jour, une chaise cassée, un ver à soie, l'objet volé, une chaîne de pardessus, une mouche verte apprivoisée, une branche de corail, un clou de cordonnier, une roue d'omnibus.

Offrir au passage un verre d'eau à un cavalier lancé à bride abattue sur un hippodrome envahi par la foule suppose, de part et d'autre, un manque absolu d'adresse ; Artine apportait aux esprits qu'elle visitait cette sécheresse monumentale.

L'impatient se rendait parfaitement compte de l'ordre des rêves qui hanteraient dorénavant son cerveau, surtout dans le domaine de l'amour où l'activité dévorante se manifestait couramment en dehors du temps sexuel ; l'assimilation se développant, la nuit noire, dans les serres bien closes.

Artine traverse sans difficulté le nom d'une ville. C'est le silence qui détache le sommeil.

Les objets désignés et rassemblés sous le nom de nature-précise font partie du décor dans lequel se déroulent les actes d'érotisme des *suites fatales*, épopée quotidienne et nocturne. Les mondes imaginaires chauds qui circulent sans arrêt dans la campagne à l'époque des moissons rendent l'œil agressif et la solitude intolérable à celui qui dispose du pouvoir de destruction. Pour les extraordinaires bouleversements il est tout de même préférable de s'en remettre entièrement à eux.

L'état de léthargie qui précédait Artine apportait les éléments indispensables à la projection d'impressions saisissantes sur l'écran de ruines flottantes : édredon en flammes précipité dans l'insondable gouffre de ténèbres en perpétuel mouvement.

Artine gardait en dépit des animaux et des cyclones une intarissable fraîcheur. À la promenade, c'était la transparence absolue.

A beau surgir au milieu de la plus active dépression l'appareil de la beauté d'Artine, les esprits curieux demeurent des esprits furieux, les esprits indifférents des esprits extrêmement curieux.

Les apparitions d'Artine dépassaient le cadre de ces contrées du sommeil, où le *pour* et le *pour* sont animés d'une égale et meurtrière violence. Elles évoluaient dans les plis d'une soie brûlante peuplée d'arbres aux feuilles de cendre.

La voiture à chevaux lavée et remise à neuf l'emportait presque toujours sur l'appartement tapissé de salpêtre lorsqu'il s'agissait d'accueillir durant une soirée interminable la multitude des ennemis mortels d'Artine. Le visage de bois mort était particulièrement odieux. La course haletante de deux amants au hasard des grands chemins devenait tout à coup une distraction suffisante pour permettre au drame de se dérouler, derechef, à ciel ouvert.

Quelquefois une manœuvre maladroite faisait tomber sur la gorge d'Artine une tête qui n'était pas la mienne. L'énorme bloc de soufre se consumait alors lentement, sans fumée, présence en soi et immobilité vibrante.

Le livre ouvert sur les genoux d'Artine était seulement lisible les jours sombres. À intervalles irréguliers les héros venaient apprendre les malheurs qui allaient à nouveau fondre sur eux, les voies multiples et terrifiantes dans lesquelles leur irréprochable destinée allait à nouveau s'engager.

Uniquement soucieux de la Fatalité, ils étaient pour la plupart d'un physique agréable. Ils se déplaçaient avec lenteur, se montraient peu loquaces. Ils exprimaient leurs désirs à l'aide de larges mouvements de tête imprévisibles. Ils paraissaient en outre s'ignorer totalement entre eux.

Le poète a tué son modèle.

Artine, 1930

Justesse de Georges de La Tour

26 janvier 1966

L'unique condition pour ne pas battre en interminable retraite était d'entrer dans le cercle de la bougie, de s'y tenir, en ne cédant pas à la tentation de remplacer les ténèbres par le jour et leur éclair nourri par un terme inconstant.

Il ouvre les yeux. C'est le jour, dit-on. Georges de La Tour sait que la brouette des maudits est partout en chemin avec son rusé contenu. Le véhicule s'est renversé. Le peintre en établit l'inventaire. Rien de ce qui infiniment appartient à la nuit et au suif brillant qui en exalte le lignage ne s'y trouve mélangé. Le tricheur, entre l'astuce et la candeur, la main au dos, tire un as de carreau de sa ceinture ; des mendiants musiciens luttent, l'enjeu ne vaut guère plus que le couteau qui va frapper ; la bonne aventure n'est pas le premier larcin d'une jeune bohémienne détournée ; le joueur de vielle, syphilitique, aveugle, le cou flaqué d'écrouelles, chante un purgatoire inaudible. C'est le jour, l'exemplaire fontainier de nos maux. Georges de La Tour ne s'y est pas trompé.

Le Nu perdu, 1971

TRISTAN TZARA

Grains et issues

Rêve expérimental

À partir de ce jour, le contenu des jours sera versé dans la dame-jeanne de la nuit. Le désespoir prendra les formes gaies de la fin du temps des pommes et roulera comme une grêle de tambours fraîchement déchargés sur l'ombre humide qui nous sert de manteau. Les nuits seront agrandies au détriment des jours, en plein jour, selon les règles des mauvaises humeurs les plus indéracinables et sordides. Des œufs de lumière seront amassés sur la poitrine des édifices. Il sera interdit au rêve d'accoster les femmes dans la rue. Aux heures d'affluence on lâchera des meutes de chiens invisibles à travers la ville, ils se faufileront entre les pieds et les véhicules, tous enduits d'une substance phosphorescente, légèrement musicale comme le satin. Hommes, femmes et enfants se toucheront les mains avec une évidente satisfaction qui tiendra lieu de politesse. Personne ne sera tenu de rendre compte du prolongement de ces attouchements. De cette formule, en apparence démunie d'intérêt, naîtront des connaissances invraisemblables et des enchevêtrements capitaux. Bientôt les cheveux seront mis à la disposition de tous. Une volupté nouvelle éclora en remplacement de l'amour. Ses chaînes disparaîtront et à leur endroit il y aura des fils de soie aussi invisibles que certains regards qui expriment le monde dans sa complication actuelle, sentimentale, atroce.

voilà à ce moment la pluie fine d'une obscurité de fourmis qui tombera heureusement sur la ville
je dis heureusement je ne dis pas autre chose

et comment pourrait-on sans bruit écraser les agents
et briser les vasistas
si la douceur de l'atmosphère entre autres n'encourageait par de subtils signes de rires chuchotés en cachette
les faiseurs de scènes sans fin qui viendront poindre dans la paume de la ville

Des monceaux de fruits seront placés aux carrefours, certains d'entre eux atteindront les hauteurs d'une maison de trois étages. Les nouvelles seront soigneusement affichées au moyen de signaux de bateaux enfilés sur des cordages et ceux-ci à leur tour suspendus aux réverbères. On rendra aux chevaux l'honneur dû à leur beauté plastique et à la noblesse de leur caractère. Rien ne sera négligé, ni l'embellissement des animaux domestiques, ni l'institution des parlements d'oiseaux. Les hommes ne parleront plus, tandis que les femmes chanteront certaines phrases, dont l'usage sera déterminé et le nombre délimité, mais le sens exprimé par les paroles ne concordera ni avec l'étymologie ni avec les sentiments habituels. Tous les vendredis il y aura changement d'expressions, quelques suppressions seront ordonnées et, dans les limites du répertoire qu'on établira pour la semaine en cours, les adjonctions aux sens toujours renouvelés combleront les mélodies connues. Tout ce qui est susceptible de faire un bruit aigu, on l'enduira d'une mince couche de caoutchouc. Les bruits seront matés et assourdies leurs résonances.

Dans la ville immensément fluorescente où la sagesse des foules sera agglutinée à la folie éparse de quelques êtres délicieux, sera instituée, en prévision de la transformation imminente de la matière et claironnée du haut de tous les greniers, à l'usage de ceux qui ont des oreilles pour entendre et non pas pour casser les vitres des gifles malheureusement bien entendues, sera claironnée, dans la clarté du temps bienvenu, seul tintamarre largement admis, l'heure des pâtres. Et le chanteur des rues mettra l'ombre à la rude épreuve du silence répandu comme une tache de vin rouge qui saura engloutir la ville entière dans le délice et la volupté sans bornes vers quoi tendent véritablement les significations de l'homme, cet imperturbable solitaire qui sort chaque jour d'une prison.

Le Surréalisme ASDLR, n° 6, 1933, puis
Grains et issues, 1935

L'Homme approximatif

VII

Chant

lorsque l'herbe rare gèle à ras de bord
et la nuit s'effrite à l'abord des côtes
lorsque le phare s'apaise sur des cheveux blanchis
quand il fait noir dans le pleur de l'enfant oubliant
de pleurer
que le noir ravagé de sortilèges bleuit
lorsque charmeur de noir le poète ou son rire
sur l'ombre s'alentit réveillant la glace
lorsque les croyances aux durs coloris dévalent les
montagnes
brûlées par de paniques rages enjambent pêle-mêle
contorsions et cariatides
et sombrent dans l'outrage des multitudes charnelles — leurs ornières —
lorsque — chétif fanal sur la face tyrannique de
l'île —
la fuyante sirène — bouge sans crique substance
sans scrupule —
tire des glas le feu nacré du plaisir
et du plaisir l'insolente détresse — dompteuse de
pardons —

lorsque le désir — fumeuse nonchalance — lèche
les nasses du soleil
ébranle les écluses — arrache les essieux de leur
échine —
fierté chasseresse — sombre bâillon —
flaire les oscillations du malheur et l'arôme ardent
de leurs brousses —
lorsque rêche et peureuse — issue d'une nuit étale —
alarmant les mythes bouchant tous les cris —
fastueuse lassitude sur le chemin des ivresses —
tu viens sourdre dans la main — étoile des radeaux
marchant entre les veilleuses
que toi-même — harassé de visions touffues
tu retournes au secours de ton cœur en étranger
quand vision sur vision et ombre découpée d'ombre
effaçant des perspectives le vœu à quoi le recul t'engage
n'arrivent plus à suivre la grève sous tes pas —
les lourds battants de ta jeunesse s'ouvrent
un vent à perte de jours circule en toi
les fenêtres ouvertes sur le fronton des choses
font courir les antiques rappels à travers toi
sans frein se soumettent les soucieuses avidités
aux âcretés charnelles des embûches de lichens
les béantes portes les fenêtres saignées et ton corps
aux coups aux bourrasques vendu — sur un plateau
de soleil
offert à la plus haute à la plus cruelle
la vibrante pudeur des jours indécis

sournoise invitation aux pâleurs australes
sous la tente que tend en sourdine
le verbe mortel qui bâti de tant de successives
renaissances

se ronge aux arcs-boutants se dérobe sous tes pieds
la source chantante l'alléchante
tu te demandes où tu vas les pesants héritages
d'arbres les survivances
et pourquoi tu te meus sous ce signe
jardin envahi par les mauvaises amours
les provocantes pâleurs qu'on retrouve hors de
soi-même
ce que tu es ce que tu ne sais
l'insecte zézayant cherchant entre les lignes
alors tu te demandes alors tu te le demandes
la fleur zézayante cherchant à savoir
ainsi joue avec moi et ruse un grand enfant invisible
et me jette d'un coin à l'autre dans l'enceinte de mes
jours usagés
traînantes loques de sens provisoire
pâleurs figées de savoir et de puits

l'oubli l'enfoui l'introuvable croyance
enfouie dans les houles les landes les fruits
et abondant d'hermétiques interrogations
où grossit taciturne le bourgeon de foudre
la frémissante bannière
quand l'œil ne sait plus secourir
l'oiseau mûrit devant le parcours sans guide
surgi des torrents de démons
quand la solitude saturée d'yeux secrets
en appelle à la végétation d'orgueil
les battants de ta jeunesse s'ouvrent
et l'amour bondit à travers l'épais retard
en vain les hallebardes ont ébouriffé la cohue des
brumes
que la force auguste visait — siffle siffle serpent —

les massives arrivées dardaient sur toi leurs messages de soleil
où tant d'affection se mêlait que la lumière
semblait couronner l'incestueux souvenir

L'Homme approximatif, 1931

AIMÉ CÉSAIRE

Cahier d'un retour au pays natal

Partir.
Comme il y a des hommes-hyènes et des hommes-panthères,
je serais un homme-juif
un homme-cafre
un homme-hindou-de-Calcutta
un homme-de-Harlem-qui-ne-vote-pas

l'homme-famine, l'homme-insulte, l'homme-torture
on pouvait à n'importe quel moment le saisir le rouer de coups, le tuer — parfaitement le tuer — sans avoir de compte à rendre à personne sans avoir d'excuses à présenter à personne
un homme-juif
un homme-pogrom
un chiot
un mendigot

mais est-ce qu'on tue le Remords, beau comme la face de stupeur d'une dame anglaise qui trouverait dans sa soupière un crâne de Hottentot ?

Je retrouverais le secret des grandes communications et des grandes combustions. Je dirais orage. Je dirais fleuve. Je dirais tornade. Je dirais feuille. Je dirais arbre. Je serais mouillé de toutes les pluies, humecté de toutes les rosées. Je roulerais comme du sang frénétique sur le courant lent de l'œil des mots en chevaux fous en enfants frais en caillots en couvre-feu en vestiges de temples en pierres précieuses assez loin pour décourager les mineurs. Qui ne me comprendrait pas ne comprendrait pas davantage le rugissement du tigre.

Et vous fantômes montez bleus de chimie d'une forêt de bêtes traquées de machines tordues d'un jujubier de chairs pourries d'un panier d'huîtres d'yeux d'un lacis de lanières découpées dans le beau sisal d'une peau d'homme j'aurais des mots assez vastes pour vous contenir et toi
terre tendue terre saoule
terre grand sexe levé vers le soleil
terre grand délire de la mentule de Dieu
terre sauvage montée des resserres de la mer avec dans la bouche une touffe de cécropies
terre dont je ne puis comparer la face houleuse qu'à la forêt vierge et folle que je souhaiterais pouvoir en guise de visage montrer aux yeux indéchiffreurs des hommes il me suffirait d'une gorgée de ton lait jiculi pour qu'en toi je découvre toujours à même distance de mirage — mille fois plus natale et dorée d'un soleil que n'entame nul prisme — la terre où tout est libre et fraternel, ma terre.

Partir. Mon cœur bruissait de générosités emphatiques. Partir... j'arriverais lisse et jeune dans ce pays mien et je dirais à ce pays dont le limon entre dans la composition de ma chair : « J'ai longtemps erré et je reviens vers la hideur désertée de vos plaies. »

Je viendrais à ce pays mien et je lui dirais : « Embrassez-moi sans crainte... Et si je ne sais que parler, c'est pour vous que je parlerai. »

Et je lui dirais encore :

« Ma bouche sera la bouche des malheurs qui n'ont point de bouche, ma voix, la liberté de celles qui s'affaissent au cachot du désespoir. »

Et venant je me dirais à moi-même :

« Et surtout mon corps aussi bien que mon âme, gardez-vous de vous croiser les bras en l'attitude stérile du spectateur, car la vie n'est pas un spectacle, car une mer de douleurs n'est pas un proscenium, car un homme qui crie n'est pas un ours qui danse... »

Et voici que je suis venu !

De nouveau cette vie clopinante devant moi, non pas cette vie, cette mort, cette mort sans sens ni piété, cette mort où la grandeur piteusement échoue, l'éclatante petitesse de cette mort, cette mort qui clopine de petitesses en petitesses ; ces pelletées de petites avidités sur le conquistador ; ces pelletées de petits larbins sur le grand sauvage, ces pelletées de petites âmes sur le Caraïbe aux trois âmes, et toutes ces morts futiles

absurdités sous l'éclaboussement de ma conscience ouverte tragiques futilités éclairées de cette seule noctiluque et moi seul, brusque scène de ce petit matin

où fait le beau l'apocalypse des monstres puis, chavirée, se tait

chaude élection de cendres, de ruines et d'affaissements

Cahier d'un retour au pays natal, 1939

Batouque[1]

Les rizières de mégots de crachat sur l'étrange sommation
de ma simplicité se tatouent de pitons.
Les mots perforés dans ma salive resurgissent en villes
d'écluse ouverte, plus pâle sur les faubourgs
Ô les villes transparentes montées sur yaks
sang lent pissant aux feuilles de filigrane le dernier souvenir
le boulevard comète meurtrie brusque oiseau traversé
se frappe en plein ciel
noyé de flèches
C'est la nuit comme je l'aime très creuse et très nulle
éventail de doigts de boussole effondrés au rire blanc des sommeils.

batouque
quand le monde sera nu et roux
comme une matrice calcinée par les grands soleils de l'amour

batouque
quand le monde sera sans enquête
un cœur merveilleux où s'imprime le décor
des regards brisés en éclats
pour la première fois

quand les attirances prendront au piège les étoiles
quand l'amour et la mort seront
un même serpent corail ressoudé autour d'un bras sans joyau

1. Le mot *batouque* désigne une danse brésilienne d'origine africaine.

sans suie
sans défense

batouque du fleuve grossi de larmes de crocodiles
et de fouets à la dérive
batouque de l'arbre aux serpents des danseurs de
la prairie
des roses de Pennsylvanie regardent aux yeux au nez
aux oreilles
aux fenêtres de la tête sciée
du supplicié

batouque de la femme aux bras de mer aux cheveux
de source sous-marine
la rigidité cadavérique transforme les corps
en larmes d'acier,
tous les phasmes feuillus font une mer de youcas
bleus et de radeaux
tous les fantasmes névrotiques ont pris le mors aux
dents

batouque
quand le monde sera, d'abstraction séduite, de
pousses de sel gemme
les jardins de la mer
pour la première et la dernière fois
un mât de caravelle oubliée flambe amandier du
naufrage
un cocotier un baobab une feuille de papier
un rejet de pourvoi

batouque
quand le monde sera une mine à ciel découvert
quand le monde sera du haut de la passerelle
mon désir
ton désir
conjugués en un saut dans le vide respiré

à l'auvent de nos yeux déferlent
toutes les poussières de soleils peuplées de parachutes
d'incendies volontaires d'oriflammes de blé rouge

batouque des yeux pourris
batouque des yeux de mélasse
batouque de mer dolente encroûtée d'îles
le Congo est un saut de soleil levant au bout d'un fil
un seau de villes saignantes
une touffe de citronnelle dans la nuit forcée
batouque
quand le monde sera une tour de silence
où nous serons la proie et le vautour
toutes les pluies de perroquets
toutes les démissions de chinchillas
batouque de trompes cassées de paupière d'huile de pluviers virulents
batouque de la pluie tuée fendue finement d'oreilles rougies
purulence et vigilance
ayant violé jusqu'à la transparence le sexe étroit du crépuscule
le grand nègre du matin
jusqu'au fond de la mer de pierre éclatée
attente les fruits de faim des villes nouées
batouque
Oh ! sur l'intime vide
— giclant giclé —
jusqu'à la rage du site
les injonctions d'un sang sévère !

Et le navire survola le cratère aux portes mêmes de l'heure labourée d'aigles
le navire marcha à bottes calmes d'étoiles filantes
à bottes fauves de wharfs coupés et de panoplies
et le navire lâcha une bordée de souris

de télégrammes de cauris de houris
un danseur wolof faisait des pointes et des signaux
à la pointe du mât le plus élevé
toute la nuit on le vit danser chargé d'amulettes et d'alcool
bondissant à la hauteur des étoiles grasses
une armée de corbeaux
une armée de couteaux
une armée de paraboles
et le navire cambré lâcha une armée de chevaux
À minuit la terre s'engagea dans le chenal du cratère
et le vent de diamants tendu de soutanes rouges
hors l'oubli
souffla des sabots de cheval chantant l'aventure de la mort à voix de lait
sur les jardins de l'arc-en-ciel planté de caroubiers

batouque
quand le monde sera un vivier où je pêcherai mes yeux à la ligne de tes yeux
batouque
quand le monde sera le latex au long cours des chairs de sommeil bu
batouque
batouque de houles et de hoquets
batouque de sanglots ricanés
batouque de buffles effarouchés
batouque de défis de guêpiers carminés
dans la maraude du feu et du ciel en fumée
batouque des mains
batouque des seins
batouque des sept péchés décapités
batouque du sexe au baiser d'oiseau à la fuite de poisson
batouque de princesse noire en diadème de soleil fondant

batouque de la princesse tisonnant mille gardiens
inconnus
mille jardins oubliés sous le sable et l'arc-en-ciel
batouque de la princesse aux cuisses de Congo
de Bornéo
de Casamance

batouque de nuit sans noyau
de nuit sans lèvres
cravatée du jet de ma galère sans nom
de mon oiseau de boomerang
j'ai lancé mon œil dans le roulis dans la Guinée du
désespoir et de la mort
tout l'étrange se fige île de Pâques, île de Pâques
tout l'étrange coupé des cavaleries de l'ombre
un ruisseau d'eau fraîche coule dans ma main sar-
gasse de cris fondus
Et le navire dévêtu creusa dans la cervelle des nuits
têtues
mon exil-minaret-soif-des-branches

batouque
Les courants roulèrent des touffes de sabres d'argent
et de cuillers à nausée
et le vent troué des doigts du SOLEIL
tondit de feu l'aisselle des îles à cheveux d'écumes
batouque de terres enceintes
batouque de mer murée
batouque de bourgs bossus de pieds pourris de morts
épelées dans le désespoir sans prix du souvenir
Basse-Pointe, Diamant, Tartane, et Caravelle
sekels d'or, rabots de flottaisons assaillis de gerbes
et de nielles
cervelles tristes rampées d'orgasmes
tatous fumeux
Ô les kroumens amuseurs de ma barre !

le soleil a sauté des grandes poches marsupiales de
la mer sans lucarne
en pleine algèbre de faux cheveux et de rails sans
tramway ;
batouque
les rivières lézardent dans le heaume délacé des
ravins
les cannes chavirent aux roulis de la terre en crue
de bosses de chamelle
les anses défoncent de lumières irresponsables les
vessies sans reflux de la pierre

soleil, aux gorges !
noir hurleur, noir boucher, noir corsaire batouque
déployé d'épices et de mouches
Endormi troupeau de cavales sous la touffe de
bambous
saigne, saigne troupeau de carambas.
Assassin je t'acquitte au nom du viol.
Je t'acquitte au nom du Saint-Esprit
Je t'acquitte de mes mains de salamandre.
Le jour passera comme une vague avec les villes en
bandoulière
dans sa besace de coquillages gonflés de poudre
Soleil, soleil, roux serpentaire accoudé à mes transes
de marais en travail
le fleuve de couleuvres que j'appelle mes veines
Le fleuve de créneaux que j'appelle mon sang
le fleuve de sagaies que les hommes appellent mon
visage
le fleuve à pied autour du monde
frappera le roc artésien d'un cent d'étoiles à mousson.

Liberté mon seul pirate, eau de l'an neuf ma seule soif
amour mon seul sampang
nous coulerons nos doigts de rire et de gourde
entre les dents glacées de la Belle-au-bois-dormant.

V.V.V., n° 4, février 1944

Enfin, ce qui reste le plus étonnant dans les textes surréalistes est sans doute la réussite admirable d'entreprises collectives, tels Les Champs magnétiques, *cité plus haut pour l'attaque du texte par la plume de Soupault, le recueil de poèmes* Ralentir travaux, *écrit à trois voix : celles de Paul Éluard, de René Char et d'André Breton, et dans cette veine lyrique où s'épanouit l'admiration pour les Tropiques et leurs forêts, « Le Dialogue créole » d'André Breton et André Masson.*

RALENTIR TRAVAUX

par André Breton, René Char,
Paul Éluard

L'école buissonnière

On entrait par une porte dérobée
Il y avait un cœur sur le tableau noir
Et une baguette de coudrier sur la table
On aurait entendu un pas de loup

L'amour le premier enseignait
Aux amants à bien se tenir
Les pierres suivaient leur ombre douce-amère
L'œil ne desserrait pas son étreinte

Et si elle me demande ma vie
Questionnait-il

Aussitôt la lumière ne faisait qu'un bond comme les racines
Tendait des pièges de rosée

Ta chevelure questionnait-il
Et le silence était conquis

Commencement et fin

Seulement l'ombre d'une larme sur un visage perdu
Les aiguilles de la pendule sont rouillées
Et les pas s'éloignent ici le talon a tourné un peu c'est atroce
Les yeux couleur de l'air de l'abîme
Deux chenets à tête de lion étincellent devant un soleil presque mort
Seulement l'ombre d'une larme l'enjeu du souvenir
Ignorance la tête abandonne les mains et les yeux
Rit quand elle s'entend crier casse-cou
Les loques de l'enfance ne sont plus le rideau d'aucun paysage
D'aucune tentation
Des ruines difficiles
Un horizon inespéré qui monte comme une brûlure
La tête renversée se livre émouvante à la première mer qui passe
On la nomme sans la reconnaître

L'enjeu inutile

Le monde renversé serait charmant
Dans les yeux de l'anti-homme

Quel sablier que la terre
Quels vases communicants que la naissance et la mort
L'apparition du métal dans les brumes de l'agonie
Des éclats meurtriers dans l'homme qu'on oublie
Le monde entier s'est dégradé les éléments n'y pouvaient rien
S'est dégradé par la constance et l'ordre l'idée d'homme
Ne valait rien ses ennemis ont triomphé de ce fantôme
Qui se sustentait dans les express-bars un peu après la fermeture
Le pont sur tout le monde c'est un cri que vous entendrez
Sans en croire la vie et passant par la paupière close
De la terre un cri qui assourdit à jamais la mort et ses œuvres

Sur parole

Il y a des flammes
Plus voyantes que les mains qui roulent les cauchemars
Sur la mémoire

On gagne le soleil par enchantement
L'amour a un goût de verre très prononcé
C'est le corail qui sort de la mer
C'est le parfum passé qui regagne le bois
C'est la transparence payant rubis sur l'ongle
C'est toujours cette tête

Les lèvres délicieusement entr'ouvertes
De ce côté du mur
Et de l'autre côté peut-être au bout d'une pique

Ralentir travaux, 1930

LE DIALOGUE CRÉOLE

entre André Breton et André Masson

— Regarde cette tache blanche là-haut, on dirait une immense fleur mais ce n'est peut-être que l'envers d'une feuille : il y a si peu de vent. La nuit ici doit être pleine de trappes, de bruits inconnus. Mais le plus beau parce que le moins supposable, c'est encore le lever du jour. Tout ce qu'on ne se pardonnera pas d'avoir manqué.

— La forêt nous enveloppe ; elle et ses sortilèges, nous les connaissions avant d'être venus. Te souviens-tu d'un dessin que j'ai intitulé « Délire végétal » ? Ce délire est là, nous le touchons, nous y participons. Nous sommes un de ces arbres à étages, portant au creux des branches un marais en miniature avec toute sa végétation parasitaire greffée sur le tronc fondamental : ascendante, retombante, active, passive, et gréée du haut en bas de lianes à fleurs étoilées.

— Tu t'y retrouves en effet comme nul autre. Tout est resté en place depuis si longtemps. On finira par s'apercevoir que les paysages surréalistes sont les moins arbitraires. Il est fatal qu'ils trouvent leur résolution dans ces pays où la nature n'a été en rien maîtrisée. Quel rêve rimbaldien de plans contrariés que cette chute sur la vallée au fond de laquelle gronde l'instrument de tous les tourbillons.

— Oui, tout est dans le monde et je ne sais rien de dérisoire comme cette crainte de l'imagination qui opprime le peintre. La nature et sa profusion lui fait honte :

Trouve des Fleurs qui soient des chaises !

Les Lettres françaises, Buenos Aires, 1942

Notre parcours se termine. Je dédie ce livre à mes étudiants de Princeton et de l'Université Denis-Diderot-Paris 7 : c'est leur écoute — et désormais la vôtre — qui seule a pu faire résonner ces pages de révolte et de fureurs, ces pages animées de tant de puissance d'émerveillement, toutes plus aptes les unes que les autres à nous donner l'envie de vivre et de penser car enfin « la plus belle histoire du monde ne mérite pas d'être contée. Mais les charmes sans pairs des récits un jour, on se lasse qu'ils servent aux causes absurdes[1] ».

1. Aragon, *Libertinage*, préface de 1924, coll. « L'Imaginaire », 1977.

INDEX DES TEXTES CITÉS PAR AUTEUR

Les dates de première publication, en revue ou en ouvrage, ont été portées à la fin des citations dans le corps de cette anthologie, accompagnées du titre de la revue ou de l'ouvrage. Elles sont ici reprises et augmentées de la référence bibliographique la plus récente.

La plupart des textes repris ici sont des extraits. C'est lorsqu'il s'agit de textes cités *in extenso* qu'on l'a signalé. Les poèmes en revanche sont cités *in extenso* de manière quasi générale.

Abréviations : *O.C. : Œuvres Complètes ; Le Surréalisme ASDLR : Le Surréalisme au service de la Révolution*.

ALECHINSKY, Pierre

« Déplacement », récit *in extenso*, 1962, repris dans *Lettre suit*, Gallimard, coll. « Le Chemin », 1992. 446

ARAGON

« Paris la nuit », *Le Libertinage*, 1924, repris dans *O.C.*, Gallimard, coll. « Bibliothèque de la Pléiade », t. 1, 1997. 374

« Une vague de rêves », *Commerce*, 1924, repris dans *Chroniques 1918-1932*, Stock, 1998. 158

« Le sentiment de la nature aux Buttes-Chaumont », *Le Paysan de Paris*, 1926, Gallimard, coll. « Folio », 1972. 685

« Libre à vous ! », *La Révolution surréaliste*, n° 2, 15 janvier 1925, repris dans *Chroniques 1918-1932*, Stock, 1998. 40

La Défense de l'infini, repris dans *O.C.*, t. 1, 1997. 689
Le Con d'Irène, 1928, repris dans *O.C.*, t. 1, 1997. 98
Traité du style, *La Révolution surréaliste*, n° 11, mars 1928, Gallimard, coll. « L'Imaginaire », 1980. 164
Traité du style, 1928, *ibid.* 173
« La fin du "Monde réel" » (postface), 1966, repris dans *Les Communistes*, Éditeurs Français Réunis, t. 4, 1967. 179
Je n'ai jamais appris à écrire ou les Incipit, Skira, coll. « Les Sentiers de la création », 1969. 177

ARP, Jean (Hans)
« L'âge l'éclair la main et la feuille », revue *Transition*, n° 27, « L'insonore bleu », Meudon, 1938, in *K, revue de la poésie*, n° 3, 1949, repris dans *Jours effeuillés, poèmes, essais, souvenirs 1920-1965*, Gallimard, 1966. 648

ARTAUD, Antonin
« Avec moi dieu-le-chien... », dans *L'Ombilic des limbes*, 1925, repris dans *O.C.*, Gallimard, t. 1, 1970. 678
« À table », *La Révolution surréaliste*, n° 3, 15 avril 1925, repris dans *O.C.*, t. 1**, 1976. 163
Le Théâtre de la cruauté, 1932, repris dans *O.C.*, t. 4, 1978. 219

BARON, Jacques
« Futur », *L'Allure poétique*, 1924, Gallimard, rééd., 1974. 567

BATAILLE, Georges
Histoire de l'œil, 1928, repris dans *O.C.*, Gallimard, t. 1, 1970. 100
« La "vieille taupe" et le préfixe... », environ 1930, dans *O.C.*, t. 2, 1970. 408
« L'Apprenti sorcier », *Pour un Collège de sociologie*, 1938, repris dans *O.C.*, t. 1, 1970. 273
« L'absence de mythe », *Le Surréalisme en 1947* catalogue, Maeght éditeur, repris dans *O.C.*, t. 11, 1988. 421

BÉDOUIN, Jean-Louis
« Grandes lignes », *Libre espace et autres poèmes*, éd. Syllepse, 1998. 583

BIEBL, Konstantin
« Miroir de la nuit », 1939, traduction Petr Král, *Le Surréalisme en Tchécoslovaquie*, Gallimard, coll. « Du monde entier », 1983. 517

BLANCHARD, Maurice
« Île », 1949, « L'eau est une oreille », « Ouragan », 1950, « Je lance un coup d'archet », 1951, repris dans *Les Barricades mystérieuses*, Gallimard, coll. « Poésie/Gallimard », 1994. 649

BONA DE MANDIARGUES
« À moi-même », 1959 « À Henri Michaux », 19 octobre 1985, repris dans *À moi-même*, Fata Morgana, 1998. 564
La Cafarde, Mercure de France, 1967. 565

BONNEFOY, Yves
Le Cœur-espace, version de 1945, repris aux éditions Farrago, 2001. 468

BOUSQUET, Joë
« Le galant de neige », « Ouverture », « Chanson de route », « Passante », *La Connaissance du Soir*, 1945, Gallimard, coll. « Poésie/Gallimard », 1981. 654

BRETON, André
« Au regard des divinités », « Plutôt la vie », *Clair de terre*, 1923, repris dans *O.C.*, Gallimard, coll. « Bibliothèque de la Pléiade », t. 1, 1988. 679
Manifeste du surréalisme, 1924, *ibid*. 155
« Légitime Défense », *La Révolution surréaliste*, 1926, repris dans *O.C.*, Gallimard, coll. « Bibliothèque de la Pléiade », t. 2, 1992. 56
« Il y aura une fois », *Le Surréalisme au service de la Révolution*, n° 1, 1930, *ibid*. 151
« Lettre à A. Rolland de Renéville », 1932, *Point du jour*, *ibid*. 192
« Introduction aux *Contes bizarres*... », 1933, *Point du jour*, *ibid*. 138
« La Beauté sera convulsive », *Minotaure*, n° 5, 1934, *ibid*. 124
« La Nuit du tournesol », *Minotaure*, n° 7, 1935, *ibid*. 248
Au lavoir noir, 1936, *ibid*. 277

Discours à propos du Second Procès de Moscou, 1937, *ibid.* 81
« Paratonnerre », préface de l'*Anthologie de l'humour noir*, 1939, *ibid.* 291
« Les Grands Transparents », *Prolégomènes à un troisième Manifeste du surréalisme ou non*, 1942, repris dans *O.C.*, Gallimard, coll. « Bibliothèque de la Pléiade », t. 3, 1999. 281
« Le Retour du Père Duchesne », 1942, *Prolégomènes à un troisième Manifeste du surréalisme, ibid.* 50
Arcane 17, 1947, *ibid.* 32
Arcane 17, 1947, *ibid.* 682
« Des épingles tremblantes », 1943, *Martinique, charmeuse de serpents !*, 1948, *ibid.* 684

BRIDGWATER, Emmy
« L'Heure de fermer », 1941, traduction inédite de l'anglais par Michel Remy, *Pleine Marge*, n° 26, déc. 1997. 527

BRUNIUS, Jacques B.
« J'aime », 1942, revue *Fulcrum*, Londres, juillet 1944. 529

CAHUN, Claude
« La Sadique Judith », fév. 1925, « Prenez garde aux objets domestiques », 1936, *Pleine Marge*, n° 14, déc. 1991. 657

CAILLOIS, Roger
« Spécification de la poésie », *Le Surréalisme au service de la Révolution*, n° 5, 1933. 211

CALAS, Nicolas
« Entre Hymette et Ermenonville », 1934, traduction Jacques Bouchard, revue *Syntheleia*, 1977. 526

CARRINGTON, Leonora
« Le Septième cheval », conte *in extenso*, revue *V.V.V.*, n° 1, 1942, traduction J. Chénieux, *La Débutante*, Flammarion, 1978. 385

CÉSAIRE, Aimé
Cahier d'un retour au pays natal, 1939, « Batouque », 1944, repris dans *O.C.*, éd . Désormeaux, 1976. 717

CHAR, René
« Possible », « Un levain barbare », « À l'horizon remarquable », « Robustes météores », « Transfuges », « Masque de fer », « Sosie », *Arsenal*, 1927-1929, repris dans *O.C.*, Gallimard, coll. « Bibliothèque de la Pléiade », 1995. 705
« Hommage à D.A.F. de Sade », *Le Surréalisme ASDLR*, n° 2, oct. 1930, repris dans Marie-Claude Char, *Char, dans l'atelier du poète*, Gallimard, coll. « Quarto », 1996. 137
« Artine », 1930, *ibid*. 708
« Lettera amorosa », *La Parole en archipel*, 1952-1960, *ibid*. 116
« Madeleine qui veillait », *Recherche de la base et du sommet*, 1955, *ibid*. 270
« Justesse de Georges de La Tour », *Le Nu perdu*, 1971, *ibid*. 711

CHAVÉE, Achille
Décoctions, années 1960, éditions du Daily-Bul, La Louvière, Belgique, 1990. 327

CHAZAL, Malcolm de
« Comment j'ai créé *Sens plastique* », 1947, *Sens-plastique*, Gallimard, coll. « L'Imaginaire », 1985. 569

COURTOT, Claude
« René Crevel », *René Crevel*, Seghers, coll. « Poètes d'aujourd'hui », 1969. 391

CREVEL, René
Êtes-vous fous ?, 1929, Gallimard, coll. « L'Imaginaire », 1981. 394
Les Pieds dans le plat, 1933, éd. Pauvert, 1974. 70

DALÍ, Salvador
« L'Âne pourri », *Le Surréalisme ASDLR*, n° 1, 1930, repris dans *Oui*, Denoël, vol. 1, 1979. 183
« Nouvelles considérations générales sur le mécanisme... », *Minotaure*, n° 1, 1933, repris dans *Oui*, Denoël, vol. 2, 1979. 187
« De la beauté terrifiante... », *Minotaure*, n° 3-4, 1933, *ibid*. 114

« Les nouvelles couleurs du sex-appeal spectral », *Minotaure*, n° 5, 1934, *ibid.* 114

DAUMAL, René
« Poème pour désosser les philosophes... », « À la néante », « Le prophète », « La consolatrice », 1928-1929, repris dans *Le Contre-Ciel*, Gallimard, coll. « Poésie/Gallimard », 1990. 429
« Le surréalisme et *Le Grand Jeu* », *Le Grand Jeu*, épreuves du n° 4, automne 1932, repris dans *Le Grand Jeu, n° 1 à 4*, Éditions Jean-Michel Place, 1977. 437

DE CHIRICO, Giorgio
Hebdomeros, 1929, Flammarion, 1964. 534

DESNOS, Robert
« 21 heures le 26-11-22 », *L'Aumonyme*, 1923. 337
« Élégant cantique de Salomé Salomon », « Au mocassin le verbe », *Langage cuit*, 1923. 338
« Description d'une révolte prochaine », *La Révolution surréaliste*, n° 3, avril 1925, repris dans *Nouvelles-Hébrides*, Gallimard, coll. « Blanche », 1978. 44
« Infinitif », *Les Ténèbres*, 1927, repris dans *Corps et biens*, Gallimard, coll. « Poésie/Gallimard », 1968. 339
La Liberté ou l'Amour !, 1927, Gallimard, coll. « L'Imaginaire », 1982. 691

DOTREMONT, Christian
« Logstory », 1973, repris dans *Œuvres poétiques complètes*, Mercure de France, 1998. 450

DUCHAMP, Marcel
« Rrose Sélavy », aphorismes, 1922-1974, repris dans *Duchamp du signe, écrits*, Flammarion, 1994. 336

DUITS, Charles
« La Nuit des temps », 1943, *Pleine Marge*, n° 11, juin 1990. 605

DUPREY, Jean-Pierre
« La Rose des cendres », « L'Éternité dans les draps noirs », *La Fin et la manière*, Le Soleil noir, 1959,

repris dans *Derrière son double. Œuvres complètes*, coll. « Poésie/Gallimard », 1999. 610

EFFENBERGER, Vratislav
« Sous l'apentis », *La Grande place de la liberté*, manuscrit 1955-1957, traduction Petr Král, *Le Surréalisme en Tchécoslovaquie*, Gallimard, coll. « Du monde entier », 1983. 519

ELLÉOUËT, Yves
Livre des rois de Bretagne, Gallimard, coll. « Blanche », 1974. 613

ÉLUARD, Paul
« La suppression de l'esclavage », *La Révolution surréaliste*, n° 3, avril 1925, repris dans *O.C.*, Gallimard, coll. « Bibliothèque de la Pléiade », t. 2, 1968. 34
« Ne plus partager », « Première du monde », « André Masson », *Capitale de la douleur*, 1926, repris dans *O.C.*, Gallimard, coll. « Bibliothèque de la Pléiade », t. 1, 1968. 699
L'Amour la poésie, 1929, section Premièrement, poème VI, *ibid*. 122
L'Amour la poésie, 1929, section Premièrement, poème XII, et section Seconde Nature, poèmes XXI, XXII, *ibid*. 701
« Yen-Bay », 1930, repris dans *O.C.*, Gallimard, coll. « Bibliothèque de la Pléiade », t. 2, 1968. 36

ELYTIS, Odysseus
« Dionysos », *Orientations*, 1940, repris dans *Surréalistes grecs*, Centre Georges-Pompidou, coll. « Cahiers pour un temps », 1991. 524

EMBIRICOS, Andréas
« Tel un éternel printemps », *Les Vertèbres de la cité*, 1935, traduction Jacques Bouchard, *Domaine intérieur*, L'Harmattan, 2002. 523

ERNST, Max
« Histoire d'une Histoire naturelle », « La Mise sous whisky marin », *Au-delà de la peinture*, 1936, repris dans *Écritures*, Gallimard, coll. « Le Point du Jour », 1970. 168

FERRY, Jean
« Souvenirs d'enfance », *Le Mécanicien et autres contes*, Gallimard, coll. « Métamorphoses », 1953. 574

FOURRIER, Marcel
« Police, haut les mains ! », *La Révolution surréaliste*, n° 12, 1929. 60

GASCOYNE, David
« Et le septième songe est le songe d'Isis », *New Verse*, oct. 1933, traduction inédite Michel Remy. 530

GAUVREAU, Claude
« Grégor Alcador Solidor », *Étal mixte*, *Œuvres créatrices complètes*, Éditions Parti pris, coll. « Collection du Chien d'or », Ottawa, 1977. 561

GILBERT-LECOMTE, Roger
« Avant-propos », *Le Grand Jeu*, n° 1, 1928, repris dans *O.C.*, Gallimard, t. 1, 1974. 423
« L'horrible révélation... la seule », *Le Grand Jeu*, n° 3, automne 1930, repris dans *O.C.*, Gallimard, t. 1, 1974. 426

GIOVANNA
« Hyperbate », « Philactère », « Le favoritisme ne manque pas de souffle », inédits. 340
« À José Pierre », *Pleine Marge*, n° 12, déc. 1990. 341

GOEMANS, Camille
« Aphorismes », *Réflexions*, 1925, repris dans *Œuvre 1922-1957*, De Rache, Bruxelles, 1970. 327

GOUTIER, Jean-Michel
« Poèmes », *Pleine Marge*, n° 16, déc. 1992. 619

GRACQ, Julien
« Le vent froid de la nuit », « Villes hanséatiques », « Les nuits blanches », « Robespierre », *Liberté grande*, 1946, repris dans *O.C.*, Gallimard, coll. « Bibliothèque de la Pléiade », t. 1, 1989. 462
Le Rivage des Syrtes, 1951, *ibid.* 466

GRANELL, Eugenio
Île, coffre mythique, 1951, repris dans *Pleine Marge*, n° 15, juin 1992, traduction Paul Aubert. 504

HENEIN, Georges
« Cléopâtre », années 1960, *Pleine Marge*, n° 24, nov. 1996. 553
« Mauvaises pensées de Georges Henein », « Perspectives », « Pointure du cri », « Simple digression à d'anciens discours », inédits en volume. 555

HENRY, Maurice
« Poème adoratif », 1926, « Demain pour toujours », 1944, « Un jour d'hiver », 1945, *Miniantologie* (poèmes 1926-1951), *Morphèmes*, n° 17, 1969. 441
« Paysage », *Les abattoirs du sommeil*, éditions Sagesse, librairie Tschann, 1937. 440

IVSIĆ, Radovan
Le Roi Gordogane, Éditions surréalistes, 1968. 592

JAGUER, Édouard
L'Envers de la panoplie, Éditions Syllepse, 2000. 454

JOUFFROY, Alain
« Jeter une allumette enflammée sur l'eau... » *Aube à l'antipode*, 1947, « Morceaux déchiquetés » novembre 1953, « Personne ne saura jamais » 1968, « Mise à nu du danger », *C'est aujourd'hui toujours*, 1947-1998, Gallimard, coll. « Blanche », 1999. 595

KNUTSON, Greta
« Lac de vie », « Musique lunaire du loup-garou », « Pêche lunaire », *Lunaires*, Flammarion, 1985. 580

LE BRUN, Annie
« De la femme sans tête à la femme sans jambes », 1977, repris dans *Vagit-prop, Lâchez tout* et autres textes, Ramsay J.-J. Pauvert, 1990. 143

LEGRAND, Gérard
« Sauf-conduit », « À tout rompre », *La Marche du lierre*, Éditions Joëlle Losfeld, 1969. 589

LEIRIS, Michel

« 10-11 décembre 1924 », « 16-17 décembre 1924 », *Nuits sans nuit*, Gallimard, coll. « L'Imaginaire », 2002. 702

« Une nuit », *Failles*, 1924-1934, repris dans *Haut Mal*, Gallimard, coll. « Blanche », 1990. 704

« L'homme et son intérieur », *Documents*, n° 5, 1930, repris dans *Brisées*, Mercure de France, 1966. 414

« A », *Glossaire j'y serre mes gloses*, 1939, repris dans *Mots sans mémoire*, Gallimard, coll. « L'Imaginaire », 1998. 351

LÉLY, Gilbert

« Paraphé par Belzébuth », *Arden*, 1933, repris dans *Poésies complètes*, Mercure de France, t. 1, 1990. 105

« Une jeune fille douce... », « Habillées inconnues... », « Chaque tigre échappé... », *Je ne veux pas qu'on tue cette femme*, 1936, repris dans *Poésies complètes*, Mercure de France, t. 3, 2000. 108

« Le Fiancé inquiétant », « Je ne veux pas... », « envoi à la femme 100 têtes », *Ma civilisation*, 1947. 106

LIMBOUR, Georges

« Lettre » à Michel Leiris, 1925, *Pleine Marge*, n° 5, juin 1987. 377

« Les Réverbères africains », 1929, *Soleils bas*, Gallimard, coll. « Poésie/Gallimard », 1972. 379

« Eschyle, le carnaval et les civilisés », *Documents*, n° 2, 1930, repris dans *Le Carnaval et les civilisés*, L'Élocoquent, 1986. 417

LUCA, Ghérasim

« Ma déraison d'être », « Autres secrets du vide et du plein », 1970, *Héros-Limite*, José Corti, 1985. 356

« Quart d'heure de culture métaphysique », *Le Chant de la carpe*, 1973, José Corti, 1986. 360

« Guillotinés en tête à tête », « Comment s'en sortir sans sortir », 1976, *Paralipomènes*, José Corti, 1986. 358

Tous ces poèmes sauf « Comment s'en sortir sans sortir », sont repris dans *Héros-limite*, coll. « Poésie/Gallimard », 2001.

MABILLE, Pierre
« L'œil du peintre », *Minotaure*, n° 12-13, mai 1939, repris dans *Conscience lumineuse, conscience picturale*, José Corti, 1989. 264
Le Miroir du merveilleux, Sagittaire, 1940, repris aux éditions de Minuit, 1977. 228

MAGLOIRE SAINT-AUDE, Clément
« Reflets », « Dimanche », *Dialogue de mes lampes*, 1941, « Écrit sur mon buvard », *Tabou*, 1941, « Aux exploits du poète las », « Hors des bandelettes... », *Déchu*, 1956, repris dans *O.C.*, Éditions Jean-Michel Place, 1998. 621

MANSOUR, Joyce
Carré blanc, 1965, *Phallus et momies*, 1969, repris dans *O.C.*, Actes Sud, 1991. 102
« Une feuille morte », *Histoires nocives*, 1973, *ibid*. 602

MARIËN, Marcel
« Le Paraclet noir », *Le Fait accompli*, n° 8, Bruxelles, éditions Les Lèvres nues, 1968. 329
« Aphorismes », *Les Lèvres nues*, n° 4, 1971. 329

MASSON, André
« Du haut de Montserrat », *Minotaure*, n° 8, 1936. 665
« Antille », 1943, *Martinique, charmeuse de serpents !*, 1948, repris dans André Breton, *O.C.*, t. 3, 1999. 666

MATTA
« Le Verbe “Hommérica” », éditions l'Inéditeur, 1987, repris dans *Pleine Marge*, n° 29, mai 1999. 372

MAYOUX, Jehan
« La Maison des oiseaux », *Au crible de la nuit*, GLM, 1948, repris dans *Œuvres*, éditions Peralta, Ussel, 1976. 578

MESENS, E.L.T.
Alphabet sourd aveugle, éditions Nicolas Flamel, Bruxelles, 1933. 331

« Le mieux est l'ennemi du bien », *Poèmes 1923-1958*, Le Terrain vague, 1959. 333

MITRANI, Nora
« Une solitude enchantée », 1959, repris dans *Rose au cœur violet*, Le Terrain vague Losfeld, 1988. 140

MOLINA, Enrique
« Dieux d'Amérique », *Passiones terrestres*, 1946, « Amants vagabonds », *Costumbres errantes o la redondez de la tierra*, 1951, traductions inédites Pierre Rivas, *Pleine Marge*, n° 32, déc. 2000. 495

MORO, César
« L'art de lire l'avenir », « La fenêtre de la méduse », « Adresse aux trois règnes », *Le Château de grisou*, Mexico, 1943, repris dans *Obra poetica*, 1, Lima, Pérou, éd. A. Coyné, puis *Pleine Marge*, n° 24, nov. 1996. 493

NEZVAL, Vitězslav
« Acrobate », *Le Grand Jeu*, n° 2, 1929, traduction Josef Šima, repris dans *Le Grand Jeu*, Éditions Jean-Michel Place, 1977. 512

NISHIWAKI, Juzanburô
Préface au recueil collectif *Chauffeur qui embaumes*, « Le Cerveau combustible », 1927, traduction Věra Línhartová, *Dada et le surréalisme au Japon*, Publications Orientalistes de France, 1987. 542

NOUGÉ, Paul
« Les Images défendues », *Le Surréalisme ASDLR*, n° 6, mai 1933, repris dans *Histoire de ne pas rire*, L'Âge d'Homme, Lausanne, 1980. 257

OQUENDO DE AMAT, Carlos
« Chambre des miroirs », « Poème de l'asile d'aliénés », « Réclame », *Cinq mètres de poèmes*, 1927, traduction Pierre Rivas, *Pleine Marge*, n° 29, mai 1999. 499

PAALEN, Wolfgang
« Le Grand malentendu. Art et science », revue *Dyn*, n° 3, Mexico, 1944, *Wolfgang Paalen's DYN, the complete reprint*, Vienne, Springer-Verlag, 2000. 231

PAON, Paul
La Rose parallèle, 1953-1972, dactylogramme, Cincinnati, Ohio, U.S.A., 1975. 354

PAZ, Octavio
Liberté sur parole, 1966, Gallimard, coll. « Nrf essais », 1990. 486
« Griffonnage », « Toucher », « Nuit blanche », *D'un mot à l'autre*, Gallimard, 1980. 487

PENROSE, Roland
« Balayez vos morts », 1944, traduction inédite. 532

PENROSE, Valentine
« Goa », *Herbe à la lune*, 1935, repris dans *Écrits d'une femme surréaliste*, Éditions Joëlle Losfeld, 2001. 629

PÉRET, Benjamin
Dormir dormir dans les pierres, 1927, repris dans *O.C.*, José Corti, t. 1, 1969. 348
« Cou tordu », *Le Grand Jeu, n° 1*, 1928, *ibid*. 350
Le Déshonneur des poètes, Mexico, 1945, repris dans *O.C.*, José Corti, t. 7, 1995. 93
« Le Noyau de la comète », *Anthologie de l'amour sublime*, 1956, *ibid*. 126

PICABIA, Francis
« Entracte d'une minute », « Tout est poison excepté nos habitudes », « Phénomènes », « La justice des hommes est plus criminelle que le crime », *Jésus-Christ rastaquouère*, 1920, Allia, 1996. 322

PICASSO, Pablo
Le Désir attrapé par la queue, 1943, Gallimard, coll. « L'Imaginaire », 1995. 109

PIERRE, José
« *Hara Kiri...* », *Le Vaisseau amiral, Bonjour mon œil, Hara Kiri*, Les Lettres Nouvelles, 1969. 294

PIEYRE DE MANDIARGUES, André
« L'œuf dans le paysage », *Dans les années sordides*, 1949, repris dans *L'Âge de craie*, Gallimard, coll. « Poésie/Gallimard », 1967. 667

PRASSINOS, Gisèle
« Resquillage » après 1944, « Une défense armée » 1934, « Qualités d'apôtre » après 1944, « Un acacia dangereux » 1934, repris dans *Trouver sans chercher*, Flammarion, 1976. 365

PRÉVERT, Jacques
« J'en ai vu plusieurs... », *Paroles*, 1945, repris dans *O.C.*, Gallimard, coll. « Bibliothèque de la Pléiade », t. 1, 1992. 347

QUENEAU, Raymond
Texte surréaliste, 1925, dans *O.C.*, Gallimard, coll. « Bibliothèque de la Pléiade », t. 1, 1989. 457
« Le Tour de l'ivoire », *La Révolution surréaliste*, n° 9-10, oct. 1927, *ibid*. 459

RAHON, Alice
« Mélusine », « Le pays de Paalen », années 1960, inédits, *Pleine Marge*, n° 4, déc. 1986. 624

RAY, Man
« L'Âge de la lumière », *Minotaure*, n° 3-4, 1933. 216

REICH, Zdenko
« Préface à une étude sur la métaphore », *Le Surréalisme ASDLR*, n° 6, mai 1933. 250

RIGAUT, Jacques
« Je serai sérieux comme le plaisir... », *Littérature*, n° 17, déc. 1920, repris dans *Écrits*, Gallimard, coll. « Blanche », 1970. 318

RISTIĆ, Marco
« L'Humour, attitude morale », *Le Surréalisme ASDLR*, n° 6, mai 1933. 283

RODANSKI, Stanislas
« À perte de vue », « La nuit verticale », « ASTU-qui-plus-est », 1948, repris dans *Écrits sous le signe du soleil noir*, Christian Bourgois, 1999. 625

SAVINIO, Alberto
« Socrate », entre 1932 et 1935, traduction Monique Bacelli, *Dix procès*, Allia, 2001. 536

SCHÉHADÉ, Georges
« Les jets d'eau », « Les gargoulettes après la sieste... », « Ex-voto », « J'écris au Capitaine Bob'le... », « Guitare d'un mardi-gras... », *L'Écolier sultan*, 1950, repris dans *L'Écolier sultan* suivi de *Rodogune Sinne*, Gallimard, coll. « Blanche », 1973. 362

SCHUSTER, Jean
« Le quatrième chant », *Le Monde*, 1969, repris dans *Tracts surréalistes et déclarations collectives*, Le Terrain vague, t. 2, 1982. 89

SCUTENAIRE, Louis
« C'est beau les fleurs, c'est rouge », extraits, *Rhétorique*, n° 13, fév. 1966, Bruxelles. 330

SOUPAULT, Philippe
« La glace sans tain », 1919, repris dans André Breton et Philippe Soupault, *Les Champs magnétiques*, Gallimard, coll. « Poésie/Gallimard », 1971. 631
« À louer », « Dimanche », *Rose des vents*, 1919. 346
Westwego, 1917-1922. 635
« Dernières cartouches », *Georgia*, 1926. 344
« Cruz Alta », « Estuaire », *Georgia*, 1926. 639
« Jours de pluie, jours de sang... », *Message de l'île déserte*, 1942-1944. 643
« Reminiscencias de Mexico », *Sans phrases*, 1953. 645
Tous ces poèmes sont repris dans *Georgia, Épitaphes, Chansons*, Poésie/Gallimard, 1985.

TAKIGUCHI Shûzô
« La Création de la terre », 1928, traduction Věra Línhartová, *Dada et le surréalisme au Japon*, Publications Orientalistes de France, 1987. 546

THIRION, André
« Note sur l'argent », *La Révolution surréaliste*, n° 12, déc. 1929. 64

TZARA, Tristan
Vingt-cinq poèmes, 1918, repris dans *O.C.*, Flammarion, t. 1, 1975. 325
« Avant que la nuit... », *Le Surréalisme ASDLR*, n° 1, 1930, repris dans *O.C.*, Flammarion, t. 2, 1977. 37
« Essai sur la situation de la poésie », *Le Surréalisme ASDLR*, n° 4, déc. 1931, repris dans *O.C.*, Flammarion t. 7. 194
« Chant VII », *L'Homme approximatif*, 1931, repris dans *O.C.*, t. 2, p. 104-106. 714
« Grains et issues », *Le Surréalisme ASDLR*, n° 6, 1933, repris dans *O.C.*, Flammarion, t. 3, 1979, p. 9-10. 712

VACHÉ, Jacques
« Lettre du 11 octobre 1916 », à André Breton, dans A. Cravan, J. Rigaut, J. Vaché, *Trois suicidés de la société*, UGE, coll. « 10-18 », 1974. 316

VALENTINE [Boué], voir PENROSE, Valentine

VALÉRY, Paul
« Notes sur la poésie », *Commerce*, été 1929. 399

VAN HIRTUM, Marianne
Poèmes (sans titres), *Les Insolites*, Gallimard, coll. « Métamorphoses », 1956. 586

VITRAC, Roger
« Poison », *Littérature*, n° 8, nouvelle série, 1923. 224
L'Enlèvement des Sabines, 1930, Déyrolle, 1990. 670

WESTPHALEN, Emilio Adolfo
« Le Retour de la déesse d'ambre », 1988, *Pleine Marge*, n° 10, déc. 1989, traduction inédite Claudine Fitte et Daniel Lefort, revue par l'auteur. 501
« Faux rituels et autres fariboles », 1994, *Pleine Marge*, n° 24, nov. 1996, traduction inédite Daniel Lefort. 503

ZÜRN, Unica
« Vacances à Maison-Blanche », 1957, traduction Ruth Henry, Éditions Joëlle Losfeld, 2000. 520
Quatre anagrammes, 1959, dans *Approche d'Unica Zürn*, traduction Gabrielle Noss et Marcelle Fronfreide, édition Le Nouveau Commerce, 1981. 369

TEXTES COLLECTIFS

« La glace sans tain », Les *Champs magnétiques*, 1919, par André Breton et Philippe Soupault. 631

152 proverbes mis au goût du jour, Paul Éluard en collaboration avec Benjamin Péret, 1925, repris dans Paul Éluard, *O.C.*, Gallimard, coll. « Bibliothèque de la Pléiade », t. 1, 1968. 314

Procès-verbal de l'A.G. du 7 octobre 1925, consigné dans Michel Leiris, *Journal 1922-1989*, Gallimard, coll. « Blanche », 1992. 55

« Notes sur la poésie », André Breton et Paul Éluard, *La Révolution surréaliste*, n° 12, 1929, pour la partie titrée *La Poésie*, reprise dans les *O.C.* de chacun des auteurs. 398

Ralentir travaux, 1930, par André Breton, René Char, Paul Éluard, repris notamment dans André Breton, *O.C.*, Gallimard, coll. « Bibliothèque de la Pléiade », t. 3, 1999. 726

« Le Dialogue créole », entre André Breton et André Masson, 1942, *Martinique, charmeuse de serpents !*, 1948, repris dans André Breton, *O.C.*, t. 3, 1999. 729

Tracts surréalistes et déclarations collectives, José Pierre, éd. Losfeld, t. 1, 1980, t. 2, 1982.
« Les travailleurs intellectuels... », 1925, t. 1. 34
« La Révolution d'abord et toujours », 1925, *ibid.* 51
« Du temps que les surréalistes... », 1935, *ibid.* 78
« Contre-Attaque », 1935, *ibid.* 85

TABLE DES MATIÈRES

Préface de Werner Spies traduite de l'allemand par Jean Torrent — I

Introduction : Pour dire « Il y aura une fois » — 9

I. Sciences morales et politiques — 29
« Mais où sont les neiges de demain ? » — 31
« Le Désir attrapé par la queue » — 97

II. « Imagination n'est pas don mais par excellence objet de conquête » — 149

III. Hasard objectif, nécessité du mythe, humour noir — 245

IV. « À fourneau vert, chameau bleu » — 311

V. Contreforts et bois de traverse — 403

VI. « L'imagination n'a pas à s'humilier devant la vie » Poésie traduite de quelques langues non françaises — 481
Langues espagnole — 485
Langues d'Europe centrale et orientale : domaine serbe, domaine tchèque, domaine allemand, domaine grec — 511

Angleterre 527
Italie 534
Japon 541

VII. « La promesse d'un magnifique torrent » 549
Échos et cris lointains 553
Grandes lignes 583
« De l'eau l'eau vive sous les bois » 604
Poètes sans patente 631
Points d'orgue 678

Index des textes cités, par auteur 731

COLLECTION FOLIO

Dernières parutions

3642. J.B. Pontalis — *Fenêtres.*
3643. Abdourahman A. Waberi — *Balbala.*
3644. Alexandre Dumas — *Le Collier de la reine.*
3645. Victor Hugo — *Notre-Dame de Paris.*
3646. Hector Bianciotti — *Comme la trace de l'oiseau dans l'air.*
3647. Henri Bosco — *Un rameau de la nuit.*
3648. Tracy Chevalier — *La jeune fille à la perle.*
3649. Rich Cohen — *Yiddish Connection.*
3650. Yves Courrière — *Jacques Prévert.*
3651. Joël Egloff — *Les Ensoleillés.*
3652. René Frégni — *On ne s'endort jamais seul.*
3653. Jérôme Garcin — *Barbara, claire de nuit.*
3654. Jacques Lacarrière — *La légende d'Alexandre.*
3655. Susan Minot — *Crépuscule.*
3656. Erik Orsenna — *Portrait d'un homme heureux.*
3657. Manuel Rivas — *Le crayon du charpentier.*
3658. Diderot — *Les Deux Amis de Bourbonne.*
3659. Stendhal — *Lucien Leuwen.*
3660. Alessandro Baricco — *Constellations.*
3661. Pierre Charras — *Comédien.*
3662. François Nourissier — *Un petit bourgeois.*
3663. Gérard de Cortanze — *Hemingway à Cuba.*
3664. Gérard de Cortanze — *J. M. G. Le Clézio.*
3665. Laurence Cossé — *Le Mobilier national.*
3666. Olivier Frébourg — *Maupassant, le clandestin.*
3667. J.M.G. Le Clézio — *Cœur brûle* et autres romances.
3668. Jean Meckert — *Les coups.*
3669. Marie Nimier — *La Nouvelle Pornographie.*
3670. Isaac B. Singer — *Ombres sur l'Hudson.*
3671. Guy Goffette — *Elle, par bonheur, et toujours nue.*
3672. Victor Hugo — *Théâtre en liberté.*
3673. Pascale Lismonde — *Les arts à l'école. Le Plan de*

	Jack Lang et Catherine Tasca.
3674. Collectif	*« Il y aura une fois ». Une anthologie du Surréalisme.*
3675. Antoine Audouard	*Adieu, mon unique.*
3676. Jeanne Benameur	*Les Demeurées.*
3677. Patrick Chamoiseau	*Écrire en pays dominé.*
3678. Erri De Luca	*Trois chevaux.*
3679. Timothy Findley	*Pilgrim.*
3680. Christian Garcin	*Le vol du pigeon voyageur.*
3681. William Golding	*Trilogie maritime, 1. Rites de passage.*
3682. William Golding	*Trilogie maritime, 2. Coup de semonce.*
3683. William Golding	*Trilogie maritime, 3. La cuirasse de feu.*
3684. Jean-Noël Pancrazi	*Renée Camps.*
3686. Jean-Jacques Schuhl	*Ingrid Caven.*
3687. *Positif*, revue de cinéma	*Alain Resnais.*
3688. Collectif	*L'amour du cinéma. 50 ans de la revue* Positif.
3689. Alexandre Dumas	*Pauline.*
3690. Le Tasse	*Jérusalem libérée.*
3691. Roberto Calasso	*la ruine de Kasch.*
3692. Karen Blixen	*L'éternelle histoire.*
3693. Julio Cortázar	*L'homme à l'affût.*
3694. Roald Dahl	*L'invité.*
3695. Jack Kerouac	*Le vagabond américain en voie de disparition.*
3696. Lao-tseu	*Tao-tö king.*
3697. Pierre Magnan	*L'arbre.*
3698. Marquis de Sade	*Ernestine. Nouvelle suédoise.*
3699. Michel Tournier	*Lieux dits.*
3700. Paul Verlaine	*Chansons pour elle* et autres poèmes érotiques.
3701. Collectif	*« Ma chère maman... »*
3702. Junichirô Tanizaki	*Journal d'un vieux fou.*
3703. Théophile Gautier	*Le capitaine Fracassse.*
3704. Alfred Jarry	*Ubu roi.*
3705. Guy de Maupassant	*Mont-Oriol.*
3706. Voltaire	*Micromégas. L'Ingénu.*

3707. Émile Zola	*Nana.*
3708. Émile Zola	*Le Ventre de Paris.*
3709. Pierre Assouline	*Double vie.*
3710. Alessandro Baricco	*Océan mer.*
3711. Jonathan Coe	*Les Nains de la Mort.*
3712. Annie Ernaux	*Se perdre.*
3713. Marie Ferranti	*La fuite aux Agriates.*
3714. Norman Mailer	*Le Combat du siècle.*
3715. Michel Mohrt	*Tombeau de La Rouërie.*
3716. Pierre Pelot	*Avant la fin du ciel.*
3718. Zoé Valdès	*Le pied de mon père.*
3719. Jules Verne	*Le beau Danube jaune.*
3720. Pierre Moinot	*Le matin vient et aussi la nuit.*
3721. Emmanuel Moses	*Valse noire.*
3722. Maupassant	*Les Sœurs Rondoli* et autres nouvelles.
3723. Martin Amis	*Money, money.*
3724. Gérard de Cortanze	*Une chambre à Turin.*
3725. Catherine Cusset	*La haine de la famille.*
3726. Pierre Drachline	*Une enfance à perpétuité.*
3727. Jean-Paul Kauffmann	*La Lutte avec l'Ange.*
3728. Ian McEwan	*Amsterdam.*
3729. Patrick Poivre d'Arvor	*L'Irrésolu.*
3730. Jorge Semprun	*Le mort qu'il faut.*
3731. Gilbert Sinoué	*Des jours et des nuits.*
3732. Olivier Todd	*André Malraux. Une vie.*
3733. Christophe de Ponfilly	*Massoud l'Afghan.*
3734. Thomas Gunzig	*Mort d'un parfait bilingue.*
3735. Émile Zola	*Paris.*
3736. Félicien Marceau	*Capri petite île.*
3737. Jérôme Garcin	*C'était tous les jours tempête.*
3738. Pascale Kramer	*Les Vivants.*
3739. Jacques Lacarrière	*Au cœur des mythologies.*
3740. Camille Laurens	*Dans ces bras-là.*
3741. Camille Laurens	*Index.*
3742. Hugo Marsan	*Place du Bonheur.*
3743. Joseph Conrad	*Jeunesse.*
3744. Nathalie Rheims	*Lettre d'une amoureuse morte.*
3745. Bernard Schlink	*Amours en fuite.*
3746. Lao She	*La cage entrebâillée.*
3747. Philippe Sollers	*La Divine Comédie.*

3748. François Nourissier *Le musée de l'Homme.*
3749. Norman Spinrad *Les miroirs de l'esprit.*
3750. Collodi *Les Aventures de Pinocchio.*
3751. Joanne Harris *Vin de bohème.*
3752. Kenzaburô Ôé *Gibier d'élevage.*
3753. Rudyard Kipling *La marque de la Bête.*
3754. Michel Déon *Une affiche bleue et blanche.*
3755. Hervé Guibert *La chair fraîche.*
3756. Philippe Sollers *Liberté du XVIIIème.*
3757. Guillaume Apollinaire *Les Exploits d'un jeune don Juan.*
3758. William Faulkner *Une rose pour Emily* et autres nouvelles.
3759. Romain Gary *Une page d'histoire.*
3760. Mario Vargas Llosa *Les chiots.*
3761. Philippe Delerm *Le Portique.*
3762. Anita Desai *Le jeûne et le festin.*
3763. Gilles Leroy *Soleil noir.*
3764. Antonia Logue *Double cœur.*
3765. Yukio Mishima *La musique.*
3766. Patrick Modiano *La Petite Bijou.*
3767. Pascal Quignard *La leçon de musique.*
3768. Jean-Marie Rouart *Une jeunesse à l'ombre de la lumière.*
3769. Jean Rouaud *La désincarnation.*
3770. Anne Wiazemsky *Aux quatre coins du monde.*
3771. Lajos Zilahy *Le siècle écarlate. Les Dukay.*
3772. Patrick McGrath *Spider.*
3773. Henry James *Le Banc de la désolation.*
3774. Katherine Mansfield *La Garden-Party* et autres nouvelles.
3775. Denis Diderot *Supplément au Voyage de Bougainville.*
3776. Pierre Hebey *Les passions modérées.*
3777. Ian McEwan *L'Innocent.*
3778. Thomas Sanchez *Le Jour des Abeilles.*
3779. Federico Zeri *J'avoue m'être trompé. Fragments d'une autobiographie.*
3780. François Nourissier *Bratislava.*
3781. François Nourissier *Roman volé.*
3782. Simone de Saint-Exupéry *Cinq enfants dans un parc.*

3783. Richard Wright — *Une faim d'égalité.*
3784. Philippe Claudel — *J'abandonne.*
3785. Collectif — *« Leurs yeux se rencontrèrent... ». Les plus belles premières rencontres de la littérature.*
3786. Serge Brussolo — *« Trajets et itinéraires de l'oubli ».*
3787. James M. Cain — *Faux en écritures.*
3788. Albert Camus — *Jonas ou l'artiste au travail* suivi de *La pierre qui pousse.*
3789. Witold Gombrovicz — *Le festin chez la comtesse Fritouille* et autres nouvelles.
3790. Ernest Hemingway — *L'étrange contrée.*
3791. E. T. A Hoffmann — *Le Vase d'or.*
3792. J. M. G. Le Clezio — *Peuple du ciel* suivi de *Les Bergers.*
3793. Michel de Montaigne — *De la vanité.*
3794. Luigi Pirandello — *Première nuit et autres nouvelles.*
3795. Laure Adler — *À ce soir.*
3796. Martin Amis — *Réussir.*
3797. Martin Amis — *Poupées crevées.*
3798. Pierre Autin-Grenier — *Je ne suis pas un héros.*
3799. Marie Darrieussecq — *Bref séjour chez les vivants.*
3800. Benoît Duteurtre — *Tout doit disparaître.*
3801. Carl Friedman — *Mon père couleur de nuit.*
3802. Witold Gombrowicz — *Souvenirs de Pologne.*
3803. Michel Mohrt — *Les Nomades.*
3804. Louis Nucéra — *Les Contes du Lapin Agile.*
3805. Shan Sa — *La joueuse de go.*
3806. Philippe Sollers — *Éloge de l'infini.*
3807. Paule Constant — *Un monde à l'usage des Demoiselles.*
3808. Honoré de Balzac — *Un début dans la vie.*
3809. Christian Bobin — *Ressusciter.*
3810. Christian Bobin — *La lumière du monde.*
3811. Pierre Bordage — *L'Évangile du Serpent.*
3812. Raphaël Confiant — *Brin d'amour.*
3813. Guy Goffette — *Un été autour du cou.*
3814. Mary Gordon — *La petite mort.*

3815. Angela Huth	*Folle passion.*
3816. Régis Jauffret	*Promenade.*
3817. Jean d'Ormesson	*Voyez comme on danse.*
3818. Marina Picasso	*Grand-père.*
3819. Alix de Saint-André	*Papa est au Panthéon.*
3820. Urs Widmer	*L'homme que ma mère a aimé.*
3821. George Eliot	*Le Moulin sur la Floss.*
3822. Jérôme Garcin	*Perspectives cavalières.*
3823. Frédéric Beigbeder	*Dernier inventaire avant liquidation.*
3824. Hector Bianciotti	*Une passion en toutes Lettres.*
3825. Maxim Biller	*24 heures dans la vie de Mordechaï Wind.*
3826. Philippe Delerm	*La cinquième saison.*
3827. Hervé Guibert	*Le mausolée des amants.*
3828. Jhumpa Lahiri	*L'interprète des maladies.*
3829. Albert Memmi	*Portrait d'un Juif.*
3830. Arto Paasilinna	*La douce empoisonneuse.*
3831. Pierre Pelot	*Ceux qui parlent au bord de la pierre (Sous le vent du monde, V).*
3832. W.G Sebald	*Les émigrants.*
3833. W.G Sebald	*Les Anneaux de Saturne.*
3834. Junichirô Tanizaki	*La clef.*
3835. Cardinal de Retz	*Mémoires.*
3836. Driss Chraïbi	*Le Monde à côté.*
3837. Maryse Condé	*La Belle Créole.*
3838. Michel del Castillo	*Les étoiles froides.*
3839. Aïssa Lached-Boukachache	*Plaidoyer pour les justes.*
3840. Orhan Pamuk	*Mon nom est Rouge.*
3841. Edwy Plenel	*Secrets de jeunesse.*
3842. W. G. Sebald	*Vertiges.*
3843. Lucienne Sinzelle	*Mon Malagar.*
3844. Zadie Smith	*Sourires de loup.*
3845. Philippe Sollers	*Mystérieux Mozart.*
3846. Julie Wolkenstein	*Colloque sentimental.*
3847. Anton Tchékhov	*La Steppe. Salle 6. L'Évêque.*
3848. Alessandro Baricco	*Châteaux de la colère.*
3849. Pietro Citati	*Portraits de femmes.*
3850. Collectif	*Les Nouveaux Puritains.*

3851.	Maurice G. Dantec	*Laboratoire de catastrophe générale.*
3852.	Bo Fowler	*Scepticisme & Cie.*
3853.	Ernest Hemingway	*Le jardin d'Éden.*
3854.	Philippe Labro	*Je connais gens de toutes sortes.*
3855.	Jean-Marie Laclavetine	*Le pouvoir des fleurs.*
3856.	Adrian C. Louis	*Indiens de tout poil et autres créatures.*
3857.	Henri Pourrat	*Le Trésor des contes.*
3858.	Lao She	*L'enfant du Nouvel An.*
3859.	Montesquieu	*Lettres Persanes.*
3860.	André Beucler	*Gueule d'Amour.*
3861.	Pierre Bordage	*L'Évangile du Serpent.*
3862.	Edgar Allan Poe	*Aventure sans pareille d'un certain Hans Pfaal.*
3863.	Georges Simenon	*L'énigme de la* Marie-Galante.
3864.	Collectif	*Il pleut des étoiles...*
3865.	Martin Amis	*L'état de L'Angleterre.*
3866.	Larry Brown	*92 jours.*
3867.	Shûsaku Endô	*Le dernier souper.*
3868.	Cesare Pavese	*Terre d'exil.*
3869.	Bernhard Schlink	*La circoncision.*
3870.	Voltaire	*Traité sur la Tolérance.*
3871.	Isaac B. Singer	*La destruction de Kreshev.*
3872.	L'Arioste	*Roland furieux I.*
3873.	L'Arioste	*Roland furieux II.*
3874.	Tonino Benacquista	*Quelqu'un d'autre.*
3875.	Joseph Connolly	*Drôle de bazar.*
3876.	William Faulkner	*Le docteur Martino.*
3877.	Luc Lang	*Les Indiens.*
3878.	Ian McEwan	*Un bonheur de rencontre.*
3879.	Pier Paolo Pasolini	*Actes impurs.*
3880.	Patrice Robin	*Les muscles.*
3881.	José Miguel Roig	*Souviens-toi, Schopenhauer.*
3882.	José Sarney	*Saraminda.*
3883.	Gilbert Sinoué	*À mon fils à l'aube du troisième millénaire.*
3884.	Hitonari Tsuji	*La lumière du détroit.*
3885.	Maupassant	*Le Père Milon.*
3886.	Alexandre Jardin	*Mademoiselle Liberté.*

3887.	Daniel Prévost	*Coco belles-nattes.*
3888.	François Bott	*Radiguet. L'enfant avec une canne.*
3889.	Voltaire	*Candide ou l'Optimisme.*
3890.	Robert L. Stevenson	*L'Étrange Cas du docteur Jekyll et de M. Hyde.*
3891.	Daniel Boulanger	*Talbard.*
3892.	Carlos Fuentes	*Les années avec Laura Díaz.*
3894.	André Dhôtel	*Idylles.*
3895.	André Dhôtel	*L'azur.*
3896.	Ponfilly	*Scoops.*
3897.	Tchinguiz Aïtmatov	*Djamilia.*
3898.	Julian Barnes	*Dix ans après.*
3899.	Michel Braudeau	*L'interprétation des singes.*
3900.	Catherine Cusset	*À vous.*
3901.	Benoît Duteurtre	*Le voyage en France.*
3902.	Annie Ernaux	*L'occupation.*
3903.	Romain Gary	*Pour Sgnanarelle.*
3904.	Jack Kerouac	*Vraie blonde, et autres.*
3905.	Richard Millet	*La voix d'alto.*
3906.	Jean-Christophe Rufin	*Rouge Brésil.*
3907.	Lian Hearn	*Le silence du rossignol.*
3908.	Kaplan	*Intelligence.*
3909.	Ahmed Abodehman	*La ceinture.*
3910.	Jules Barbey d'Aurevilly	*Les diaboliques.*
3911.	George Sand	*Lélia.*
3912.	Amélie de Bourbon Parme	*Le sacre de Louis XVII.*
3913.	Erri de Luca	*Montedidio.*
3914.	Chloé Delaume	*Le cri du sablier.*
3915.	Chloé Delaume	*Les mouflettes d'Atropos.*
3916.	Michel Déon	*Taisez-vous... J'entends venir un ange.*
3917.	Pierre Guyotat	*Vivre.*
3918.	Paula Jacques	*Gilda Stambouli souffre et se plaint.*
3919.	Jacques Rivière	*Une amitié d'autrefois.*
3920.	Patrick McGrath	*Martha Peake.*
3921.	Ludmila Oulitskaia	*Un si bel amour.*
3922.	J.-B. Pontalis	*En marge des jours.*
3923.	Denis Tillinac	*En désespoir de causes.*

3924. Jerome Charyn — *Rue du Petit-Ange.*
3925. Stendhal — *La Chartreuse de Parme.*
3926. Raymond Chandler — *Un mordu.*
3927. Collectif — *Des mots à la bouche.*
3928. Carlos Fuentes — *Apollon et les putains.*
3929. Henry Miller — *Plongée dans la vie nocturne.*
3930. Vladimir Nabokov — *La Vénitienne* précédé d'*Un coup d'aile.*
3931. Ryûnosuke Akutagawa — *Rashômon* et autres contes.
3932. Jean-Paul Sartre — *L'enfance d'un chef.*
3933. Sénèque — *De la constance du sage.*
3934. Robert Louis Stevenson — *Le club du suicide.*
3935. Edith Wharton — *Les lettres.*
3936. Joe Haldeman — *Les deux morts de John Speidel.*
3937. Roger Martin du Gard — *Les Thibault I.*
3938. Roger Martin du Gard — *Les Thibault II.*
3939. François Armanet — *La bande du drugstore.*
3940. Roger Martin du Gard — *Les Thibault III.*
3941. Pierre Assouline — *Le fleuve Combelle.*
3942. Patrick Chamoiseau — *Biblique des derniers gestes.*
3943. Tracy Chevalier — *Le récital des anges.*
3944. Jeanne Cressanges — *Les ailes d'Isis.*
3945. Alain Finkielkraut — *L'imparfait du présent.*
3946. Alona Kimhi — *Suzanne la pleureuse.*
3947. Dominique Rolin — *Le futur immédiat.*
3948. Philip Roth — *J'ai épousé un communiste.*
3949. Juan Rulfo — *Llano en flammes.*
3950. Martin Winckler — *Légendes.*
3951. Fédor Dostoievski — *Humiliés et offensés.*
3952. Alexandre Dumas — *Le Capitaine Pamphile.*
3953. André Dhôtel — *La tribu Bécaille.*
3954. André Dhôtel — *L'honorable Monsieur Jacques.*
3955. Diane de Margerie — *Dans la spirale.*
3956. Serge Doubrovski — *Le livre brisé.*
3957. La Bible — *Genèse.*
3958. La Bible — *Exode.*
3959. La Bible — *Lévitique-Nombres.*
3960. La Bible — *Samuel.*

Composition Nord Compo.
Impression Société Nouvelle Firmin-Didot
à Mesnil-sur-l'Estrée, le 5 mars 2004.
Dépôt légal : mars 2004.
1er dépôt légal dans la collection : avril 2002.
Numéro d'imprimeur : 67495.
ISBN 2-07-042140-6/Imprimé en France.

127011